JN056597

日建学院

令和7年度版
（2025年度版）

1級
建築士

要点整理と
項目別ポイント問題

令和6年本試験問題・解答付

2025

各科目の最後に、チャレンジ問題として、令和６年本試験問題を掲載しています。また、科目によっては章のポイントになる部分に本試験と同様の形式（四枝択一）にて、問題を掲載しています。
実際の本試験においては、『**適用すべき法令**については、**その年の１月１日**現在において施行されているものとする』旨の記述が問題の表紙に記載されています。
しかし、本書においては、受験生の皆様の試験対策のために、試験出題以降の法令及び各種基準の改正を受け、問題及び解答・解説が**現行の規定に適合するよう、日建学院教材研究会が独自に改訂を加え、最新の法令及び各種基準に適合した内容**としています。
本書において**適用すべき法令**については、**令和７年１月１日**現在において施行されているものとしています。また、建築基準法令に定める「構造方法等の認定」、「耐火性能検証法」、「防火区画検証法」、「区画避難安全検証法」、「階避難安全検証法」及び「全館避難安全検証法」の適用については、問題の文章中に**特に記述がない場合にあっては考慮しない**ものとします。
なお、四枝択一問題については、改訂を加えた問題については「改」を付しています。

はじめに

■　建築士試験は過去問題の征服が合格の条件

1級建築士試験の出題を分析すると、その70%以上は過去問題と類似問題（過去問題を正誤逆にした問題、2枝で1枝にした問題、数値を変えた問題等）で構成されています（日建学院の分析結果）。

1級建築士に必要と考えられる知識を問う問題が毎年出題されるのですから、これは当然のことであり、また、資格試験である以上、過去の傾向、レベルを大きく外れるような問題は出題されません。これは今後も同様と考えて間違いないでしょう。

■　繰り返し学習が合格への近道

過去問題集をやって、「できた」「できなかった」と結果だけで判断するのはあまり意味があるといえません。過去問題を解く第一の目的は、自分の弱点を発見すること、克服することにあり、間違えた問題こそが自分の弱点そのものだからです。

合格のために必要なのは、なんといっても「繰り返し」です。「繰り返し」によって問題の解き方が徐々に身についてくるとともに、新たな発見があり、学習の楽しみが湧いてくるものです。

本試験までに本書を繰り返し解くことが、合理的で、かつ、効果的な学習方法であり、合格への最短距離となります。

■　本書のねらい

本書は、過去に出題された試験問題の中から、出題頻度が高く、また、重要と思われる設問枝･計算問題等を厳選し、分野別に編集したものです。「要点の整理」と「項目別のポイントを理解」することができる内容になっています。

本書には、各問題にチェック欄 check □□□ を設けています。1回解くごとに結果（正誤）を○×で記入し、間違えた問題は解説を再度確認する等して、繰り返し学習するようにして下さい。

本書の内容を繰り返し学習することで、試験における出題頻度の高い出題内容を理解し、学科試験に合格されますよう、心よりお祈り申し上げます。

日建学院教材研究会

※別売の、過去7年間の本試験問題を年度順に編集した『**1級建築士過去問題集チャレンジ7**』及び、過去問題500問と最新の令和6年試験問題125問を分野別に編集した『**1級建築士分野別問題集500＋125**』を併用することで、より一層理解を深めることができます。

令和７年度版　１級建築士

要点整理と項目別ポイント問題

目　　次

学科Ⅰ　計　　画

学科Ⅱ　環境・設備

学科Ⅲ　法　　規

学科Ⅳ　構　　造

学科Ⅴ　施　　工

一級建築士試験日程（令和６年の例）

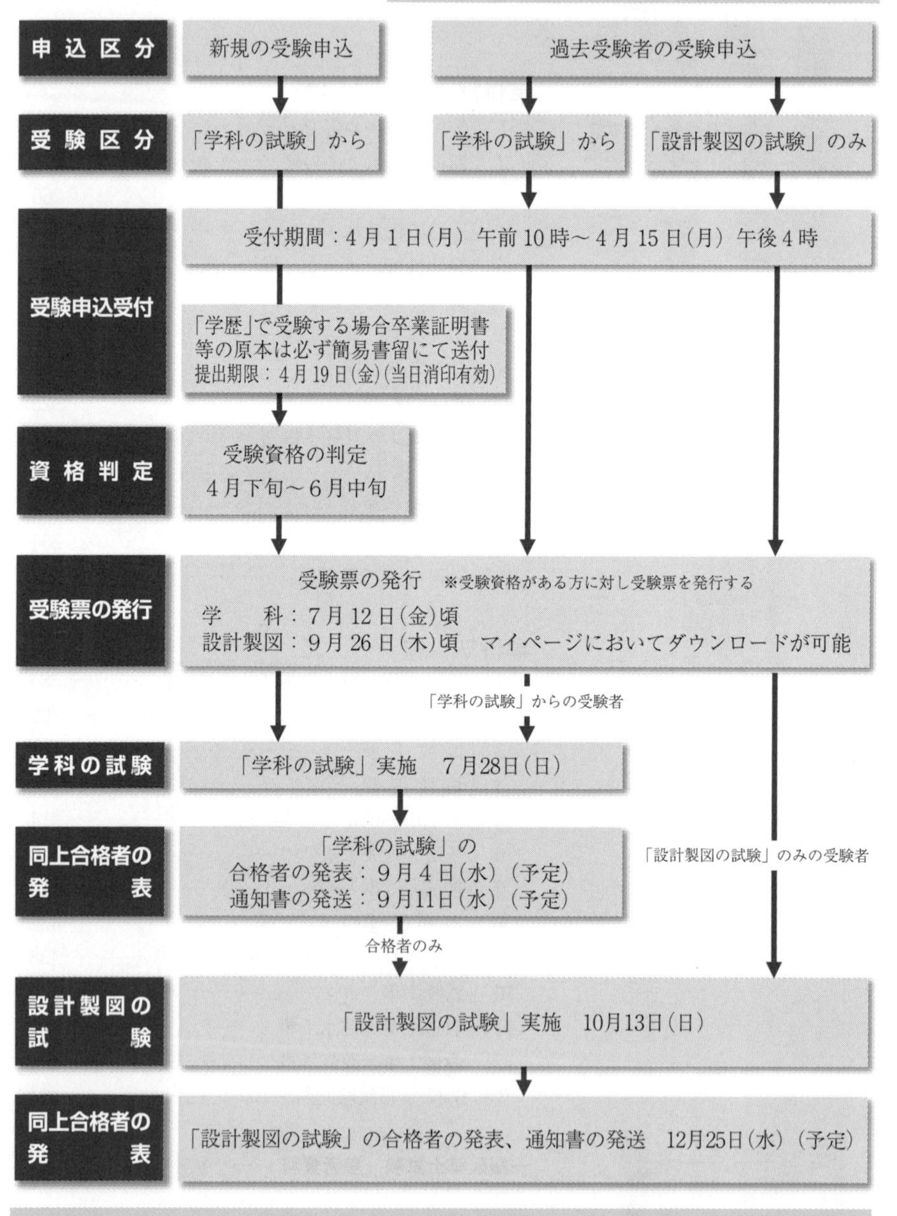

※日程及び申込み等の詳細については、**（公財）建築技術教育普及センターホームページ**（https://www.jaeic.or.jp/）をご参照下さい。

学科Ⅰ　計　画

●計　画　出題一覧（直近10年間）●

分類項目			平27	平28	平29	平30	令元	令2	令3	令4	令5	令6
建築計画各論	建築基本計画		2	2	1	1	3		2	4		3
	住宅建築計画		2	2	2	1	2	2		2	2	2
	公共建築計画		2	2	3	3	4	4	4	3	3	3
	商業建築計画		1	2	1	2	1	2	1		2	1
	公共・商業建築計画融合		1	1	2	1	1	1	1		1	1
	建築計画一般	高齢者・障害者等に配慮した計画	1	1	2	3	1	2	1	1	1	1
		細部計画	1	2		1	1	1	2	2	3	1
	建築積算		1	1	1	1	1	1	1	1	1	1
	建築生産	モデュール	1									
		建築士の職責・業務	1	1	1	1		1		1	1	1
		設計・工事監理等	1	1	1	1	1	1	1	1	1	1
		マネジメント	1	1	1	1	1	1	1	1	1	1
都市計画			2	2	3	2	2	2	3	3	3	2
建築史			3	2	2	2	2	2	3	1	1	2
合計			20	20	20	20	20	20	20	20	20	20

Check Point 1

住宅・集合住宅

❶ 住　宅

1．計画の基本

- **食寝分離**(食事室と寝室)・**就寝分離**(夫婦、子供用)
- 居室 ⇨ **東面～南面**が適当である。
- 構造、冷暖房の効率の点から単純な形がよい。
- 動線は短く単純化する。

2．高齢者・車椅子使用者への配慮

① 快適な生活環境

- 日照、通風がよい位置に、また近くに浴室、便所を設ける。
- 就寝スペースとリビングスペースを設ける。

② 安全性

- 床は滑りにくい仕上げとし、**段差**を設けない。
- 廊下の有効幅は**78cm**(推奨85cm)以上とすることが望ましい。また、床面からの高さ75cm程度の手すりを設ける。
- 階段は緩勾配とし、踏面からの高さ**70～90cm**程度の手すりを設ける。
- 出入口は**外開き**または**横引き**とする。
- 車いす用の洗面台の高さ－75cm程度、浴槽の縁の高さ－40～45cm程度

❷ 集合住宅

① 住戸形式による分類

- **テラスハウス**－各戸に専用の庭を持つ低層連続住宅。
- **タウンハウス**－共用(コモン)の庭、遊歩道、運動施設等の空間を持つ中高密度の低層連続住宅。

② 通路形式による分類

階段室型	●階段、ＥＶのあるホールに各住戸を結んだ形式。
	●採光、通風、プライバシーが確保されやすい。 ●中層程度のＥＶの設置は効率が悪い。
片廊下型	●片側に廊下を配し各住戸を結んだ形式。
	●各住戸の居住性は均等だが、プライバシーが保ちにくい。 ●良好なコミュニティを形成するために、廊下側に居間、食事室を設けたものをリビングアクセス型という。
中廊下型	●廊下の両側に各住戸を配した形式。
	●敷地に対する密度、空調設備の効率が高い。 ●採光、通風、プライバシー等の居住性が劣る。

ツインコリダー型	●中央に吹抜けを設け、片廊下型を並列させた形式。
	●中廊下型に比べ通風、換気、各住戸の独立性がよい。 ●通路面積が大きくなりやすい。
集　中（ホール）型	●階段・ＥＶを中央に配し、各住戸を結んだ形式。
	●敷地に対する密度が高い。 ●住戸の日照、通風条件が異なる。２方向避難の計画が難しい。
スキップフロア型	● 1、2層おきに廊下を設けＥＶは廊下のある階にだけ停止する形式。
	●廊下のない階のプライバシーを確保できる。共用面積を小さくできる。 ●ＥＶの停止しない階の住戸では、動線が長くなる。避難計画が難しい。

3 バルコニー

① 役割 ⇨ 室内空間の延長、上下階間のプライバシーの確保、庇の役割、火災時の延焼防止、避難路

② **手すりの高さ ⇨ 1.1m以上**
縦ざん間隔 ⇨ 11cm以下

③ 各区分所有者の判断や隣接住戸の了解によって、バルコニーに温室や物置等を増築することはできない。

4 集合住宅の例

- カサ・ミラ（中層）
- ユニテ・ダビタシオン（高層）
- ロメオとジュリエット（高層）
- トーレ・ヴェラスカ（高層）
- レイクショアドライブ・アパートメント（高層）
- 基町高層アパート（高層）
- 茨城県営六番池アパート（低層）

アドバイス　住宅・集合住宅

- コーポラティブハウスなどの呼称に関する出題が多く、ほとんどが過去の本試験問題から出題されている。
- 集合住宅では、片廊下型などの形式の特徴、バルコニーについての出題が多い。
- 実例建築物の出題もあり、特徴を覚えるようにする。

問題 1　住宅・集合住宅に関する次の記述について、**適当か**、**不適当か**、判断しなさい。

■ 住宅全般 ■

check

問題1
コートハウスとは、中庭型住宅のことで、都市型低層住宅の形式の一つである。

問題2
コーポラティブハウスとは、自ら居住するための住宅を建設しようとする者が、協力して、企画・設計から入居・管理までを行う方式により建設された集合住宅である。

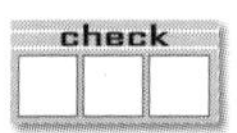

問題3
コレクティブハウスとは、協同居住型集合住宅のことである。

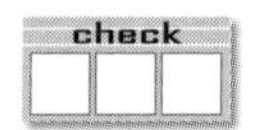

問題4
モビリティハウスとは、車いす使用者の個々の障がいの特性に対応するため、可変間仕切や上下可動の衛生設備等を備えた住宅である。

問題5
ハーフウェイハウスとは、病院での治療・訓練を終了した患者等が、日常生活への復帰に向けてＡＤＬ(日常生活動作)訓練を受けることのできる施設である。

問題6
ＳＩ(スケルトン・インフィル)住宅の建築設備は、一般に、スケルトンとして長期の使用が可能な共用設備部分と、インフィルとして変更が可能な住戸専有設備部分とにより構成される。

問題7
コア型住宅は、台所、便所、浴室、洗面所等を核(コア)として1か所にまとめた住宅の形式である。

問題8
住戸における「Ｌ(居間)＋Ｄ(食事室)＋Ｋ(台所)型」の平面計画は、各室をそれぞれの用途に応じて充実させることができるが、不十分な規模で形式的に分離させることは、かえって生活を窮屈にすることもある。

▌集合住宅▌

check

問題9
集合住宅における片廊下形式は、各住戸の日照・採光・通風・眺望などの条件を同一にでき、プライバシーも確保しやすい。

check

問題10
中高層の集合住宅におけるツインコリドール型は、一般に、中廊下型に比べて、採光、換気等の居住性は改善されるが、通路の面積は大きくなる。

check

問題11
接地型の住戸配置におけるコモンアクセス形式は、共用庭の利用を促し、近隣交流の機会を増大させる効果をもたらす。

check

問題12
近隣コミュニティの育成を促すために、家族の使用頻度が高い居間や食事室を共用廊下・階段等に向けて配置した。

check

問題13
間口が狭く、奥行が深い住戸において、採光・通風条件が劣る部分に、居住性の向上を図るために、光庭を設けた。

check

問題14
共同住宅の台所において、流し台の高さを85cm、奥行きを60cmとした。

check

問題15
超高層住宅の非常用エレベーターは、平常時には一般乗用エレベーターとの連動運転が可能となるように計画する。

check

問題16
鉄筋コンクリート造の集合住宅では、一般に、構造躯体よりも給排水管のほうが耐用年数が短いので、当初の設計においても配管の交換のしやすさを配慮することが重要である。

◇◇

【関連】
問題4　モビリティ ▷ 車いすが「自由に動ける」の意味。
問題5　ハーフウェイ ▷ 病院と家庭の「中間」の意味。

解説

問題1　適当

コートハウスは、建築物や塀で囲まれた中庭をもつ住宅の形式であり、狭い敷地においてもプライバシーを確保しやすい。

【関連】テラスハウスは、区画された専用庭をもつ住戸を、境界壁を介して連続させた接地型の低層集合住宅である。

問題2　適当

コーポラティブハウスとは、居住のための住宅建設を企画する人達が、建設協同組合(コーポ)等を設立し、土地・建物を共有化する協議の下に各々の希望を取り入れ、協力して企画・設計から入居・管理までを行う方式により建設された集合住宅。

問題3　適当

コレクティブハウス(協同居住型集合住宅)は、個人のプライバシーを尊重しつつ、子育てや家事等の作業を共同で担い合う相互扶助的なサービスと住宅とを組み合わせた集合住宅である。

問題4　不適当

モビリティハウスとは、車いす使用者、歩行困難者などを対象に、アクセスが可能、通路幅の必要寸法の確保、段差の解消などの基本条件を満した住宅で、イギリスの公的住宅で実施されている。設問は、アジャスタブルハウスについての記述で、車いす使用者の個々の障がいの特性の違いに対応し、可変間仕切や上下可動の衛生器具等を備え可動性・可変性を持つ住宅である。

問題5　適当

ハーフウェイハウスとは、病院での治療・訓練を終了した患者等が、日常生活への復帰に向けて、ＡＤＬ(Activities of Daily Living：日常生活動作)訓練を受けることができるリハビリテーション施設である。

問題6　適当

スケルトン・インフィル(ＳＩ：Skeleton & Infill)**住宅**とは、長期使用が可能なスケルトン(構造躯体や共用設備：第一段階)と変更が可能なインフィル(住戸専有部分の内装・間仕切や設備：第二段階)とを明確に分離し、二段階で計画・供給する住宅をいう。スケルトンの設備には、ＥＶや共用ＰＳなどがあり、インフィルの設備には、床下配線、ヘッダ工法のさや管配管などがある。

問題7　適当

コア型住宅は、従来、外壁に面して設けられていた台所・便所・浴室・洗面所等を住宅の中心部にまとめて配置することで、設備配管の集約による建設費の軽減や、居室が外壁に多く面することによる居住性の向上を目指した形式である。

【関連】設備コアによるコアプランは、居室部分を外壁に面して計画することが可能で、居住性を高めることができる。

問題8　適当

居間（L：リビングルーム）、食事室（D：ダイニングルーム）、台所（K：キッチン）のそれぞれを独立させた「**L＋D＋K型**」は、充実した生活のスペースを持つことが可能であるが、それぞれの規模が不十分なまま形式的に分離した場合、かえって生活を窮屈にすることがある。室名のみの確保でなく最低限必要な面積についても考慮する必要がある。

問題9　不適当

片廊下形式の集合住宅は、各住戸の日照、採光、通風、眺望などの条件を同一にできるが、住民の通行する共用廊下に面する居室のプライバシーが確保しにくい。

問題10　適当

中高層の集合住宅における**ツインコリドール型**は、中廊下型の居住性を片廊下型と同様にして改善した方式。採光・換気等の条件は向上するが、一般に、通路の面積は大きくなる。

問題11　適当

各住戸が土地に接する**接地型低層の集合住宅**では、コモンスペース（コモングリーン）などと呼ばれる共用庭からアクセス（建築物に近接・到着する）するコモンアクセス形式により、路地アクセス形式よりも開放的で活気のある共用庭をつくることができ、近隣交流の機会を増大させる効果をもたらす。

問題12　適当

家族の使用頻度が高い居間や食事室を共用廊下・階段等に向けて配置する住戸形式を**リビングアクセス型**と呼び、近隣コミュニティ育成の促進を意図している。

問題13　適当

光庭（こうてい）は光井戸（ライトウェル）ともいい、建築物内部への採光、通風の補助的な役割を果たし、間口が狭く、奥行が深い低・中層住宅の居住性を向上させるのに有効である。

問題14　適当

住宅の**台所の流し台の高さ**は**85cm程度**である。

問題15　適当

非常用エレベーターは、効率を考えて、平常時には一般乗用エレベーターとの連動運転を行っても差し支えない。

問題16　適当

ＲＣ造の集合住宅では、躯体の耐用年数（一般に50年程度）より**給排水管の耐用年数**（一般に15～20年程度）が**短い**ので、当初の設計段階から配管の交換のしやすさを考慮すべきであり、「さや管ヘッダ方式」はその一例である。

Check Point 2 公共建築

❶ 学　校

① **運営方式**

総合教室型	●すべての学習活動をクラスルームで行う方式。小学校低学年。
	●移動が少なく、心理的安定感を与えられる。 ●ワークスペース、収納等の設備が必要。
特別教室型	●クラスルームの他に、特別教科を特別教室で行う方式。小学校高学年以上。
	●ホームルームが確保されているため、落着きが得られやすい。 ●教室の稼働(利用)率が低下する。
教科教室型	●各教科を専用教室で行う方式。高校、大学。
	●教室の稼働(利用)率が高く、教室数は少なくて済む。 ●移動が多い。生活用施設を充実させる必要がある。
系列別教科教室型	●関連のある教科ごとに教室をまとめる方式。
	●教室の稼働(利用)率は最も高い。弾力的な学習展開に有利。
オープンスクール方式	●自由学習時間。無学年、チームティーチング等の多様な学習を行う方式。
	●児童の能力や関心に応じた多様な学習集団の編成が可能。

② **学習システム**

- **チームティーチング** ⇨ 複数の教師が協力して準備、評価する教授方式。大集団学習のできる大教室やオープンスペースが必要となる。
- **選択講座制** ⇨ 生徒が能力、進路、興味に応じて講座を選択履修する方式。普通教室の分割やフレキシブルなオープンスペースを要する。
- **インクルーシブ教育システム** ⇨ 物理的・心理的な障害を取り除くバリアフリー化を進め、ユニバーサルデザインの考え方を目指す。

③ **計画上の留意点**

- スポーツ、教育活動のため地域住民の利用を考慮する。
- 小学校の低学年と高学年の分離を図る。
- 教室面積 ⇨ 1.5～1.8㎡／人・約65㎡(35人定員)程度(多目的スペース等含め)

❷ 幼稚園・保育所

- 保育室と遊戯室はやむを得ない場合、**兼用**してもよい。
- 保育室等の面積は、低年齢児の方を大きめに計画する。
- 乳児室・ほふく室と保育室とは兼用してはならない。
- 出入口等の扉は**引戸**とする。
- 便所のブースの扉は保育士が上から見守ることのできる高さとする。

❸ 図書館（地域図書館）

- 貸出しが主のため**開架式**とする。
- 閲覧室は最小限とする。
- ＢＤＳは、電波で感知して、貸出処理されていない資料の館外への持出を防止するシステム。

❹ 美術館・博物館

- 照明基準値：**油絵 ⇨ 500 lx程度・日本画 ⇨ 200 lx程度**
- 収蔵庫内は一定の温湿度を保つため空調設備を設け、収蔵庫の内壁と外側躯体の間の空気層を**空調**することが望ましい。
- 消火設備は**不活性ガス消火設備**が適している。

❺ 病院・医療施設

- 総合病院の**病棟部**の面積は、**延べ面積**の**40%**程度である。
- 看護単位：内科、外科 ⇨ 40～50床・産科、小児科 ⇨ 30床
- 病院の**病室**の床面積：**6.4㎡/床**以上（**小児**病室**6.4㎡/床×２/３**以上）
- 手術室１室に対する病床数 ⇨ **50～100床**
- 中央診療部は外来診療部と病棟部の中間に設ける。
- 手術部は建物端部で、中央材料部に近接して配置する。
- 中央材料部（サプライセンター）は各種材料を供給する部門である。
- ＩＣＵは集中治療室または重度治療室のことである。

アドバイス　公共建築

- 学校では、運営方式と特徴、普通教室の大きさがポイント。
- 図書館では、ＢＤＳ、書架スペースの収蔵量がポイント。
- 美術館、博物館では、展示室の光源、日本画と油絵の壁面照度の比較、収蔵庫の温湿度調節、燻蒸室がポイント。
- 病院では、病室の大きさ、ＩＣＵ、看護単位、中央材料室等がポイント。

問題 2-1

公共建築に関する次の記述について、**適当か**、**不適当か**、判断しなさい。

■学　校■

check □□□

問題1
教科、科目に多様な選択性をもつ高等学校において、必修科目の多い１年生については、総合教室方式とした。

check □□□

問題2
小学校の計画において、チームティーチングにより学習集団を弾力的に編成できるようにするため、クラスルームに隣接してオープンスペースを設けた。

check □□□

問題3
小学校において、低学年を総合教室型、高学年を特別教室型とする場合、特別教室群は低学年よりも高学年の教室群の近くに配置することが望ましい。

check □□□

問題4
小学校の計画において、低学年の普通教室(35人)の平面形状は、情報端末や教科書等の教材の使用に配慮した机等のサイズ拡大を考慮し、流し台を含めて９m×９mとした。

■幼稚園・保育所■

check □□□

問題5
幼稚園における３歳児学級の１人当たりの保育室の床面積は、一般に、４歳児又は５歳児の場合に比べて大きくする。

check □□□

問題6
保育所の計画において、年齢の異なる幼児が交流できる場所として、工作室と図書コーナーを設けた。

check □□□

問題7
保育所において、幼児用便所のブースの仕切りの高さは、安全の確認と幼児の指導のために1.2mとした。

図　書　館

問題8
図書館において、書架のない閲覧室（4人掛で100席）の床面積を、180㎡とした。

問題9
図書館におけるＢＤＳ（ブックディテクションシステム）は、電波や磁気を利用して貸出処理されていない資料の館外への持ち出しを感知するシステムである。

美術館・博物館

問題10
美術館の計画においては、鑑賞時の疲労を考慮して、来館者の動線上に休憩コーナーを設けることが望ましい。

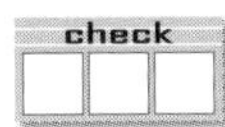

問題11
美術館の展示室は、来館者の逆戻りや交差が生じないように、一筆書きの動線計画とした。

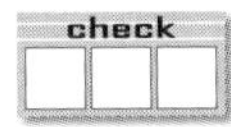

問題12
日本画を展示する壁面の照度を500 lxとし、洋画を展示する壁面の照度を300 lxとした。

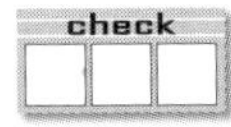

問題13
美術品収蔵庫の温湿度調節のために、外側の躯体とは別に内壁を設けた二重壁構造とし、その中間の空気層を空調することが望ましい。

問題14
公立博物館の部門別面積において、展示・教育活動関係部門の標準面積と保管・研究関係部門の標準面積は、同程度である。

問題15
博物館における燻蒸室は、収蔵品に付着した害虫等を殺し、除去するための部屋であり、荷解室、収蔵庫等の近くに設けられることが多い。

【関連】
問題3　教室の稼働（利用）率
▷ 特別教室型よりも教科教室型のほうが高い。

解説 

問題1　不適当

教科担任制をとる中・高等学校では、教科教室型の有効性が着目されている。教科、科目に多様な選択性をもつ高等学校では、教育課程の特徴に応じて、必修科目の多い１年生を特別教室型、２年生以上を教科教室型とする等、学年によって方式を違えることも考えられる。なお、**総合教室型**は生徒の移動が少ないため、小学校低学年に適している。

問題2　適当

近年、小学校の計画において、数クラス分の生徒を数人の教師が教えるチームティーチングなどの弾力的な学習方式を実施するため、クラスルームに隣接して**オープンスペース**を設ける例が見られるようになった。

問題3　適当

小学校では、**低学年**を**総合教室型**(教育活動の大部分をクラスルームで行う形式)とし、**高学年**を**特別教室型**(普通教科をクラスルームで行い、特別教科を特別教室で行う形式)とする計画が多い。したがって、特別教室群は低学年よりも高学年の教室群の近くに配置することが望ましい。

問題4　適当

小・中学校の**普通教室**の床面積は、生徒１人当たり**1.5㎡**程度必要であり、定員**35人**の場合は約**52.5㎡**となるが、近年は、教室内に多様な学習形態に対応する机や家具などが配置できるように、これよりも広く計画する傾向がみられる。

問題5　適当

幼稚園や保育所における１人当たりの保育室の床面積は、一般に、**低年齢児**のほうが**大きく**なり、３歳児学級は、４歳児や５歳児の場合に比べて大きくする。なお、同一面積の保育室では、低年齢児の学級定員を少なくして対応している場合が多い。

問題6　適当

保育所や幼稚園では、保育室を年齢別に設けることが一般的なため、年齢の異なる幼児が交流する場所として図書コーナーや絵画制作室・工作室などが設けられる。

問題7　適当

保育所の**幼児用便所のブース**は、保育士が上部から見守って安全の確認や幼児の指導ができるように、仕切りや扉の高さを保育士の肩程度の**1.0～1.2m程度**とする。

問題8　適当

図書館に設ける**閲覧室**の広さは、一般には閲覧席**１席当たり２～３㎡程度**を目安とするが、内部に書架を設けず、１つのテーブルに４人掛とする場合には、これよりも少し狭い1.8㎡/席程度となる(100席の場合180㎡、設問は適当な値)。

問題9　適当

ブックディテクションシステム（BDS）とは、図書資料に貼付したテープやカードの電磁気を検知し、警告を発することにより、図書資料の無断持ち出しを防止するシステムである。この採用により従来制限されていた**利用者の私物持ち込み**が自由に**できる**ようになった。

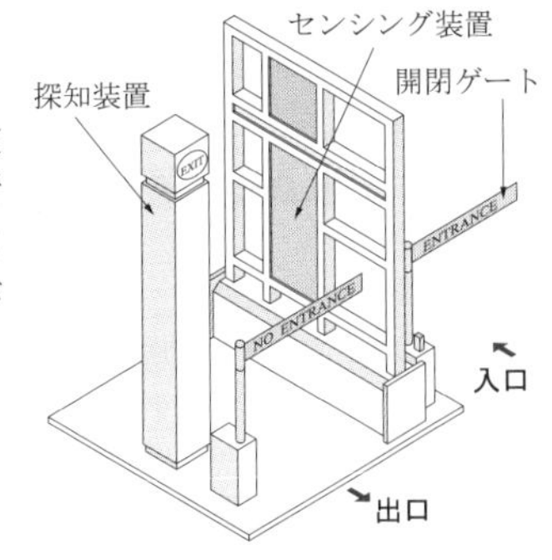

ブックディテクションシステム（BDS）

問題10　適当

美術館・博物館での鑑賞は、鑑賞者の展示物への集中度が高いため、いわゆる「博物館疲れ」が起こりやすい。したがって、来館者の動線上の適切な位置（展示壁面の長さ400mが限界ともいわれる）に**休憩コーナー**を設けることが望ましい。

問題11　適当

展示室では、鑑賞巡路を明確にし、逆戻りや交差の生じない**一筆書き**の動線計画が適している。

問題12　不適当

展示物の照度の基準は、**日本画**、ガラスカバー付絵画が200 lx程度であるのに対し、**洋画**は500 lx程度と明るく設定する。

問題13　適当

収蔵庫の空調では、四季を通じて一定の温湿度を保つことが必要であり、そのためには、室内を直接空調するのではなく、外側の躯体と縁を切った**内壁**を設け、この間の**空気層を空調**する方法が多い。

問題14　適当

公立博物館の部門別面積配分で、展示室・講堂などの**展示・教育活動関係部門**の標準面積と、収蔵庫・学芸員室などの**保管・研究関係部門**の標準面積は、**ほぼ同程度**である。

問題15　適当

博物館の燻蒸室は、収蔵品を害虫等の生物被害から守るため、収蔵品に付着した生物・微生物を殺し、除去する目的で、薬品等による燻蒸を行う室。一般に、搬出入口と荷解き室・収蔵庫の間に設けられることが多い。

問題 2-2　公共建築に関する次の記述について、**適当か**、**不適当か**、判断しなさい。

▌病院・医療施設▌

問題１
総合病院の計画において、病院管理の効率及び患者の動線を考慮して、外来部門を診療部門と病棟部門との間に配置した。

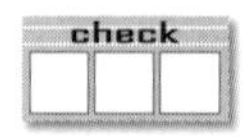

問題２
一般的な総合病院の計画に当たり、病棟にバルコニーを設け、火災時の有効な避難経路とした。

問題３
総合病院の中央材料室は、手術室との関係を重視して配置する。

問題４
総合病院における１看護単位当たりの病床数は、一般に、内科や外科に比べて、産科や小児科のほうが少ない。

問題５
内科病棟における４床室の床面積を35㎡とした。

問題６
病院における病室の出入口の有効幅を、ストレッチャーの出入りなどを考えて120cmとした。

問題７
総合病院の計画において、病院内で使用する物品の管理を一元化するために、ＳＰＤ部門を設けた。

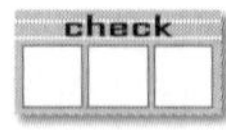

問題８
病院におけるＩＣＵとは、集中治療室のことであり、高度かつ集約的な医療・看護を行う場合に使用される。

問題９
病院におけるデイルームとは、入院患者がくつろいだり、談話をするためのスペースである。

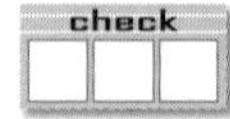

問題10
総合病院の計画において、同程度の延べ面積であれば、高層とする計画に比べて低層とする計画のほうが、機械による各部門への物品搬送は、一般に、容易になる。

▌高齢者施設▐

check

問題11
特別養護老人ホーム(介護老人福祉施設)は、診療所の機能は必要としないが、居宅における生活への復帰のために、介護及び機能訓練を必要とする高齢者のための施設である。

check

問題12
特別養護老人ホームにおいて、家庭的な空間の中で生活するために、食堂とデイルームからなる共同生活室を７室の個室とともにユニット化し、そのユニットを複数配置した。

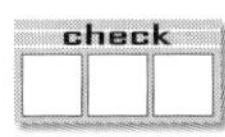

問題13
介護老人保健施設は、車いすや訪問介護者(ホームヘルパー)を活用し、自立した生活を維持できるように工夫された軽費老人ホームである。

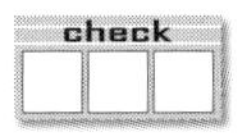

問題14
認知症高齢者グループホームにおいて、小規模で家庭的な環境を実現するために、１ユニット当たりの入居定員を７名とした。

問題15
老人デイサービスセンターは、身体上又は精神上の障害により、日常生活を営むのに支障がある高齢者等(養護者を含む。)に対し、入浴、排せつ、食事等の介護、機能訓練、介護方法の指導、生活等に関する相談及び助言、健康状態の確認等のサービスを、通所方式で提供する施設である。

解 説

問題1　不適当

外来部門は、主要な出入口からの動線や診療部門との連絡は重要だが、病棟部門との関連は少ない。一般に、**診療部門**が外来部門と病棟部門との間に配置される。

問題2　適当

病院の**病棟**は、管理上、中廊下または片廊下型となることが多く、避難時、介護を要する患者もあることから、2方向避難を確保するため**バルコニー**を設け、火災時の有効な避難経路とすることが望ましい。

問題3　適当

総合病院の**中央材料室**は、サプライセンターとも呼ばれ、滅菌器材・看護用品・薬品など院内の各部門に必要な物品を供給するＳＰＤ部門(Supply（供給） Proccessing（処理） Distribution（流通）)の核となる室である。ＳＰＤ部門からの物流量は病棟へのものがその大半を占めるが、滅菌器材を要する手術部門への動線確保や、外部からの搬出入を考慮した計画が必要とされる。

問題4　適当

総合病院における**1看護単位**(1看護師チーム)**当たりの病床数**は、内科や外科(一般病棟)が約40～50床、産科や小児科が約30床程度である。特殊な配慮を要する**産科や小児科**は、1看護単位が担当する病床数を**少なく**して看護が行き渡るようにする。

問題5　適当

病院の**病室の床面積**は、**$6.4m^2$/床**以上とする。

4床×$6.4m^2$＝$25.6m^2$＜$35m^2$ …適当。

なお、病院の小児病室(2床室以上)の床面積は、$6.4m^2$/床×2/3以上とすることができる。

問題6　適当

病室の出入口は、ストレッチャー(患者用運搬車)や各種医療器具の出入りに支障のないよう有効幅を**120cm以上**とする。なお、キャスター付きのベッドの円滑な移動を考慮する場合には、有効幅150cm以上が望ましい。

問題7　適当

病院内では、医療機器や薬品など(医療物品)のほか、リネンや看護用品など(看護物品)が使用される。これらの物品を一元化して、総合的に管理するのが**ＳＰＤ方式**で、物品管理の徹底、搬送方法の体系化、院内動線の整理、使用部門の労力節減などを目的としている。

問題8　適当

ＩＣＵは、Intensive Care Unitの略称。**集中治療室**ともよばれ、重症・急症患者に集中的治療・看護を行う場合に使用される。

問題9　適当

デイルームとは、病院や社会福祉施設で入院患者や入園者がくつろいだり、話合いなどをするためのスペース。住宅の居間に相当する室。

問題10　不適当

総合病院の計画において、同程度の面積であれば、低層とする計画より**高層**とするほうが水平動線を短縮でき、機械による各部門への物品搬送は、一般に、容易になる。

問題11　不適当

介護老人福祉施設(特別養護老人ホーム)は、身体上又は精神上著しい障害があることにより、常時介護が必要で、家庭での生活が困難な高齢者のための施設である。

問題12　適当

特別養護老人ホーム(介護老人福祉施設)**や介護老人保健施設**などの入所介護を行う施設では、従来は居室を一列に並べ、共用空間を１か所に集中する構成(**従来型**)が一般的であったが、近年は、入所者を少人数(おおむね10人以下)のグループに分け、各居室群ごとに共用空間を併設したユニットを複数配置し、家庭的な空間の中できめ細かな介護を目指す**ユニット型**運営方式の採用が増えている。ユニット型では、居室は原則として個室とし、食堂とデイルームの機能を合わせた共同生活室を各ユニットごとに設ける。

問題13　不適当

介護老人保健施設は、病状安定期にあり入院治療の必要はないが、リハビリテーション(機能訓練)や看護・介護を中心とした医療ケアを必要とする要介護高齢者に対して、医療ケアと介護福祉サービスを合わせて提供し、その家庭復帰を促進する施設である。設問は**ケアハウス**(介護利用型軽費老人ホーム)に関する記述である。

【関連】介護老人保健施設の**療養室**は、１室の定員４人以下、**入所者１人当たりの床面積**を**８㎡以上**と定められており、４人部屋の場合、床面積は32㎡以上必要となる。

問題14　適当

認知症高齢者グループホームは、介護が必要な認知症の高齢者(５～９名程度)が、生活上の介護を受けながら共同生活を行う施設である。

問題15　適当

「**老人デイサービスセンター**」は、身体上または精神上の障害により、日常生活を営むのに支障がある高齢者等(養護者を含む。)に対して、送迎用バスなどを用いた**通所利用**や施設側の**在宅訪問**により、入浴・排せつ・食事等の介護、機能訓練、介護方法の指導、生活等に関する相談・助言、健康状態の確認などのサービスを提供する施設である。

Check Point 3

商業建築

❶ 事　務　所

〈事　務　所〉

- 貸事務所の収益部分の割合を**レンタブル比**といい、**基準階**では**70～85%**、全体では65～75%となる。
- 事務室の面積 ⇨ 8～9㎡／人、奥行 ⇨ 13～14m(片側採光)
- センターコア方式 ⇨ 避難計画が難しく、床面積1,000～3,000㎡に適する。
- ＯＡ化により空調設備や冷熱源の容量は増大傾向にある。
- **フリーアクセス方式、アンダーカーペット方式**の採用。

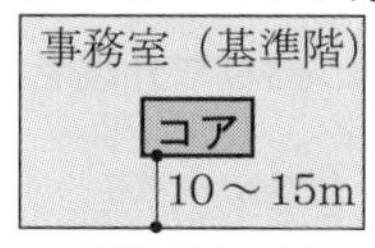

センターコアタイプ

〈エレベーター〉

- 台数は朝の**出勤時**のピーク（5分間当たりの平均利用者数）を基準とする。
- 延べ面積3,000～4,000㎡ごとに1台。
- 直線配置は1列**4台**以下、対面配置の場合の対面距離は**3.5～4.5m**程度とする。

❷ ホ　テ　ル

① **面　積**

- シティホテルの客室部分の延べ面積に対する割合は30%程度。
- シティホテルの客室部分の基準階面積に対する割合は70%程度。
- 客室の面積 ⇨ 1人室：10～20㎡（ビジネスホテル：**10～15㎡**）
　　　　　　　　2人室：20～30㎡

② **その他**

- フロントはエレベーターホールや玄関を見通せる位置が望ましい。
- 客用エレベーターの台数は100～200室に1台程度とする。

❸ 劇場・映画館

① **面積・容積**

- 客席1人当たりの床面積 ⇨ **0.5～0.7㎡**
- 客席1席当たりの容積 ⇨ 劇場：6 m³以上、映画館：4～5 m³程度

② **通路・座席**

- 劇場の客席において中心線上に縦通路を設けないほうがよい。
- 座席の前後間隔 ⇨ **80cm**以上、左右間隔 ⇨ 45cm以上
- 劇場で表情、身振りを理想的に鑑賞できる限度は約**15m**以内。
- せりふを使う演劇や小規模演奏空間の限度は22m以内
- オペラや大規模演奏空間の限度は38m以内
- 客席最前列中央からスクリーン両端までの角度は90度以内がよい。

③ **防災上の留意点**

- 椅子は固定式、扉は**外開き**とする。
- 上映(上演)中でも客席の照明は**0.2lx**以上とする。

4 百　貨　店

- 売場面積は延べ面積の**50～60%**である。
- エレベーターとエスカレーターでは８割が後者を利用する。

5 駐　車　場

- １台当たりの延べ面積 ⇨ **斜め駐車**＞**直角駐車**
- 機械式の出庫時間 ⇨ 循環式＞往復式
- 縦列駐車は１台当たり７m程度の長さを要する。
- 車路の勾配は17%（1/6）以下、緩和勾配は本勾配の1/2程度とする。

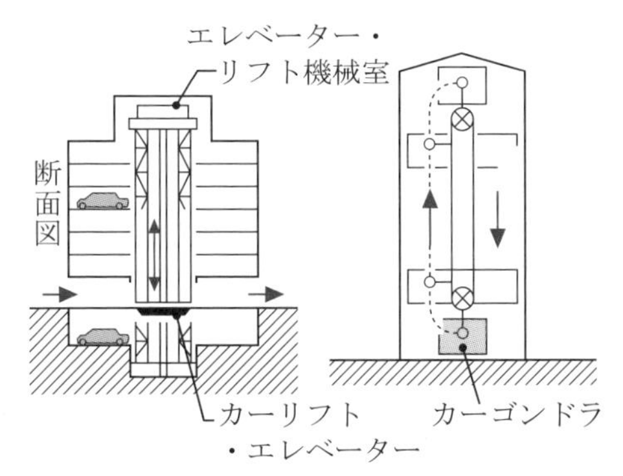

垂直往復式　　**垂直循環式**

アドバイス　商業建築

- 事務所では、コアプラン、事務室面積、ＯＡ設備、エレベーターの計画がポイント。
- 駐車場では、斜め駐車と直角駐車の面積、屋内駐車場のはり下の高さがポイント。

問題3　商業建築に関する次の記述について、**適当か**、**不適当か**、判断しなさい。

▮事　務　所▮

check

問題1

基準階の床面積1,000～3,000㎡程度の貸事務所ビルにおける基準階のレンタブル比は、一般に、70～85％程度である。

問題2

都市部に計画する事務所とホテルとからなる複合建築物において、事務所の基準階の階高を4.2m、ホテルの客室の基準階の階高を3.3mとした。

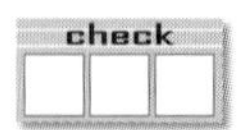

問題3

事務室の机の配置方式において、特に業務に集中することが必要な場合、一般に、対向式レイアウトよりも並行式レイアウトのほうが適している。

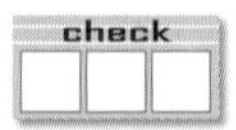

問題4

事務所ビルにおいて、事務室に設置するパーティションの高さを、いすに座った状態における見通しを遮るために110㎝とした。

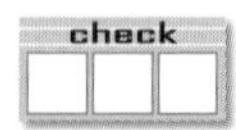

問題5

事務所ビルの乗用エレベーターについては、一般に、出勤時のピーク５分間に発生する交通量を輸送できる計画とする。

問題6

自社専用の事務所ビルにおいては、複数のテナントが入る同規模の貸事務所ビルに比べて、一般に、エレベーターの台数を少なくする。

問題7

延べ面積30,000㎡、地上20階建ての事務所ビルにおいて、エレベーター台数を12台とした。

問題8

地上20階建ての貸ビル（基準階の床面積1,200㎡）において、低層用４台、高層用４台の２バンクでエレベーターを計画した。

問題9

10階建ての事務所ビルにおいて、６台のエレベーターを対面配置するに当たり、エレベーターホールの幅（対面距離）を４ｍとした。

▌劇　　場▌

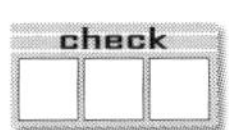

問題10

劇場において、客席を左右対称に配置する場合、その中心線には縦通路を設けないほうがよい。

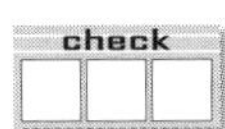

問題11

劇場の客席の前後間隔を、95cmとした。

▌百貨店等▌

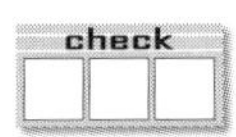

問題12

延べ面積40,000㎡の百貨店の計画において、売場面積を延べ面積の50%とした。

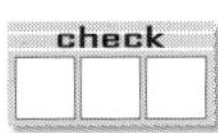

問題13

量販店において、売場面積(売場内の通路を含む)の延べ面積に対する比率は、一般に、60～65%程度である。

▌駐車場・その他▌

問題14

タワー式立体駐車場の垂直循環方式は、入庫した自動車を観覧車のように循環させるものであり、小さい建築面積で多数の自動車を格納することができる方式である。

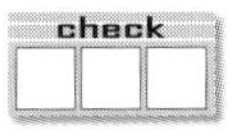

問題15

両側に一般乗用車を駐車する計画において、中央通路の幅を狭くするため、直角駐車でなく、60°駐車とした。

問題16

自走式屋内駐車場の車路部分において、はり下の高さを2.3mとした。

問題17

洋食レストランにおいて、客席部分(50席)の床面積を、80㎡とした。

解説

問題１　適当

貸事務所ビルにおける**基準階のレンタブル比**は、一般に、**70～85％**程度である。

問題２　適当

中高層事務所ビルの**事務室部分**の天井高は、**2.6ｍ以上**が望ましい。近年は高くなる傾向にあり、天井高2.9ｍ程度、階高４ｍ程度とする例も多く見られる。また、**ホテルの客室階**の階高は、経済性や施設企画によって条件が異なり、**2.8～3.6ｍ**程度の範囲で計画される。

問題３　適当

事務室の**机の配置**は、執務者が行う業務の特性を考慮して決めなければならない。執務者どうしが向かい合う**対向式**は、**コミュニケーションを重視**する業務に適している。それに対して、執務者が同じ方向を向いて座る**並行式**(同行式)は、対面する視線がないので、適度なプライバシーが保たれ、特に**業務に集中**することが必要な場合などに用いられる。

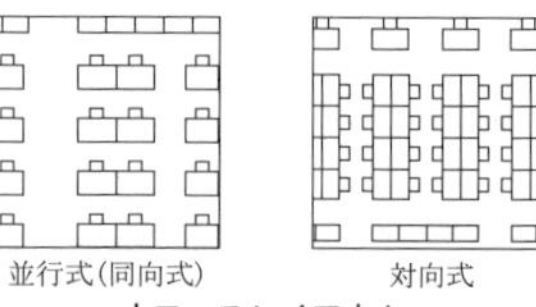

オフィスレイアウト

問題４　不適当

事務室の**パーティションの高さ**は、椅座位と立位の両方での目の高さを考慮して調整しなければならない。一般に、床から110㎝程度は、座ったままで見通しが利く高さである。また、座った時に**見通しを遮り**、立てば見通しがよいのは**120㎝程度**とされている。

問題５　適当

事務所ビルの**エレベーターの台数**計画にあたっては、一般に、利用者が最も集中する**出勤時のピーク５分間**の交通量を輸送できる計画とする。

問題６　不適当

自社専用の事務所ビルにおいては、複数のテナントが入る同規模の貸事務所ビルに比べて朝の出勤が集中しやすいので、一般に、エレベーターの台数を多くする。

問題７　適当

事務所ビルの**エレベーターの概数**は、**延べ面積3,000～4,000ｍ^{2}ごとに１台**程度とされており、この場合８～10台程度必要となる。20階建てでは、低層用と高層用のゾーニングが必要であることも考慮して、これより多めの12台とする計画も適当であると考えてよい。

問題８　適当

高層の事務所ビルでは、エレベーターの効率的な利用のため**10階程度**のフロアごとに分割した**ゾーニング**を行う。設問の条件では10階分、床面積の合計12,000ｍ^{2}を１つのゾーンとして高層用と低層用とに分けるのが適当である。各ゾーンごとのエレベーター台数は、３～４台程度になる(**問題７**参照)。

問題9　適当

エレベーターの配置は、乗客の歩行距離の点から、直線配置で1列4台までを限度とし、5～8台の場合は対面(対向)配置、8台を超える場合には複数のバンクに分ける。また、**エレベーターホールの幅(対面距離)**は、**3.5～4.5m**程度が適当である。

問題10　適当

劇場の客席の中心線上は、観客が最も舞台を見やすい部分であり、演技者にとっても客席が左右に分断されると演じにくいとされ、**中心線上**には**縦通路を設けない**ほうがよい。

問題11　適当

劇場の**客席**の前後間隔は**80cm以上**とし、110cm程度あれば比較的ゆったりとしたスペースになる。

問題12　適当

一般に、百貨店の**売場面積**(売場内通路を含む)は、**延べ面積の50～60%程度**である(他は、事務室等の店用部分：30～40%、階段、エレベーター、WC等：10～20%)。

問題13　適当

大手スーパーマーケットなどの大規模量販店の面積比は、一般に、**売場面積**(純売場＋売場内通路面積)が**延べ面積の60～65%**、それ以外の共用部(エントランス・階段・エレベーター等)や後方施設(事務所・倉庫・従業員諸室・荷解室・機械室等)の合計が延べ面積の35～40%程度である。

問題14　適当

タワー式立体駐車場の**垂直循環方式**は、メリーゴーラウンド式とも呼ばれ、入庫した自動車を観覧車のように循環させるものであり、**小さい建築面積**で**多数**の自動車を格納することができる。ただし、入庫または出庫を連続して行う場合以外は、一般に垂直往復方式などに比べて入出庫時間が長くかかる。

問題15　適当

斜め駐車方式は、直角駐車方式に比べ、車の出入が前進、後退ともにスムーズにできるので**車路幅**を**狭く**することができる。

問題16　適当

自走式屋内駐車場の**はり下の高さ**は、**車路**部分で**2.3m以上**、**駐車**部分で**2.1m以上**とする。

【関連】駐車場の**斜路**は、本勾配を**1/6以下**とし、斜路の始まりと終わりのそれぞれに本勾配の1/2程度の緩和勾配を設ける。

問題17　適当

客席の床面積は、テーブルの配列やサービス方式などにより幅があるが、**1席当たり1.0～1.5㎡程度**が標準的と考えられる。

Check Point 4 計画一般

❶ 面積・規模

室　名	面　積(㎡)	備　考
映画館・劇場の客席	0.5～0.7(㎡/席)	
レストランの客席	1.0～1.5(㎡/席)	
ホテルの宴会場	1.5～2.5(㎡/席)	
小・中学校の普通教室	1.5～1.8(㎡/人)	理科教室は3㎡/人程度
図書館の閲覧室(開架式)	2.0～3.0(㎡/席)	閉架式4人掛は1.8㎡/度程度
病院の病室	6.4以上(㎡/床)	最低基準。 小児病室は6.4㎡×2/3
事務所の事務室	8～9(㎡/人)	
ホテル(シングルルーム)	10～20(㎡/室)	ビジネスホテルは10～15㎡が多い。
(ツインルーム)	20～30(㎡/室)	
百貨店の売場面積	25～30(㎡/人)	従業員1人当たりの面積

❷ 寸法設計

① **階　段**

- けあげ寸法が小さくなれば踏面寸法が大きくなる。
- 勾配は**30～35度**程度。
- 手すりの高さは踏面の先端で一般に**80～85cm**。

② **車椅子利用者の寸法設計**

- 敷地内通路の幅員は**120cm以上**とするが**180cm以上**が望ましい。
- 傾斜路の勾配 ⇨ 屋内：1/12以下、屋外：1/15以下
- 出入口部分には段差を設けない。
- 便所の広さ ⇨ 内法**200×200cm**以上、直径150cmの円が内接するスペースが必要

❸ 細部設計

① **窓**

- **外開き窓** ⇨ 水密性・気密性がよい。清掃がしにくい。
- **はめ殺し窓** ⇨ 水密性・気密性がよい。外部からの清掃がしにくい。
- **縦軸回転窓** ⇨ 室内から外面の清掃ができる。気密性に難あり。
- **突き出し窓、滑り出し窓** ⇨ 気密性・水密性がよい。

② ガ ラ ス

- **網入りガラス** ⇨ 強度は同厚のフロート板ガラス以下。**延焼防止**に効果がある。
- **複 層 ガ ラ ス** ⇨ **断熱性能**を向上。遮音性能の大きな向上は望めない(二重ガラスを用いる)。
- **Low-Eガラス** ⇨ 低放射膜をガラス表面にコーティングし、断熱性・日射遮蔽性を向上。

4 マネジメント

<環 境 保 全>

- 周辺環境を含めた建築物の総合環境性能評価の手法として、BREEAM(イギリス)やLEED(アメリカ)がある。
- CASBEEにおける評価指標となるBEEは、「**建築物の環境品質・性能(Q)**」を「**建築物の外部環境負荷(L)**」で**除した値**であり、数値が大きいほど建築物の環境性能が高いと評価する。
- **環境効率**は、一般に、環境負荷を低減しつつ、生活の質を向上させるための指標であり、**生活の質**を**環境負荷**で**除した値**である。
- ESCOは、既存の建築物の所有者等を対象に、省エネルギーを可能にするための**設備、技術、人材、資金等の手段**を包括的に**提供**するものである。

<建設プロジェクト>

- FM(ファシリティ・マネジメント)とは、企業・団体等の施設とその環境を経営的視点から**総合的**に**企画・管理・活用**する経営管理活動のことである。
- CM(コンストラクション・マネジメント)とは、建築プロジェクトの品質・工程・コストなどを、当初の目的どおりに達成するための管理行為及びそのための技術のことであり、日本語の「**工事管理**」や「**施工管理**」とほぼ同じ意味に使われている。

アドバイス 計 画 一 般

- 避難階段の構造については、出入口と階段幅の関係に注意。
- 高齢者、身体障害者、視覚障害者からは、ほぼ毎年1問出題される。細かい数値も多いが正確に記憶する。
- 開口部、窓の特徴も出題が多い。

問題 4　計画一般に関する次の記述について、**適当か**、**不適当か**、判断しなさい。

■ 階段・廊下 ■

check

問題１
一般の成人を対象とした階段の手すりの高さは、踏面の先端から80～85cmが適当とされている。

■ 高齢者・身障者への配慮 ■

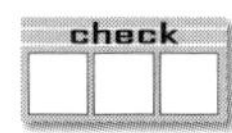

問題２
公共建築物の来館者用の階段の手摺（すり）については、高齢者や子どもにも利用しやすいように、高さが上段80cm、下段60cmの二段式とした。

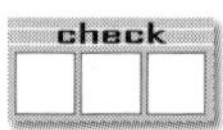

問題３
車椅子使用者用の駐車スペースにおいて、１台当たりの幅を3,500mm確保した。

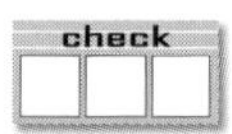

問題４
公共施設の屋外に設けるスロープにおいて、車椅子使用者同士がすれ違えるように、有効幅員を180cmとした。

問題５
車椅子使用者は、360°回転に150cm×150cm以上の平面空間を必要とし、２cm以上の段差を越えることは難しい。

問題６
複合ビルの各階においては、車椅子使用者等に配慮した便所を設け、出入口の幅を75cmとした。

問題７
歩行不自由な人が廊下を歩きやすくするため、点検扉や引戸の戸袋部分にも手すりを設けて、手すりをできる限り連続させた。

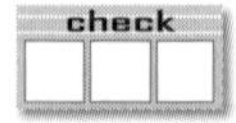

問題８
階段は、踏面の色と蹴上げの色との明度差を大きくし、点状ブロックを階段の昇り始め及び降り始めの位置に敷設した。

問題９
洗面器の下部のクリアランスは、車椅子使用者の利用に配慮して、床面から65cm確保した。

問題10
車椅子使用者客室において、車椅子から移乗しやすくするために、ベッドの高さを車椅子の座面高さよりも高くした。

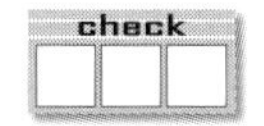

問題11
高齢者が利用する施設の階段において、高齢者が段差の存在を知覚できるように、踏面と段鼻との輝度比を2.0とした。

■ 細部設計（開口部・内外仕上げ）■

問題12
外開き窓は、一般に、雨仕舞・気密性・遮音性においては有利であるが、ガラス外面を室内から清掃しにくい。

問題13
滑り出し窓は、換気及び通風に有効であり、開き窓に比べて、風によるあおりの影響を受けにくい。

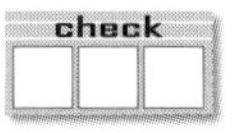

問題14
網入りガラスを使用した窓には、火災の延焼防止、地震や衝撃時のガラスの破片の飛散防止などの効果がある。

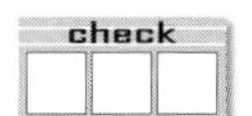

問題15
陸屋根にアスファルト防水を行う場合の屋根勾配は、一般に、1/100～1/50程度である。

■ マネジメント ■

問題16
完成した設計内容を建築主に説明することを、英国ではブリーフィング、米国ではプログラミングといい、大規模化・複雑化するプロジェクトにおいて非常に重要である。

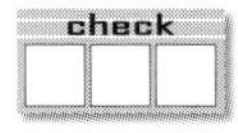

問題17
「ＶＥ（バリューエンジニアリング）提案」は、基本性能の維持を前提とした工事費の低減提案、施工者独自の施工技術の導入提案等である。

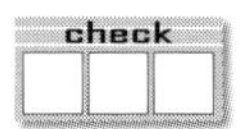

問題18
プロジェクトのスケジュール管理のためには、クリティカルパスを見極め、重点的に管理することが有効である。

解 説

問題1　適当

階段の手すりの高さは、**踏面の先端部**からの高さを基準とし、一般の成人の昇降補助機能のためには**80～85cm**が適当である。

問題2　適当

公共建築物の来館者用の階段の手すりは、一般の利用者のほか、高齢者や子どもにも利用しやすいように二段式とし、**上段**を段鼻から**75～85cm**程度、**下段**を**60～65cm**の高さに設ける。

問題3　適当

車椅子使用者の駐車スペースの1台当たりの幅は、車椅子による近接、移乗を考慮し、一般駐車スペースより広い**350cm以上**確保する必要がある。

問題4　適当

公共施設の屋外に設ける**スロープ**や**通路**で、車椅子使用者同士がすれ違えるためには、**180cm以上**(車椅子と歩行者の場合は、120cm以上)の有効幅員が必要となる。

問題5　適当

車椅子使用者は、360°回転に**150cm×150cm以上**の平面空間を必要とし、**2cm**以上の段差を越えることは難しい。

問題6　不適当

高齢者や車椅子使用者等が利用する便所の出入口の内法幅は、**80cm以上**とし、**90cm以上**が望ましい。

問題7　適当

歩行不自由な高齢者や身体障害者が廊下を歩きやすくするために設ける**手すり**は、普段あまり使わない点検扉や引き戸の戸袋部分にも設けるなど、できるだけ**連続させる**ことが望ましい。

問題8　適当

視覚障害者への配慮として、階段は踏面の色と蹴上げの色との明度差を大きくし、昇り始め及び降り始めの位置の手前に30cm程度の間隔をあけて警告用の点状ブロックを敷設する。

問題9　適当

洗面器の下部のクリアランス(開放部分)は、車椅子使用者のフットレストが入るように、床から**65～70cm**程度の高さまでを確保する。

問題10　不適当

車椅子使用者が移乗しやすくするためには、**ベッド**（ベッドのマットレス）**の高さ**を車椅子の座面の高さと同じ**45～50cm**とする。

問題11　適当

高齢者が利用する施設の階段は、段差の存在を知覚しやすいように、踏面の色と段鼻の色（または、けあげの色）の**輝度比**（明度差で示すこともある）を**1.5～2.0程度**にすると対象物を見分けやすくなるとされている。

問題12　適当

外開き窓は、一般に、雨仕舞・気密性・遮音性が優れているが、ガラス外面の清掃が難しい。

問題13　適当

滑り出し窓は、開放時にサッシ下部を外部に突き出すと同時に、上部が窓枠に沿って下がり、上下に開口が生じるので、換気・通風に有効である。また、上下に窓枠との接点を持ち固定されているので、風によるあおりの影響を受けにくい。

問題14　適当

網入りガラスは、破損しても破片が飛散しにくく、火災の延焼防止、地震時や衝撃時の安全性を要する場所に使用される。ただし、耐風圧性能は期待できない。

問題15　適当

陸屋根（ろく）にアスファルト防水を行う場合の屋根勾配は、一般に、**1/100～1/50**程度である。

問題16　不適当

ブリーフィングは、発注者及び関係者の要求、目的、制約条件を明らかにし、分析するプロセスである。

問題17　適当

バリューエンジニアリング（ＶＥ）は、建築プロジェクトでは、企画・設計から施工の段階まで広く用いられている。

問題18　適当

プロジェクトの所要日数がクリティカルパスによって決まるので、スケジュール管理のためには、**クリティカルパス**を見極め、重点的に管理することが有効である。

Check Point 5 積　　算

❶ 数　　量

- **設計数量**とは、設計図書に記載されている個数及び設計寸法から求めた長さ、面積、体積等の数量をいう。
- **計画数量**とは、設計図書に基づいた施工計画により求めた数量をいい、仮設、土工等の数量がこれに該当する。
- **所要数量**とは、定尺寸法による切り無駄や、施工上やむを得ない損耗を含んだ数量をいい、鉄筋、鉄骨、木材等の数量がこれに該当する。
- **設計寸法**とは、設計図書に記載された寸法、記載された寸法から計算によって得られる寸法及び計測器具により読みとることのできる寸法をいう。

❷ 積算（所要数量）

資　材	割増率	資　材	割増率
鉄　筋	4％	**鋼板**（切板）・広幅平鋼	3％
ボルト類	4％	**木材**（体積）	5％
形鋼・鋼管・平鋼	5％		

❸ 各種工事の歩掛り

1）土工事・地業工事

- 作業上のゆとり幅 ⇨ 0.5m
- **根切面積**とは、原則として基礎または地下構築物などの**底面の設計寸法**に**余幅**を加えて計算した面積をいう。
- **山留め**を設ける場合の**余幅**は、**1.0m**とする。

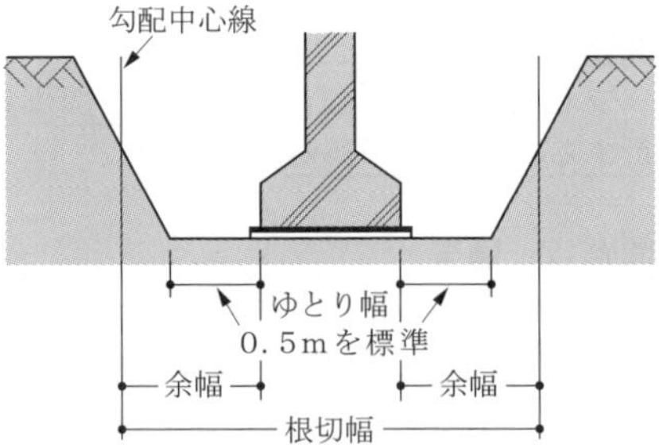

2）鉄筋コンクリート工事

① **コンクリート数量**

- 設計寸法により計算した体積とする。

② **型枠の数量**

- 斜面の勾配が**3/10**を超える部分や、階段の踏面部分の上面型枠は、計測の対象とする。

③　**鉄筋の数量**

- フープ、スタラップの長さ ⇨ コンクリート断面の設計寸法による周長とする。
- **柱**(基礎柱を除く)の**主筋の継手** ⇨ 各階ごとに1箇所
- 床板の全長にわたる主筋の継手 ⇨ 4.5m未満　　　　：0.5箇所
4.5m以上9m未満　：1箇所
9m以上13.5m未満：1.5箇所
- **はりの継手** ⇨ 5m未満　　　　：0.5箇所
5m以上10m未満：1箇所
10m以上　　　　：2箇所
- **割付本数** ⇨ その部分の長さを間隔で除し、小数点以下1位を切り上げた整数に1を加えたものとする。
- 階段の段型の鉄筋長さ ⇨ 踏面、けあげ＋継手及び定着長さ
- 径の異なる鉄筋の**重ね継手の長さ** ⇨ 径の小さい方の継手長さ
- ガス圧接継手の加工による鉄筋の長さの変化はないものとする。

④　**コンクリート・型枠・鉄筋の欠除**

	窓などの開口部（1箇所当り）	欠除
コンクリート	内法面積0.5㎡以下	なし
型　枠		
鉄　筋		

3)鉄 骨 工 事

- ボルト類による孔あけ、開先加工、スカラップなど、1箇所当たり**0.1㎡**以下の**ダクト孔**等による鋼材の欠除はないものとする。
- 鋼板の数量算出において、複雑な形状のものにあっては、その面積に近似する**長方形**とみなすことができる。
- **溶接** ⇨ **すみ肉溶接脚長6㎜**に換算した長さ

4)鉄骨鉄筋コンクリート工事

- 鉄骨によるコンクリートの欠除 ⇨ 鉄骨**7.85 t** を **1 m^3**として換算した体積

5)そ　の　他

- シート防水における重ね代は、計測の対象としない。
- 石材 ⇨ 設計寸法による体積、個数。開口面積が1箇所当たり**0.1㎡**以下のときは、**欠除**は**ない**ものとする。

アドバイス　**積　　算**

- 積算からは、例年1問出題されている。
- 所要数量、鉄筋コンクリート工事、鉄骨工事の積算基準を整理すること。

問題 5

建築積算に関する次の記述について、建築工事建築数量積算研究会「建築数量積算基準」に照らして、**適当か**、**不適当か**、判断しなさい。

check

問題1

鉄筋の所要数量は、設計数量の４％増を標準とする。

check

問題2

鉄骨材料のうち、形鋼の所要数量は、設計数量の５％の割増をすることを標準とする。

check

問題3

鉄骨材料の所要数量を求める場合、ボルト類及びアンカーボルト類については、設計数量に４％の割増をすることを標準とする。

check

問題4

コンクリートの数量の算出に当たっては、鉄筋及び小口径管類によるコンクリートの欠除はないものとみなす。

check

問題5

窓、出入口等の開口部の内法の見付面積が１か所当たり0.5㎡以下の場合、原則として、開口部によるコンクリートの欠除はないものとする。

check

問題6

基礎や屋根などのコンクリート面の上面の型枠の場合、傾斜している部分については、その勾配にかかわらず積算の対象としない。

check

問題7

鉄筋コンクリート造の階段における型枠の数量は、コンクリートの底面及び他の部分に接続しない側面、踏面並びにけあげの面積とする。

check

問題8

窓、出入口等の開口部による型枠の欠除は、建具類等の開口部の内法寸法で計算し、内法の見付面積が0.5㎡以下の開口部については、原則として、型枠の欠除は、ないものとみなす。

check

問題9

鉄筋の数量を算出する場合、帯筋及びあばら筋の長さについては、それぞれ柱及び梁のコンクリートの断面の設計寸法による周長を鉄筋の長さとし、フックはないものとする。

check

問題10

鉄筋の重ね継手の箇所数は、原則として、計測した鉄筋の長さについて、径13㎜以下の鉄筋は6.0ｍごとに継手があるものとして求める。

check

問題11
鉄筋の数量を算出する場合、連続する床板(単独床板及び片持床板は除く。)の全長にわたる主筋の継手については、床板ごとに0.5か所の継手があるものとみなし、これに床板の辺の長さ5.0mごとに0.5か所の継手を加えるものとする。

問題12
径の異なる鉄筋の重ね継手の長さは、径の大きいほうの継手長さとする。

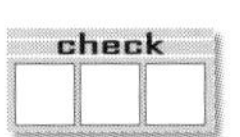

問題13
鉄筋の積算において、圧接継手の加工のための鉄筋の長さの変化はないものとみなす。

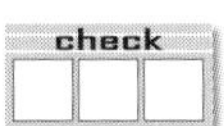

問題14
あばら筋のピッチが示されているときの鉄筋の割付本数は、その部分の長さを鉄筋の間隔で除し、小数点以下1位を切り上げた整数に1を加えたものとする。

問題15
窓、出入口等の開口部による鉄筋の欠除は、建具類等の開口部の内法寸法によるものとし、1か所当たりの開口部の内法面積が0.5㎡以下の場合は、鉄筋の欠除はないものとみなす。

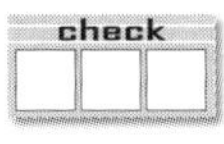

問題16
鉄骨の溶接の数量は、原則として、種類、溶接断面形状ごとに長さを求め、すみ肉溶接脚長9㎜に換算した延べ長さとする。

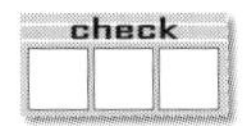

問題17
鉄骨の計測においては、ボルト類のための孔あけ、開先加工、スカラップなどによる鋼材の欠除は、原則として、ないものとみなす。

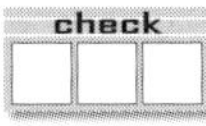

問題18
鋼板の数量の算出において、複雑な形状のものにあっては、その面積に近似する長方形として計測・計算することができる。

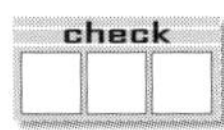

問題19
鉄骨鉄筋コンクリート造の鉄骨によるコンクリートの欠除は、鉄骨の設計数量について7.85 t を1.0m^3として換算した体積とする。

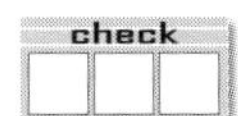

問題20
シート防水におけるシートの重ね代は、計測の対象としない。

解説

問題1　適当

鉄筋の所要数量は、その設計数量の**4%増**を標準とする。

問題2　適当、問題3　不適当

鉄骨材料について、所要数量を求めるときは、設計数量に、**形鋼・**鋼管及び平鋼：**5%**、広幅平鋼及び鋼板(切板)：3%、**ボルト類：4%**、の割増をすることを標準とする。**アンカーボルト類**は、ロスが発生しないものとするため、**割増を行わない**。

問題4　適当

コンクリートの数量は、鉄筋、軽量各コンクリートなど調合、強度、スランプ、材種などにより区別し、各部分ごとに設計寸法により計測・計算した体積とする。**鉄筋及び小口径管類**によるコンクリートの**欠除はない**ものとする。

問題5　適当

窓、出入口等の**開口部**による**コンクリート**の欠除は、原則として、建具類等の開口部の内法寸法とコンクリートの厚さとによる体積とする。ただし、開口部の内法の**見付面積**が**1か所当たり0.5㎡以下**の場合は原則として、開口部によるコンクリートの**欠除はない**ものとみなす。

問題6　不適当

型枠の数量は、型枠材料、工法、コンクリート打設面などにより区別し、原則として、その側面及び底面の面積とする。ただし、斜面の**勾配が3/10**を超える場合及び**階段の踏面**は、その部分の上面型枠又はコンクリートの上面の処理を計測、**計算の対象**とする。

問題7　適当

階段における型枠の数量は、コンクリートの底面及び他の部分に接続しない側面、踏面並びにけあげの面積とする。

問題8　適当

窓、出入口等の**開口部**による**型枠**の欠除は、原則として建具類等の内法寸法とする。なお、開口部の内法の**見付面積**が**1か所当たり0.5㎡以下**の場合は、原則として型枠の**欠除はしない**。また、開口部の見込部分の型枠は計測の対象としない。

問題9　適当

柱の**帯筋**(フープ)、梁の**あばら筋**(スタラップ)の長さについては、それぞれ柱、基礎梁・梁・壁梁のコンクリートの**断面寸法による周長**を鉄筋の長さとし、**フックはないもの**とする。

問題10　適当

原則として、計測した鉄筋の長さについて、**径13㎜以下**の鉄筋は**6.0mごと**に、径16㎜以上の鉄筋は7.0mごとに**継手**があるものとして、継手か所数を求める。

問題11　不適当

連続する**床板**(単独床板及び片持床板は除く。)の全長にわたる主筋の継手については、床板の長さ4.5m未満は0.5か所、4.5m以上9.0m未満は1か所、9.0m以上13.5m未満は1.5か所あるものとする。

問題12　不適当

径の異なる鉄筋の重ね継手は、径の**小さい**ほうの継手長さとする。

問題13　適当

ガス圧接継手の切揃えによる切断分又は圧接部のふくらみによる延べ長さの縮み分などは計測上ないものとみなし、**図面から計測される長さ**を数量とする。

問題14　適当

鉄筋の**割付本数**は、その部分の長さを鉄筋の間隔で除し、小数点以下1位を切り上げた整数(同一の部分で間隔の異なる場合は、その整数の和)に1を加えたものとする。

問題15　適当

窓、出入口等の**開口部**による**鉄筋**の欠除は、原則として、建具類等の開口部の内法寸法による。ただし、**1か所当たりの内法面積**が**0.5㎡以下**の開口部による鉄筋の欠除は、原則として**ないものとする**。

問題16　不適当

鉄骨の溶接の数量は、設計図に図示された種類、溶接断面形状ごとに求め、すみ肉溶接脚長**6㎜**に換算した延べ長さによる。

問題17　適当

鉄骨の計測においては、ボルト類のための**孔あけ**、**開先加工**、**スカラップ**及び柱、梁などの接続部のクリアランスなどによる鋼材の**欠除**は、原則として**ないもの**とみなす。1か所当たり0.1㎡以下(約36cm丸)の鋼材を貫通するダクト孔などによる欠除もないものとみなす。

問題18　適当

鋼板の数量の算出は、原則として設計寸法による面積を計測・計算する。ただし、**複雑な形状**のものはその面積に**近似する長方形**として計測・計算することができる。

問題19　適当

鉄骨によるコンクリートの欠除は、定められた方法により計測・計算した鉄骨の設計数量について7.85tを$1.0m^3$として換算した体積とする。

問題20　適当

シート防水などの積算は、比較的単純な面積計算で、**重ねは無視**して防水面の実面積で算出計上する。立上りもまた同様である。

Check Point 6 都市計画・住宅地計画・建築史

1 都市計画

① 都市理論研究者と主な提案

E.ハワード	「明日の田園都市」構想の提案
トニー・ガルニエ	「工業都市」—都市機能の分離の構想
オースマン	パリの改造計画の実施
ル・コルビュジエ	「輝く都市」・「ユルバニズム」
コーリン・ブキャナン	都市交通に関する研究「ブキャナンレポート」
パトリック・ゲデス	「進化する都市」
C.A.ペリー	近隣住区を構成単位とする住区計画の提唱
K・リンチ	「都市のイメージ」
ルイス・マンフォード	「都市の文化」
ローレンス・ハルプリン	ニコレットモールの設計
ドクシァディス	メガロポリス、エキュメノポリス等の分類を提唱

② 用　　語

- **土地区画整理事業** ⇨ 秩序だった健全な市街地を構成するため、土地の区画、形質を整え、道路・公園・上下水道等の公共施設の整備を行う開発事業。
- **特定街区制度** ⇨ 良好な市街地の形成を図るため、建築物の高さ、容積率等を都市計画において定める制度。
- **地区計画制度** ⇨ 地区の特性に応じ建築物の敷地、用途、形態等に関するきめ細かな計画により、適切な建築行為の指導・規制を行う制度。
- **建築協定** ⇨ 住宅地環境の向上等を目的として、条例で定める一定の地域内において、関係権利者の同意をもとに、用途、形態等の基準を定める協定。
- **総合設計制度** ⇨ 市街地の環境に配慮し、土地を有効利用するため、一定規模以上の敷地に、規定以上の公開空地を計画した場合、容積率・高さ制限等が緩和される制度。
- **メガロポリス** ⇨ いくつかの巨大都市が連接して、経済・社会・文化等の機能が相互に一体化している地域のこと。
- **エキュメノポリス** ⇨ 都市化地域が全体に広がり、網目状に連続した状態を想定して名付けた終局的な未来の世界都市に関する概念。
- **クルドサック** ⇨ 行き止まりの袋小路の街路において、その端部で自動車の方向転換を可能としたもの。
- **ラドバーンシステム** ⇨ 人間と自動車の動線を平面的に分離し、団地内に通過交通のないようにしたもの。
- **ボンエルフ** ⇨ 自動車を低速化させる道路の工夫を用いて、歩行者と自動車の共存を図る道路計画。

2 住宅地計画

住宅地の構成には、隣保区・近隣分区・近隣住区・住区群などがあり、このうち、近隣住区を基本構成単位とする。

- **近隣住区** ⇨ 住宅戸数：2,000～2,500戸、30～100ha
  小学校1学区の規模。日常生活に必要な店舗や公共施設を設ける。
  公共施設→郵便局・消防、警察派出所・図書館分館・近隣公園

3 建築史

日本		
時代	建　築　物	特　徴
古代	伊勢神宮内宮正殿	神明造り－平入り・棟持柱
飛鳥	法隆寺金堂	飛鳥様式－エンタシスの柱・雲形組物
奈良	薬師寺東塔	和様－三手先組物
鎌倉	東大寺南大門	大仏(天竺)様－挿肘木
	円覚寺舎利殿	禅宗(唐)様－火灯窓、海老虹梁
室町	慈照寺東求堂	書院造り－付書院・違い棚
桃山～江戸	日光東照宮社殿	権現造り－本殿・石の間・拝殿
	桂離宮	数寄屋造り－八条宮の別荘

西洋		
時代	建　築　物	特　徴
古代	パルテノン神殿	古代ギリシャ－オーダー(ドリス式)
中世	ハギア・ソフィア	ビザンチン－ペンデンティブドーム
	ピサ大聖堂	ロマネスク－ラテン十字・鐘楼(ピサの斜塔)
	ノートルダム大聖堂	ゴシック－フライングバットレス・双塔
近代	フィレンツェ大聖堂	ルネサンス－二重殻ドーム(ブルネレスキ設計)
	ヴェルサイユ宮殿	バロック－鏡の間・庭園
	イギリス国会議事堂	ネオゴシック－時計台(ビッグベン)

アドバイス 都市計画・住宅地計画・建築史

- 都市計画では、総合設計制度についての出題が多い。
- ラドバーン、クルドサック、ボンエルフ、ハンプ等の用語を正確に記憶する。
- 都市計画理論と提案者の組合せも把握すること。
- 建築史では、過去の本試験問題を確実に把握すること。

問題 6

都市計画・住宅地計画・建築史に関する次の記述について、**適当か、不適当か**、判断しなさい。

▮都市計画▮

問題1

「総合設計制度」は、有効な空地を設ける等、良好な計画の建築物の建設を促進し、良好な市街地の形成を図る制度である。

問題2

公開空地は、一般に開放され、日常自由に利用できる敷地内の広場のことであり、歩道状の空地やアトリウム空間を含まない。

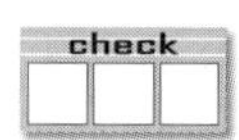

問題3

「特定街区制度」は、特定の大都市地域等で共同でビルを建築する者に対し、自治体や国が補助を行う制度である。

問題4

ハーロウニュータウン(イギリス)は、近隣住区方式の原則に基づき、明快な住区の段階構成をもつニュータウンの例である。

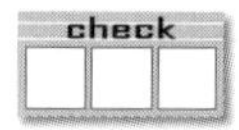

問題5

千里ニュータウン(大阪府)は、近隣住区方式による我が国最初の大規模なニュータウンの例である。

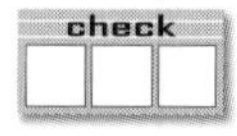

問題6

クルドサックとは、一端が行止りの街路において、その端部で車の方向転換を可能としたものである。

問題7

ボンエルフとは、住宅地におけるコミュニティの利用を中心として設計された歩行者専用道路で、小公園等を併設するものである。

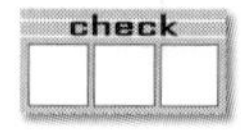

問題8

住宅地まわりなどの道路において設けられるハンプは、車の速度を強制的に歩行者と同じ程度に落とすことを目的とした手法である。

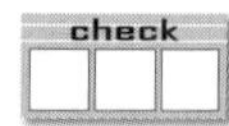

問題9

トランジットモールは、ショッピングモールの形態の一つであり、商店街から一般の自動車、公共交通機関を排除した歩行者専用の空間である。

住宅地計画

問題10
近隣住区は、学校、店舗、公園等の日常生活に必要なコミュニティ施設を備え、一般に、小学校が一校成立する程度の人口を単位としたものである。

建築史

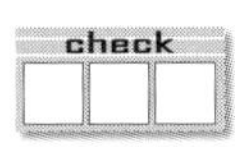

問題11
出雲大社本殿(島根県)は、正面の片方の柱間を入口とした非対称の形式をもつ中門造りの神社建築の例である。

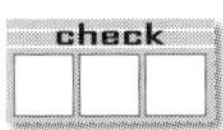

問題12
浄土寺浄土堂(兵庫県小野市)は、海老虹梁を用いた禅宗様(唐様)の建築である。

問題13
妙喜庵待庵は、小堀遠州作の書院茶室である。

問題14
桂離宮は、江戸時代に造営された数寄屋風建築の代表例である。

問題15
日光東照宮社殿(栃木県)は、本殿と拝殿との間を石の間でつなぐ権現造りの例である。

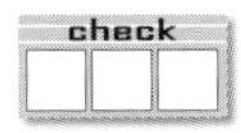

問題16
神明造りは、切妻屋根の棟の上に棟と直交する円形断面の堅魚木(かつおぎ)が並び、棟の両端に斜めに突き出した千木(ちぎ)がある。

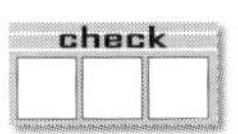

問題17
ハギア・ソフィア大聖堂(イスタンブール)は、ペンデンティヴドームを用いた大空間を特徴としたビザンチン建築である。

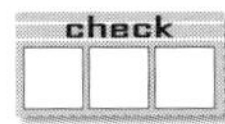

問題18
ノートルダム大聖堂(パリ)は、側廊の控壁をつなぐフライングバットレスや双塔形式の正面を特徴とした初期ゴシック建築である。

解説

問題１　適当

総合設計制度とは、一定規模以上の敷地に有効な公開空地を確保することなどによって、容積率、高さ制限などが緩和できる制度で、良好な計画の建築物の建設を促進し、良好な市街地の形成を図る制度である。

問題２　不適当

公開空地は、計画建築物の敷地内に設けられ、だれもが日常自由に利用できる空地又は開放空間をいい、一般に、広場状の空地のほか、歩道状の空地、建築物を貫通する通路、建築物内に設けるアトリウム空間なども含まれる。

問題３　不適当

特定街区制度とは、有効な空地を確保するなど、都市機能の更新や優れた都市空間の形成・保全を目的とした街区単位のプロジェクトに対して、一般の建築規則にとらわれずに、市町村等が個別に都市計画決定することによって、その街区内における容積率の最高限度、建築物の高さの最高限度及び壁面の位置の制限を緩和できる特例制度である。良好な市街地の形成を図るため、総合設計制度の考え方をさらに進めた制度と言える。したがって、共同建築者への特定の補助制度ではない。

問題４　適当

ハーロウニュータウンは、大ロンドン計画による衛星都市。1947年より計画され、**近隣住区**方式による19の住区を４つの地区にまとめた明快な住区の段階構成をもつニュータウン。計画人口８万人。1947年、イギリス、ロンドン北方に位置する。

問題５　適当

千里ニュータウンは、典型的な**近隣住区**方式によって計画された我が国最初の大規模なニュータウン。12の近隣住区を中央、北、南の３地区にまとめた構成。1964年大阪府企業局企画。計画人口15万人。大阪市近郊に位置する。

問題６　適当

クルドサックとは、行き止りの袋小路の端を、自動車の方向転換を可能にしたもの。住宅地計画で、歩行者と車を分離するための手段として、アメリカのラドバーンで最初に提案された。

問題７　不適当

ボンエルフとは、歩行者のアメニティ（快適性）を考えつつ、自転車や低速自動車（歩行速度程度）の通行を可能にした歩車共存方式のコミュニティ（生活）道路。

問題８　適当

住宅地まわりなどの道路において、車の速度を抑制するため、路面を部分的に盛上げる手法を**ハンプ**といい、車路を蛇行させる手法をシケインという。

問題9　不適当

都心部や商業地などでの歩行者空間を充実させた街路をモールという。**トランジットモール**は、一般車両の乗り入れを禁止した歩行者用街路であるが、バスや路面電車などの公共交通は走行させる方式である。

問題10　適当

近隣住区は、幹線街路に囲まれた30～100ha程度の用地に学校などの公共施設、日常生活に必要な店舗、近隣公園等を備え、小学校が一校成立する8,000～10,000人（住戸数2,000～2,500戸）程度の人口を単位としている。

問題11　不適当

出雲大社本殿は、正面の片方の柱間を入口とした非対称の形式をもつ大社造りの神社建築の例である。なお、中門造りとは、日本海の多雪地域に見られた民家の形式。

問題12　不適当

浄土寺浄土堂（兵庫県小野市）は、鎌倉時代に大陸より渡来した寺院建築の様式である大仏様（天竺様）の建築物で、内部に天井を張らず、太い虹梁（こうりょう）と大瓶束（たいへいづか）を積み重ねて屋根を支える構造は、大仏様のもつ構造美をよく表現している。なお、記述は円覚寺舎利殿である。

問題13　不適当

妙喜庵待庵（みょうきあんたいあん）は、桃山時代の茶道の創始者千利休の作と伝えられている16世紀末の草庵茶室。京都府所在。なお、小堀遠州作の書院茶室は、孤蓬庵忘筌（こほうあんぼうせん）である。

問題14　適当

桂離宮は、江戸時代初期の造営。書院造りに草庵茶室の手法を取り入れた数寄屋風建築の代表作。京都府所在。

問題15　適当

日光東照宮社殿は、徳川家康を祭るために建立された霊廟建築。本殿と拝殿の間を一段低くなった石の間でつなぐ権現造りの代表作。江戸時代初期。

問題16　適当

神明造りは、伊勢神宮内宮正殿に代表される古代神社建築の様式の一つであり、茅葺き切妻屋根の平入りとしている。妻側に独立して立つ棟持柱（むなもちばしら）が棟木を支え、棟の上に棟と直交する円形断面の堅魚木（かつおぎ）が並び、棟の両端に斜めに突き出した千木（ちぎ）がある。

問題17　適当

ハギア・ソフィア大聖堂（イスタンブール）は、**ビザンチン建築**であり、**ペンデンティヴドーム**を用いた大空間を特徴としている。

問題18　適当

ノートルダム大聖堂（パリ）は、**初期ゴシック建築**であり、側廊の控壁をつなぐ**フライングバットレス**や**双塔形式**の正面を特徴としている。

Challenge 令和6年 学科試験問題

No. 1 建築士の行う、設計業務等に関する次の記述のうち、**最も不適当な**ものはどれか。

1. 建築士は、違反建築物の建築等の法令違反行為について、指示をする、相談に応じる等の行為をしてはならない。
2. 建築士は、設計者ではなく施工者として建築基準関係規定に違反する工事を行った場合であっても、建築士法により業務停止処分を受けることがある。
3. 一級建築士、二級建築士及び木造建築士は、国土交通大臣の免許を受け、設計、工事監理その他の業務を行う者で、常に品位を保持し、建築物の質の向上に寄与するように、公正かつ誠実にその業務を行わなければならない。
4. 建築関連5団体によって制定された「地球環境・建築憲章」(2000年)では、持続可能な循環型社会の実現に向けての21世紀の目標として、「長寿命」、「自然共生」、「省エネルギー」、「省資源・循環」、「継承」に取り組むことを宣言している。

No. 2 日本の歴史的な建築物(所在地)に関する次の記述のうち、**最も不適当な**ものはどれか。

1. 豊平館(北海道)は、木造総2階建てで、中央入口の上部に架かる半円形に張り出したバルコニーをコリント式の柱で支える、明治時代に建てられた洋風の建築物である。
2. 臨春閣(大正期に移築、現・神奈川県)は、3棟からなり、現在の第三屋においては、1階に雅楽の楽器を用いた欄間、2階に縁を配した小部屋が設けられている、江戸時代に建てられた数寄屋風書院造りの建築物である。
3. 本願寺飛雲閣(京都府)は、敷地内の池に面して建つ3層の楼閣建築であり、左右対称を避けるように3層を中央からずらして配置し、屋根や唐破風を複雑に配した、平安時代に建てられた寝殿造りの建築物である。
4. 三徳山三仏寺投入堂(鳥取県)は、修験道の道場として山中に営まれた寺院の奥院で、岩山の崖のくぼみにあり、長短の様々な柱を巧みに用いた、平安時代に建てられた懸造りの建築物である。

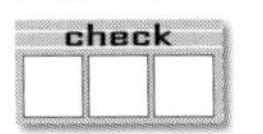

No. 3　西洋の歴史的な建築物(所在地)に関する次の記述のうち、**最も不適当な**ものはどれか。

1. サン・マルコ大聖堂(イタリア)は、ギリシア十字形の集中式の平面に、中央交差部及び十字の各腕(ベイ)の上部にドームをもつ、ビザンツ様式の建築物である。
2. シュパイヤー大聖堂(ドイツ)は、内陣の前に袖廊(トランセプト)を配したラテン十字形の三廊式バシリカの平面に、西面の中央と両端、身廊・側廊と袖廊との交差部、内陣の両側に塔をもつ、ロマネスク様式の建築物である。
3. パリのノートルダム大聖堂(フランス)は、二重周歩廊をめぐらした内陣と階上廊を有する側廊が設けられた五廊式バシリカの平面に、バラ窓や双塔を西面にもつ、ゴシック様式の建築物である。
4. ウェストミンスター宮殿(イギリス)は、広大かつ整然とした幾何学的庭園をもち、宮殿内は「鏡の間」に代表される豪華な室内装飾が随所に施された、バロック様式の建築物である。

No. 4　人間の行動や心理の特性に配慮した計画に関する次の記述のうち、**最も不適当な**ものはどれか。

1. 認知症高齢者グループホームにおいて、「環境移行」によるADLの低下や心理的混乱を避けるため、1ユニットの定員を9人とし、小規模で家庭的な環境となるようにした。
2. 総合病院において、患者や見舞い客等が病室に設置された備品・什器を混乱なく、色や形状等で直感的に分かりやすく使えるよう、ウェイファインディング・デザインを採用した。
3. 住宅地において、防犯性を高めるため、オスカー・ニューマンによる「まもりやすい空間」の理論に基づき、パブリックからプライベートまでの段階的な空間構成を採用した。
4. 商業施設において、ソシオフーガルな関係での利用ができるよう、互いの視線が合わずに座れるベンチを休憩スペースに設置した。

No. 5　断熱計画、気密計画等に関する次の記述のうち、**最も不適当な**ものはどれか。

1. 木造の一戸建て住宅の外壁において、繊維系断熱材の屋外側に透湿防水シートを設けたうえで胴縁等を用いて通気層を確保することは、壁体内に侵入した湿気が屋外に排出され、壁体内の結露を防止する効果がある。
2. 木造の一戸建て住宅において、基礎断熱工法を採用する場合、外周部の土台と基礎天端の間にねこ土台を設け、床下の通気性を確保する必要がある。
3. 建築物の改修において、既存の窓に内窓を設置し、その内窓の気密性を高めることは、既存の窓の室内側の表面結露を防止する効果がある。
4. 気候風土適応住宅は、地域の気候及び風土に応じた住宅であることにより、外皮基準に適合させることが困難であるものとして国土交通大臣が定める基準に適合するものである。

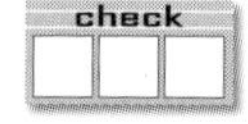

No. 6　建築物の長期利用に関する次の記述のうち、**最も不適当な**ものはどれか。

1. 一戸建て住宅において、敷設したさや管の内部に樹脂製の配管を通すさや管ヘッダー工法を用い、ヘッダーを設置した洗面室の床下から集中的に点検や更新が行える計画とした。
2. 事務所ビルにおいて、大規模災害時の事業継続や早期復旧を目的としたBCP(事業継続計画)の策定に当たり、サテライトオフィスを設置して事業拠点を分散する計画とした。
3. 高層集合住宅において、各階で更新ができるように、排水管の接合方法が工夫された特殊継手排水システムを採用したので、排水管及びパイプシャフトは専有部から点検する計画とした。
4. 建築物の耐震改修に当たり、確認済証が交付されていたが検査済証の交付を受けていなかったので、建築当時の建築基準法等への適合状況を調査するため、確認済証に添付された図書等を用いて図上調査・現地調査を実施した。

check

No. 7 木質系材料に関する次の記述のうち、**最も不適当な**ものはどれか。

1. 構造用集成材は、ひき板をその繊維方向が互いに直交となるように積層接着したものであり、大断面や湾曲材等の形状とすることで大スパンでの使用も可能である。
2. 構造用合板は、単板をその繊維方向が互いに直交となるように積層接着したものであり、JASにおいて特類のものは、屋外又は常時湿潤状態となる環境下での使用も可能である。
3. OSB（Oriented Strand Board）は、木材のストランド（切削片）を配向した層が互いに直交となるように積層接着したものであり、耐力壁にも使用されている。
4. MDF（Medium Density Fiberboard）は、主に木材等の植物繊維を成形した繊維板であり、下地材、家具材料のほか、構造用の面材にも使用されている。

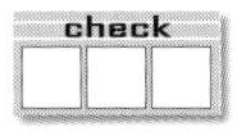

No. 8 建築物の各部の寸法等に関する次の記述のうち、**最も不適当な**ものはどれか。

1. 保育所の計画において、乳児を対象とした定員10人のほふく室の有効面積を、40m^{2}とした。
2. 図書館の計画において、子どもや車椅子使用者に配慮して、貸出用のカウンターについては、上端高さを700mm、下端高さを650mmとした。
3. 体育館の計画において、バレーボールの公式試合（日本バレーボール協会主催の競技会）が行えるようにするため、天井の高さを、10.5mとした。
4. 病院の療養病床の病棟計画において、患者が使用する廊下の有効幅員は、片側居室となる部分を2.0m、両側居室となる部分を3.0mとした。

No. 9 高齢者、障害者、子ども連れ利用者等に配慮した建築物の計画に関する次の記述のうち、「高齢者、障害者等の円滑な移動等に配慮した建築設計標準(国土交通省)」に照らして、**最も不適当な**ものはどれか。

1. 商業施設のベビー休憩室(授乳及びおむつ替えのための部屋)において、幼児の立位姿勢でのおむつ交換と排泄前後の着脱衣を安全にできるよう、乳幼児用おむつ交換台とは別に着替え台を設けた。
2. ビジネスホテルの客室において、客室内の浴室の出入口に至る経路を直角路としたので、浴室の出入口付近の通路の有効幅員を、800mmとした。
3. 市庁舎の主たる階段において、杖使用者等が円滑に上下移動できるよう、両側に段鼻から高さ650mmと850mmの二段の手すりを設けた。
4. 特別養護老人ホームのサイン計画において、特に白内障の人に表示内容が分かりやすくなるよう、黒い表示板に白色の文字を用いた。

No. 10 各種の法令に基づく協定における、土地所有者等の合意に関する次の記述のうち、**最も不適当な**ものはどれか。

1. 景観法に基づく景観協定は、景観計画区域内の一団の土地の区域における良好な景観の形成に関する事項について、原則として、土地所有者等の全員の合意により結ばれる。
2. 都市再生特別措置法に基づく都市利便増進協定は、まちのにぎわいや交流の創出に寄与する施設を、イベント等を実施しながら一体的に整備又は管理していくことを目的としたもので、区域内の土地所有者等の相当部分の参加により結ばれる。
3. 建築基準法に基づく建築協定は、住宅地としての環境や商店街としての利便を高度に維持増進することなどを目的としたもので、原則として、土地所有者等の全員の合意により結ばれる。
4. 都市緑地法に基づく緑地協定は、都市計画区域又は準都市計画区域内の地域の良好な環境を確保するため、緑地の保全及び緑化の推進に関する事項について、土地所有者等の相当部分の参加により結ばれる。

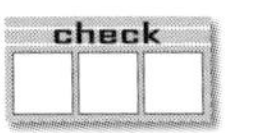

No. 11 都市計画やまちづくりに関する用語の説明として、**最も不適当な**ものは、次のうちどれか。

1. 区域区分(線引き)は、都市計画区域について、無秩序な市街化を防止し、計画的な市街化を図るため必要があるときに定める、市街化区域と市街化調整区域との区分のことである。
2. まちづくり三法は、「改正都市計画法」、「中心市街地における市街地の整備改善と商業等の活性化の一体的推進に関する法律」、「大規模小売店舗立地法」の総称である。
3. 連担建築物設計制度は、複数敷地により構成される一団の土地の区域内において、既存建築物の存在を前提とした合理的な設計をする場合には、複数建築物が同一敷地内にあるものとみなして、建築規制を適用する制度である。
4. 風致地区は、「地域における歴史的風致の維持及び向上に関する法律(歴史まちづくり法)」に基づき、都市の風致を維持するために定められた地区である。

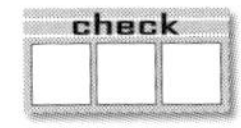

No. 12 住宅の作品名(設計者)とその特徴に関する次の記述のうち、**最も不適当な**ものはどれか。

1. まつかわぼっくす(宮脇檀)は、鉄筋コンクリート造の内側に木構造をおさめた混構造で、中庭のあるコートハウス形式の住宅である。
2. 住吉の長屋(安藤忠雄)は、ファサードに玄関以外の開口部がなく、中央部に中庭を設けた住宅である。
3. 中野本町の家(伊東豊雄)は、鉄筋コンクリートの柱の上に鉄骨フレームを架け、上部をアルミやテントで覆った住宅である。
4. 私たちの家(林昌二・林雅子)は、庭と居間とが面する関係を保ちつつ、コンクリートブロック造の住宅を増改築することで、夫婦２人の住まいとした住宅である。

No. 13 住宅地・集合住宅の計画に関する次の記述のうち、**最も不適当な**ものはどれか。

1. 防災集団移転促進事業は、災害が発生した地域又は建築基準法に基づく災害危険区域のうち、住民の居住に適当でないと認められる区域内にある住居の集団的移転を促進することを目的としたものである。
2. ボンエルフ方式は、住宅地内の道路の計画において、シケインを用いて車の通行部分を蛇行させるなど、スピードを落とさせることにより、歩車共存を図ることを目的としたものである。
3. コレクティブハウスは、自ら居住する住宅を建設しようとする者が集まって結成した組合によって、事業計画の策定、建築物の設計、工事発注から住宅の管理・運営までを行うものである。
4. デュアルリビングは、住宅内に接客用のリビング(フォーマルリビング)と家族用のリビング(ファミリーリビング)のような、異なる機能をもつ2つのリビングを設けるものである。

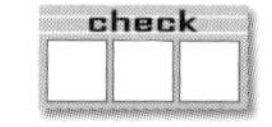

No. 14 商業建築物等の計画に関する次の記述のうち、**最も不適当な**ものはどれか。

1. 大規模店舗において、避難時に利用する階段室への出入口の有効幅員は、流動係数を考慮して、階段の有効幅員よりも狭くした。
2. 大規模店舗において、同じ道路に面した駐車場の入口と出口とを、10m離して設けたうえで、左折入庫・左折出庫となるようにした。
3. 劇場において、車椅子使用者用客席は、劇場の舞台の先端から車椅子使用者の眼高までのサイトラインの確保を基本とし、異なる階・異なる水平位置に分散して配置した。
4. 事務所ビルにおいて、2階建てのエレベーター籠によって奇数階と偶数階と同時に乗客の輸送が可能なコンベンショナルゾーニング方式を採用し、建築面積に占めるエレベーターの割合を減らした。

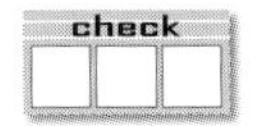

No. 15 社会福祉に関する用語の説明として、**最も不適当な**ものは、次のうちどれか。

1. インクルーシブ教育は、障害の有無にかかわらず学べる仕組みのことであり、カームダウンのためのデンやアルコーブを教室まわりに設けるなど、それぞれの状況に応じて環境を整える「合理的配慮」が必要となる。
2. ジェントリフィケーションは、障害者が社会の中でごく普通に生活ができるように社会を整えることであり、在宅生活支援や地域に溶け込む小規模な就労支援の場などの整備が進められている。
3. レスパイトケアは、在宅で介護をする者が一時的に介護から離れて休息等をとれるようにする支援のことであり、医療型短期入所(ショートステイ)は、一時預かりだけでなく、介護をする者・される者が家族以外の人々と交流できる場としても期待されている。
4. 地域包括ケアシステムは、重度な要介護状態となっても住み慣れた地域で自分らしい暮らしを続けることができるような仕組みのことであり、住まい・医療・介護・予防・生活支援が一体的に提供されるよう、地域の特性に応じた対応が重要である。

No. 16 総合病院の計画に関する次の記述のうち、**最も不適当な**ものはどれか。

1. 病棟において、患者用のトイレは、利用時の安全性と利便性の確保のため、便器側方へのアプローチについて左右勝手が異なるタイプのものを分散して配置した。
2. 緩和ケア病棟において、病室は全て個室とし、共用部に患者や患者家族が利用できる調理室や食事室を設置するなど、患者とその家族とのQOLを高める計画とした。
3. 病室階において、火災時に避難階段等の縦動線を利用せずに一定の時間の安全性が確保できるように、各階に防火防煙区画された、2つ以上の安全区画を設ける計画とした。
4. 部門構成において、病院運営の効率及び患者の動線を考慮して、外来部門は診療部門と病棟部門との間に配置した。

No. 17　美術館(所在地)に関する次の記述のうち、**最も不適当な**ものはどれか。

1. 富弘美術館(群馬県)は、様々な大きさの矩形の展示空間が独立して配置され、その間の空間も展示や交流のためのスペースとなるように計画されている。
2. ポーラ美術館(神奈川県)は、周囲の景観を極力損なわないよう、すり鉢状の構造体を地下に埋め込んで建築物の高さを抑え、美術館の中心を貫くアトリウムにより自然光を取り入れることで、自然と美術との共生を目指した空間が計画されている。
3. 京都市京セラ美術館[京都市美術館]（京都府)は、昭和初期に開館した美術館の既存のメインエントランスを残し、スロープからつながる地下広場に面した新たなエントランスを設けるなどの改修がされている。
4. 豊島美術館(香川県)は、鉄筋コンクリートのシェル構造による屋根の大きな開口部から、周囲の風・音・光を内部に直接取り込むことで、周辺環境と建築物、展示作品とを一体で感じられるように計画されている。

改 **No. 18**　設計･監理業務等に関する次の記述のうち、**最も不適当な**ものはどれか。

1. 「建築士事務所の開設者がその業務に関して請求することのできる報酬の基準(令和6年国土交通省告示第8号)」における実施設計に関する標準業務には、工事施工者が設計図書の内容を正確に読み取り、設計意図に合致した建築物の工事を的確に行い、工事費の適切な見積りができるよう、基本設計に基づき、設計意図をより詳細に具体化した仕様書や図面等の図書を作成する業務が含まれる。
2. 四会連合協定「建築設計・監理業務委託契約書」を利用する場合の「監理業務」は、工事監理と工事監理に係るそれ以外の業務(契約で定められる任意の業務)を含んでいる。
3. 「工事監理」、「工事と設計図書との照合及び確認の結果報告等」及び「工事監理の結果報告」は、建築士法における、いわゆる「建築士の独占業務」に該当する。
4. 四会連合協定「建築設計・監理等業務委託契約約款」における監理者の権限は、基本的に発注者との個別の契約で定められるが、契約で特に定められた場合を除き、工事施工段階での設計変更の権限も含まれる。

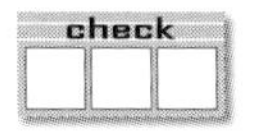

No. 19 建築積算に関する次の記述のうち、建築工事積算研究会「建築数量積算基準・同解説」に照らして、**最も不適当な**ものはどれか。

1. 工事費における工事価格は、純工事費と一般管理費等を合わせたものである。
2. 木取りは、規格長さの製材から１本又は複数の部材を挽き出すことをいう。
3. 工事費における複合単価は、材料、副資材、施工等をまとめた単価のことである。
4. 仕上の計測・計算において、木製間仕切下地を材料と施工手間に分離する場合の材料価格に対応する数量は、所要数量とする。

No. 20 建築のマネジメントに関する次の記述のうち、**最も不適当な**ものはどれか。

1. PFI事業におけるBOT方式は、民間事業者が資金調達を行って施設を建設し、完成直後に公共工事の発注者に所有権を移転し、当該民間事業者に一定期間、維持管理及び運営を委ねる方式である。
2. プロパティマネジメントは、ビル運営管理業務以外にも、リーシングマネジメント業務、コンストラクションマネジメント業務等を含むことがある。
3. ライフサイクルマネジメントは、建築物の機能や効用の維持あるいは向上を適切なコストのもとで、建築物の企画から解体・廃棄処分まで管理実行することである。
4. BIMは、３次元の建築モデルに部材の寸法、材料、コスト等の属性情報をもたせたデータベースであり、設計から施工、維持管理までの各工程での情報活用が可能である。

学科Ⅰ（計画）　解答番号

〔No.　1〕	3	〔No.　2〕	3	〔No.　3〕	4	〔No.　4〕	2	〔No.　5〕	2
〔No.　6〕	3	〔No.　7〕	1	〔No.　8〕	3	〔No.　9〕	2	〔No. 10〕	4
〔No. 11〕	4	〔No. 12〕	3	〔No. 13〕	3	〔No. 14〕	4	〔No. 15〕	2
〔No. 16〕	4	〔No. 17〕	1	〔No. 18〕	4	〔No. 19〕	1	〔No. 20〕	1

学科Ⅱ　環境・設備

● 環境・設備　出題一覧（直近10年間）●

分類項目 ＼ 出題年度		平27	平28	平29	平30	令元	令2	令3	令4	令5	令6
環境工学	環　　境	1		1				1		2	1
	換　　気	1	1	1	1	2		1	1		1
	伝熱・結露	1	2	1	2	1	3	1	2	1	1
	日照・日影・日射	1	1	1	1	1	1	1	1	1	1
	採　　光		1	1	1		1	1	1		1
	色　　彩	1	1	1	1	1	1	1	1	1	1
	音　　響	2	2	2	2	2	2	2	2	2	2
	環境工学融合	1	1	1	1	1	1	1	1	1	1
建築設備	空気調和設備	3	2	3	3	3	3	3	3	3	3
	給排水衛生設備	2	2	2	2	2	2	2	2	2	2
	電気・輸送設備	2	1	2	2	1	2	1	2	2	2
	照明設備	2	1	1		2		1		1	
	消火・防災設備	2	2	2	2	2	2	2	2	2	2
	設備融合	1	3	1	2	2	2	2	2	2	2
合　計		20	20	20	20	20	20	20	20	20	20

Check Point 1 室内環境・換気

❶ 温熱感覚

① **温熱４要素** ⇨ 気温・湿度・気流・放射熱(周壁の平均表面温度)
② 人体の温熱感覚は、温熱４要素および**作業量**・**着衣量**などに影響される。

❷ 温熱指標

温熱４要素・作業量・着衣量を考慮した温熱指標として、ＰＭＶ(予測平均温冷感申告)やＳＥＴ*(標準新有効温度)などがある。

① ＰＭＶ
- ＰＭＶは、**熱的中立に近い状態**において、**大多数の人**が感ずる**温冷感の平均値**を**理論的に予測**した温熱指標。
- **人体の熱負荷**に基づいて解析した複雑な理論式で算出される。
- ＩＳＯ(国際標準化機構)による快適範囲は－0.5＜ＰＭＶ＜＋0.5

② **作用温度**ＯＴ
- 作用温度ＯＴは、気温・気流・**放射**を考慮した温熱指標。
- 静穏な気流条件の暖房室では、**気温**と**平均放射温度**との**平均値**となる。

❸ 室内環境

① 室内の酸素濃度が**18～19%**程度に低下すると、人間が酸素不足に気づく前に、**開放型**燃焼器具の不完全燃焼による**一酸化炭素**が急増するため、人体に危険を及ぼす。
② 冷暖房器具は、**外部負荷の多い窓付近**に設置するほうが、負荷の少ない場所に設置するより良好な室内の温熱環境が得られる。
③ **CO_2**は**無味無臭**であるが、その増加が室内空気汚染とほぼ比例するので、空気汚染の指標としてCO_2濃度が用いられている。
④ **喫煙**によって生じる空気汚染に対する**必要換気量**は、一酸化炭素や二酸化炭素ではなく**浮遊粉じんの発生量**により決まる。
⑤ **室内空気の汚染物質**には、塵あい、体臭、タバコの煙、建材や家具からの揮発性有機化合物(ＶＯＣ)、ホルムアルデヒド等がある。
⑥ 気密性の高い建築物で問題となっている**シックハウス症候群**は、建材・家具等から放散する**ホルムアルデヒド**等が原因の一部とされる。

❹ 空気調和設備の基準

	浮遊粉じん	ＣＯ	CO_2	温　度	相対湿度	気　流	ホルムアルデヒド
許容量	**0.15**mg/㎥	6ppm (0.0006%)	1,000ppm (0.1%)	18～28℃	40～70%	0.5m/ｓ	0.1mg/㎥

5 自然換気

① **自然換気量の一般式**

開口部前後の圧力差により換気される（Q：換気量）。

$$Q = \alpha \cdot A\sqrt{\frac{2}{\rho}\Delta p}$$

α：流量係数　ρ：空気の密度（kg/㎥）
A：開口部面積（㎡）　Δp：圧力差

② **風力による換気量**

風上側と風下側の圧力差により換気される。

$$Q_w = \alpha \cdot A \cdot V\sqrt{C_f - C_b}$$

V：風速（m/s）
C_f、C_b：風上・風下の風圧係数

③ **温度差による換気量**

室内外の温度差により換気される。

$$Q_g = \alpha \cdot A\sqrt{2gh\left(\frac{t_i - t_o}{273 + t_i}\right)}$$

h：給気口と排気口との高さの差
t_i：室温　t_o：外気温度
g：重力加速度　9.8（m/sec^2）

①②③のように、**換気量**に比例するのは、**流量係数 α**、**開口部面積 A**、**風速 V**。それ以外は全て**平方根**に**比例**する。

6 機械換気

① **換気方式**

第１種	機械給・排気（室内正・負圧任意）	映画館・劇場・営業用厨房
第２種	機械給気＋自然排気（室内正圧）	手術室・半導体クリーンルーム
第３種	自然給気＋機械排気（室内負圧）	住宅の台所・便所・浴室

② **全般換気（希釈換気）**

室全体を換気し、汚染空気を希釈、拡散、排出する換気方式。
特に、住宅における全般換気は、住宅全体を対象とした換気方式のことをいう。

③ **局部換気**

汚染物質を発生源近くで捕捉し排出する換気方式。

●実験室 ⇨ ドラフトチャンバー　●厨房、台所 ⇨ レンジフード

7 換気回数

換気回数は室内の空気が１時間に入れ替わった回数である。

$$\text{換気回数（回/h）} = \frac{\text{1時間の換気量（m}^3\text{/h）}}{\text{室容積（m}^3\text{）}}$$

アドバイス　**室内環境・換気**

- 温熱指標では、ＰＭＶと作用温度に関する出題が多い。
- 開放型燃焼器具の不完全燃焼、燃焼器具の窓際設置、必要換気量、ホルムアルデヒド、温室効果ガスに関する出題が多い。
- 機械換気の種類と特徴は重要。

問題 1-1

室内環境・換気に関する次の記述について、**適当か、不適当か**、判断しなさい。

■ 温熱感覚・温熱指標 ■

問題１

温熱６条件とは、気温・湿度・気流・熱放射・代謝量・着衣量のことである。

問題２

椅座安静状態における成人の単位体表面積当たりの代謝量は、約100W/㎡である。

問題３

ＳＥＴ*（標準新有効温度）が24℃の場合、温冷感は「快適、許容できる」の範囲内とされている。

問題４

静穏な気流条件の暖房室においては、作用温度は、一般に、気温と平均放射温度との平均値で表される。

■ 快適範囲・空気汚染 ■

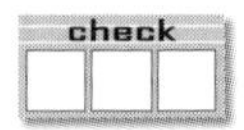

問題５

開放型燃焼器具を使用する場合、室内の酸素濃度が約18～19％に低下すると、不完全燃焼による一酸化炭素の発生量が急増する。

■ 地球環境 ■

問題６

日本の全産業から排出されたCO_2排出量のうち１/３程度は建築関連分野から排出されており、そのうち運用に関するものは、２/３程度であるとするデータがある。

問題７

冷凍機の冷媒に使用される代替フロンの場合、オゾン層の破壊防止について効果があるだけでなく、地球温暖化係数についても二酸化炭素を下回っている。

換　　気

check

問題8

居室の計画的な自然換気においては、建築物内外の温度差や建築物周囲の風圧を考慮して、換気口等の大きさを決定する。

check

問題9

風圧力によって換気される場合、その換気量は、外部風向と開口条件が一定ならば、外部風速の平方根に比例する。

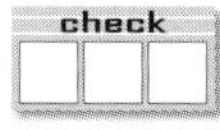

問題10

室内に外部から流入する空気の重量と外部へ流出する空気の重量は、等しくなる。

問題11

室の上下に開口部を設けた場合、室温が外気温より高いときは、下方の開口部から外気が流入し、上方の開口部から流出する。

問題12

置換換気方式は、一般に、混合換気方式に比べて、換気効率が高い。

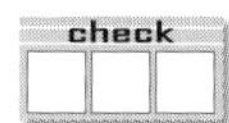

問題13

空気齢は、時間の単位をもつ換気効率に関する指標であり、その値が小さいほど発生した汚染物質を速やかに排出できることを意味する。

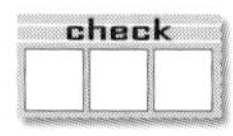

問題14

喫煙によって生じる空気汚染に対する必要換気量は、一酸化炭素や二酸化炭素ではなく浮遊粉じんの発生量により決まる。

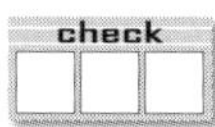

問題15

シックハウス対策のため機械換気では、必要有効換気量を求める際の換気回数は、天井の高さによって異なる。

【関連】

問題13　空気齢

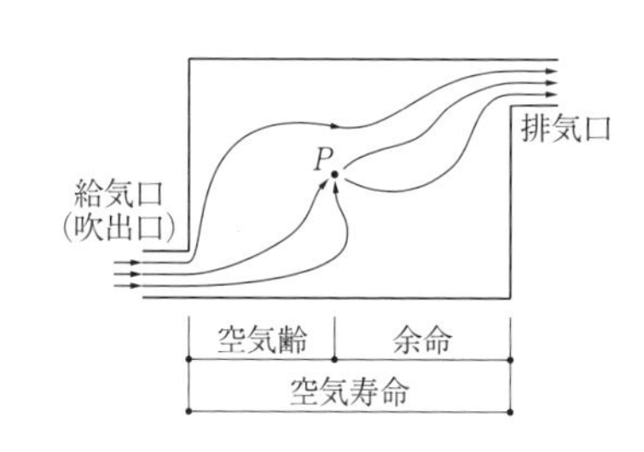

解説

問題１　適当

温熱６条件（**温熱６要素**）とは、気温・湿度・気流・熱放射（周壁面温度）という環境側の４要素と、代謝量・着衣量という人体側の２要素のことである。

【関連】
- 椅座位の場合、くるぶしの高さ（床上0.1m）と頭の高さ（床上1.1m）との上下温度差は３℃以内が望ましい。
- 床暖房時の床表面温度が体温より高くなると、低温やけどの原因となるので、一般に、床表面温度の上限は30℃程度が望ましい。

問題２　不適当

標準的な体格の成人は、椅座安静時（椅子に座って安静にしている状態）には、体表面積**１㎡当たり約58W**の熱（基礎代謝）を発散する。標準的な体格の成人の体表面積は1.6～1.8㎡であるため、１人当たりの発熱量は約100Wとなる。

問題３　適当

標準新有効温度（ＳＥＴ*）は、相対湿度50％、椅座位、静穏な気流に標準化したときの新有効温度である。アメリカ空調学会（ASHRAE）は、80％以上の人が環境に満足感を覚えるのは、標準新有効温度が**22.2～25.6℃**の範囲としている。

問題４　適当

作用温度は、気温、気流、放射の組合せによる温熱指標である。なお、作用温度の構成要素に湿度は含まれない。

$$作用温度OT = \frac{気温 + 平均放射温度}{2}$$

※静穏な気流条件（気流0.2m／ｓ以下）

問題５　適当

開放型燃焼器具は、室内の空気を燃焼のために使用し、燃焼ガスを室内に排出する方式である。大気中の酸素濃度は通常21％程度で、これが**18～19％以下**になると、人体が呼吸困難などの酸素不足を感じるより早く、開放型燃焼器具の不完全燃焼により一酸化炭素が急増し、人体に危険を及ぼす。

【参考】密閉型燃焼器具においては、室内空気を燃焼用として用いない。

問題６　適当

わが国の全産業の**CO_2排出量**のうち、**建築関連**の排出割合は**１/３程度**を占める。また、この建築関連の排出のうちの**２/３程度**は**運用のエネルギー消費**によるもので、建築設備関連の排出となる。

問題７　不適当

冷凍機の冷媒として、製造禁止となった特定フロンに代わり使用されている**代替フロン**はオゾン破壊係数は０であるものの、特定フロン同様炭素を多く含み、効率的にも特定フロンに劣るので、地球温暖化係数（ＧＷＰ：グローバルウォーミングポテンシャル）は非常に大きい。

問題8　適当

自然換気は、主として建築物内外の温度差と建築物周囲の風圧によって生じる。したがって、計画的な自然換気では、これらを考慮して換気口等の大きさを決定する。

問題9　不適当

風圧力による換気量 ⇨ $Q_w = \alpha \cdot A \cdot V\sqrt{C_f - C_b}$

したがって、外部風向(風圧係数：C_f、C_bに影響する)、開口条件(開口部面積：A、流量係数：α)が一定ならば、**外部風速**(V)にほぼ**比例**する。

問題10・11　適当

温度差換気(**重力換気**)について、室内が室外に比べて高温である冬期の場合で説明すると、流入空気は温度が低く密度が大きいが、その分だけ流入空気の体積が小さく、逆に、流出空気は温度が高く密度が小さいが、その分だけ流出空気の体積が大きい関係にあり、両者の重量(密度×体積)は常に一定に保たれている。

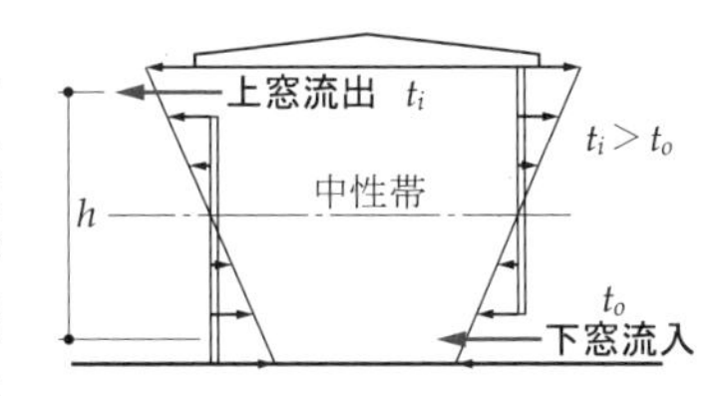

問題12　適当

換気効率とは、室内空気が、いかに効果的に換気システムからの新鮮空気と入れ替わるかを示す尺度である。室内空気の汚染質濃度分布に偏りがない状態を完全混合といい、室内空気を攪拌しながら汚染質濃度を希釈する方式である。これに対して、導入された新鮮空気が室内空気と混合せずに、気流がピストンのように動き、その前の古い空気を押し出す方式をピストンフローといい、ディスプレイスメント換気(**置換換気**)はこれに基づいている。

問題13　不適当

空気齢は換気効率指標であり、吹出口から供給された清浄空気が室内のある点に到達するまでの平均時間を示す。空気齢が**小さい**ほど、清浄空気が早く到着することを示す。

問題14　適当

喫煙によって生じる空気汚染に対する**必要換気量**は、**浮遊粉塵**の発生量により決まる。喫煙による一酸化炭素や二酸化炭素の発生はわずかであるが、粉塵濃度、たばこ臭の増大は顕著である。喫煙による浮遊粉塵の除去のための換気量は、二酸化炭素量に基づく必要換気量の３～５倍に達することもある。

【参考】**中央管理方式**の空気調和設備を用いた居室においては、浮遊粉じんの量を、概ね0.15mg/m^{3}以下とする。

問題15　適当

シックハウス対策として居室の換気を機械換気設備で行う場合の技術的基準は、建築基準法施行令および関係告示で定められており、居室の天井の高さの区分に応じて低減することができる。

問題 1-2　換気量の計算問題

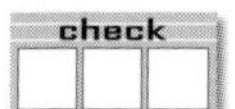

問題1

外気温０℃、無風の条件の下で、図のような上下に開口部を有する断面の建築物Ａ、Ｂ、Ｃがある。室温がいずれも20℃、開口部の中心間の距離がそれぞれ３ｍ、２ｍ、１ｍ、上下各々の開口面積がそれぞれ0.3㎡、0.5㎡、0.6㎡であるとき、換気量の大小関係として、**正しい**ものは、次のうちどれか。ただし、いずれも流量係数は一定とし、中性帯は開口部の中心間の中央に位置するものとする。

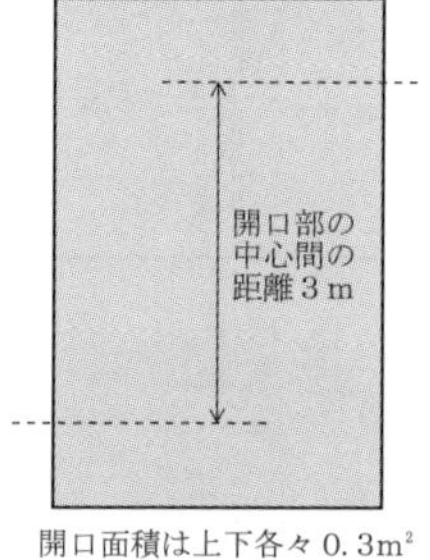

開口面積は上下各々 0.3m²

建築物Ａ

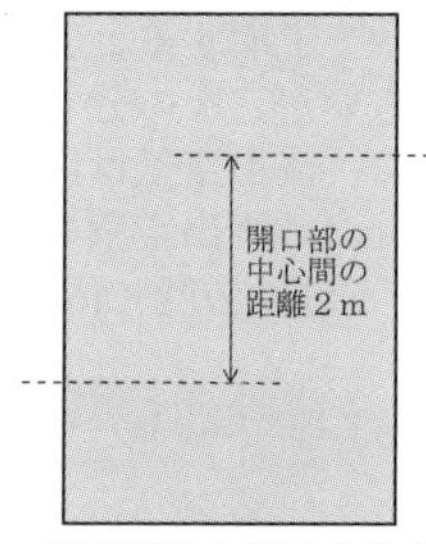

開口面積は上下各々 0.5m²

建築物Ｂ

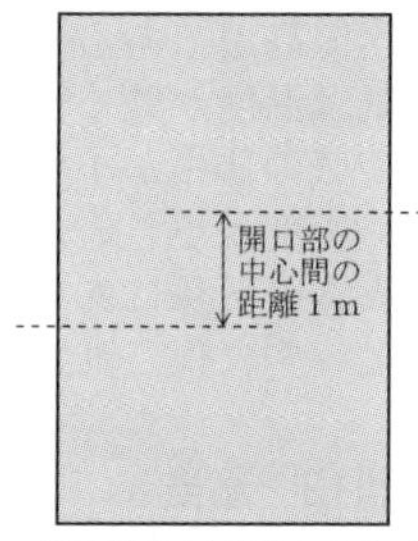

開口面積は上下各々 0.6m²

建築物Ｃ

1. Ａ＞Ｂ＞Ｃ
2. Ａ＞Ｃ＞Ｂ
3. Ｂ＞Ａ＞Ｃ
4. Ｂ＞Ｃ＞Ａ

問題2

室容積150m³の居室において、室内の水蒸気発生量が0.6kg/hのとき、室内空気の重量絶対湿度を0.010kg/kgＤＡに保つための換気量として、**最も適当な値**は、次のうちどれか。ただし、室内の水蒸気は直ちに室全体に一様に拡散するものとし、外気の重量絶対湿度を0.005kg/kgＤＡ、空気の密度を1.2kg/m³とする。また、乾燥空気１kgを１kgＤＡで表す。

1. 50m³/h
2. 100m³/h
3. 150m³/h
4. 300m³/h

解説

問題1

温度差による換気(重力換気)量は、次式で示される。

$$Q_g = \alpha \cdot A\sqrt{2gh\left(\frac{t_i - t_o}{273 + t_i}\right)}$$

Q_g：温度差による換気量　h：上下開口部の中心間の垂直距離
α：流量係数　g：重力加速度
A：開口部面積　t_i：室温　t_o：外気温

したがって、温度差（$t_i - t_o$）と流量係数αが一定であれば、換気量の大小関係は、$A\sqrt{h}$で比較できる。

建築物A：$0.3 \times \sqrt{3} \fallingdotseq 0.52$
建築物B：$0.5 \times \sqrt{2} \fallingdotseq 0.71$
建築物C：$0.6 \times \sqrt{1} = 0.6$
$\therefore$ B＞C＞A

【参考】 開口部面積Aは、上下の開口部の合成面積を計算するのが正しいが、上下の開口部面積A_1が等しい場合の合成面積Aは、次式より、$A_1/\sqrt{2}$なので、合成面積を計算しなくても、A_1で換気量の大小関係を比較できる。

$$\left(\frac{1}{A}\right)^2 = \left(\frac{1}{A_1}\right)^2 + \left(\frac{1}{A_1}\right)^2$$

$$\frac{1}{A^2} = \frac{2}{A_1^2} \qquad A^2 = \frac{A_1^2}{2} \qquad \therefore A = \frac{A_1}{\sqrt{2}}$$

正答 → ❹

問題2

空気中の水蒸気量の場合も、一般のガス濃度と同様に次式が成り立つ。

$$(P - P_o) \times Q = K$$

P：室内空気の重量絶対湿度(kg/kgDA)　P_o：外気の重量絶対湿度(kg/kgDA)
Q：換気量(kg/h)　K：室内の水蒸気発生量(kg/h)

$(0.010 - 0.005) \times Q = 0.6$　$\therefore Q = 120$kg/h………………必要換気量(重量)

重量を体積に変換するには、空気の密度(＝比重量) 1.2kg/m^{3}で割る。

120/1.2＝100m^3/h…………必要換気量(体積)

［ポイント］ ① 基本式の各項に、どの数値を代入するのか。
② 求める数値の単位は何か。

正答 → ❷

Check Point 2 伝熱・結露

❶ 伝　熱

固体壁の両側の流体温度が異なるとき、熱は「伝達」→「伝導」→「伝達」の過程を経て、高温側から低温側に流れる。この過程における伝熱の総称を**熱貫流**という。

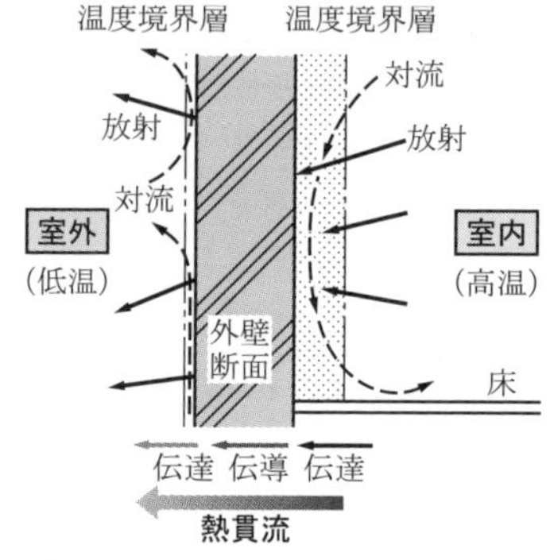

❷ 用　語

① **熱伝達率〔W/(㎡・K)〕**

材料の表面を出入りする熱量の割合。この値が大きいほど熱が伝わりやすい。また、逆数を**熱伝達抵抗**という。

- 壁体の表面にあたる**風速**が**大**きいほど**熱伝達率**は**大きく**なる。
- 壁体の表面が**粗い**ほど**熱伝達率**は**大きく**なる。

② **熱伝導率〔W/(m・K)〕**

材料内の熱の伝わりやすさを示す割合。この値が大きいほど熱を伝えやすい。逆数を**熱伝導比抵抗**という。また、熱伝導率を材料の厚さで割ったものを**熱伝導係数**といい、その逆数を**熱伝導抵抗**(㎡・K/W)という。

- 同じ材料でも**吸水**すると**熱伝導率**は**大きく**なる。
- **かさ比重（密度）**が**大**きいほど**熱伝導率**は**大きく**なる。
- **気泡**が**大**きいほど**熱伝導率**は**大きく**なる。

③ **熱貫流率〔W/(㎡・K)〕**

壁体内の熱伝導と壁体表面や中空層での熱伝達を含む壁体全体の単位面積当たりの伝熱の割合。この値が大きいほど熱が伝わりやすい。また、この逆数を**熱貫流抵抗**という。

- 壁が**湿気**を含むと**熱貫流率**は**大きく**なる。
- 外壁の**隅角部**は他の部分に比べて**熱貫流率**が**大きい**。

(平均熱貫流率)

部分的に熱貫流率が異なる壁の平均熱貫流率は、各部分の熱貫流率の面積に応じた比例配分となる。

$$\text{平均熱貫流率} = \frac{K_1 A_1 + K_2 A_2}{A_1 + A_2}$$

3 断　熱

断熱とは熱貫流量を少なくすることであり、以下の方法により熱伝達抵抗、熱伝導抵抗を大きくする必要がある。

① 壁体、窓に**空気層(中空層)**を設ける。
- 空気層の断熱効果は厚さ**10～15**㎜程度までは比例して増加する。
- 二重サッシ・複層ガラスは熱損失を小さくできる。

② **断熱材**を使用する。
- 断熱材は**吸水、吸湿**すると性能が**低下**する。
- 中空層内に**アルミ箔**を使用すると伝熱量を**低減**できる。

③ 室全体の**気密性**を高める。

4 結　露

結露は壁体各部の表面温度が露点以下になった場合、水滴が付着する現象である。壁体表面に生じる**表面結露**と、壁体内部における**内部結露**がある。結露防止には以下のような方法がある。

1)壁体各部の温度を上げる方法

① 壁体の**熱貫流抵抗**を**大きく**する。
② 壁体付近の空気を**滞留させない**。
③ **熱橋**(ヒートブリッジ)部分の**断熱性**を高める。
④ **外断熱**とする。

2)湿度を下げ、露点温度を下げる方法

① 室内の**湿度**を**下げる**。
② **調湿材料**を用いる。
③ **防湿層**を断熱材の**室内側**に設ける。
④ 二重サッシの**室内側**サッシの**気密性**を**高く**する。

アドバイス　伝熱・結露

- 伝熱、結露の文章問題は、正答率が高い。学習効果が出やすい分野なので、特に力を入れ学習すること。
- 「熱伝達率が大きい」等の記述は「熱が伝わりやすい」と読み替えて、内容をよく理解すること。
- 断熱性と室内の上下温度差の問題、結露の防止の問題も頻度が高い。

問題 2 伝熱・結露に関する次の記述について、**適当か**、**不適当か**、判断しなさい。

伝　　熱

check

問題1
壁体の熱伝達率は、その表面に当たる風速の影響を受ける。

check

問題2
建築材料の熱伝導率は、一般に、かさ比重(みかけの密度)が減少するほど小さくなる傾向がある。

check

問題3
繊維系の断熱材が結露などによって湿気を含むと、その熱伝導抵抗は小さくなる。

check

問題4
同種の発泡性の断熱材で、空隙率が同じであれば、材料内部の気泡寸法が大きいものほど、熱伝導率は小さくなる。

check

問題5
空気層の熱抵抗は、その厚さが100㎜を超えるとほとんど変化しない。

check

問題6
壁体内の中空層の表面をアルミ箔で覆うことにより、熱抵抗の値は大きくなる。

check

問題7
断熱性能を高めることは、室温と室内表面温度の差を小さくすることにつながり、室内の上下の温度差も小さくすることができる。

check

問題8
建築物の熱容量が大きいと、室温の変動は緩慢になる。

check

問題9
熱容量の大きい材料を室内側に配置する場合に比べて、熱容量の小さい材料を室内側に配置する場合のほうが、冷暖房を開始してからその効果が表れるまで時間を要する。

check

問題10
構成部材が同じ場合、内断熱構造の外壁と外断熱構造の外壁の熱貫流率は、等しい。

▌結　　露▌

問題11

露点温度とは、絶対湿度を一定に保ちながら空気を冷却した場合に、相対湿度が100%となる温度のことである。

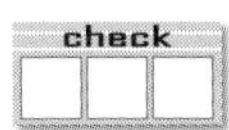

問題12

外壁の出隅部分は他の部分に比べて熱貫流が大きく、その室内側は結露しやすい。

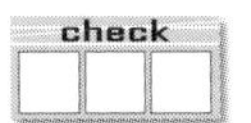

問題13

暖房室につながり、屋外に接した北側の非暖房室は、結露しやすい。

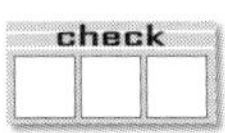

問題14

繊維系の断熱材を用いた外壁の壁体内の結露を防止するためには、断熱材の室内側に防湿層を設けるとよい。

問題15

二重サッシの間の結露を防止するためには、室内側サッシの気密性を低くし、屋外側サッシの気密性を高くするとよい。

【関連】

問題８　熱容量 ⇨ 材料全体を１℃（１Ｋ）上昇させるのに必要な熱量で、比熱［Ｊ/(kg・Ｋ)］×質量(kg)で表される。

問題11　相対湿度 ⇨ 飽和水蒸気量に対する湿り空気の水蒸気量の比（%）。

問題12　熱橋（ヒートブリッジ） ⇨ 構造体の一部にある、他の部分より極端に熱を伝えやすい(熱伝導率が大きい)部分。

解 説

問題1　適当

壁体の**熱伝達率**は、壁体表面における熱の授受を示す係数で、表面熱伝達率ともいわれ、壁体表面に当たる**風速**が**大きい**ほど熱伝達率は**大きく**なる。

問題2　適当

建築材料の**熱伝導率**は、一般に、**かさ比重**(みかけの密度)が**減少**するほど(軽いほど)**小さく**なる傾向がある。木材：小さい、鉄骨材：大きい。

問題3　適当

繊維系断熱材(グラスウール等)が**湿気**を含むと、**熱伝導抵抗**は**小さく**なり、熱を伝えやすくなる。水の断熱性は空気よりわるい。

【関連】グラスウールは、一般に、かさ比重が大きくなるほど熱伝導率は小さくなる。

問題4　不適当

同種の発泡性の断熱材では、材料内部に含まれる空気の割合(**空隙率**)が同じ場合、気泡寸法が小さいほど、空気層が細分化され、放射を遮断する回数が増えるため、熱を伝えにくい(＝熱伝導率が小さい)。

問題5　適当

空気層の熱抵抗は、一般に厚さ**10～15㎜**程度までは比例して**増大**し、20～30㎜程度まではゆるやかに増加するが、これを**超える**とほとんど**変化せず**、むしろやや低下する。

問題6　適当

壁体内の中空層の表面をアルミ箔で覆うと、熱放射を反射して伝熱が減少し、**熱抵抗**の値は**大きく**なる。

問題7　適当

断熱性を**高め**れば、暖房負荷が減少するだけでなく、室内の**上下温度差**も**小さく**なり、また壁の冷却による冷放射も防げるなど温熱環境が改善される。

問題8　適当

建築物の**熱容量**が**大きい**と、暖まりにくく冷えにくくなり、外気温の変化に伴う**室温変動**の時間遅れが大きくなり、変動が**緩慢**になる(抑制される)。

【参考】暖房停止後の室温降下について、壁体等の**熱容量が同じ**であっても、建築物の**断熱性**の良否によって、単位時間当たりの室温変化が異なる。

問題9　不適当

熱容量が**大きい**部材を室内側に設けた外壁(外断熱構造)は、室温の変動に対して暖まりにくく、冷めにくい。これは、良い意味では、室温の変動が抑制され、室温の安定性が高いことを示し、逆に、悪い意味では、冷暖房を開始してからその効果が表れるまで時間を要することを示す。

問題10　適当

構成部材が同じである、内断熱構造の外壁と外断熱構造の外壁の**熱貫流率**は、**等しい**。

問題11　適当

露点温度とは、絶対湿度を一定に保ちながら空気を冷却した場合に、**相対湿度**が100%となり、空気中の水蒸気が結露し始める温度である。

【関連】**表面結露**の発生の有無は、「表面近傍空気の絶対湿度から求まる露点温度」と「表面温度」との大小によって判定することができる。

問題12　適当

外壁の**出隅部分**は、室内側壁面の面積に比し、外気に面する部分の面積が大きいため、熱貫流率が他の部分より大きくなり、室内側表面温度が低く**結露しやすく**なる。

問題13　適当

暖房室で**暖められた高湿な空気**が、それにつながり屋外に接した北側の非暖房室に流入して冷たい壁面などに触れると、露点温度以下に冷やされて**結露**が**生じやすく**なる。

【関連】**気密性**が**低く**、すき間風の多い住宅においては、**結露しにくい**。

問題14　適当

断熱材は熱が伝わりにくく、室内側と室外側との温度差が大きい。つまり、冬期において断熱材の室外側は温度が低いので、ここに室内から高湿の空気が流入すると内部結露が生じやすい。したがって、断熱材に室内の高湿の空気が入り込まないよう、その**室内側**に**防湿層**を配置するとよい。特に繊維系の断熱材は、結露により吸水すると断熱性能が大きく低下するため、結露がさらに進行する。

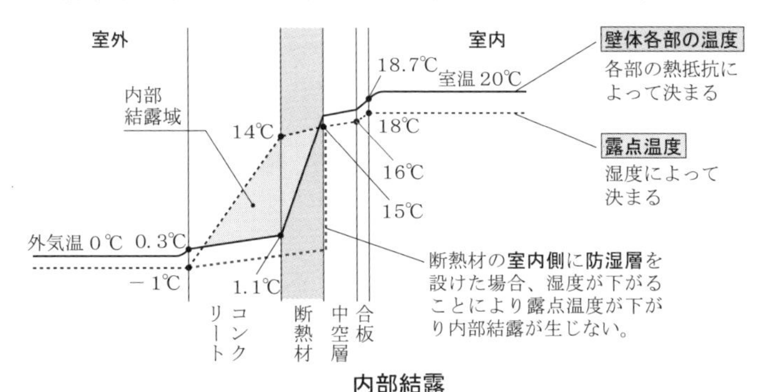

内部結露

問題15　不適当

二重サッシは、室内から高湿な空気がサッシの間に流入して結露が生じることがある。結露を防止するには、室内側サッシの気密性を高くして高湿な空気の流入を防ぎ、屋外側サッシの気密性を低くして高湿な空気を排出するとよい。

Check Point 3 日照・日影・日射

❶ 日　照

① **日照率**

$$日照率＝\frac{日照時間（実際に日が照った時間）}{可照時間（日の出から日没までの時間）}\times 100$$

② **日照時間**

- 南面 ⇨ 冬期に最も長時間、日照を受ける（夏期は東西面の方が長い）。
- 北面 ⇨ 春分から秋分まで日照がある。

❷ 日影曲線

地面に垂直に立てた棒の影の先端が、1日の太陽の動きにしたがって描く曲線を**日影曲線**という。

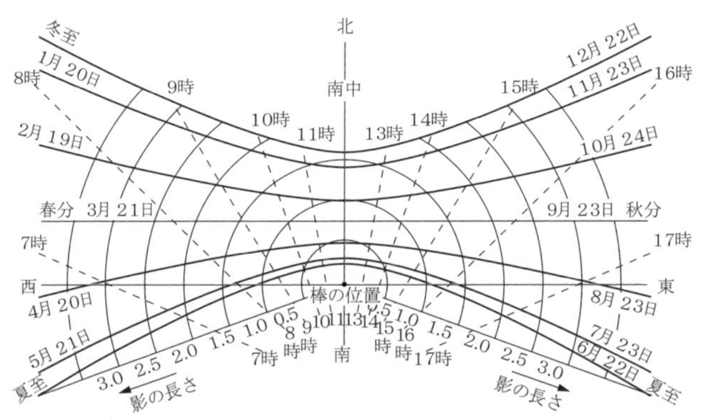

日影曲線図（北緯36°付近、関東地方、地方真太陽時による）

(1) 日影曲線図の見方

① 日影曲線図に示される破線は、時刻を表す。

② 日影曲線と時刻線との交点から棒の位置まで引いた線が、その時刻における棒の影であり、方位角 α がわかる。

③ 同心円の末端の数値は棒の長さを1とした場合の倍率を表している。この倍率を実際の建物の高さに乗じることによって、実際の影の長さがわかる。

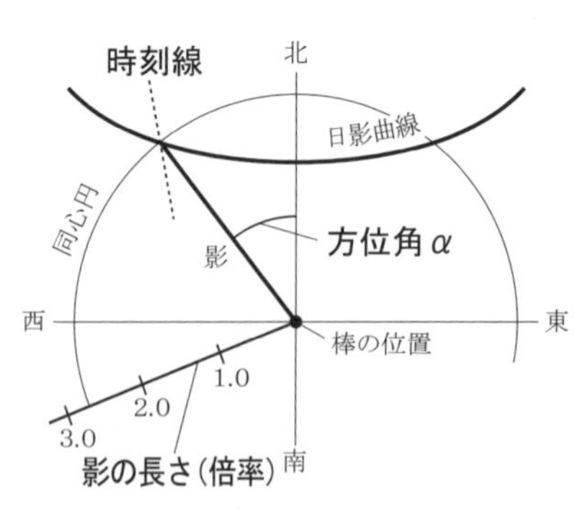

日影曲線図の読み方

(2) 日　影

① **終日日影** ⇨ 1日中、日影になる部分。

② **永久日影** ⇨ **夏至**においても日影になる部分。

- 建物の幅が大きくなると、東西方向だけでなく南北方向にも日影の範囲が広がる。
- 4時間以上日影になる部分は、高さ・奥行にあまり影響されない。

3 日　射

日射とは太陽光線による放射熱の強さを示すものである。

① **天空日射** ⇨ 大気中で散乱して地上に到達する成分。

② **直達日射** ⇨ 直接地上に到達する成分。

③ **終日日射量**

日射量を1日分合算した熱量を終日日射量という。

夏至 **水平面 ＞ 東西面 ＞ 南面**（＞北面）

冬至 **南面 ＞ 水平面 ＞ 東西面**

- 水平面の法線上に太陽がある場合、日射量は最大になる。
- 壁面の法線に太陽が近いほど、日射量は多くなる。
- 太陽高度が低いほど、日射量は減る。

4 日照調整

日射熱による冷暖房の負荷を減じたり、照度を調整する方法を日照調整という。

① **ひさし・バルコニー・ルーバー**

夏の日射を防ぎ、冬の日射を取入れることができる。ルーバーは、南面には水平のもの、西面には垂直のものが適する。

② **ブラインド**

朝、夕の強い日射量のある東・西面に有効で、屋外に設けるのがよい。

アドバイス **日照・日影・日射**

- 建物の日影の方向がA点を向いていて、なおかつ、日影の長さが十分なときにA点に日影が生じる。日影の方向と長さは、別々に検討するのが効率がよい。
- 日影の真北方向の長さと日影の方向の長さをしっかり区別すること。真北方向の長さを基準に検討すると有利な問題が圧倒的に多い。
- 4時間以上日影となる範囲が、東西方向の幅に大きく左右されることや、終日日射量の大小比較は出題頻度が高い。

問題 3

日照・日影・日射に関する次の記述について、**適当か、不適当か**、判断しなさい。

■日　照■

問題1

夏至の日における可照時間は、北向き鉛直面より南向き鉛直面のほうが短い。

■日　影■

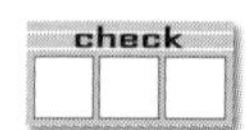

問題2

冬至日における終日日影のことを永久日影という。

問題3

建築物が、冬至において4時間以上の日影を周辺に及ぼす範囲は、一般に、建築物の高さよりも東西方向の幅に大きく左右される。

■日　射■

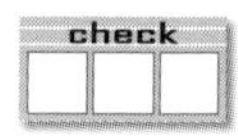

問題4

透明な板ガラスの分光透過率は、一般に、可視光線の波長域に比べて、赤外線の長波長域のほうが小さい。

問題5

ブラインドは、窓の室内側に設けた場合より窓の屋外側に設けた場合のほうが、日射遮蔽効果が大きく、冷房負荷が大幅に低減される。

問題6

西向き窓面に水平ルーバー、南向き窓面に垂直ルーバーを設置すると、日照・日射の調整に効果的である。

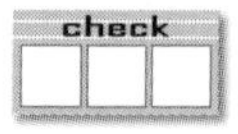

問題7

ライトシェルフは、日射の侵入を抑制し、上部窓から自然光を天井面に取り込むことができるので、省エネルギーに有効である。

問題8

開口部(窓ガラス＋ブラインド等)の日射遮蔽係数は、その値が大きいほど日射遮蔽効果が大きくなる。

問題9

夜間放射(実効放射)は、地表における上向きの地表面放射のことであり、夜間のみ存在する。

▌終日日射量▐

問題10

快晴の夏至の日の終日日射量は、どの向きの鉛直面に比べても、水平面のほうが大きい。

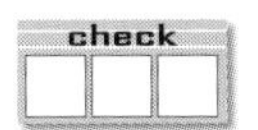

問題11

快晴の冬至の日の終日日射量は、西向き鉛直面に比べて、南向き鉛直面のほうが大きい。

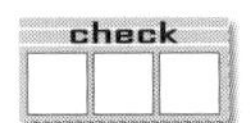

問題12

快晴の夏至の日の西向き鉛直面の終日日射量は、冬至の日の南向き鉛直面の終日日射量より大きい。

日影図

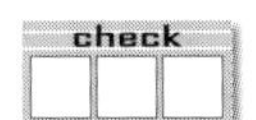

問題13

図は、ある地点の水平面上に建つ建築物(直方体)の、冬至日における１時間ごとの日影図(数字は真太陽時を示す)である。この図に関する次の記述のうち、**最も不適当な**ものはどれか。

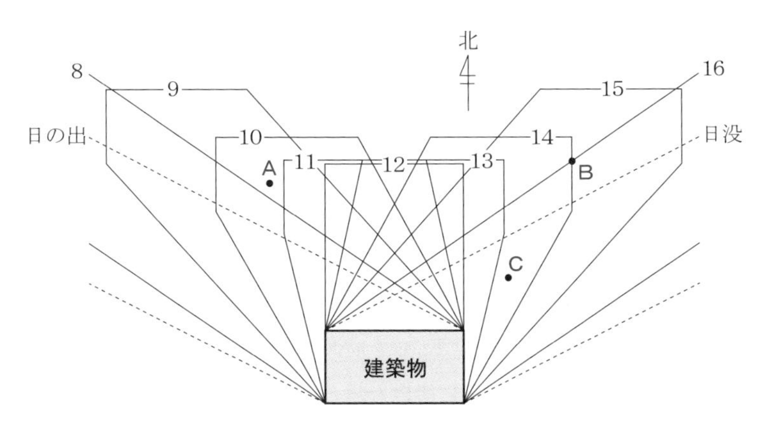

1. A点は１日のうち、２時間以上日影になる。
2. B点は１日のうち、ちょうど２時間日影になる。
3. 建築物の高さが３倍になっても、C点の日影には影響しない。
4. 建築物の高さが２倍になると、４時間日影線は変化する。

解　説

問題１　適当

夏至における鉛直壁面の１日の可照時間は、南向きが７時間、北向きが７時間28分、東・西向きが７時間14分となる。したがって、北向きが最長となり、南向きが最短となる。

問題２　不適当

永久日影とは、夏至における終日日影であり、一年中日照がない部分である。

【関連】夏至の日に終日日影となる部分は、１年中日影であり直接光が射すことはない。

問題３　適当

建築物の**長時間日影の範囲**は、高さにあまり影響されず、**東西方向の幅**に大きく左右される。

【関連】東西に二つの建築物が並んだ場合、それらの建築物から離れたところに**島日影**ができることがある。

問題４　適当

透明ガラスの分光透過率は、一般に、**可視光線**の波長域が**最も大きく**、**赤外線**の長波長域（遠赤外線）や紫外線では**小さい**。例えば、透明ガラス張りの空間が日射で暖まるのは、可視光線がガラスを透過して床面等の温度を上昇させるのに対して、温度上昇により放射される赤外線（熱線）がガラスを透過せずに反射され、屋外に熱が逃げないからである。

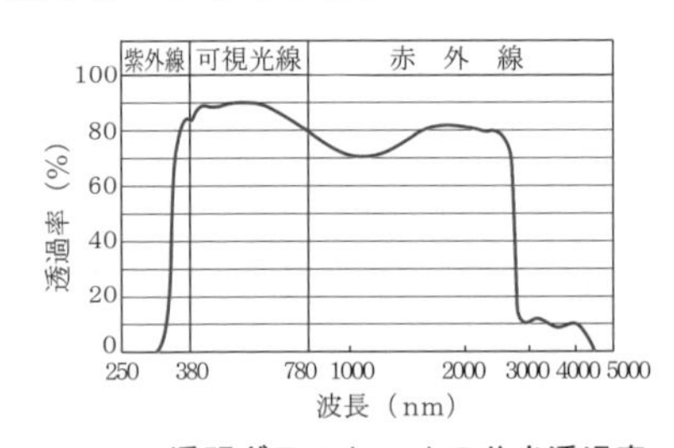

透明ガラス（６㎜）の分光透過率

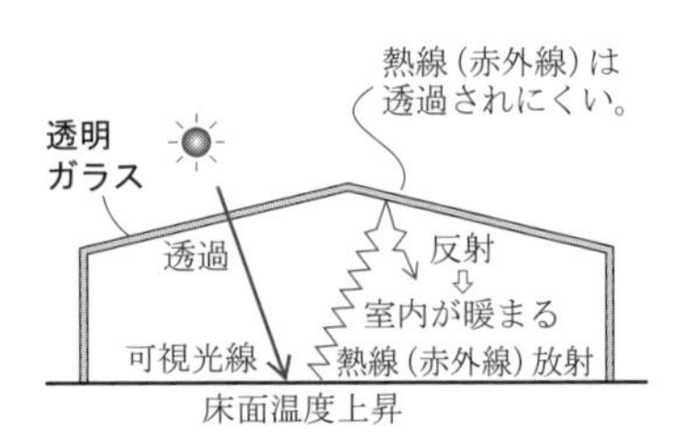

透明ガラス張り空間の温度上昇

問題５　適当

ブラインドは、窓の室内側に設けた場合より、窓の**屋外側**に設けた場合のほうが**日射遮蔽効果**が**大きく**、夏期の**冷房負荷**が大幅に**低減**される。屋外側に設けた場合は、日射量（熱）の約80％を遮蔽する効果がある。

問題６　不適当

南面に日射があたる時刻には、太陽高度が高いため、ひさし状の**水平型**ルーバーを用いた日射遮蔽が有効である。一方、**西面**に日射があたる時刻には、太陽高度が低いため、水平型ルーバーは効果が小さく、ルーバーの角度を考慮して**垂直（縦型）**ルーバーを用いるほうが**有効**である。

問題7　適当

窓面の中段にライトシェルフを設けると、窓面の下部では室内への日射の侵入を抑制し、窓面の上部では天井に向けて反射させた自然光を室内の奥に取り込むことができる。よって省エネルギーに有効である。

問題8　不適当

日射遮蔽係数は、窓ガラスの日射熱取得率を、基準となる3mm厚の普通透明ガラスの日射熱取得率(約0.88)で除した値であり、日射熱取得率は、窓ガラスに入射する日射量のうち、室内に流入する熱量の割合を表す。したがって、日射遮蔽係数が大きいほど、日射遮蔽効果は小さくなる。

問題9　不適当

夜間放射は、実効放射ともいい、地表面放射(地表面から大気への放射)から、下向き大気放射(大気から地表面への放射)を引いた値である。これらの放射は、夜間のみにみられる現象ではなく、**日中・夜間ともに存在**するが、日照の影響のない夜間に明瞭になるので、夜間放射と呼ばれている。

実効放射(夜間放射)＝地表面放射－下向き大気放射

問題10・11　適当、問題12　不適当

日射量を1日分合計したものを終日日射量といい、冬至南面 ＞ 夏至西面となる。

我が国における終日日射量の大小関係は、

- **夏至**：**水平**面 ＞ **東**西面 ＞ **南**　面（＞ 北面）：**問題10**
- **冬至**：**南**　面 ＞ **水平**面 ＞ 東**西**面　　：**問題11**

である。なお、ポイントは以下の通りで、いずれも太陽高度から容易に判断できる。

① 夏至の終日日射量は、水平面が最大で、南面が最小である。(北面を除く)

② 冬至の終日日射量は、南面が最大である。

特に出題が多いのは、夏至において、南面が水平面や東西面よりも小さいことである。

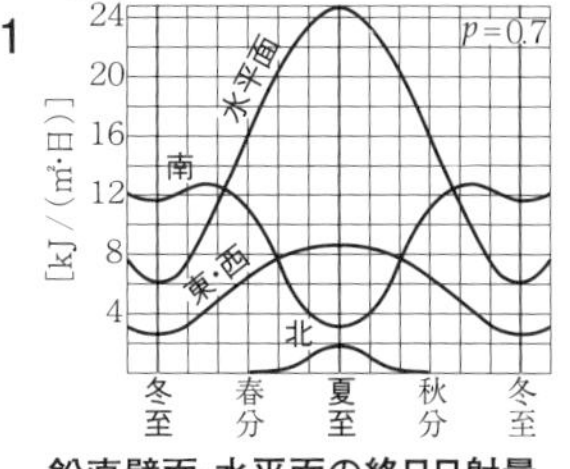

鉛直壁面・水平面の終日日射量

なお、年間を通じて、**東**面と**西**面の終日日射量は**等しい**。

問題13　4

1. A点は、8時10分頃から日影に入り、10時50分頃に日影から出るため、約2時間40分日影になる。
2. B点は、14時から日影に入り、16時に日影から出る。約2時間日影になる。
3. 建物の高さが3倍になった場合、影のできる方位に沿って、影の長さが延びるだけであり、C点の日影には影響しない。
4. 4時間日影線は、次図に示す通り、4時間の差がある日影図の交点、つまり、8時と12時、9時と13時、10時と14時、11時と15時、12時と16時の日影図の交点を順に結ぶことにより得られる。したがって、高さが2倍になっても、影の交点に影響なく、4時間日影線は変化しない。

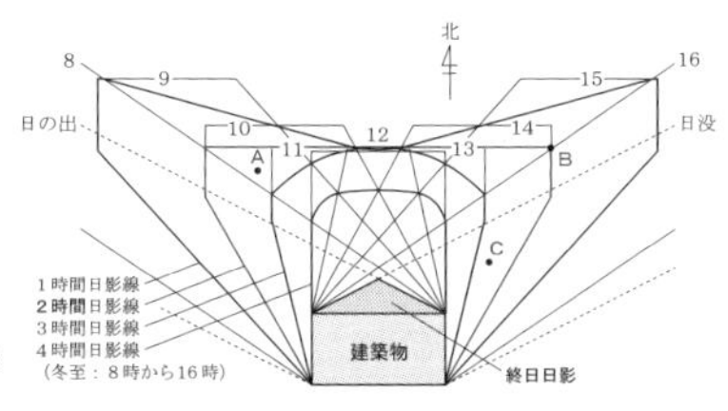

Check Point 4 採光・照明・色彩

❶ 目と光

① 明るさの変化に順応する時間は、**明順応**(暗→明)が短時間、**暗順応**(明→暗)では比較的長時間かかる。
② 人間の目に光を感じる波長は、380～780㎚である。放射エネルギーが同じ場合、赤色よりも**緑色(青色)**のほうが強く感じられる。
③ **プルキンエ現象**
明所視で同じ明るさの青と赤が、**暗所視**では青が赤より明るく見える現象。

❷ 光の単位

光　束	lm(ルーメン)
光　度	cd(カンデラ)
照　度	lx(ルクス)
輝　度	cd/㎡

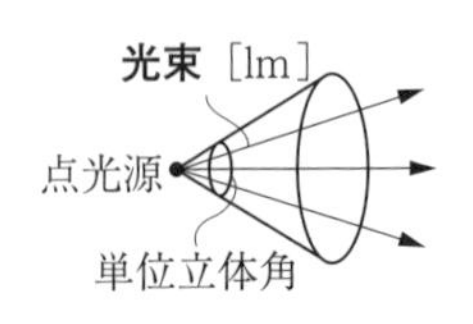

光度［cd又はlm/sr］

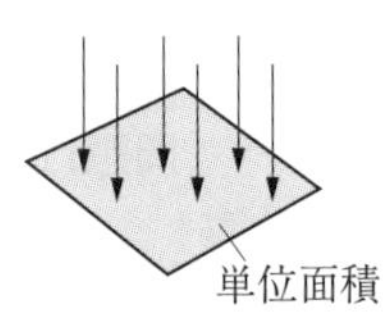

照度［lx又はlm/㎡］

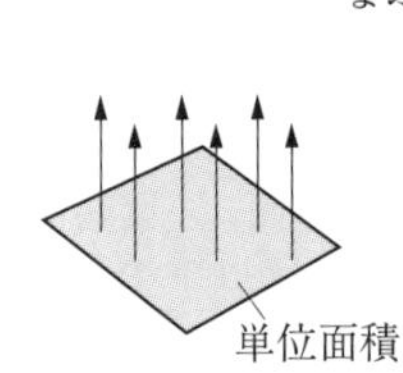

光束発散度［lm/㎡］

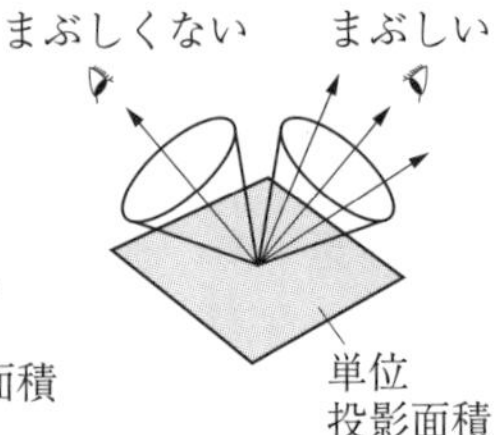

輝度［cd/㎡］

❸ 昼光率

昼光率は屋外照度と無関係に、室内のある点の明るさを示す指標である。屋外の明るさ(全天空照度)が時間や天候で変化しても、同じ割合で室内の明るさも変化するので、その比率は**一定**となる。

$$昼光率=\frac{室内のある点の照度}{全天空照度}\times 100(\%)$$

① 昼光率は一般に室内の位置により異なる値をとる。
② 昼光率は全天空照度の時間的変化と関係なく**一定**の値をとる。
③ 昼光率は室内表面による**反射**の影響も考慮する。

❹ 窓の位置と形

① **天窓**や**高窓**は床面の照度の**均斉度**が**良い**。
② **低い位置**にある側窓は床面の**採光量**が**大きい**が、**均斉度**は**悪い**。
③ 大きな窓を１つ設けるより、同面積を**分散配置**したほうが**均斉度**が**良い**。

❺ 均 斉 度

均斉度は室内の照度分布の均一さを示すもので、均斉度がよいということは、明るい所と暗い所の差が少ないことを表す。

$$均斉度=\frac{室内の最小照度}{室内の最大照度}\times 100\%$$

片側採光の部屋における照度の均斉度は、**1/10以上**とすることが望ましい。

❻ 照明に関する用語

① **配光** ⇨ 光源の各方面に対する光度の分布を示したもの。
② **輝度** ⇨ 光を発散する面の単位面積当たりの光度のことで、均等拡散面では、受照面上の照度と反射率によって決まる。
③ **光幕反射** ⇨ 対象面が光って見えない現象。黒板面では入射角70度以上の傾きで入る光線により生じる。
④ **タスク・アンビエント照明** ⇨ 低照度の全般照明に加え、作業部に専用の局部照明を設けたもの。
⑤ **色温度** ⇨ ランプなどの光の色を示す指標で、青味を帯びるほどこの値が上昇する。

❼ 照明計算

① **逐 点 法**

光源I(cd)からr(m)離れた距離にあるP点の照度E(lx)は次式で求められる。

$$E\,(\mathrm{lx})=\frac{I}{r^2}\cos\theta$$

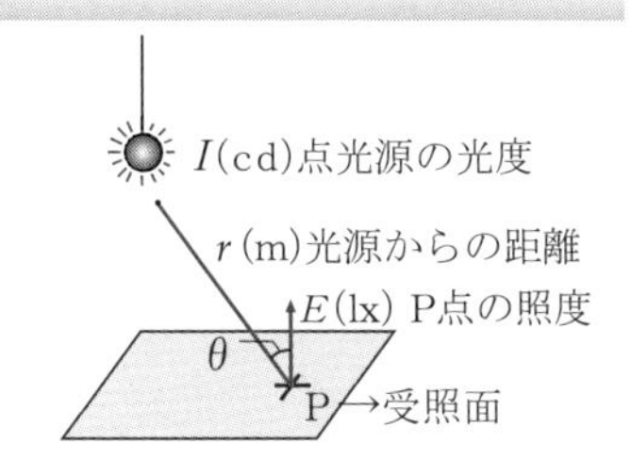

② **光 束 法**

作業面に入射する全光束を作業面の面積で除して作業面平均照度を求める方法。

$$E=\frac{N\cdot F\cdot U\cdot M}{A}\quad[\mathrm{lm/m^2=lx}]$$

A：作業面(室)の面積
E：作業面の所要照度(平均照度)
F：照明器具1台当たりの全光束
U：照明率
M：保守率

8 光源の種類

種　類	特　徴	用　途
LED	●効率がよい。寿命が長い。 ●周囲温度の影響を受ける。	全般照明
蛍光ランプ	●効率がよい。寿命が長い。 ●周囲温度の影響を受ける。	全般照明
ハロゲン電球	●演色性がよい。 ●効率が悪い。寿命が短い。	劇場・店舗
ナトリウムランプ	●効率がよい。透過性がよい。 ●演色性が悪い。始動時間がかかる。	トンネル・道路
メタルハライドランプ	●効率がよい。演色性が比較的よい。 ●始動時間がかかる。	体育館・道路
水銀ランプ	●効率がよい。寿命が長い。 ●演色性が悪い。始動時間がかかる。	公園・工場

9 マンセル表色系

色相(ヒュー)、**明度(バリュー)**、**彩度(クロマ)**の３要素を色立体で表したもの。

① **色相(H)** ⇨ 赤・黄・緑・青などの色あいをいい、色立体において明度を中心軸として円周上に等分して配したもので表される。

② **明度(V)** ⇨ 色の明るさを**反射率**で表したもの。理想的な黒を０、白を10として、０～10の11段階に分けられる。明度の尺度は感覚的に等間隔であり、反射率と比例関係にはない。

③ **彩度(C)** ⇨ 色のあざやかさを表す。あざやかさが増すほど値は大きくなる。

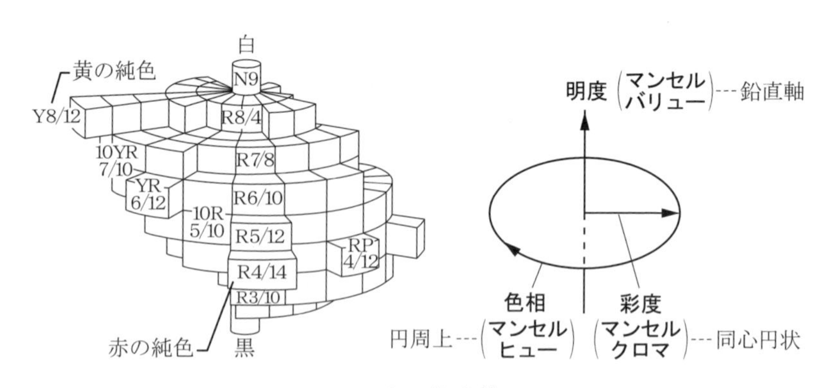

マンセル色立体

⑩ 色の表示方法（マンセル色票）

① **有彩色** ⇨ 赤・青・黄色などのように色みのある色で**色相・明度・彩度**の順（HV/C）に10YR8/16のように表す。

② **無彩色** ⇨ 白・灰・黒など色あいがなく明度と記号Nだけで表される色。9N（白）5N（灰） 1N（黒）

⑪ 色の対比

① **同時対比**

- **色相対比** ⇨ 色相の異なる2つの色を重ねると、背景の色の補色となる色相に近づく。
- **明度対比** ⇨ 明度の異なった色を並べると明度の差が大きくなる。
- **彩度対比** ⇨ 彩度の異なった色を並べると彩度の差が大きくなる。
- **補色対比** ⇨ 補色を並べると共にあざやかさが増す。
- **面積対比** ⇨ 面積の大きいものは明度・彩度とも高く見える。

② **継続対比**

補色残像が実際に見ている色に重なる。補色残像とはある色を凝視した後、白色を見ると、はじめに見た色の補色を感じる現象をいう。

⑫ 色の感情効果

① **暖色**（色相環で赤系から黄系）――― 進出色、膨張色
② **寒色**（色相環で青緑から紫系）――― 後退色、収縮色
③ **明るい色**（明度の高い色）――― 軽い、膨張色
④ **暗い色**（明度の低い色）――― 重い、収縮色

⑬ そ の 他

① 同じ色でも、照明の光源の種類や見る方向によって色の見え方は異なる。
② 壁の色などを色見本で決める場合は、色見本で適当と感じる色よりも明度・彩度の**低い**ものを選ぶ。

アドバイス 採光・照明・色彩

- 昼光率が何によって異なり、何によらず一定かについての出題頻度が高い。
- 演色性と周囲温度の変動による光束低下について、高圧放電ランプ、低圧ナトリウムランプがポイント。
- 色彩においては、マンセルの表色系における有彩色と無彩色の表示方法、XYZ表色系、色彩と心理が出題のポイント。

問題 4-1

採光・照明・色彩に関する次の記述について、**適当か**、**不適当か**、判断しなさい。

▌採光・照明▐

check

問題1

人の目には明るさの変化に順応する能力があり、明順応より暗順応のほうが時間を要する。

check

問題2

光源、反射面、透過面から特定の方向に出射する単位面積当たり、単位立体角当たりの光束を、輝度という。

check

問題3

昼光率は、一般に、受照点に対する窓面の立体角投射率により異なる値となる。

check

問題4

昼光率は天空輝度の時間的変化に応じて、絶えず変化する。

check

問題5

昼光率は天空が等輝度完全拡散面であれば、全天空照度にかかわらず、室内の同一受照点において一定の値となる。

check

問題6

透明な窓ガラスのある室内における直接昼光率は、受照点から窓を通して見える室外の建築物や樹木の状態によっても左右される。

check

問題7

グレアは、視野の中に輝度の高い光源が入ってきたときに起こり、周囲の輝度には関係しない。

check

問題8

光源の各方向に対する光度の分布を示したものを配光という。

check

問題9

直射日光の色温度は、正午頃のほうが日没前頃より高い。

check

問題10

全般照明と局部照明とを併用する場合、全般照明の照度は、局部照明の照度の１/３程度とした。

check □□□

問題11
点光源による直接照度は、光源からの距離の２乗に反比例する。

色　　彩

check □□□

問題12
マンセル表色系において、有彩色は、マンセルヒュー、マンセルバリュー、マンセルクロマの順に並べて表示する。

check □□□

問題13
修正マンセル表色系は、隣接する色彩が感覚的に等間隔になるように作られたものであるので、色相や明度によって最高彩度が異なる。

check □□□

問題14
マンセル表色系では、無彩色は、無彩色であることを示す記号Ｎと明度で表示される。

check □□□

問題15
減法混色は、色を吸収する媒体を重ね合わせて別の色を作ることをいい、混ぜ合わせを増すごとに黒色に近づく。

check □□□

問題16
ＸＹＺ表色系における三刺激値Ｘ、Ｙ、ＺのうちのＹは、光源色の場合、測光的な明るさを表している。

check □□□

問題17
異なる物体色をもつ物体であっても、それらを照明する光の分光分布との関係によっては、同じ色に見えることがある。

check □□□

問題18
暖かく感ずる色相には、一般に、進出性と膨張性がある。

check □□□

問題19
色が同じ場合、一般に、面積の大きいもののほうが、明度の見え方は高くなるが、彩度の見え方は変わらない。

◇◇

【関連】
問題２　光束：ある面を単位時間に通過する光の放射エネルギーの量を、視感度で補正した値。
問題５　等輝度完全拡散面：あらゆる方向に対して輝度が均等な面のこと。
問題10　全般照明と局部照明とを併用⇨**タスク・アンビエント照明**
問題18　暖色：色相で、赤・黄赤を中心に赤紫、黄緑などは、暖かく感じられ暖色とも呼ばれる。

解説 

問題1　適当

目が明るさに慣れるのを明順応、暗さに慣れるのを暗順応といい、**明**順応に要する時間は**短時間**であるが、**暗**順応には比較的**長時間を要する**。

問題2　適当

輝度は、光源、反射面、透過面から特定の方向に出射する**単位面積当たり**、**単位立体角当たり**の**光束**。ある方向から見たときの、見かけの明るさを表す。

問題3　適当

受照点に対する窓面の立体角投射率は、受照点での直接昼光率にほぼ等しい。**昼光率**は直接昼光率と間接昼光率の和で表されるため、**立体角投射率**が**変わる**と直接昼光率が変わり、それに伴い昼光率全体の値も**変化する**。

問題4　不適当

昼光率は、室内のある点の照度と、その時の全天空照度の比(室内のある点の照度／全天空照度)でもあり、天空輝度が変化(同様に全天空照度が変化)しても、ある点の照度も同じ割合で変化するので昼光率は変化しない。

問題5　適当

天空を等輝度完全拡散面と仮定した場合には、**全天空照度にかかわらず**、室内の同一受照点において**昼光率**は**一定**の値となる。

問題6　適当

昼光率は、人工照明を用いずに昼光(全天空照度)だけでどれだけの室内照度が得られるかを示すものであり、昼光が天井や壁面で**反射する光**を**含めて**考える。また、窓の前の**建築物**や**樹木**の状態によって**影響される**。

問題7　不適当

グレアは、視野の中に輝度の高い光源が入ってきたときに起こるので、視対象の周囲の輝度に大いに関係する。

問題8　適当

光源の各方向に対する光度の分布を配光という。配光曲線は、光源の中心を原点として、各方向への光度を極座標で示したもので、照明器具からの光がどの方向へどれだけの強さ(光度)で出ているかを表わす。

問題9　適当

色温度は赤みをおびた光ほど低く、白色から青みをおびた光ほど高い。直射日光の色温度は、一般に、青みをおびた正午頃の太陽高度が高いときほど高くなる。

問題10　適当

照度の差が大きすぎると目が疲れやすいため、全般照明の照度は、局部照明の照度の**1/3程度**が推奨されている。

問題11　適当

点光源による直接照度(反射光を除いた直射光による照度)は、光源の光度に比例し、光源からの**距離の二乗**に**反比例**する。

問題12　適当

マンセル表色系において**有彩色**は、**ヒュー・バリュー／クロマ**(**色相・明度**／**彩度**)の順に表示する。

【関連】(例)明るく非常に鮮やかなオレンジ色 ⇨ 10ＹＲ 8/16

7.5ＹＲ**8**/５ ⇨ もう少し**明るい**色にしたい ⇨ 7.5ＹＲ**9**/５

問題13　適当

修正マンセル表色系(現在、マンセル表色系といえば、一般にこれをさしている)は、マンセル記号の感覚的な不規則性を修正し、隣接する色彩が感覚的に等間隔になるようにしたものであり、その**最高彩度(彩度の最大値)**は**色相**や**明度**により**異なる**。例えば10Ｒは明度が５のとき、彩度10が最大であり、５ＢＧでは明度５でも、彩度の最大値は６にしかならない。

問題14　適当

マンセル表色系では、白・黒・灰色などの**無彩色**はN5.5のように**N**を付けて**明度だけ**を示す。無彩色以外の色彩 ⇨ **問題12**参照。

問題15　適当

混色とは色を混ぜて別の色をつくることで、加法混色と減法混色とがある。

加法混色(明度が加わる)は、混色の結果が白色に近づく。三原色は赤(Ｒ)、緑(Ｇ)、青(Ｂ)。**減法混色**(明度が減る)は、混色の結果が**黒色**に近づく。三原色はシアン(Ｃ：青緑)、マゼンタ(Ｍ：赤紫)、イエロー(Ｙ：黄)。

問題16　適当

ＸＹＺ表色系は、ＣＩＥ(国際照明学会)により規定された表色系で、主として光源色の表示に用いられ、三つの刺激値の混合量で一つの色を表現する。三つの刺激値X、Y、Zは、それぞれ赤・緑・青の混色量を示すが、そのうちの**Y**は、緑の混色量とともに、**明るさ**を表す光束等の測光量にも対応している。

問題17　適当

物体色は、それを照らす光に含まれる成分のうち、どの波長の成分を強く反射するかで決まる。太陽光のもとでは異なる物体色であっても、特定の分光分布をもつ照明光のもとでは、ほぼ同じ波長の成分を強く反射して同じ色に見えることがある。

問題18　適当

暖色系の色は、実際より近く、大きく見えるので、これを**進出色・膨張色**という。また、寒色系の色は、後退し、小さく見えるので、後退色・収縮色という。

問題19　不適当

色が同じ場合でも、一般に、面積の大きいものほど、明度も彩度も高くなり、明るく鮮やかに見える。これを**面積効果**という。

問題 4-2 照明設備の計算問題

図のような点光源に照らされたA、B点の水平面照度及びC、D点の鉛直面照度の組合せとして、**最も適当な**ものは、次のうちどれか。ただし、点光源の配光特性は一様なものとし、反射は考慮しないものとする。

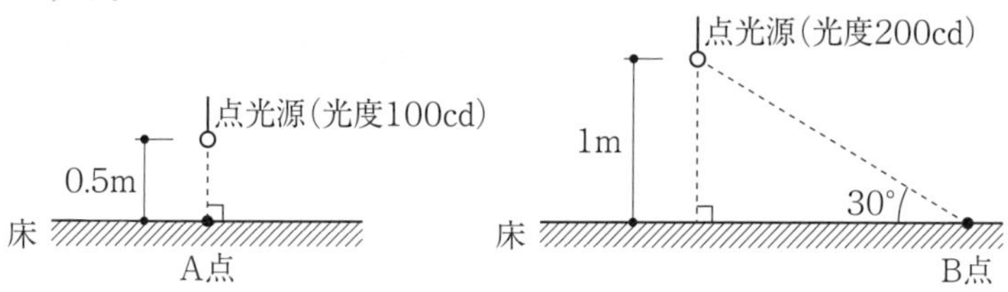

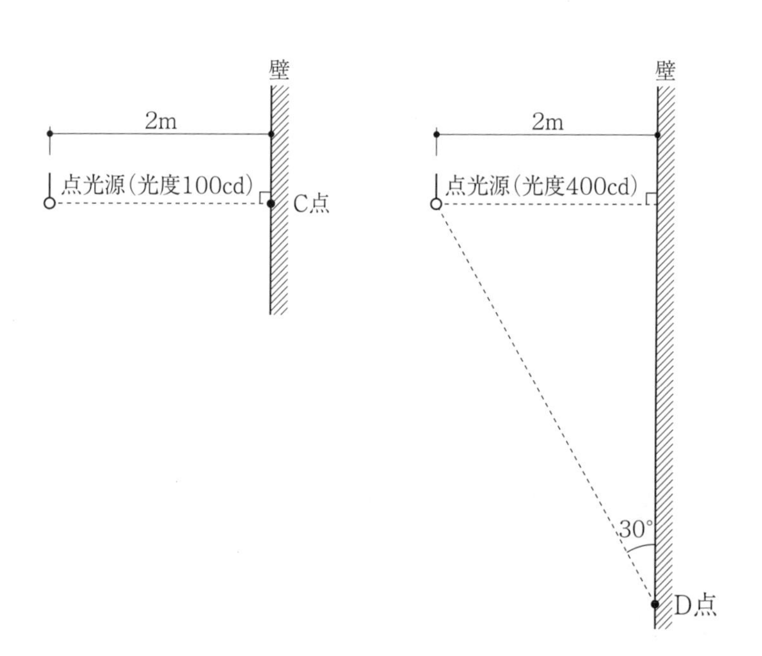

	A点の水平面照度(lx)	B点の水平面照度(lx)	C点の水平面照度(lx)	D点の水平面照度(lx)
1.	400	50	25	25
2.	400	25	25	12.5
3.	200	50	50	100
4.	200	25	25	12.5

解説

配光特性が一様な点光源はあらゆる方向に同じ強さの光を出射するため、受照点が水平面上にある場合と同様に鉛直面上にある場合にも、受照点の照度Eは次式で表される。

$$E\,(\mathrm{lx}) = (I/r^2)\cos\theta$$

I：点光源の光度(cd)

r：光源からの距離(m)

θ：受照面の法線と光線とのなす角

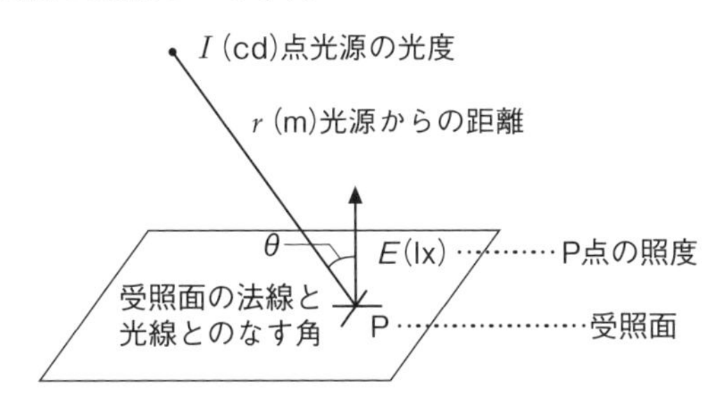

したがって、

- A点の照度 = $\{100/(0.5)^2\}\cos 0° = 400$(lx)
- B点の照度 = $(200/2^2)\cos 60° = (200/4) \times (1/2) = 25$(lx)
- C点の照度 = $(100/2^2)\cos 0° = 25$(lx)
- D点の照度 = $(400/4^2)\cos 60° = (400/16) \times (1/2) = 12.5$(lx)

【参考】 B点とD点の場合、光源からの距離rは、光源と受照点とを直線で結んだ距離であり、角度θは、設問の図中の30°ではなく、受照面の法線と光線のなす角の60°であることに注意する。

正答 ➡ ❷

Check Point 5 音　響

❶ 音の性質と単位

① **音の速さ** ⇨ 気温約15℃で340m/s を用いる。
　音速(m/s)＝331.5＋0.6 t　　t：気温(℃)

② **音の強さのレベル**　IL(dB) ⇨ エネルギーで強さのレベルを表す。

$$IL = 10 \log_{10} \frac{I}{I_0}$$　　I：音の強さ　　I_0：耳に感じる最小音のエネルギー

③ **音圧レベル**　SPL(dB) ⇨ 音による気圧変化を音圧レベルで表す。

$$SPL = 20 \log_{10} \frac{P}{P_0}$$　　P：音圧　　P_0：基準音圧

④ **デシベル単位の和と差**

- 同一デシベル値の音が2つ加わった(音のエネルギーが2倍)場合
　⇨ デシベル値は**3dB**大きくなる。
- 音の強さは点音源からの**距離の2乗**に**反比例**する。距離が2倍になると音のエネルギーは1/4、デシベル値は6dB小さくなる。

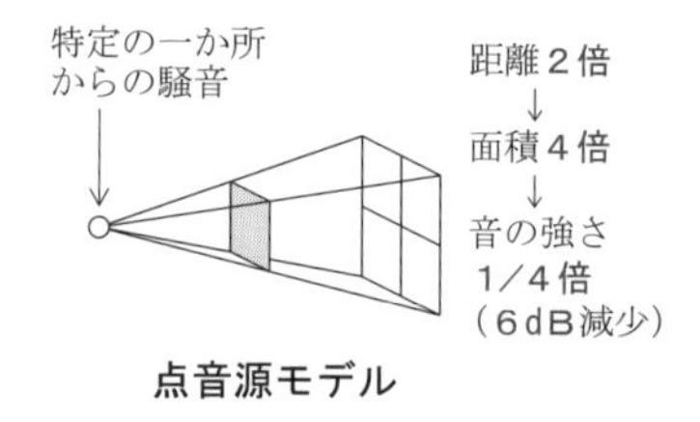

点音源モデル

❷ 騒　音

① **騒音レベル**

騒音レベルとは、普通騒音計の**A特性**で得られる聴感補正済みの音圧レベルで示され、単位はdB。A特性とは、人間の聴覚にあわせて低周波の音を小さく感じるよう補正したものである。

② **許容騒音レベル**

- 地域の許容騒音 ⇨ 住居系：昼55・夜45dB、商工業系：昼60・夜50dB
- 室内の許容騒音 ⇨ 静粛さが要求される室で25～30dB、住居系や事務所で35～40dB

③ **固体伝搬音**

床衝撃音については**床スラブを厚く**したり、構造床と仕上床を切離した**浮き床**とすることにより防止する。また、配管等の振動については配管を構造体に直接接しないようにすることで防止する。

❸ 透過損失

遮音性能は、透過した音が入射した音よりどれだけ小さくなったかを、dBで表した**透過損失**により評価する。

① 材料の**比重・密度・厚さ**が**大**きいほど**透過損失**は**大きく**なる。
② 透過損失は一般に**高い周波数**では**大**きく、**低い周波数**では**小**さい。
③ **単層(一重)壁**では、ある周波数の音の透過損失が著しく低下する**コインシデンス効果**を考慮する必要がある。
④ **中空二重壁**は、単層壁に比べ高音域で透過損失が大きいが、**低音域**では空気層の**共鳴透過現象**により透過損失が小さくなることがある。

❹ 吸　　音

一般に高音は吸収されやすく、低音は吸収されにくい。

① **多孔質材料** ⇨ **高音域**を多く吸収する。背後の空気層を厚くすると、低音域においても効果がある。
② **板材料** ⇨ 主に**低音域**を吸収する。
③ **孔あき板材料** ⇨ 特定の音を吸音できる。

❺ 遮音等級

① **室間音圧レベル差**に関する遮音等級(D－60～30)
数値(音源室と受音室の音の**差**)が**大きい**ほど遮音性能が**高い**。
⇨ 話し声やピアノの音
② **床衝撃音レベル**に関する遮音等級(L－30～80)
数値(床の加振による下階の音)が**小さい**ほど遮音性能が**高い**。
⇨ 食器類の落下(軽量床衝撃音)や子供のとびはね(重量床衝撃音)

❻ 残響時間

残響時間とは、音源停止後、**60dB**減衰するのに要する時間をいう。残響時間は、**室容積**に**比例**し、**吸音力**に**反比例**する。

アドバイス　音　響

● 音の強さのレベルの計算、騒音レベル、遮音等級、床衝撃音の低減に関する出題が多い。
● 透過損失の値が大きいほど、遮音性能がよいこと、遮音・吸音ともに空気層を厚くすると、より低音域で反応することを把握すること。

問題 5

音響に関する次の記述について、**適当か**、**不適当か**、判断しなさい。

▌音の性質と単位▌

check

問題1

通常の音圧レベルにおける人の音の大きさに対する感度は、一般に、中高音域に比べて、低音域のほうが鈍い。

check

問題2

音の反射のない空間において、無指向性の点音源からの距離が１ｍの点と４ｍの点との音圧レベルの差は、約12dBとなる。

check

問題3

室内に同じ音響出力をもつ二つの騒音源が同時に存在するとき、室内の音圧レベルは、騒音源が一つの場合に比べて約３dB増加する。

▌音の大きさと騒音▌

check

問題4

目的音の周波数に対して妨害音の周波数が低い場合に聴覚のマスキング効果が生じやすい。

check

問題5

等価騒音レベルは、一般に、指示騒音計により測定した数値を、一定時間内で平均し、それをレベルにより表示したものである。

check

問題6

音の波長に比べて壁の厚さが十分に薄い場合、一般に、壁の単位面積当たりの質量が大きいほど、壁の透過損失は大きくなる。

check

問題7

単層壁による遮音において、同一の材料で厚さを増していくと、コインシデンス効果による遮音性能の低下の影響は、より低い周波数域へ拡大する。

check

問題8

多孔質材料を剛壁に取り付ける場合、一般に、多孔質材料と剛壁面との間の空気層の厚さを増すと、低周波数域の吸音率が大きくなる。

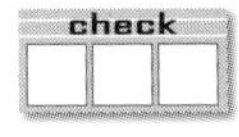

問題９

床衝撃音レベルに関する遮音等級Ｌ－50は、Ｌ－40に比べて、床衝撃音の遮断性能が高いことを表す。

問題10

コンクリート床スラブの厚さを増すと、一般に、下階への重量床衝撃音及び軽量床衝撃音を低減することができる。

問題11

窓に複層ガラスを用いる場合は、同一面密度の単板ガラスを用いる場合に比べて、全般的な遮音性能の向上は見られるものの、ある特定の周波数域では遮音性能が低下する場合もある。

音響計画

問題12

残響時間は、拡散音場において、音源停止後に室内の平均音響エネルギー密度が$1/10^6$に減衰するまでの時間をいい、コンサートホールにおいては、一般に、そのホール内の聴衆の数が多くなるほど短くなる。

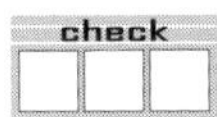

問題13

最適残響時間として推奨される値は、一般に、室容積の増大に伴って大きくなる。

【関連】

問題３　出力２倍 ⇨ ＋**３**dB、出力１/２ ⇨ －**３**dB
距離２倍 ⇨ 出力1/4 ⇨ －**６**dB

問題５　**等価騒音レベル**（ＬＡeq）⇨ 道路交通騒音など、時間とともに変化する騒音（変動騒音）の評価法として広く用いられている。

問題８　多孔質材料だけでなく、板状材料、孔あき板材料を用いた吸音構造にも共通する。

問題９　室間音圧レベル差に関する遮音等級は、数値が**大きい**と高性能。

解説

問題１　適当

人の聴覚は、中高音域より低音域のほうが鈍い。同じ音圧レベルの場合、**低音**は中高音より**小さく**聞こえる。

【関連】人の**可聴周波数の範囲**はおよそ**20Hzから20kHz**であり、対応する波長の範囲は十数mmから十数mである。

問題２　適当

無指向性(すべての方向に同じ強さで音波を放射する性質)の点音源からの距離が**４mの点**の音の強さは、距離１mの点の音の強さの**1/16倍**である。

音の強さ(×１/２)＝音の強さのレベル(－３dB)の関係から、

音の強さ(×１/16)＝音の強さ(×１/２×１/２×１/２×１/２)

＝音の強さのレベル(－３dB－３dB－３dB－３dB)

＝音の強さのレベル(－12dB)。

したがって、音の強さのレベル(＝音圧レベル)の差は、12dBとなる。

問題３　適当

室内に同じ音響出力をもつ**二つの騒音源**が同時に存在するとき、室内の音圧レベルは、騒音源が一つの場合に比べて約**３dB増加**する。

●dB表示値の和

音の出力(パワー：W)

音の強さ(Ⅰ)が２倍で、＋３dB

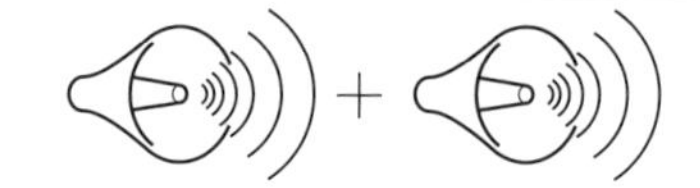

adB＋adB

＝adB＋**3dB**

問題４　適当

マスキング効果とは、ある音が別の音の存在によって聞き取りにくくなる現象のことをいう。妨害音(マスクする音)が大きいほど、目的音(マスクされる音)の周波数に近いほど、マスキング効果が大きくなる。また、**目的音**の周波数に対して**妨害音**の**周波数**が**低い**場合にも**生じやすい**。

問題５　適当

等価騒音レベル(LAeq)とは、普通騒音計(指示騒音計)により測定したA特性音響エネルギー(音圧)を観測時間内で平均し、レベル表示したものをいう。

問題６　適当

音の波長に比べて壁の厚さが十分に薄い場合、音は壁の往復振動によって透過する。このとき、壁の単位面積当たりの**質量**(面密度)が**大きい**ほど振動しにくいため、音が透過しにくく、**透過損失**TLは**大きく**なる。これを質量則という。

【参考】透過損失は、入射音の周波数によっても異なり、**周波数**が**高く**(＝波長が短く)なると、透過損失は**大きく**なる。

問題7　適当

コインシデンス効果は、同一の材料で厚さを増していくと、より**低い周波数域**へ**拡大する**。この理由は、壁材料の厚さが増して硬くなることによって、「単層壁の曲げ波の波長」が長くなり、それに対応する「音波の波長」が長くなる(＝周波数が低くなる)からである。

問題8　適当

多孔質材料の吸音特性は、高周波数域が多く吸収されることであるが、多孔質材料と剛壁との間の**空気層**を増すと、**吸音効果**を低周波数域まで**広げる**ことができる。

問題9　不適当

床衝撃音レベルに関する**遮音等級**(L－30～80)の数値は、床衝撃音発生装置で上階床を加振させたときに、下階で測定される音圧レベルの数値で表す。したがって、この数値が小さいほど、下階の音が小さく、床衝撃音の遮断性能が高い。

問題10　適当

コンクリート**床スラブ**を**厚く**することは、一般に、下階への**重量**床衝撃音(子供の飛び跳ね等)及び**軽量**床衝撃音(食器類の落下等)の**低減**に**効果がある**。

問題11　適当

複層ガラスは、同じ面密度をもつ単板ガラスに比べて、500Hz付近の**中音域**において**透過損失**が**低下**し、**遮音性能**が**低下**する。これは、中空二重壁が、共鳴透過により低音域で遮音性能が低下するのと同じ現象が、中音域に生じるためである。

【参考】① 複層ガラスは共鳴透過により遮音性能が低下することが設問の主旨と考えてよい。

② 複層ガラスの用途は断熱であり、遮音の目的には適さない。なお、二重窓は断熱、遮音ともに適している。

問題12　適当

残響時間とは、拡散音場において、音源停止後に室内の平均音響エネルギー密度が$1/10^6$に減衰する(＝**60dB低下**する)までの時間をいう。コンサートホール内では人間が最も大きな吸音力を持つため、聴衆の数が**多く**なる(満席時)ほど音が吸音されて減衰が早まり、残響時間は**短く**なる。

問題13　適当

最適残響時間の推奨値は、室用途と室容積によって決まる。コンサートホールのように音楽の豊かな響きを必要とする室では長く、ラジオスタジオのように会話や講演などの言葉の聞き取りの明瞭さを必要とする室では短くなる。また、**室容積**が**大きく**なるほど最適残響時間は**長く**なる。大きな室ほど客席の音量を反射音により補う目的がある。

【関連】
- 大規模な音楽ホールの室内音響計画において、エコー等の音響障害を避けるために、客席後部の壁や天井は、**吸音性や拡散性**に配慮した仕上げとする。
- **フラッターエコー**は、平行な二つの反射面の間において短音を生じさせた場合、反射音が何度も繰り返して聞こえる現象である。

Check Point 6 空気調和設備

❶ 冷暖房設備

① **放射床暖房方式**は、**室内上下の空気温度差**が**つきにくい**ので、**天井の高い室**や**吹抜け**の部分、**ホール**などの暖房にも有効である。また、**予熱時間**が**長い**ので、**一時的に使用する室**に**適さない**。

② 一般に、**冷暖房機器**は、**外部負荷の多い窓付近**に設置するほうが、負荷の少ない場所に設置するよりも、**コールドドラフト**を防ぐことができ、良好な室内の温熱環境が得られる。

❷ 空気調和設備

① **直だき吸収冷温水機(冷温水発生機)**は、**吸収式冷凍機**部分とボイラー部分とを一体化させたものである。

② **直だき吸収冷温水機**や**吸収式冷凍機**は、圧縮式冷凍機(遠心冷凍機＝ターボ冷凍機)よりも**振動**、**騒音**ともに**小さい**。

③ **直だき吸収冷温水機**は、発生する冷水・温水の両方を利用するので、遠心冷凍機を使用する場合に比べて、一般に、**熱源設備の機械室面積**が**小さく**なる。

④ 遠心冷凍機の**冷水出口温度**を**低く**設定すると、**成績係数(ＣＯＰ)**は**低下**する。

⑤ 空気調和機の冷温水コイルの**二方弁制御(変流量方式)**は、三方弁制御(定流量方式)より**ポンプ動力**を**減少**させることができる。

⑥ 長方形ダクトにおいて同一風量の場合、ダクトの**アスペクト比**を**小さく**すれば、**搬送エネルギー**を**減少**させることができる。

❸ 空調方式

① **空気熱源ヒートポンプ方式**の暖房能力は、**外気温７℃**を標準として表示され、外気温がそれ**以下**となると、その能力は**低下**する。

② **空気熱源ヒートポンプ方式**は、水熱源ヒートポンプ方式に比べて、一般に、**成績係数**が**低い**ので、**冷期の能力低下**を考慮して機器を選定する。

③ **ヒートポンプ方式**は、適当な温度の採熱源さえあれば、必要な暖房熱量の**1/2～1/5**のエネルギー量で暖房ができるシステムである。

④ **ＶＡＶ**(Variable Air Volume)**方式**は、室内の冷暖房負荷に応じて、吹出し空気の**風量**を変化させる方式である。

⑤ **ＶＡＶ方式**(変風量方式)は、ＣＡＶ(Constant Air Volume)方式(定風量方式)に比べ、**送風機のエネルギー消費量**を**節減**することができる。

⑥ **ファンコイルユニット方式**は、**個別制御**が容易であるので、**病室**や**ホテルの客室**の空調に用いられることが多い。また、新鮮空気導入システムを併用することが望ましい。

⑦ **ビルマルチユニット方式**は、中小規模の**事務所ビル**における空調の**個別制御運転**に適したシステムである。

4 省エネルギー方式

① **蓄 熱 槽**

- 空調負荷の減少時に余った熱をため、負荷の大きいときに利用することができ、熱源装置容量を小さくできる。
- **氷蓄熱方式**は水蓄熱方式に比べ**ポンプ動力**の**節減**ができ、また蓄熱槽が**小**さくてすむ。
- **開放回路方式**は、蓄熱槽を用いる場合に夜間の安価な電力の利用が可能な反面、密閉回路方式に比べ**ポンプ動力**が**大**きく、高層建築物になるほど省エネルギーには不利になる。また、**水質の管理**に注意を要する。

② **全熱交換器**

- 換気において排熱を回収し、利用する。
- 暖房負荷、冷房負荷、熱源設備容量が低減できる。

③ **コージェネレーションシステム（ＣＧＳ）**

- 大規模な建物（建築物群）において直接発電し、その際、電力に加え排熱を空調、給湯等に総合利用するシステム。

5 省エネルギー指標

① **ＰＡＬ＊（パルスター）**

建築物の外周部の熱的性能を評価する指標。

- 建物用途及び地域区分ごとに定められた判断基準値以下であるようにする。

② **一次エネルギー消費量に関する基準**

建築物の省エネルギー性能を示す指標。

- 設計一次エネルギー消費量が基準一次エネルギー消費量を上回らないようにする。

アドバイス **空気調和設備**

- 放射床暖房方式の特徴、直だき吸収冷温水機と遠心冷凍機の比較、空気熱源ヒートポンプ方式の冬期の能力低下、ＶＡＶ方式とＣＡＶ方式についての出題がポイント。
- 省エネルギーに関する出題頻度が極めて高い。
- 蓄熱槽方式による電力の負荷平準化、水蓄熱方式、開放回路方式と密閉回路方式、全熱交換器に関する出題が多い。
- コージェネレーションシステム（ＣＧＳ）、地域冷暖房方式（ＤＨＣ）については、確実に把握すること。

問題 6 空気調和設備に関する次の記述について、**適当か、不適当か**、判断しなさい。

冷暖房設備

check □□□

問題1
床暖房方式は、室内上下の空気温度差がつきにくいので、天井の高い室の暖房にも適している。

check □□□

問題2
一般に、冷暖房機器は、外部負荷の多い窓付近に設置するより、負荷の少ない場所に設置するほうが良好な室内の温熱環境が得られる。

空気調和設備

check □□□

問題3
空調設備におけるＶＡＶ方式は、室内の冷暖房負荷に応じて、吹出し空気の温度を変化させる方式である。

check □□□

問題4
変風量方式（ＶＡＶ方式）は、定風量方式（ＣＡＶ方式）に比べ、送風機のエネルギー消費量を節減することができる。

check □□□

問題5
ファンコイルユニット方式は、個別制御が容易であるので、病室やホテルの客室の空調に用いられることが多い。

check □□□

問題6
外気冷房方式やナイトパージ（夜間外気導入）方式は、内部発熱が大きい建築物の中間期及び冬期におけるエネルギー消費量の軽減に有効である。

check □□□

問題7
取入れ外気量を室内のCO_2濃度に応じて制御する方式は、外気負荷の軽減（省エネルギー）に有効である。

check □□□

問題8
冷水ポンプの消費電力を低減する方法として、熱負荷に応じて送水量を調節する変水量（ＶＷＶ）方式は有効である。

▌省エネルギー方式▐

問題９
蓄熱方式を採用することにより、熱源装置の負荷のピークを平準化し、その容量を小さくすることができる。

問題10
高層ビルの冷温水配管系統において、最下階に蓄熱槽を設けた開放回路方式は、蓄熱槽を設けていない密閉回路方式に比べて、ポンプ動力については、節減になる。

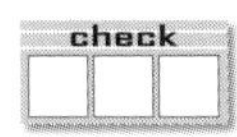

問題11
空気調和機の外気取入れに全熱交換器を使用すると、夏期及び冬期の冷暖房負荷の軽減に有効である。

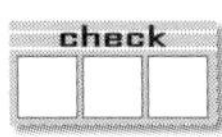

問題12
ＣＧＳ（コージェネレーションシステム）は、発電に伴う廃熱を冷暖房・給湯などの熱源として有効利用するもので、エネルギー利用の総合効率の向上を主な目的として導入される。

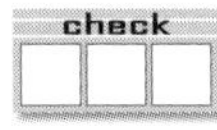

問題13
地域冷暖房方式（ＤＨＣ方式）とは、冷暖房用熱源設備を地域的に集約設置し、各建築物に冷水、温水、蒸気などの熱媒を供給する方式である。

建築設備の省エネルギーに関する次の記述について、**適当か、不適当か**、判断しなさい。

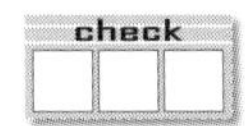

問題14
ＰＡＬ＊（パルスター）は、非住宅建築物の屋内周囲空間の年間熱負荷を各階の屋内周囲空間の床面積の合計で除した値である。

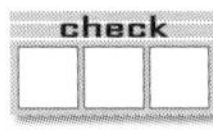

問題15
一次エネルギー消費量に関する基準では、非住宅建築物の場合、空気調和設備や空気調和設備以外の機械換気設備等によるエネルギーの消費を対象としている。

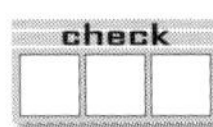

問題16
事務所における年間一次エネルギー消費量のうち、空調・換気用のエネルギーは、一般に、全体の40～50％程度である。

解説

問題１　適当

床暖房方式は、床面からの低温放射熱により暖房効果を得るものであるから、他の暖房方式に比べて最も室内上下の空気温度差がつきにくいので、**天井の高い室**での暖房にも**適している**。

問題２　不適当

冷暖房機器は、外部負荷の多い窓付近に設置することで、冬期の冷気や夏期の暖気がそのまま室内に流れ込まず、暖められ、冷やされてから室内に行き渡るので良好な温熱環境が得られ、また、室内の上下温度差も小さくなる。特に、放熱器はコールドドラフトを防ぐとともに、窓面からの冷放射を放熱器表面からの放射熱で補うようにする。

問題３　不適当

空気調和設備における**ＶＡＶ方式**は、単一ダクト変風量方式とも呼ばれ、部屋ごと又はゾーンごとの冷暖房負荷に応じて、吹出し空気の風量を変化させることによって、室温を制御する方式である。送風量を制御するためのＶＡＶユニットをダクト端末に設ける。

問題４　適当

ＶＡＶ方式は、常に一定の風量を送風する**ＣＡＶ方式**に比べ、送風機のエネルギーを**節減**することができる。

問題５　適当

ファンコイルユニット方式は、送風機、冷・温水コイル、フィルターなどを内蔵したファンコイルユニットに、機械室から冷･温水を供給する空調方式である。ファンコイルユニットごとのＯＮ／ＯＦＦ、温度設定などの**個別制御**が**容易**であるため、病室やホテルの客室の空調に用いられることが多い。

問題６　適当

外気冷房方式や**ナイトパージ（夜間外気導入）方式**は、中間期や冬期に冷凍機を停止して、室内より温度の低い屋外空気を室内に取り込み、その冷却効果を利用して室内の冷房負荷を除去したり、躯体に冷熱を蓄熱したりするものであり、**エネルギー消費量の低減**に**有効**である。

問題７　適当

外気負荷は、空調負荷に占める割合が大きいので、室内許容CO_2濃度に応じて**取り入れ外気量**を**制御**することは、省エネルギー上**有効**である。

問題８　適当

変水量方式とは、冷温水配管の端末の空調機等にかかる熱負荷に応じて、二方弁制御により配管内を流れる**水量を調整**する方式で、低負荷時に流水量を減少できるため、冷水ポンプの**消費電力**を**低減**するのに有効である。

問題9　適当

蓄熱方式を採用することにより、熱源装置の負荷の**ピークを平滑**に(平準化)し、安定した熱供給が確保できる。これによって、従来、ピークロード(最大負荷)に合わせて計画していた熱源装置の**容量を縮小**できるほか、安価な夜間電力の有効利用によるランニングコストの低減が可能となる。

問題10　不適当

開放回路方式は、実揚程分の全てがポンプの仕事として必要であり、ポンプ動力が大きくなる。特に高層建築物になるほどポンプ揚程が高くなり、ポンプ動力が大きくなるので、省エネルギー上不利である。一方、蓄熱槽を設けていない**密閉回路方式**は、水圧力によってポンプがうしろから押されているのでポンプの押上げが不要であり、ポンプ動力が節減できる。

問題11　適当

全熱交換器は、換気時、排気の顕熱、潜熱を回収することができ、空調機の外気取入口に設置すると、夏期及び冬期の**冷暖房負荷**の**軽減**に**有効**である。

【参考】空調運転開始後の予熱・予冷時間において、外気取入れを停止することは、一般に、省エネルギー上有効である。

問題12　適当

コージェネレーションシステム(熱併給発電システム)は、建物や工場でガスエンジンや燃料電池等で発電する際の**廃熱**を暖冷房、給湯に**利用**するもので、従来の電力供給システムより**エネルギー利用**の総合効率を**向上**させることができる。

問題13　適当

地域冷暖房(ＤＨＣ)**方式**とは、各建築物個々に冷暖房用熱源を持たず、地域単位で設けた熱供給プラントより冷温水、蒸気などの熱媒を供給する方式である。

問題14　適当

ＰＡＬ*(パルスター)は、非住宅建築物(住宅以外の用途のみに供する建築物)を対象として、外皮に関する省エネルギー性能を評価するための指標である。従来のＰＡＬと同様に、「屋内周囲空間(ペリメーターゾーン)の年間熱負荷」を「各階の屋内周囲空間の床面積の合計」で割った値としている。

問題15　適当

一次エネルギー消費量に関する基準では、非住宅建築物の場合、原則として、当該建築物の**設計一次エネルギー消費量**が、当該建築物の**基準一次エネルギー消費量**を**上回らない**ようにするものとする。対象になる設備として、空気調和設備、空気調和設備以外の機械換気設備、照明設備、給湯設備、昇降機その他が該当する。

問題16　適当

事務所ビルにおける年間の一次エネルギー消費量の各種設備別の割合は、**空調**用が約**４割**、**照明・コンセント**用が約**４割**である。

Check Point 7

給排水衛生設備

❶ 給水設備

① 給水方式

給水方法	水道直結方式		受水槽方式		
	水道直結直圧方式	水道直結増圧方式	高置水槽方式	ポンプ直送方式	圧力水槽方式
水質汚染	小さい	小さい	最も大きい	大きい	大きい
断水時	給水は不可能	給水は不可能	受水槽・高置水槽容量だけ給水可能	受水槽容量だけ給水可能	受水槽容量だけ給水可能
停電時	給水可能	低層部分への給水可能 予備動力があれば給水可能	高置水槽容量だけ給水可能 予備動力があれば給水可能	給水は不可能 予備動力があれば給水可能	給水は不可能 予備動力があれば給水可能

② 設計用給水量

小・中学校	70～100l (生徒1人当たり)	ホテル	500～600l (1ベット当たり) 350～450l (客数1人当たり)
事務所	**60～100l** (在勤者1人当たり)		
集合住宅	**200～350l** (居住者1人当たり)	病　院	1,500～3,500l (1ベット当たり)

③ **必要水圧**

- 一般水栓 ⇨ **30kPa**、大便器(フラッシュバルブ) ⇨ **70kPa**

④ **受水槽**

- 点検、清掃のため、周囲・下部は**60cm以上**、上部はハッチ(径60cm以上)が付くので**100cm以上**のスペースが必要となる。
- 周壁、天井、底は建物の躯体を利用できない。(雑用水・消火専用は除く)
- **2槽式**または、中間仕切りによる分割が望ましい。
- 清掃のため、タンク底部に1/100程度の勾配をとる。

⑤ **クロスコネクションの禁止**

上水道配管の中に上水以外の水が混入され、飲料水が汚染される現象を**クロスコネクション**といい、下記の防止策がある。

- 吐水口空間(**エアギャップ**)を設け、間接排水とする。
- エアギャップが取れない場合、逆流(**バックフロー**)防止器(**バキュームブレーカー**)を取付ける。
- 上水と井戸水の配管、上水用タンクと雑用水タンクを連結させない。

⑥ **その他**

- 水道水は規定の**残留塩素**を有していなければならない。大腸菌が検出されてはならない。
- 排水再利用水(中水)は原則、大小便器の洗浄水として使用する。

❷ 給湯設備

① **給湯温度**

- **循環式**給湯設備では、**レジオネラ属菌**の繁殖を防ぐため、使用ピーク時においても**55℃以上**に保つ。

② **加熱装置**

- **給湯用ボイラー**の装置は、水中の溶存酸素が高温により気泡となって内部に付着し、腐食しやすい。
- **ガス瞬間湯沸器**の能力を表す「**号**」は、流量１l/minの水の温度を**25℃（K）**上昇させる能力を**１号**とする。

Ⅱ 環境・設備

❸ 排水・衛生設備

① **排水方法**

- **公共下水道**での**分流式**は、「**汚水＋雑排水**」と「**雨水**」とを**別系統**にする方式。
- **敷地内**での**分流式**は、「**汚水**」と「**雑排水**」とを**別系統**にする方式。

② **トラップ**

トラップは排水口の直後に設けられ、内部に水をためたもので、排水管からの臭気の逆流、害虫の侵入を防ぐ。

- 内部のたまり水を**封水**といい、その深さは**５～10㎝**とする。
- １つの排水系統にトラップを直列に２個以上（**２重トラップ**）設けてはならない。

③ **阻集器（特殊トラップ）⇨ 排水中の有害物質の阻止、収集**

- グリーストラップ ⇨ 油脂・残りかす ⇨ 厨房
- オイルトラップ ⇨ ガソリン・油 ⇨ 給油所・自動車修理工場

④ **通気管**

トラップの封水切れの防止、管内の換気、排水の流れを円滑にするために設けられる。他の排気ダクト等には接続しない。

⑤ **排水管**

- 雨水たて管は、汚水・雑排水管、通気管と兼用、連結してはならない。
- 横走り管は短くする。

⑥ **排水槽（雑排水槽）**

- 保守点検のため、原則として直径**60㎝以上**の**マンホール**を設ける。
- 排水槽の底に**勾配**を設ける。
- 通気管等の通気のための装置を設ける。

⑦ **衛生設備**

- **サイホンボルテックス式**：最も衛生的な消音型の大便器
- **洗浄タンク** ⇨ **ロータンク**：住宅、**防露タンク**：寒冷地

アドバイス　給排水衛生設備

- 給水設備については、毎年同じような問題が出題されており、確実に得点したい。
- 排水設備については、分流式排水、雨水立て管と他の管との接続禁止、排水トラップの深さ、二重トラップの禁止、阻集器などがポイント。

問題 7 給排水衛生設備に関する次の記述について、**適当か**、**不適当か**、判断しなさい。

■ 給水・給湯設備 ■

check

問題1
高架タンクは、建築物の最高所の水栓・所要器具の必要水圧を確保できる高さに設置する。

check

問題2
事務所の給水設備の容量の決定に当たり、1日の使用水量を100l/人とした。

check

問題3
大便器洗浄弁の必要圧力は、一般に、40kＰa程度である。

check

問題4
受水タンクの容量は、一般に、1日に使用する水量の1/2程度とする。

check

問題5
給水設備において、飲料水系統と雑用水系統とを別系統とすることにより、雑用水系統の受水槽は床下ピットを利用したコンクリート製水槽とすることができる。

check

問題6
受水タンク、高置タンクは、清掃、保守を考慮して、2槽式とするか又は中間仕切を設けることが望ましい。

check

問題7
飲料用受水槽の保守点検スペースとして、上部に100cm、側面及び下部にそれぞれ60cmのスペースを確保した。

check

問題8
ウォーターハンマーは、水栓などにより配管内の流れを瞬間的に閉止した場合に生じる現象である。

check

問題9
循環式の中央給湯設備において、給湯温度は、レジオネラ属菌の繁殖を防ぐために、貯湯槽内で60℃以上、末端の給湯栓でも55℃以上に保つ必要がある。

問題10
ガス瞬間式給湯器の能力表示には「号」が用いられる場合があり、1号は流量1l/minの水の温度を25℃（K）上昇させる能力をいう。

排水・衛生設備

問題11
分流式排水とは、敷地内の排水設備においては、「汚水」と「雑排水」を別系統にすることをいい、公共下水道においては、「汚水及び雑排水」と「雨水」とを別系統にすることをいう。

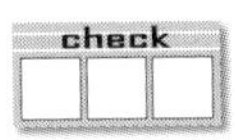

問題12
受水槽や高置水槽のオーバーフロー管及び水抜管は、臭気の逆流を防ぐため、トラップを設けて排水管に直接接続することができる。

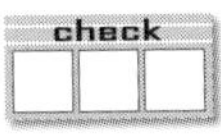

問題13
トラップは、その封水を有効に維持するため、排水トラップの深さをできるだけ大きくとることが望ましい。

問題14
衛生器具のトラップは、二重トラップとしてはならない。

問題15
排水及び汚泥の排出を容易にするため、排水槽の底面に勾配を設け、清掃時の安全に配慮して、その勾配を吸込みピットに向かって1/15とした。

問題16
水洗式大便器の洗浄方式において、サイホンボルテックス式は、溜水面が広く、衛生的であり、洗浄音が静かな方式である。

【関連】
問題3　洗浄弁 ▷ **フラッシュバルブ**
問題13　深すぎ：流れの妨げ、浅すぎ：封水切れ
問題15　「清掃時の危険防止のため、底を水平にする。」という記述は、誤り。

解説

問題1　適当

高架タンクは、建築物の最高所の水栓や衛生器具の必要水圧を確保できる高さに設ける。

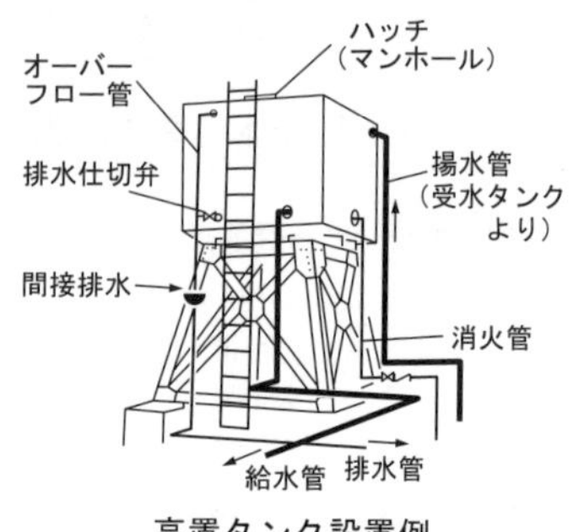

高置タンク設置例

問題2　適当

事務所ビルにおける在勤者1人当たりの設計用の1日給水量は、一般に、**60～100*l***程度とする。

問題3　不適当

大便器の洗浄弁（フラッシュ弁）の必要圧力は、一般に、70kPa程度である。

問題4　適当

受水タンクの容量は、一般に、1日に使用する水量の**1/2程度**とする。

問題5　適当

飲料水系統の受水槽の場合は建築物の躯体を利用することは避けなければならないが、**雑用水専用**や**消火専用**の受水槽であれば**床下ピット**を利用することができる。

問題6　適当

受水槽、高置タンクは、清掃・保守時の断水を防ぐため、**2槽式**又は**中間仕切り**を設けることが望ましい。

問題7　適当

飲料用受水槽の**保守点検スペース**は、底部および周囲にそれぞれ**60cm以上**確保し、**上部**は人が出入りできるマンホールが付くので**100cm以上**確保する。

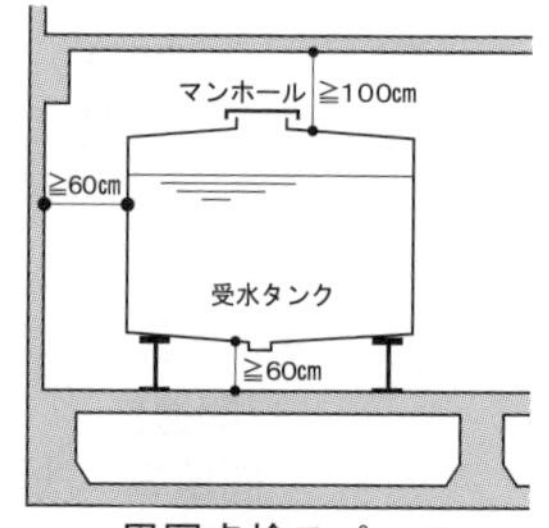

周囲点検スペース

問題8　適当

ウォーターハンマーとは、給水圧力が高い状態で水栓を急激に閉じた場合等に、流れを閉止された水の圧力波が管内を往復することによって生じる騒音、振動、衝撃をいう。

問題9　適当

レジオネラ属菌は、人体に感染すると肺炎に似た症状を引き起こし、重傷の場合は死に至る。繁殖最適気温は35～36℃であり、給湯配管や冷却水配管内で繁殖しやすいため、給湯温度は常に**55℃以下にならないように**する。

問題10　適当

ガス瞬間式給湯器の出湯能力表示には、一般に「**号**」が用いられ、1号は流量1*l*/minの水の温度を**25℃（K）上昇させる能力**をいう。例えば、20号は毎分20*l*の流量の水を25℃（K）上昇させる能力を有することを表す。

【関連】**都市ガス**の種類は、比重・熱量・燃焼速度の違いにより区分される。

問題11　適当

分流式排水は、建築物内及び**敷地内**の排水設備においては「汚水」と「雑排水」と「雨水」とを**すべて別系統**にすることをいい、公共下水道においては「**汚水＋雑排水**」と「**雨水**」とを**別系統**にすることをいう。なお、建物内では合流式、分流式のいずれにおいても「雨水」は別系統としなければならない。

【関連】**雨水排水立て管**は、屋内で雨水以外の系統の排水管に接続してはならない。

問題12　不適当

受水槽や高置水槽の**オーバーフロー管**や**水抜管**は、水槽内への排水の逆流防止と下水ガス・臭気・衛生害虫などの侵入防止のため、いったん空気中に開放した後に排水受容器や受皿から排水管に接続する**間接排水方式**とする。

問題13　不適当

排水トラップの深さは、深すぎると排水の流れを阻害するおそれがあり、浅すぎると封水の失われるおそれがあるので、**5～10㎝**とする。

問題14　適当

二重トラップは、汚水の流れを阻害し、排水トラップの封水に悪影響を及ぼすので行ってはならない。

問題15　適当

敷地排水管より低位にある汚水や雑排水は、地下ピット等を利用した排水槽にいったん貯留し、排水ポンプ等によって速やかに排水する。排水槽の底部には、吸込みピット（釜場）を設け、その中に排水ポンプ等を設ける。排水槽の底部は、吸込み**ピットに向かって1/15以上1/10以下**の**下がり勾配**とし、排水・汚泥の排出及び清掃が容易かつ安全に行える構造とする。また、必要に応じ滑り止め等の適切な処置を講じる。

問題16　適当

水洗式大便器の**サイホンボルテックス式**は、タンクと便器とが一体化し、洗浄水の渦巻き作用とサイホン作用によって汚物を排出する方式である。**溜水面**が比較的**広い**ために汚れが付着しにくく、また、空気の混入が少ないことにより**洗浄音**が**小さい**という特徴がある。

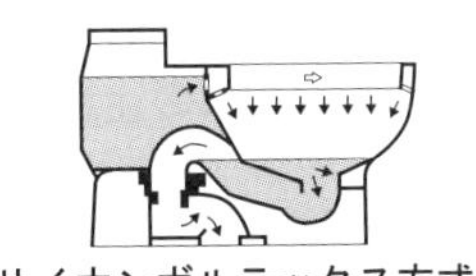

サイホンボルテックス方式

【参考】駅や百貨店等において、**不特定多数**の人が連続して使用する大便器の給水方式としては、一般に、**洗浄弁方式**が採用される。

Ⅱ 環境・設備

Check Point 8 電気・輸送設備

❶ 配電方式

① **電圧の区分**

- 交流電圧の種別のうち、**低圧**とは、**600V**以下のものをいう。

② **契約電力と受電電圧**

- 契約電力**50kW未満**の場合**低圧引込**、**50kW以上**の場合**高圧引込**となる。
- 契約電力**50kW以上**の場合は、原則として、**受変電設備**が必要。

❷ 幹線設備・動力設備

① **配線方式**

- 一般の事務所ビルの**電灯回路**には**単相3線式100V/200V**が使用される。
- **動力回路**には**三相**が使用され、一般には、三相3線式200Vが使用される。三相4線式240V/415Vでは、**240V**は**照明用**として、**415V**は**動力用**として使用される。

② **電線の太さ**

- **電圧**を**高く**すると電流が小さくなり、**細い電線で同一電力**を供給することができる。

③ **スターデルタ始動方式**

- 大型の電動機に使用される**減電圧始動方式**で、**安価**なため広く採用されている。

❸ 配線工事

① **主な配線方式**

1)ケーブル配線方式

- 耐震性に優れており、施工が容易なため広く採用されている。

2)バスダクト配線方式

- **大容量**の電力供給に適し、大規模建築物や工場の**幹線**に用いられる。
- 信頼度・保守・過電流強度は優れているが**価格**が**高い**。

3)フリーアクセスフロア配線方式

- 二重床の高さは、オフィスの配線には**6〜10cm**程度、コンピューター室で床下空調を行う場合には**30〜40cm**程度とする。

② **配線工事の注意点**

- 一般のケーブルをコンクリートに埋め込む場合、金属管、合成樹脂管に収めて施設する。
- **地中電線路**を直接埋設する深さは、一般には土かぶり**0.6m以上**、車両の通行する場所は**1.2m以上**。

4 避雷設備・雷保護システム

① **外部雷保護システム**

- Ｓ造、ＲＣ造およびＳＲＣ造の建築物においては、構造体の鉄骨や相互接続した鉄筋を**"構造体利用"引下げ導線**として利用することが望ましい。
- 引下げ導線システムは、原則として、**２条以上**(２本以上)の引下げ導線が必要である。
- 受雷部システムは、**保護角法**、**回転球体法**、**メッシュ法**又はその組合せによって、被保護物が保護範囲に入るように施設する。

5 情報通信設備

① **ＵＰＳ(無停電電源装置)・ＣＶＣＦ(定電圧定周波電源装置)**

- ＯＡ機器や情報通信システムを**電力障害**から保護し、**データ破壊・誤動作**を防止する。

② **ＰＢＸ(構内電話交換機)**

- **局線(外線)**と**内線**との**交換・接続**を行う装置で、大型のものは電話機の他に**端末機・ＦＡＸ**等を接続できる。

6 輸送設備

① **エレベーター**

- **トラクション式**のうち、**"機械室なしタイプ"**が中低速の主力である。
- 昇降路内には、**エレベーターに必要な配管設備以外**(光ケーブルを除く)**は設けてはならない**。
- 外部連絡装置は、**充電式のインターホン方式**が望ましい。
- **停電灯**は、床面で**1 lx**以上、点灯保持時間は**30分以上**が望ましい。
- **Ｐ波(初期微動)感知器**は、**昇降路の底部**または建築物の**基礎に近い階**に設置する。

② **非常用エレベーター**

- **速度60m/min以上**、積載荷重**1,150kg以上**とする。
- かご内装、かご戸、乗場戸に設けるガラスは、**網入りガラス**とする。
- **１時間以上**運転できる**予備電源**を設ける。

③ **エスカレーター**

- 移動速度は**毎分30m**が標準、勾配は**30度**が標準。

④ **耐震安全性の目標**

- **エレベーター**：機器に損傷が生じても**乗客の安全を確保**。
- **エスカレーター**：機器に損傷が生じても建築物のはりなどの**支持材から外れて落下しないこと**。

アドバイス **電気・輸送設備**

- 電圧の区分について、直流の場合と交流の場合をよく整理する。
- フリーアクセスフロア配線方式、バスダクト配線方式もポイント。
- 輸送設備については、エレベーター、エスカレーターに関する各種基準値がポイント。

問題8

電気・輸送設備に関する次の記述について、**適当か、不適当か**、判断しなさい。

check

問題1

電圧の種別において、交流の750V以下のものは、低圧に区分される。

check

問題2

動力設備において、同一電力を供給する場合、200V配線より、400V配線のほうが細い電線を用いることができる。

check

問題3

車両が通行する場所に、直接埋設式により地中電線路を施設する場合、土被りは、60cmとした。

check

問題4

スポットネットワーク受電方式は、電力供給の信頼性に重点をおいた受電方式である。

check

問題5

住宅において、契約電力が55kWの場合、原則として、高圧引込みとなり受変電設備の設置が必要となる。

check

問題6

負荷率は、「ある期間における最大需要電力」に対する「その期間の平均需要電力」の割合である。

check

問題7

電源の信頼性が要求される24時間365日稼動の電算機器や情報通信機器を使用する場合、停電や瞬時電圧低下が発生した際に一時的に電力供給を行うＵＰＳ（無停電電源装置）が採用されている。

check

問題8

３路スイッチは、２箇所のスイッチそれぞれにより、同一の電灯を点滅することができる。

check

問題9

スターデルタ始動方式を採用すると、電動機等の始動電流を小さく抑え、電路、遮断器等の容量が過大になることを防ぐことができる。

check

問題10

燃料電池の原理は、水の電気分解の逆の反応であり、水素と酸素が結合して電気と水が発生する化学反応を利用している。

問題11
幹線に採用する配線方式において、バスダクト方式は、最大許容電流が大きく、大容量の電力供給に適している。

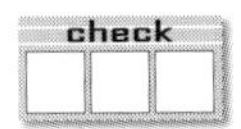

問題12
フリーアクセスフロア配線方式は、配線の自由度が高く、配線収納量も多い。

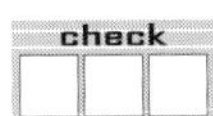

問題13
セルラダクト配線方式は、コンクリートスラブ内に波形鋼板を2枚張り合わせたものを配し、波形の中空部分を配線スペースとして使用する方式で、取出口の設置には比較的自由度がある。

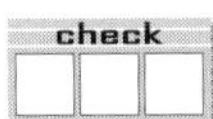

問題14
外部雷保護システムにおいて、鉄骨造、鉄筋コンクリート造及び鉄骨鉄筋コンクリート造の場合には、構造体の鉄骨や相互接続した鉄筋は、“構造体利用”引下げ導線であるとみることができる。

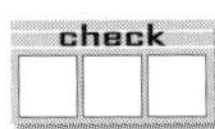

問題15
自家用の発電装置として設置されるマイクロガスタービンは、一般に、ディーゼルエンジンに比べて発電効率が高い。

問題16
最近のロープ式エレベーターでは、交流可変電圧可変周波数制御方式(インバータ制御方式)に比べて、滑らかな速度制御と着床精度に優れる交流帰還制御方式が多数を占めている。

問題17
事務所ビルの乗用エレベーターについては、一般に、出勤時のピーク５分間に発生する交通量に基づき台数、仕様を計画する。

解説

問題１　不適当

電圧の種別を次表に示す。

	直　流	交　流
低　　圧	750Ｖ以下	600Ｖ以下
高　　圧	750Ｖを超え7,000Ｖ以下	600Ｖを超え7,000Ｖ以下
特別高圧	7,000Ｖを超えるもの	

問題２　適当

同一電力を供給する場合、**高圧**配電のほうが**電流**が**少なく**なるので、**細い電線**とすることができる(例：１kWの電力の場合、400Ｖなら2.5Ａ、200Ｖなら５Ａ)。

問題３　不適当

直接埋設式の地中電線路の**土被り**は、一般の場所で60cm以上、**車両通行**など重量がかかる場合には、**120cm以上**が必要である。JASS 102(電力設備工事)。

問題４　適当

スポットネットワーク方式は配電線を３回線引き込むため、配電線の事故による停電が生じにくい。

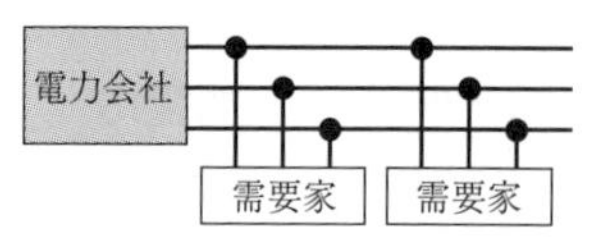

スポットネットワーク受電方式

問題５　適当

一般の住宅は、契約電力が**50kW未満**なので受変電設備が**不要**であるが、**集合住宅**において、各住戸の契約電力の**合計が50kW以上**となる場合は、受変電設備を設け、**高圧で受電**しなければならない。

問題６　適当

受変電設備の**負荷率**は、ある期間中の「**平均需要電力**」を、同じ期間の「**最大需要電力**」で除した値で、その値が**大きい**ほど効率的な設備の運用がなされていることを示す。

問題７　適当

ＵＰＳ(Uninterruptible Power Supply　：**無停電電源装置**)は、蓄電池または発電機を備え、停電や瞬時の電圧低下への対策を行い、定電圧・定周波・無停電の電源を供給する装置であり、常時稼働の電算機器や情報通信機器などに採用されている。

問題８　適当

３路スイッチは階段などに設けられ、２箇所のスイッチそれぞれにより同一の電灯を点滅することができる。

問題９　適当

かご形誘導電動機などの三相誘導電動機は、はじめから定格電圧を加えると始動時の電流が定格電流値を超えてしまうため、始動方式が種々に工夫されている。**ス**

ターデルタ始動方式は、始動時用のスター結線と通常時用のデルタ結線を切り替えることにより始動時に電動機に加わる電圧を小さくする方式であり、電路や遮断器(異常電流を遮断する装置)等の容量を小さくすることができる。始動方式のなかではスターデルタ始動方式が最も安価であり、広い範囲で採用されている。

問題10　適当

燃料電池は、水の電気分解と逆の過程で、水素と酸素から電力と熱と水を作り出す装置である。発電効率が高い(40～60％程度)、騒音・振動が少ない、有害な排気ガスがほとんど発生しない等の特徴がある。

問題11　適当

バスダクト方式は、鋼板製ダクト内に帯状、管状などの導体(電線)を絶縁して固定したもので、**大容量幹線**に用いられる。

問題12　適当

ＯＡ用二重床ともいわれる**フリーアクセスフロア配線方式**は、**配線自由度**、**配線収納量**ともに**優れている**。

問題13　適当

セルラダクト方式は、床構造材として使用される波形デッキプレートの溝を利用して、配線用ダクトとしたものである。金属管や合成樹脂管(ＣＤ管)などの保護管を床コンクリートに埋め込む電線管方式に比べて、**配線変更**の**自由度**が**高い**。

問題14　適当

"**構造体利用**"**引下げ導線**であるとみることができる。JIS A 4201（建築物等の雷保護）。

問題15　不適当

ディーゼル機関は、一般に、４サイクル内燃機関が使用され、振動・騒音が大きいといった特徴がある。一方、ガスタービンは気体を圧縮し、これを加熱して生じた高温、高圧ガスをタービン翼に吹き付けて回転させ、発電機を駆動するもので、マイクロガスタービンはそれを小型化したものである。ディーゼルエンジンに比べて**マイクロガスタービン**の方が**燃費が悪い**、すなわち、**発電効率が低く**なる。

問題16　不適当

ロープ式エレベーターにおいては、主に滑らかな速度特性を得られる**ＶＶＶＦ(可変電圧可変周波数)制御方式**が採用されている。

問題17　適当

事務所ビルの**エレベーターの台数**は、利用者の集中する**出勤時のピーク**における**５分間**当たりの平均利用者数(５分間集中率)を基準とする。一般に、自社ビルでは在籍人数の20～25％を、貸ビルでは10～15％を５分間集中率と想定して算定する。

Check Point 9 消火・防災設備

❶ 消火設備

1）初期消火のための設備

① **屋内消火栓設備**

消防隊が現場に到着し、活動を開始するまでの初期消火用設備。

工場・倉庫等について屋内消火栓設備を設置する場合は、１号消火栓となる。

② **各種消火設備**

	消火の原理	摘　用	対　象
水噴霧消火設備	冷却・窒息	ＡＢ	駐車場・防火対象物の道路
泡消火設備	冷却・窒息	ＡＢ	駐車場・格納庫
粉末消火設備	窒息	ＡＢＣ	電気設備
不活性ガス消火設備	窒息	ＡＢＣ	電気室・美術館

③ **スプリンクラー設備**

- **開放型** ⇨ 開放弁までの配管に常時加圧水が満たされており、起動弁の操作により散水する。一般に劇場等の舞台部に設置される。
- **閉鎖型** ⇨ ヘッドの感熱体の作動により散水する。下記の３種類がある。
  - **湿　　式** ⇨ 配管内が常時加圧水で満たされている方式
  - **乾　　式** ⇨ 配管内が加圧空気で満たされている方式→寒冷地
  - **予作動式** ⇨ 火災感知器とヘッドの両方が作動したときに散水する方式。電算機室に適している。

④ **屋外消火栓設備**

低層部の消火や外部からの延焼防止のため建物内の消火ポンプから送水されてくる圧力水で消火するための設備である。

⑤ **延焼・類焼防止設備**

建築物の外壁、開口部に1.5～2.5m間隔に設置した**ドレンチャーヘッド**から水を噴射し隣接建物からの延焼を防止する。

2）消防隊の消火活動のための設備

- **連結送水管** ⇨ 建物内の連結送水管に消防ポンプ車から送水し、高層階や大規模の地下街の消火活動を行うもの。
  送水口は１階の道路側、放水口は非常用エレベーターの乗降ロビー等、消火活動が有効にできる位置に設ける。
- **連結散水設備** ⇨ 地階、地下街の消火活動のために設けられる設備。消防ポンプ車から送水口を通して、地階の天井等に設けた散水ヘッドに送水して消火するもの。
- **非常用エレベーター** ⇨ 消防隊による火災時の消火活動を目的とし、原則、高さ31mを超える建築物に設ける。

●**非常コンセント** ⇨ 消防隊が使用する器具の電源を供給するためのコンセント。単相交流**100 V**、**15アンペア**以上の供給能力を要し、非常用電源を附置しなければならない。

●**防災センター**は避難階（通常１階）またはその直上、直下階に設置する。

❷ 防災設備

① **排 煙 設 備**

●排煙口は防煙区画の各部から30m以内に設ける。

●排煙口には必ず**手動開放装置**を設置する。

●排煙機は運転開始から**30分以上**異常なく運転できる耐熱性能を有すること。

●排煙機は電動機で駆動する方式とし、停電時も**30分以上**作動できるよう予備電源を確保する。

●排煙ダクトは排煙効果を良くするため、横引きダクトを短くする。

●隣接した防煙区画、たれ壁区画は、同一の排煙設備とする。

② **非常用の照明装置**

●直接照明とし、床面で**１lx以上**（蛍光灯又LEDランプの場合２lx）必要である。

●予備電源は、蓄電池で**30分以上**点灯できるものとする。

❸ 防火・防災計画

① **防　　災**

●横長窓は縦長窓に比べ上階への延焼の危険性が高い。

●バルコニー、ひさしは下階からの延焼防止上効果がある。

●**３層以上**にわたる吹抜け、階段等は**たて穴区画**をする。

●**常緑樹**は延焼防止に有効である。

●内装材に不燃、難燃材料を使用すると、フラッシュオーバーに至る時間が長くなる。

② **避　　難**

●**２方向避難**を原則とし、ＥＶ、エスカレーターは避難路として計画できない。

●避難経路は、日常よく使用する動線を利用する。

●避難経路上の扉は、避難する方向に開き、避難後は自動的に閉鎖する構造が望ましい。

●百貨店において、廊下を避難するときの群集歩行速度は約**1.0 m/s**。

アドバイス | **消火・防災設備**

●スプリンクラー設備については、出題が多く、細部の知識も要求される。

●連結散水設備、泡消火設備もポイント。

●天井チャンバー方式の垂れ壁の天井面からの高さ、非常用エレベーターと防災センターが避難用でないことなどがポイント。

問題9 消火・防災設備等に関する次の記述について、**適当か**、**不適当か**、判断しなさい。

消火設備

check □□□

問題1
屋内消火栓設備は、初期消火のために設けられるものであり、建築物内の在館者・居住者などが使用する設備である。

check □□□

問題2
屋内消火栓設備における1号消火栓は、一般に、2号消火栓に比べて単位時間当たりの放水量が多いので、必要設置個数は少なくなるが、通常2人で操作する必要がある。

check □□□

問題3
開放型のスプリンクラー設備は、火災の際、一斉開放弁を開くことにより、放水区域内のすべてのスプリンクラーヘッドから散水する設備である。

check □□□

問題4
閉鎖型スプリンクラーヘッドは、作動温度の関係で、厨房などのような周囲温度が高い部屋には適さない。

check □□□

問題5
コンピュータ室においては、誤作動による水損事故を防止するため、ヘッドが開放しただけでは散水しない予作動式スプリンクラー設備が適している。

check □□□

問題6
泡消火設備は、駐車場等の消火に用いられ、泡ヘッドから放出された泡が燃焼物を覆うことによる窒息効果や冷却効果等により消火する設備である。

check □□□

問題7
泡消火設備は、電気室やボイラー室の消火設備として適している。

check □□□

問題8
粉末消火設備は、微細な粉末の薬剤を使用するものであり、凍結しないので、寒冷地に適している。

check □□□

問題9
連結送水管は、高層階や地下街などにおける消防隊の消火活動を有効に行えるようにするために設置する。

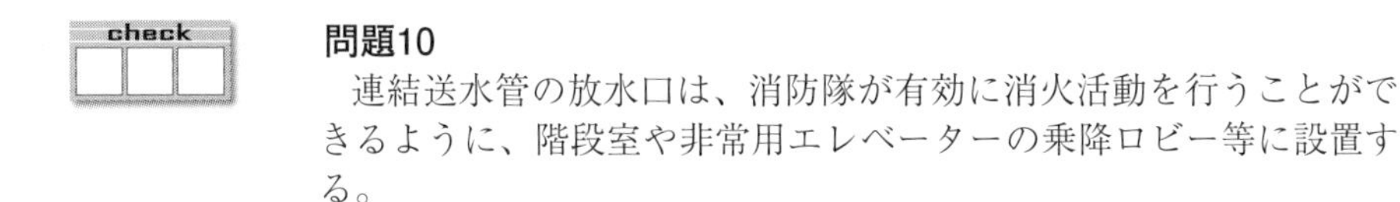

問題10
連結送水管の放水口は、消防隊が有効に消火活動を行うことができるように、階段室や非常用エレベーターの乗降ロビー等に設置する。

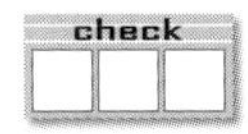

問題11
連結散水設備は、地階の火災の際、消火活動を容易にするため、消防ポンプ車から送水して天井面の散水ヘッドから放出し、消火する設備である。

防災設備

問題12
住宅用防災警報器の感知器を天井面に取り付ける位置は、一般に、天井の中央付近とする。

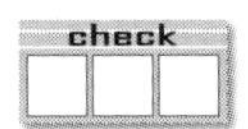

問題13
排煙口は、防煙区画部分の各部分から水平距離で30m以下となるように設けなければならない。

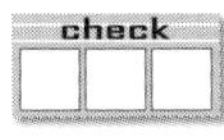

問題14
非常用の照明装置は、常温下で床面において水平面照度で１lx（蛍光灯又はＬＥＤランプを用いる場合には２lx）以上を確保する必要がある。

問題15
避難階が３階の場合、防災センターを３階に配置した。

防火・防災計画

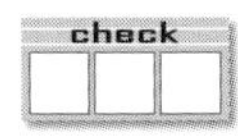

問題16
縦長の窓に比べて横長の窓のほうが、噴出する火炎が外壁から離れやすく、上階への延焼の危険性が低い。

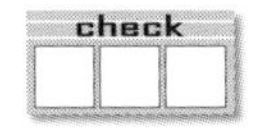

問題17
多数の人が廊下を同一方向に、同時に避難するときの群集歩行速度は、約1.0m/sである。

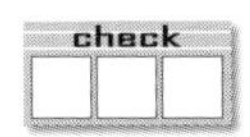

問題18
廊下から避難階段への出入口の幅は、その階の避難人口や階段幅等を考慮して決定する。

解説

問題1・2　適当

屋内消火栓とは、消防隊が火災現場に到着し、活動を開始するまでの間の**初期消火**のための設備であり、建物内の**在館者**が使用するものである。

1号消火栓は2号消火栓より放水量が多くなるが、ノズル操作と開閉弁操作のため、通常2人で操作する必要がある。

【関連】社会福祉施設、病院、ホテル等の場合、屋内消火栓設備については、**2号**消火栓の採用が指導されている。

問題3　適当

開放型の**スプリンクラー設備**は、熱感知機構のない開放型ヘッドを用い、火災の際には火災感知器連動または手動により一斉開放弁を開いて放水区域内の**すべてのスプリンクラーヘッド**から**散水**する設備である。

問題4　不適当

閉鎖型スプリンクラーヘッドには、厨房など周囲温度の高い室に設置する場合に備え、設置箇所の平均温度39℃未満の普通温度用、それより温度の高い場合の中間温度、高温度、超高温度用の各種がある。

問題5　適当

閉鎖型スプリンクラー設備の一種である**予作動式**は、ヘッドが感熱開放しただけでは散水せず、別に設けられた自動火災感知装置と両方が作動してはじめて散水を開始するので、誤作動による水損被害が大きい**コンピュータ室**等に適している。

問題6　適当、問題7　不適当

泡消火設備は、水だけでは消火困難な自動車修理場、駐車場、指定可燃物の貯蔵所などに設置される。泡消火薬剤と水を混合して発生した泡がヘッドから放出され、**窒息効果**と**冷却効果**により消火する設備である。

ただし、水を含んだ泡で燃焼面を覆うので、電気室やコンピュータ室には適さない。また大量の火気使用部分であるボイラー室にも適さない。

問題8　適当

粉末消火設備は、消火剤が粉末なので**凍結せず寒冷地に適し**、また引火性液体の表面火災に速効性があることなどから、飛行機の格納庫、寒冷地の駐車場などのほか、マグネシウムなどの特殊火災の消火設備として用いられている。

問題9・10　適当

連結送水管は、**消防隊専用**の消火設備で、消防隊が**高層階や地下街**にホースを延長する作業にかえて、各階の放水口まであらかじめ送水管を配管しておき、消防ポンプ車が送水口から送水することにより、放水口、ホースを経て消火活動を行う。放水口は、消防隊が有効に消火活動を行えるように、**階段室**や**非常用エレベーターの乗降ロビー**等に**設置**する。

問題11　適当

連結散水設備は、**地階**における**消防隊専用**の消火設備である。地階で発生した火災は煙が充満して消火活動が困難になることが多いため、あらかじめ送水口から天井面に設けられた**散水ヘッド**まで配管しておき、消防ポンプ車から送水して**散水**を行う。

問題12　適当

住宅用防災警報器(住宅用火災警報器ともいう)は、住宅において、一般に、煙を感知して音声や警報音で火災の発生を知らせるものである。寝室と、寝室がある階の階段への設置が義務付けられている。設置位置は次のとおりである。

- 天井に設置する場合には、壁又ははりから0.6m以上離れた位置に設ける。このため、**天井の中央付近**に設けられることが多い。
- 壁に設置する場合には、天井から0.15m以上0.5m以内の位置に設ける。
- 換気口等の空気吹出口から1.5m以上離れた位置に設ける。

問題13　適当

排煙口は、防煙区画部分の各部分から水平距離で**30m以下**となるように、天井又は壁の上部(天井から80cm以内の距離にある部分をいう)に設けなければならない。

問題14　適当

非常用の照明装置は、**床面**において**1**lx以上(蛍光灯又はＬＥＤランプの場合２lx以上)の照度を確保することができるものとしなければならない。

問題15　適当

防災センターは**避難階**またはその**直上**、**直下階**に設置すると定められている。

問題16　不適当

縦長窓の方が火炎の噴出する力が強く、噴出する火災が外壁から**離れやすい**。**横長窓**の場合は、炎が窓上の壁に沿って上昇し、上階への延焼の危険性が高い。

問題17　適当

建築基準法に定められた避難安全検証を行う際に、避難が終了するまでの時間を算定するため、建築物の用途に応じて避難時の歩行速度が規定されている。**多数の人**が廊下を同一方向に、同時に避難する時の群集歩行速度は、劇場・百貨店・ホテルなど不特定多数の人が集まる建築物では**1.0m/s**、学校・事務所などでは1.3m/sと定められている(平12告示1441号)。

問題18　適当

廊下から**避難階段**への**出入口の幅**は、その階の**避難人口**を考慮して決められる。すなわち、出入口を通過するために要する時間＝避難人口/（係数×出入口の幅)を考慮する。

【関連】出入口の幅は、階段の幅と一致させるか、やや狭く計画することが望ましい。

Check Point 10 環境工学・設備融合

❶ 防寒・防暑（省エネルギー）計画

建築の省エネルギー対策とは、冷暖房、照明等に要するエネルギーを効率的に利用し、できるだけ節約しようとすることである。

(1) 外皮平均熱貫流率U_A値

住宅の断熱性を総合的に判断するための係数である。

住宅の外皮(壁、天井、床等)を通じて、熱貫流によって失われる熱量を、**屋内外の温度差1℃**につき、**外皮の合計面積1㎡**および**1時間当たり**について表した数値。

この値を小さくすることが省エネルギーにつながる。

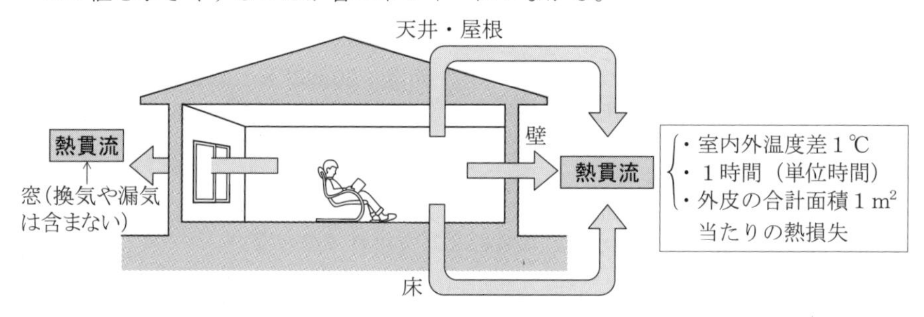

$$外皮平均熱貫流率=\frac{熱貫流による熱損失}{外皮の合計面積}$$

(2) 省エネルギー対策

① **平面計画**

- 床面積が同じ場合は、正方形より**東西軸**を長くする。窓は東西面より南北面に多く設ける。
- 空調不要な便所、エレベーター等の**コア部分**は**外周部**に配置する。

② **断熱性の向上**

- 断熱材、二重窓、複層ガラス等を使用し、熱伝導率を小さくし、断熱性を高める。
- 室内の上下温度差が小さくなり、放射等の温熱環境も改善できる。

③ **気密性の向上**

- 外壁、開口部の気密性能を高め、外気の流入を少なくすることにより熱損失量を小さくする。

④ **日射の遮へい**

- **ひさし**による日射の遮へいは、冬期の日射による熱取得を妨げないようにする。
- **ブラインド**は室内側より**室外側**に設けるほうが効果が大きい。

⑤ **その他**

- 植栽は方位によって樹種を使い分ければ、防暑・防寒計画において有効である。
- 外壁を**白色系**の色彩とすることで、遮熱効果を得る。

アクティブソーラーハウス
太陽熱エネルギーを冷暖房、給湯などに利用するもので、機械的な設備などを用いて太陽熱を利用する。

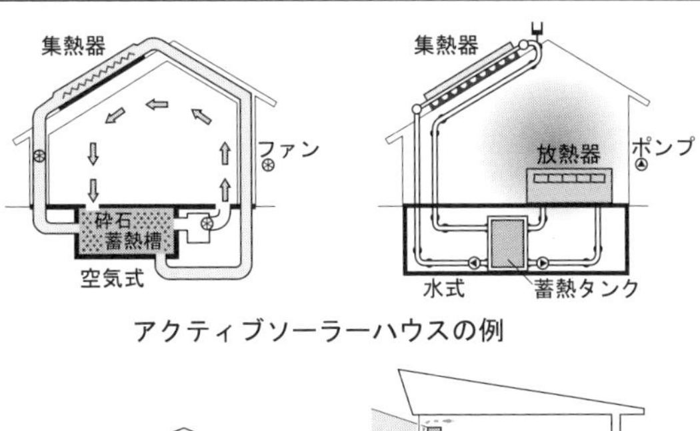

アクティブソーラーハウスの例

パッシブソーラーシステム
太陽熱エネルギーを冷暖房、給湯などに利用するシステムで、機械的な設備などを用いずに太陽熱を利用する方式。

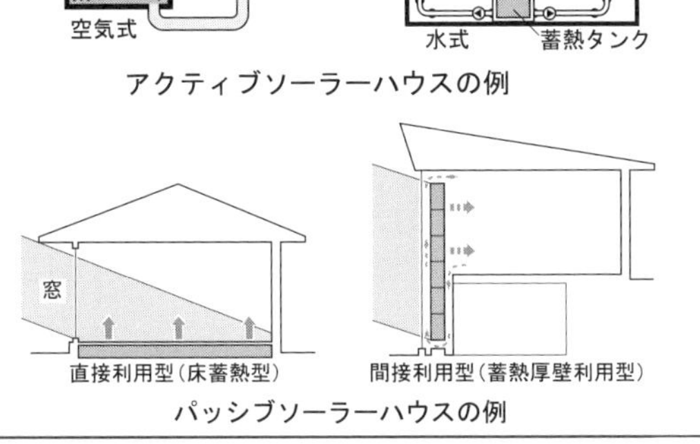

パッシブソーラーハウスの例

❷ 単　　　位

伝熱	熱伝導率	W/(m・K)
	熱伝導比抵抗	m・K/W
	熱伝導抵抗	㎡・K/W
	熱貫流抵抗	
	熱伝達抵抗	
	熱貫流率	W/(㎡・K)
	熱伝達率	
	湿気伝導率	kg/(m・s・Pa)
音	音の強さ	W/㎡
	音　圧	Pa

❸ 理　　　論

理　論	人　名	理　論	人　名
有効温度	ヤグロー	層流・乱流	レイノルズ
黒体の熱放射量	ボルツマン	流体の運動	ベルヌーイ
感覚尺度	フェヒナー	熱伝導量	フーリエ
残響時間	セイビン	表色法	マンセル

問題10　環境工学、設備等に関する次の記述について、**適当か、不適当か**、判断しなさい。

防寒・防暑（省エネルギー）

check

問題1

外皮平均熱貫流率は、内外の温度差１度当たり、単位時間当たりに熱貫流によって失われる総熱量を外皮等面積の合計で除した値である。

問題2

住宅において、気密性を向上させることにより、熱損失量は小さくなる。

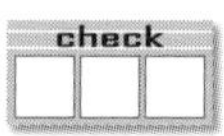

問題3

一般に、防暑を必要とする建築物の平面を計画する場合、東西軸より南北軸を長くすることが望ましい。

問題4

南側の庇の出は、冬期の日射による熱取得を妨げないように、また、太陽高度の高い夏期の日射を遮へいできるように定めた。

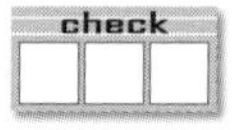

問題5

外壁を白色系の色彩とすることで、遮熱効果を得ることができる。

問題6

天井を断熱した場合でも、小屋裏の換気を十分に行う必要がある。

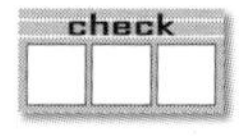

問題7

日射熱が最上階の天井から流入するのを防止するため、屋上に芝生を植栽することは有効である。

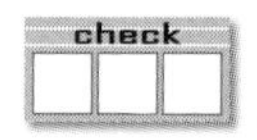

問題8

日射の温熱環境への影響を調整するため、一般に、建築物の南側に落葉高木を植えたり、藤棚を設けたりすることは有効である。

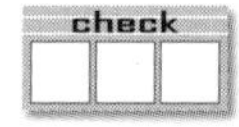

問題9

アクティブソーラーハウスは、暖房・給湯の一定部分を太陽熱の利用により行い、集熱・蓄熱・熱移動のためにファン・ポンプ等の機械的な設備を使用した住宅である。

問題10

パッシブソーラーシステムは、集排熱、蓄熱、熱の移動などに専用の装置や動力をできるだけ使用しない太陽熱利用の方式である。

用語・単位・人名等

問題11
湿気伝導率 ―――――― kg/(m・s・Pa)

問題12
圧力損失 ―――――― Pa

問題13
表色法 ―――――― マンセル(Munsell,A.H.)

問題14
残響理論 ―――――― セイビン(Sabine,W.C.)

設備融合

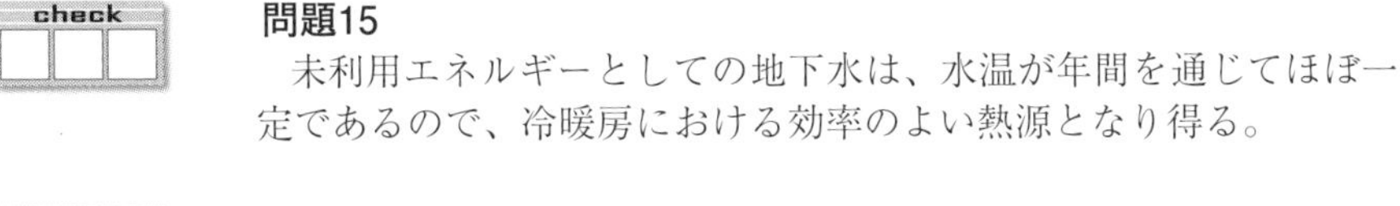

問題15
未利用エネルギーとしての地下水は、水温が年間を通じてほぼ一定であるので、冷暖房における効率のよい熱源となり得る。

問題16
LCA(ライフ・サイクル・アセスメント)は、製品の生涯を通しての環境側面及び潜在的環境影響を評価するものであり、環境影響の領域として、資源利用、人の健康及び生態系への影響が含まれる。

問題17
BMS(ビルディング・マネジメント・システム)は、設備の機能を確認するために必要な室温やエネルギー消費量等を計測・計量し、得られたデータを効率的に分析する機能のことである。

【関連】
問題6　小屋裏の換気 ⇨ 夏期の日射熱の侵入防止と冬期の結露防止
問題7　屋上緑化
問題8　方位によって樹種を使い分ければ、防暑、防寒ともに有効。

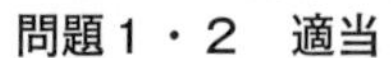

解説

問題1・2　適当

外皮平均熱貫流率は、住宅の断熱性を総合的に判断するための係数(U_A)であり、熱貫流によって失われる熱量を外皮の合計面積で除したもの。

$$外皮平均熱貫流率 = \frac{熱貫流による熱損失}{外皮の合計面積}$$

また、**気密性**を**向上**させれば、熱損失量は**小さく**なる。単位はW/(m²·K)。

問題3　不適当

防暑を必要とする夏期の日射量は、太陽高度が高い南面が小さく、太陽高度が低い東西面が大きい。したがって、防暑対策は、東西面の日射量を小さくすることが有効であり、東西面が小さくなるように、**東西**軸を**長く**することが望ましい。

問題4　適当

南側の**庇の出**は、太陽高度の高い夏期に直射を遮蔽(しゃへい)できる程度に定めるとよい(北緯35°の夏至南中高度約78°)。この場合、冬期の熱取得を妨げることはない。

問題5　適当

白色系の外壁は太陽の直射光(短波長熱線)を反射し、**遮熱効果がある**。

問題6　適当

天井で断熱する場合、防湿層を設けていても、小屋裏(天井裏)への湿気の侵入を完全には防止できず、結露が生じやすい。**結露を防止**するためには、天井を十分に断熱・防湿した上で、天井面を透過した湿気を小屋裏換気により速やかに排出する必要がある。したがって、**小屋裏**は**換気**を十分に行う必要がある。また、小屋裏換気は夏期の排熱促進にも効果がある。

問題7　適当

我が国の夏期日中の太陽高度はかなり高く、屋上から最上階の天井を通じて流入する日射熱は、冷房負荷に大きく影響する。**屋上に芝生**を植栽することは、芝生や土壌による断熱性の向上、植物の水分蒸発時の影響等による屋上表面温度の降下により**日射熱の流入防止**に**有効**である。

問題8　適当

建築物の**南側**に**落葉高木**を植えると、夏期の高度が高い強烈な日射を遮り、地表の照り返しを防ぐとともに、冬期の高度が低い日射を導入することができるので、日射の**温熱環境**への影響調整に**有効**である。

問題9・10　適当

暖房・給湯等の一定部分に太陽熱を利用する住宅をソーラーハウスという。**アクティブソーラーハウス**は、集熱・蓄熱・熱移動のために機械的な設備(集熱器・ファン・ポンプ等：機械的手法)を使用するもので、**パッシブソーラーハウス**は、機械的設備を用いずに建物自体の工夫(床蓄熱・壁蓄熱等：建築的手法)により太陽熱を利用するものをいう。両者の併用型をハイブリッドソーラーハウスと呼ぶこともある。

問題11　適当

湿気伝導率は、材料の単位長さ、単位時間、単位水蒸気圧差当たりの水蒸気移動量。単位は kg/(m・s・Pa)。透湿率又は湿気拡散率ともいう。

問題12　適当

圧力損失は、流体圧力の抵抗等による損失。単位はPa。

問題13　適当

A・マンセル(1858～1918)は、アメリカの画家、色彩学者。色を色相、明度、彩度により分類する**マンセル表色法**を発表した。

問題14　適当

W・セイビンは、アメリカの音響学者。**残響理論**に関するセイビン式を発表。吸音力の単位メートルセイビンには彼の名が採用されている。

問題15　適当

近年、**未利用のエネルギー源**として河川水や地下水等が注目されている。地下水は、水温が年間を通じてほぼ一定であるため、冬期の暖房と夏期の冷房の両方に利用できる効率の良い熱源となる。

【関連】**再生可能エネルギー源**には、太陽光、風力、水力、バイオマス、地熱等がある。

問題16　適当

ＬＣＡとは、製品を構成する原材料から、材料の入手、製品の製造、使用、廃棄、リサイクルに至る生涯を通じて対象製品が及ぼす環境負荷や環境影響を定量的に評価するための技法であり、現在はＩＳＯ規格に規定され、企業などがＥＭＳを構築するための支援ツールとなっている。環境影響の領域としては、資源利用、人の健康および生態系への影響が含まれている。

問題17　適当

ＢＭＳ(Building Management System：**設備管理支援システム**)とは、広義には、設備機能の確認、室内環境・エネルギー使用量の監視などに加えて、防災・防犯、通信系などの管理を含むことがある。さらに、得られたデータを効率良く分析する機能も有するものと定義されることもある。

【関連】**ＢＥＭＳ**は、広義には、エネルギー管理、施設運用、設備管理、防災・防犯管理等を含む、ビル・エネルギー管理システムのことである。

Challenge 令和６年 学科試験問題

No. 1 環境工学における用語に関する次の記述のうち、**最も不適当な**ものはどれか。

1. クリモグラフは、気温、相対湿度、降水量等の気候要素のうち２種類を座標軸にとり、一般に、月ごとの値をプロットして年間の推移を示した図であり、各地の気候特性を理解するために利用される。
2. 自然室温は、室内における空気温度と平均放射温度の重み付け平均で表される値であり、一般に、発汗の影響が小さい環境下における熱環境に関する指標として用いられる。
3. 輝度は、発光面の見かけの単位面積当たりの光度であり、ある点を見た際に眼に入る光の強さを表す。
4. A特性は、音圧レベルの測定値に対し、等ラウドネス曲線の40phonの聴感曲線に対応した周波数感度補正を行うための特性であり、騒音レベルを算出する際に用いられる。

No. 2 室内の温熱環境に関する次の記述のうち、**最も不適当な**ものはどれか。

1. 冷たい窓面による不快感を生じさせないためには、放射の不均一性（放射温度の差）は10℃以内とすることが望ましい。
2. SET*（標準新有効温度）が25℃の場合、温冷感は「快適、許容できる」ものの範囲内とされる。
3. 室内の暑さ指数（WBGT）は、湿球温度とグローブ温度から求められる。
4. 床暖房時の床表面温度は、一般に、人が触れたときに温かく感じられるよう、体温よりやや高めにすることが望ましい。

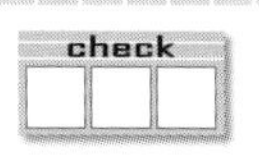

No. 3 外気温度5℃、無風の条件の下で、図のような上下に開口部を有する断面の建築物A､B､Cがある。室内温度がいずれも18℃に保たれ、上下各々の開口面積がそれぞれ3m²、2m²、1m²、開口部の中心間の距離がそれぞれ3m、6m、9mであるとき、建築物A、B、Cの換気量Q_A、Q_B、Q_Cの大小関係として、**最も適当な**ものは、次のうちどれか。ただし、いずれの開口部も流量係数は一定とし、中性帯は開口部の中心間の中央に位置するものとする。なお、$\sqrt{2}$は1.4、$\sqrt{3}$は1.7として計算する。

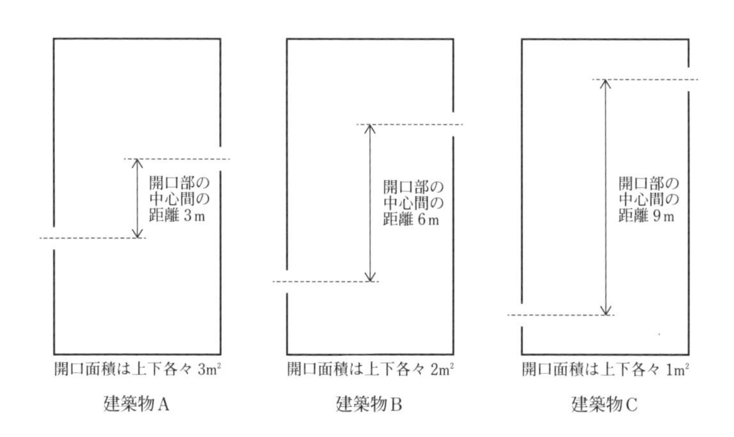

1. $Q_A = Q_B = Q_C$
2. $Q_A > Q_B > Q_C$
3. $Q_B > Q_A = Q_C$
4. $Q_C > Q_B > Q_A$

No. 4　熱伝導率・熱貫流率に関する次の記述のうち、**最も不適当な**ものはどれか。

1. 断熱材に用いられるグラスウールの熱伝導率は、一般に、板ガラスの$\frac{1}{10}$以下、アルミニウムの$\frac{1}{1,000}$以下である。
2. 同種の発泡系の断熱材で空隙率が同じ場合の熱伝導率は、一般に、断熱材内部の気泡寸法が大きいものほど大きくなる。
3. 屋外の風速が大きくなると、一般に、外壁の熱貫流率は大きくなる。
4. 外壁の熱貫流率は、外壁を構成する材料の種類や材厚が同じ条件の場合、一般に、躯体の屋外側で断熱するよりも、室内側で断熱するほうが大きくなる。

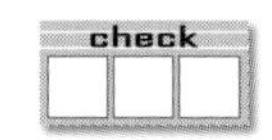

No. 5　建築物における防火・防災に関する次の記述のうち、**最も不適当な**ものはどれか。

1. 廊下を避難するときの歩行速度は、一般に、平均照度の低下に伴い遅くなり、1 lx以下では顕著に遅くなる。
2. フラッシュオーバーは、発生すると、一般に、酸素濃度が急激に低下する。
3. 火災室で発生した熱を伴った煙は、階段室に流入すると、一般に、1～2 m/s程度の速さで上昇する。
4. 建築物に使用するアカマツ、ケヤキ等の木材は、一般に、温度が上昇すると可燃性ガスを発生し、260℃前後で引火しやすくなる。

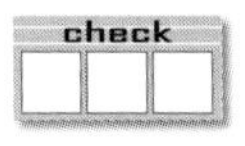

No. 6 日照·日射·採光に関する次の記述のうち、**最も不適当な**ものはどれか。

1. 大気透過率は、直射日光と天空光が大気を通過する場合の透過の程度を示す値である。
2. 北緯35度の地点において、快晴の夏至の日における単位面積当たりの終日直達日射量は、南向き鉛直面よりも東向き鉛直面のほうが大きい。
3. 輝度が一様な曇天空下で、測定点での窓の立体角が等しい場合、南面のみに側窓がある室内よりも天窓のみがある室内のほうが、測定点から南面向きに測定した鉛直面照度が低くなる。
4. 春分・秋分の日において、水平面上に立てた鉛直棒の直射日光による影の先端の軌跡は、ほぼ直線となる。

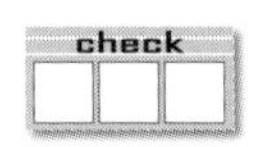

No. 7 照明に関する次の記述のうち、**最も不適当な**ものはどれか。

1. 光束は、放射束に対して比視感度で重みづけし、可視光範囲で積分した量である。
2. 照度は、受照面が均等拡散面の場合、輝度と反射率の積に比例する。
3. CIE標準晴天空の輝度は、太陽周辺で最も高く、天頂を挟んで太陽から約90°離れた部分で最も低くなる。
4. UGR(屋内統一グレア評価値)は、人工照明のまぶしさを評価するための指標で、一般に、面積の広い窓面のグレアには適用しない。

No. 8 色彩に関する次の記述のうち、**最も不適当な**ものはどれか。

1. オストワルト表色系では、理想的な黒、理想的な白及びオストワルト純色を定義しているが、明度の属性がない。
2. マンセル表色系における彩度の最大値は、色相によって異なり、10を超えることもある。
3. 加法混色の三原色は、シアン、マゼンタ及びイエローである。
4. 明所視において、ある面からの放射エネルギーが同じ場合、一般に、赤よりも緑のほうが明るく感じられる。

No. 9 音響に関する次の記述のうち、**最も不適当な**ものはどれか。

1. 障壁において生ずる回折による音の減衰効果は、一般に、高音域よりも低音域のほうが高い。
2. 交通量の多い道路を無限に長い線音源と想定した場合には、受音点までの距離が２倍になるごとに、音圧レベルは約３dBずつ減衰する。
3. 拡散音場とみなせる室においては、音響パワーが一定の音源がある場合、室の平均吸音率が２倍になると、室内の音圧レベルは約３dB減少する。
4. 学校の普通教室においては、平均吸音率が0.2程度となるように、吸音対策を施すことが望ましい。

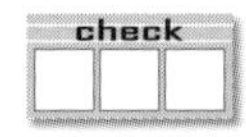

No. 10 吸音・遮音に関する次の記述のうち、**最も不適当な**ものはどれか。

1. 開放窓は音波が全て透過するので、音響透過率も、吸音率も１になる。
2. 多孔質吸音材料の表面を通気性の低い材料によって被覆すると、高周波数域の吸音率が低下する。
3. 単層壁への平面波入射において、一般に、垂直に入射する場合が最も遮音性能が高く、入射方向が斜めになるに従い、遮音性能は低下する。
4. 床にコルクタイルを敷くことによって、一般に、重量床衝撃音の低減を図ることができる。

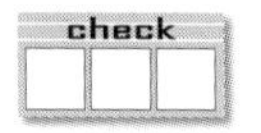

No. 11 図のような空気調和設備の方式A及びBに関する次の記述のうち、**最も不適当な**ものはどれか。ただし、空調機、外調機及びターミナル空調機には、それぞれ、冷温水コイルは1つのみ設置されている。

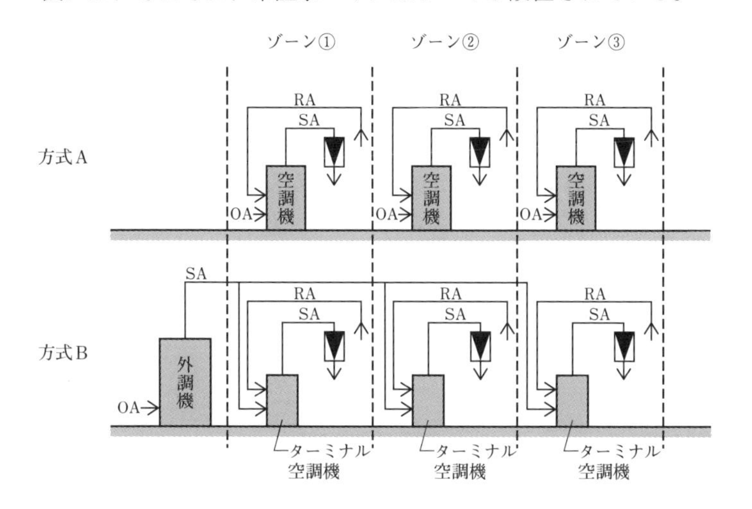

：変風量装置、OA：外気ダクト、SA：給気ダクト、RA：還気ダクト

1. 方式A、方式Bともに、負荷に応じて風量を調整することができ、搬送動力の低減が可能である。
2. 方式A、方式Bともに、低負荷時に導入外気量が不足することがある。
3. 方式Aでは、室内湿度の微調整が難しいが、方式Bは、室内湿度の微調整が可能である。
4. 方式Aでは、外気冷房はできないが、方式Bは、外気冷房が可能である。

No. 12 空気調和設備・換気設備・排煙設備に関する次の記述のうち、**最も不適当な**ものはどれか。

1. 中央熱源空調方式は、在館者の要望に対して個別に対応できないので、パーソナル空調には適さない。
2. 同風量の外気取入れガラリと排気ガラリを比べると、外気取入れガラリのほうが、一般に、通過風速を遅くするので、必要な正面面積は大きくなる。
3. 超高層ビルでは、冬期において、低層部から外気が流入し、高層部で外気が流出する傾向が強くなり、空調換気システムの給気と排気のバランスが崩れやすい。
4. 隣接した２つの防煙区画において、一般に、防煙垂れ壁を介して一方の区画を自然排煙、他方の区画を機械排煙とすることはできない。

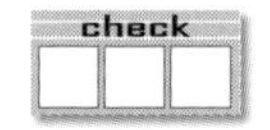

No. 13 事務所ビルの空気調和設備・換気設備の計画に関する次の記述のうち、**最も不適当な**ものはどれか。

1. 事務室の窓回りの温熱環境に配慮し、窓下部より室内空気を吸い込み、窓上部から天井内に排気する、エアフローウィンドウを採用した。
2. 冷房負荷の計算において、事務室の内部発生熱負荷のうち、OA機器による負荷を15W/m^{2}とした。
3. 事務室の冷房負荷は、年間を通して安定しているので、部分負荷を考慮せずに、ピーク負荷によって熱源設備を計画した。
4. 地下に設けた自走式駐車場の換気設備は、経済性及び設置スペースを考慮して、誘引誘導方式を採用した。

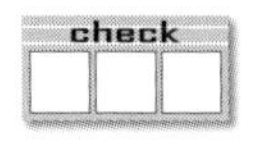

No. 14 給水・給湯設備に関する次の記述のうち、**最も不適当な**ものはどれか。

1. 事務所ビルにおいて、節水器具を使用した場合、一般に、在勤者１人当たりの設計用の１日の給水量を120～150l程度で計画する。
2. 事務所ビルにおいて、給水系統を飲用水と雑用水に分ける場合、一般に、飲用水30～40％、雑用水60～70％程度の使用水量の比率で計画する。
3. ガス瞬間式給湯機の給湯能力は、１lの水の温度を１分間に25℃上昇させる能力を１号として表示される。
4. 循環式の中央式給湯設備において、レジオネラ属菌の繁殖を防ぐためには、貯湯槽内の湯の温度を60℃以上に維持する必要がある。

No. 15 排水設備等に関する次の記述のうち、**最も不適当な**ものはどれか。

1. 排水再利用水の原水に、手洗い・洗面器及び給湯室からの排水のほか、厨房からの排水も利用した。
2. 排水槽において、排水の滞留及び汚泥ができるだけ生じないように底部に吸込みピットを設け、底部の勾配を$\frac{1}{5}$以上とした。
3. 排水槽において、定期的に清掃及び保守点検を行うため、有効内径60cmの防臭密閉型マンホールを２か所設けた。
4. 雨水を便器洗浄水等で再利用した排水が下水道料金の対象となる地域において、雨水使用量を計測する量水器を設置した。

check

No. 16　電気設備に関する次の記述のうち、**最も不適当な**ものはどれか。

1. 特別高圧受電となる超高層ビルにおいて、電力供給の信頼度を高めたい場合には、一般に、２回線受電方式やスポットネットワーク方式を採用する。
2. 大規模な商業施設において、非常用の照明装置の予備電源には、経済性や保守性に配慮する場合、一般に、電源別置型を採用する。
3. 中小規模の事務所ビルにおいて、照明・コンセント用幹線の配電方式には、一般に、単相３線式100V/200Vを採用する。
4. 低圧受電となる戸建て住宅において、接地端子付きのコンセントの接地工事には、一般に、A種接地工事を採用する。

No. 17　電気設備に関する次の記述のうち、**最も不適当な**ものはどれか。

1. 電圧の種別において、交流の750V以下のものは、低圧に区分される。
2. 進相コンデンサは、負荷設備の力率を改善するために用いられる。
3. ガスタービンによる発電設備は、同一出力のディーゼル機関によるものと比べて、振動及び設置面積は小さくなるが、必要な燃焼用空気量は多くなる。
4. 車両が通行する場所に、地中電線路を直接埋設式により施設する場合、原則として、土被りは120cm以上とする。

No. 18　消火設備に関する次の記述のうち、**最も不適当な**ものはどれか。

1. 閉鎖型予作動式スプリンクラー設備は、予作動弁からヘッドまで圧縮空気を充塡しておき、火災感知器と連動して放水する方式であり、損傷等による水損事故を防止する目的で開発されたものである。
2. 連結散水設備は、地階の火災の際、消火活動を容易にするため、消防ポンプ車から送水して天井面等の散水ヘッドから放出し、消火する設備である。
3. 泡消火設備は、液体燃料等の火災に対して有効な消火設備であり、駐車場、自動車整備場、指定可燃物の貯蔵所等への設置に適している。
4. 屋内消火栓設備は、初期消火を目的とした消火設備であり、病院やホテルに設置する場合、一般に、１号消火栓を採用する。

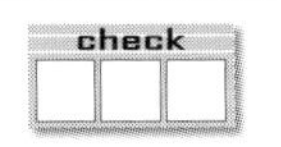

No. 19 建築設備に関する次の記述のうち、**最も不適当な**ものはどれか。

1. 高層建築物の乗用エレベーターは、地震発生時の乗客の避難を図るため、地震感知器の作動により、速やかに避難階に帰着させて乗客を避難させる計画とする。
2. 非常用エレベーターの籠の定格速度は、60m/分以上としなければならない。
3. ノンフロン化を目指して空調用冷凍機等に用いられる自然冷媒には、アンモニア、二酸化炭素、水等がある。
4. 防振架台上に設置される設備機器に対して設ける耐震ストッパは、設備機器の運転中に接触しない範囲で、設備機器との間が、極力小さな隙間となるように設置する。

No. 20 環境・設備に関する次の記述のうち、**最も不適当な**ものはどれか。

1. BELSは、新築及び既存建築物を対象として、エネルギー消費性能を第三者評価機関が評価し認証する制度である。
2. CASBEEは、建築物や街区、都市などに係わる環境性能を総合的に評価するためのツールである。
3. LEEDは、人の健康やウェルネスに着目した、建築物や街区の環境性能評価システムである。
4. DR（デマンドレスポンス）は、電力需要側が供給状況に応じて電力消費パターンを変化させて、電力需給バランスを調整する仕組みである。

学科Ⅱ（環境・設備）　解答番号

〔No. 1〕	2	〔No. 2〕	4	〔No. 3〕	2	〔No. 4〕	4	〔No. 5〕	3
〔No. 6〕	1	〔No. 7〕	2	〔No. 8〕	3	〔No. 9〕	1	〔No. 10〕	4
〔No. 11〕	4	〔No. 12〕	1	〔No. 13〕	3	〔No. 14〕	1	〔No. 15〕	2
〔No. 16〕	4	〔No. 17〕	1	〔No. 18〕	4	〔No. 19〕	1	〔No. 20〕	3

学科Ⅲ　法　規

●法　　規　出題一覧（直近10年間）●

分類項目 ＼ 出題年度			平27	平28	平29	平30	令元	令2	令3	令4	令5	令6
建築基準法	総　則	用語の定義	1	1	1	1	1	1	1	1	1	1
		申請・確認手続き等	2	2	2	2	2	2	2	2	2	2
		面積・高さ等の算定方法	1	1	1	1	1	1	1	1	1	1
	一般構造		1	1	1	1	1	1	1	1	1	1
	構造強度	木造～ＳＲＣ造	2	2	2	2	2		2	1	1	
		構造計算	1	1	1	1	1	2	1	2	2	3
	防火避難	耐火・準耐火建築物	1	2	1	1		1	1	1	2	2
		防火区画	1	1		1	1	1				1
		内装制限	1		1	1	1				1	
		避難規定	1		1	1	1	1	1	2	1	1
		防火・避難融合	1	2	2	1	1	2	3	1	1	1
	都市計画区域等の制限	道路・壁面線	1	1	1	1	1	1	1	1	1	1
		用途地域	1	1	1	1	1	1	1	1	1	1
		容積率・建蔽率	1	1	1	1	1	1	1	1	1	1
		高　さ	1	1	1	1	1	1	1	1	1	1
	その他	建築協定・地域、地区	1	1	1	1	1					
		建築設備	1	1	1	1	1	1	1	1		1
	建築基準法融合		1	1	1	1	2	4	3	3	3	2
その他の関係法令	建築士法		4	4	4	4	3	3	3	3	3	3
	都市計画法		1	1	1	1	1	1	1	1	1	1
	消防法		1	1	1	1	1	1	1	1	1	1
	バリアフリー法				1	1	1	1	1	1	1	1
	耐震改修促進法			1								
	品確法		1									
	建築物省エネ法									1	1	1
	その他・関係法令融合		3	3	3	3	4	3	3	3	3	3
合　計			30	30	30	30	30	30	30	30	30	30

Check Point 1 総　則

❶ 用語の定義

法２条・令１条の「用語の定義」のうち下記の用語が出題の中心である。必ず法令集を引き確認すること。

① **法２条**

(１号)建築物	(７号)耐火構造(耐火性能)	(12号)設計図書
(２号)特殊建築物	(８号)防火構造(防火性能)	(13号)建築
(３号)建築設備	(９号)不燃材料(不燃性能)	(14･15号)大規模の修繕･模様替
(４号)居室	(９号の２)耐火建築物	(16号)建築主
(５号)主要構造部	(９号の３)準耐火建築物	(18号)工事施工者

② **令１条**

(１号)敷地	(４号)耐水材料
(２号)地階	(５号)準不燃材料
(３号)構造耐力上主要な部分	

❷ 面積の算定 (令２条)

- 道路境界線とみなされる線と道との間の部分は敷地面積に入れない。
- **延べ面積** ⇨ 建築物の各階の床面積の合計
- 工作物の築造面積は原則として水平投影面積による。
- **地階**で天井が地盤面上**１ｍ以下**の部分は**建築面積**から除く。
- **容積率**の算定において、自転車、自動車の駐車施設は延べ面積の**１/５**を限度として算入しない。その他、防災用備蓄倉庫･蓄電池部分は延べ面積の１/50、自家発電設備・貯水槽部分、宅配ボックス部分は延べ面積の１/100を限度として算入しない。

❸ 高さの算定 (令２条)

① 建築物の高さ ⇨ 地盤面を起算点とする。
※道路斜線制限等においては前面道路の路面の中心を起算点とする。
② 高さの算定に算入しないもの
- 棟飾(風見鶏・鬼瓦等)、防火壁等の屋上突出部
- 塔屋の用途が階段室、昇降機塔、装飾塔等のうち、建築面積の**１/８以内**、高さ12ｍ以内

※ただし、避雷設備、北側斜線制限等においては算入する。

❹ 階　数 (令２条)

階数は階の数の**最大**のものをいう。

① 階数に算入しないもの
- 地階 ⇨ 階段室、倉庫、機械室等で建築面積の**１/８以内**
- 屋上 ⇨ 階段室、昇降機塔、装飾塔、物見塔等で建築面積の**１/８以内**

② 吹抜けや階数が異なる場合は、**最大**の階数とする。

5 確認申請　（法6条）

1）確認を必要とする建築物

① 次の建築物の新築・増築・改築・移転・大規模の修繕・大規模の模様替をする場合。

- 別表第1に掲げる**特殊建築物**で延べ面積が**200㎡**を超えるもの
- **木造 ⇨ 階数3以上**：延べ面積**500㎡超**：高さ**13m超**：軒の高さ**9m超**
- **木造以外 ⇨ 階数2以上**：延べ面積**200㎡超**

② ①以外で、都市計画区域、準都市計画区域、準景観地区又は知事が指定する区域内に**建築（新築・増築・改築・移転）**する場合。

③ 適用除外 ⇨ 防火地域、準防火地域**以外**で増築・改築・移転をする場合、その部分の床面積の合計が**10㎡以内**のものは確認を要しない。

2）用途変更する場合の確認申請（法87条）

用途変更して、別表第1の特殊建築物（延べ面積200㎡超）となる場合には建築確認が必要となる。ただし、類似の用途の変更（令137条の18）の場合には確認を要しない。

3）建築設備を設ける場合の確認申請（法87条の4・令146条）

次の建築設備を法6条1項1号～3号の既存の建築物に設置する場合に確認が必要となる。

- **エレベーター、エスカレーター**
- 特定行政庁が指定する建築設備（**屎尿浄化槽**・合併処理浄化槽を除く）

4）工作物を築造する場合の確認申請（法88条・令138条）

- 高さが**4m**を超える**広告塔**
- 高さが**8m**を超える**高架水槽**
- 高さが**2m**を超える**擁壁**
- 高さが**6m**を超える**煙突**
- 高さが**15m**を超える**柱**
- 観光のための乗用**エレベーター、エスカレーター**（一般交通用を除く）

6 建築物に関する完了検査　（法7条）

- **建築主**は工事を完了したとき、4日以内に**建築主事等**に検査を申請。
- **検査実施者**は、建築基準関係規定に適合する場合、**検査済証**を交付。

7 建築物に関する中間検査　（法7条の3）

- **建築主**は、特定工程の工事を終えたときは、**建築主事等**に検査を申請。

8 各種手続きの提出者と提出先

手続き	提出者	提出先	条　文
確認申請	**建築主**	建築主事等 （指定確認検査機関）	法6条、法6条の2
完了検査申請			法7条、法7条の2
中間検査申請			法7条の3、4
仮使用の認定申請	建築主	特定行政庁　建築主事等 指定確認検査機関	法7条の6
定期報告	所有者 管理者	**特定行政庁**	法12条
建築工事届	建築主	**都道府県知事**	法15条
建築物除却届	工事施工者		

※ 「建築主事等」とは建築主事又は建築副主事のことを指し、また、建築副主事の確認及び検査などは大規模建築物以外のものに限られる。

問題 1-1　次の記述について、**正しいか、誤っているか**、判断しなさい。

用語の定義

問題１　〈ヒント条文〉➡法２条１号
　土地に定着する工作物のうち、屋根及び柱若しくは壁を有するものに類する構造のものは、建築物に含まれる。

問題２　〈ヒント条文〉➡法２条１号
　地下の工作物内に設ける倉庫は、「建築物」ではない。

問題３　〈ヒント条文〉➡法２条２号
　事務所は、その規模にかかわらず、「特殊建築物」ではない。

問題４　〈ヒント条文〉➡法２条３号
　物を運搬するための昇降機で、建築物に設けるものは、「建築設備」である。

問題５　〈ヒント条文〉➡法２条４号
　レストランの調理室は、「居室」である。

問題６　〈ヒント条文〉➡法２条５号
　建築物のすべての階段は、「主要構造部」である。

問題７　〈ヒント条文〉➡法２条６号
　一戸建て住宅に付属する塀で幅員４mの道路に接して設けられるものは、「延焼のおそれのある部分」に該当する。

問題８　〈ヒント条文〉➡法２条９号、令108条の２
　不燃材料として、建築物の外部の仕上げに用いる建築材料に必要とされる不燃性能は、通常の火災による火熱が加えられた場合に、加熱開始後20分間、燃焼しないものであることであり、かつ、防火上有害な変形等の損傷を生じないものであることである。

問題９　〈ヒント条文〉➡法２条９号の２
　特定主要構造部を耐火構造とし、外壁の開口部に防火戸その他の政令で定める防火設備を設置した建築物は、耐火建築物である。

問題10　〈ヒント条文〉➡法２条９号の３
　主要構造部を準耐火構造とした建築物は、外壁の開口部の構造にかかわらず準耐火建築物である。

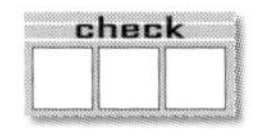

問題11　〈ヒント条文〉➡法２条14号

既存の建築物の木造の屋外階段を鉄骨造に取り替えることは、大規模の修繕に該当する。

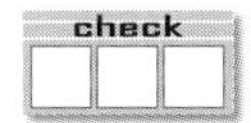

問題12　〈ヒント条文〉➡法２条15号

建築物の構造上重要でない間仕切壁について行う過半の模様替は、「大規模の模様替」ではない。

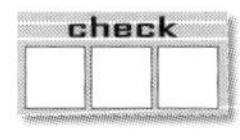

問題13　〈ヒント条文〉➡法２条16、18号

請負契約によらないで自ら建築物に関する工事をする者は、「建築主」、かつ、「工事施工者」である。

問題14　〈ヒント条文〉➡令１条１号

「敷地」とは、「１の建築物又は用途上不可分の関係にある２以上の建築物のある一団の土地」と定義されている。

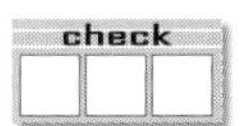

問題15　〈ヒント条文〉➡令１条２号

床が地盤面下にある階で、床面から地盤面までの高さがその階の天井の高さの１/３以上のものは、「地階」である。

問題16　〈ヒント条文〉➡令１条３号

建築物の自重等を支える基礎ぐいは、「構造耐力上主要な部分」である。

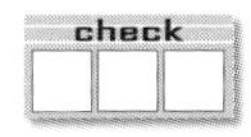

問題17　〈ヒント条文〉➡令13条１号

平地に建つ高さが31m以上の建築物において、ヘリコプターが離着陸できる屋上広場は、「避難階」である。

【関連】

問題３　特殊建築物 ▷ 面積や階数に関係なく、建築物の**用途**で決まる。

問題６　主要構造部 ▷ 除外される部分に注意する。

問題16　構造耐力上主要な部分 ▷「主要構造部」と混同しないこと。

解説

問題１　正しい、問題２　誤り

建築物とは、**土地に定着**する工作物のうち、次のものをいう。

① 屋根と柱、又は屋根と壁を有するもの(これに類する構造のものを含む)。
② 上記①に附属する門又は塀。
③ 観覧のための工作物。
④ 地下又は高架の工作物内に設ける事務所、店舗などの施設。
⑤ ①から④までの施設に設置される建築設備。

問題３　正しい

事務所は、規模にかかわらず**特殊建築物**に**該当しない**。特殊建築物は、法２条二号、法別表第１、令115条の３(令19条１項)に掲げるものをいう。

問題４　正しい

建築物に設ける**昇降機**は**建築設備**である。なお、令129条の３第１項より、昇降機は「人」「人及び物」「**物**」を運搬するためのもの及びエスカレーターをいう。

問題５　正しい

継続的に作業の用に供される室は**居室**である。レストラン、飲食店、料理店等の**調理室**等は、居室として扱われる。

問題６　誤り

建築物の構造上重要でない局部的な小階段、屋外階段等は、**主要構造部**から除かれる。

問題７　正しい

延焼のおそれのある部分とは、隣地境界線、道路中心線又は２以上の建築物相互の外壁間の中心線から、**１階**にあっては**３ｍ以下**、**２階以上**にあっては**５ｍ以下**の距離にある建築物の部分をいう。住宅に付属する塀は、同条一号により建築物に該当する。したがって、道路中心線から２ｍの位置にある塀は、延焼のおそれのある部分に該当する。

問題８　正しい

記述のとおり。

問題９　正しい

耐火建築物は、「特定主要構造部が耐火構造又は政令で定める技術的基準(令108条の４)に適合するもの」で、「外壁の開口部で延焼のおそれのある部分に、防火戸その他の政令で定める防火設備を有する」建築物をいう。

問題10　誤り

準耐火建築物は、耐火建築物以外の建築物で、①「主要構造部を準耐火構造又はこれと同等の準耐火性能を有するものとして政令（令109条の３）で定めるもの」で、②「外壁の開口部で延焼のおそれのある部分に防火戸その他の政令で定める防火設備を有するもの」をいう。①、②の両方を満足しなければならない。

問題11　誤り

建築物の**主要構造部**の１種以上について行う**過半の修繕**を**大規模の修繕**という。屋外階段は、法２条五号により主要構造部ではない。

問題12　正しい

建築物の**主要構造部**の１種以上について行う**過半の模様替**を**大規模の模様替**という。構造上重要でない間仕切壁は、法２条五号により主要構造部ではない。

問題13　正しい

建築主とは、建築物に関する工事の請負契約の注文者又は請負契約によらないで自らその工事をする者をいう。また、**工事施工者**とは、建築物、その敷地若しくは所定の工作物に関する工事の請負人又は請負契約によらないで自らこれらの工事をする者をいう。

問題14　正しい

敷地とは、１の建築物又は用途上不可分の関係にある２以上の建築物のある一団の土地をいう。

問題15　正しい

地階は、床が地盤面下にある階で、床面から地盤面までの高さがその階の**天井高**の**1/3以上**のものをいう。

問題16　正しい

構造耐力上主要な部分は、基礎、**基礎ぐい**、壁、柱、小屋組、土台、斜材、床版、屋根版又は横架材で、建築物の自重等を支えるものをいう。

問題17　誤り

避難階とは、**直接地上へ通ずる**出入口のある階をいう。ヘリコプターが離着陸できるだけの屋上広場は、避難階とはならない。

アドバイス　用語の定義

- 用語の定義は、法令集の掲載箇所がわかれば正解できる出題内容。法令集の該当条文・用語に線引きを確実に行う。
- 法２条、令１条にある基本用語は知識として身に付ける。

Ⅲ 法規

問題 1-2

建築基準法に関する次の記述について、**正しいか、誤っているか**、判断しなさい。

面積・高さ等の算定方法

問題１　〈ヒント条文〉➡令２条１項２号

建築物の地階で地盤面上１m以下にある部分の外壁の中心線で囲まれた部分の水平投影面積は、当該建築物の建築面積に算入しない。

問題２　〈ヒント条文〉➡令２条１項４号ただし書イ、３項一号

建築物の容積率を算定する場合、専ら自動車又は自転車の停留又は駐車のための施設の用途に供する部分の床面積については、当該敷地内のすべての建築物の各階の床面積の合計の和の１/５を限度として、延べ面積に算入しない。

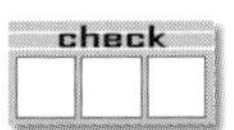

問題３　〈ヒント条文〉➡令２条１項５号

工作物の築造面積は、原則として、当該工作物の水平投影面積による。

問題４　〈ヒント条文〉➡令２条１項６号

建築物の高さの算定は、地盤面からの高さによらない場合がある。

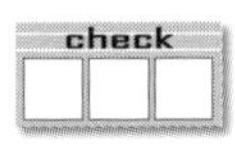

問題５　〈ヒント条文〉➡令２条１項６号ロ

避雷設備の設置の必要性を検討するに当たっての建築物の高さの算定において、階段室、昇降機塔等の建築物の屋上部分で、その水平投影面積の合計が当該建築物の建築面積の１/８以内の場合、その部分の高さは、12mまでは当該建築物の高さに参入しない。

問題６　〈ヒント条文〉➡令２条１項８号

建築物の屋上部分が物見塔のみからなる場合、その水平投影面積の合計が建築面積の１/８以下のものは、階数に算入しない。

問題７　〈ヒント条文〉➡令２条１項８号

建築物の地階の倉庫、機械室その他これらに類する建築物の部分で、水平投影面積の合計が建築面積の１/８以下のものは、階数に算入しない。

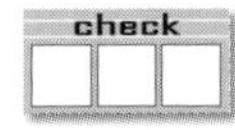

問題８　〈ヒント条文〉➡令２条１項８号

建築物の一部が吹抜きとなっているなど建築物の部分によって階数を異にする場合は、これらの階数のうち最大なものを、当該建築物の階数とする。

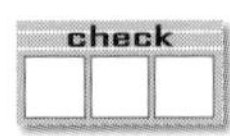

問題９　〈ヒント条文〉➡ 令２条１項６号、２項

第一種低層住居専用地域内における建築物の高さの限度に関する規定において、建築物の高さを算定する場合の地盤面は、建築物が周囲の地面と接する位置の高低差が３mを超える場合においては、その高低差３m以内ごとの平均の高さにおける水平面とする。

■建築手続き等■

問題10　〈ヒント条文〉➡法６条１、２項
準防火地域内において、旅館を増築しようとする場合、その増築に係る部分の床面積の合計が10㎡以内のものについては、確認済証の交付を受ける必要はない。

問題11　〈ヒント条文〉➡法６条１項
都市計画区域内における延べ面積200㎡の鉄骨造の平家建の事務所の大規模の模様替については、確認済証の交付を受ける必要はない。

問題12　〈ヒント条文〉➡法87条１項、令137条の18
商業地域内にある延べ面積500㎡の事務所の用途を変更してホテルとする場合は､確認済証の交付を受ける必要はない。

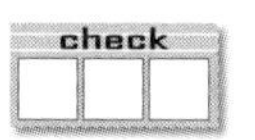

問題13　〈ヒント条文〉➡法88条１項、令138条１項３号
都市計画区域内における高さ５ｍの広告板の築造については、確認済証の交付を受けなければならない。

問題14　〈ヒント条文〉➡法68条の20第２項
建築物である認証型式部材等で、その新築の工事が建築士である工事監理者によって設計図書のとおりに実施されたことが確認されたものは、完了検査において、その認証に係る型式に適合するものとみなす。

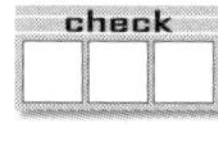

問題15　〈ヒント条文〉➡法７条の６第１項１号、２号
建築物に関する仮使用の認定の申請は、特定行政庁、建築主事等又は指定確認検査機関に対して行う。

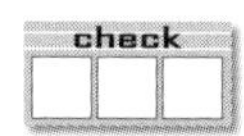

問題16　〈ヒント条文〉➡法12条１項､令16条２項､令14条の２
延べ面積210㎡、３階建の事務所で特定行政庁が指定するものは、定期報告を要する建築物である。

問題17　〈ヒント条文〉➡法15条１項
床面積の合計が10㎡を超える建築物の除却の工事を施工する者は、一定の場合を除き、建築主事等を経由して、その旨を都道府県知事に届け出なければならない。

【関連】

問題１　建築面積 ▷ 算入しない部分に注意する。
問題７　階数 ▷ 不算入の条件（用途、面積）に注意する。
問題10　法６条２項の条件
▷ ●防火･準防火地域外
●増築、改築、移転
●10㎡以内

Ⅲ 法規

解説

問題１　正しい

建築物の**地階**で地盤面上**１ｍ以下**にある部分は、建築面積に**算入しない**。

問題２　正しい

容積率（法52条）を算定する場合の**延べ面積**（容積率の算定の基礎となる延べ面積）には、専ら自動車又は自転車の停留又は駐車のための施設の用途に供する部分の床面積は、敷地内のすべての建築物の各階の床面積の合計の**1/5**を限度として算入しない。

問題３　正しい

工作物の築造面積は、原則として、その工作物の**水平投影面積**による。

問題４　正しい

建築物の高さは、原則として、地盤面からの高さによるが、同号イにより、**道路斜線制限**（法56条１項一号）等に関しては、前面道路の**路面の中心**からの高さによる。

問題５　誤り

階段室、昇降機塔等の屋上部分の水平投影面積の合計が建築面積の１/８以内の場合は、その部分の高さは、12ｍ（日影規制などでは５ｍ）までは、高さに参入しないが、**法33条（避雷設備）**の場合は、**除外**されているので、高さに参入する。

問題６・７　正しい

「**屋上**部分の昇降機塔、**物見塔**等又は地階の倉庫、機械室等で、その水平投影面積の合計が建築面積の**１/８以下**のもの」、「**地階**の倉庫、機械室等で、その水平投影面積の合計が建築面積の**１/８以下**のもの」は、**階数**に**算入しない**。

問題８　正しい

階数は、建築物の一部が**吹抜き**となっている場合、建築物の敷地が斜面又は段地である場合、その他建築物の部分によって階数を異にする場合においては、これらの階数のうち**最大なもの**による。

問題９　正しい

第一種低層住居専用地域内における建築物の高さの限度（法55条１項）に関する規定において、建築物の高さを算定する場合の**地盤面**は、建築物が周囲の地面と接する位置の高低差**３ｍ以内ごと**の**平均の高さ**における水平面をいう。

問題10　誤り

防火地域又は**準防火地域内**においては、増築に係る部分の床面積にかかわらず、確認済証の交付を受けなければならない。なお、法６条２項より、防火及び準防火地域外の10㎡以内の増築等であれば、確認の必要はない。

問題11　正しい

大規模の模様替については、法６条１項一号から三号に該当する場合、確認済証の交付を受けなければならない。延べ面積200㎡、鉄骨造平家建の事務所は、一号～三号のいずれにも該当しないので、確認済証の交付は不要である。

問題12　誤り

建築物の**用途を変更**して法６条１項一号の**特殊建築物**とする場合は、法６条、法６条の２等が準用され、確認済証の**交付を要する**。延べ面積500㎡の事務所からホテルへの用途変更はこれに該当する。なお、用途の変更が**類似の用途相互間**（令137条の18）におけるものは、確認等を**要しない**。

問題13　正しい

広告塔、高架水槽、擁壁等及び昇降機等の**工作物**で**政令で指定**するものは、法６条、法６条の２等が準用され、確認済証の交付を**要する**。高さが４ｍを超える広告板等は指定工作物に該当し、確認等を要する。

問題14　正しい

認証型式部材等製造者（法68条の11）が製造する「認証型式部材等」が建築物である場合、**建築士**である**工事監理者**によって設計図書のとおりに工事が実施されたことが**確認**されたものは、その型式に適合するものとしてみなされ、中間・完了検査の際、その**型式との照合**が**省略**される。

問題15　正しい

仮使用の認定の申請は、特定行政庁、建築主事等又は指定確認検査機関に対して行う。

問題16　正しい

法６条１項一号の建築物（200㎡を超える特殊建築物）及び事務所などの建築物のうち、**階数が３以上**で**延べ面積が200㎡を超える**建築物などで**特定行政庁の指定**するものの所有者等は、建築物の敷地、構造及び建築設備について、定期に、一級建築士若しくは二級建築士又は国土交通大臣が定める資格を有する者にその状況の調査をさせて、その結果を特定行政庁に報告しなければならない。

問題17　正しい

建築主が建築物を建築しようとする場合又は建築物の**除却**の工事を施工する者が建築物を除却しようとする場合においては、これらの者は、**建築主事等**を経由して、その旨を**都道府県知事**に届け出なければならない。ただし、床面積の合計が**10㎡以内**である場合は、届け出なくてもよい。

アドバイス　面積・高さ等の算定方法、建築手続き等

- 面積、高さ、階数については、除外規定、算入･不算入について正確に理解する。
- 建築手続き等については、確認済証の交付を要する建築物と準用される用途変更、建築設備、工作物を整理する。

Check Point 2

構造強度

❶ 鉄　骨　造　（令63～70条）

① 圧縮材の有効細長比 ⇨ 柱：**200以下**、その他：**250以下**

② 一定規模以上の建築物の構造耐力上主要な部分である鋼材の接合 ⇨（炭素鋼の場合）高力ボルト・溶接・リベット又は大臣の認定を受けた接合方法、（ステンレス鋼の場合）高力ボルト・溶接又は大臣の認定を受けた接合方法

③ 高力ボルト等の相互間の中心距離 ⇨ 径**2.5倍以上**

④ 高力ボルト孔の径 ⇨ 高力ボルトの径より**2㎜**を超えて大きくできない（高力ボルトの径が27㎜以上の場合、３㎜まで大きくできる）。

❷ 鉄筋コンクリート造・鉄骨鉄筋コンクリート造（令71～79条の４）

① **材　料**

- 骨材、水、混和材料 ⇨ 酸、塩、有機物、泥土を含まないこと。
- 骨材 ⇨ 鉄筋相互間、鉄筋とせき板間を容易に通る大きさとする。

② **鉄　筋**

- 異形鉄筋の末端は、柱、梁の出隅部分と煙突には**フック**を設ける。
- 継手は引張力の最も小さい部分に設け、継手長さを主筋の径の**25倍**（軽量コンクリート ⇨ 30倍）以上とする。
- 引張力の最も小さい部分に継手を設けられない場合の継手長さは主筋の径の**40倍**（軽量コンクリート ⇨ 50倍）以上とする。

③ **強　度**

- ４週圧縮強度 ⇨ **12N/㎟以上**（軽量コンクリート ⇨ ９N/㎟）

④ **養　生**

- コンクリート打込み中、打込み後**５日間**は、コンクリート温度を**２℃**以上とする。

⑤ **柱**

- 主筋 ⇨ **４本**以上：帯筋と緊結する。
- 帯筋 ⇨ 径：**６㎜以上**
- 小径：構造耐力上主要な支点間距離の１/15以上

⑥ **耐力壁**

- 厚さ：**12㎝以上**
- 開口部周囲：**径12㎜以上**の**補強筋**を配置する。

⑦ **かぶり厚さ**（大臣が定めた構造方法を用いる部材等を除く）

構造部分	かぶり厚さ
耐力壁以外の壁・床	２㎝以上
耐力壁・柱・梁	３㎝以上
土に接する壁・柱・床・梁・布基礎の立上り部分	４㎝以上
基礎（布基礎の立上り部分を除く）	６㎝以上
鉄骨鉄筋コンクリート造の鉄骨	５㎝以上

❸ 積載荷重 （令85条）

積載荷重は、原則として、建築物の実況により計算する。また、室の種類ごとに表の数値により計算できる(単位：N/㎡)。

	床	大梁・柱・基礎	**地震力**
住宅の居室 寝室、病室(住宅以外)	1,800	1,300	600
事務室	2,900	1,800	800
教　室	2,300	2,100	1,100
売場(百貨店・店舗)	2,900	2,400	1,300
劇場・映画館(客席・固定)	2,900	2,600	1,600
自動車車庫	5,400	3,900	2,000

① 積載荷重の大きさ ⇨ **床用＞大梁・柱・基礎用＞地震力用**
② 倉庫の床(倉庫業)は3,900N/㎡未満の場合でも、**3,900N/㎡**とする。
③ 柱と基礎の垂直荷重による圧縮力を計算する場合、支える床の数により減ずることができる(劇場、映画館等は除く)。

❹ 許容応力度・材料強度(コンクリート) （令91・97条）

① **コンクリートの許容応力度(単位：N/mm²)**

長期許容応力度			短期許容応力度			
圧　縮	引張り・せん断	付　着	圧　縮	引張り	せん断	付　着
$F/3$	$F/30$	0.7 (軽量骨材は0.6)	それぞれ長期の２倍			

※　F＝設計基準強度

② **コンクリートの材料強度(単位：N/mm²)**

材料強度		
圧　縮	引張り・せん断	付　着
F	$F/10$	2.1(軽量骨材は1.8)

※　F＝設計基準強度

アドバイス　**構造強度**

- 構造強度に関する各条文の構成は、複雑ではないので掲載箇所を確実に把握すること。
- 「積載荷重、積雪荷重、風圧力」、「鋼材、コンクリートの許容応力度、材料強度」について、問題をとおしてポイントの整理をし、条文の内容を理解する。

❺ 構造耐力

1）**建築物の区分**（法20条）・**構造計算**（令81条）・**構造方法**（令36条）

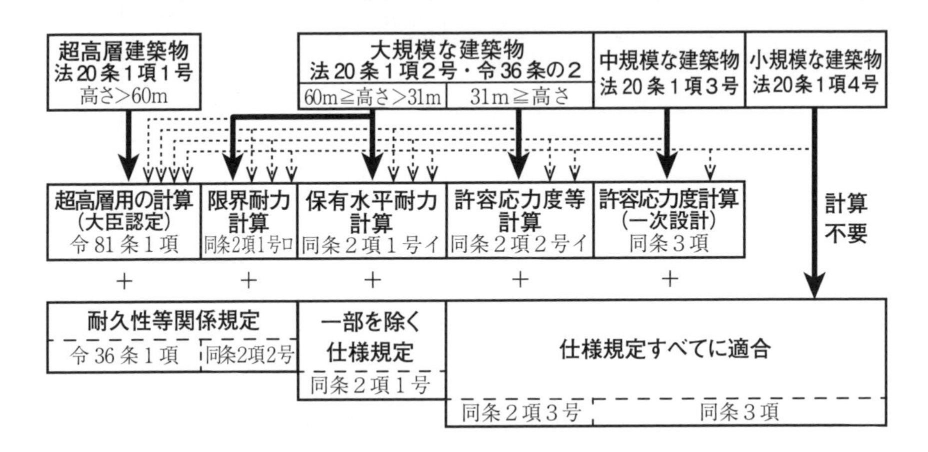

①構造種別による区分

構造種別	大規模な建築物	中規模な建築物	小規模な建築物
木造	高さ13m又は軒高9m超	階数3以上or 延べ面積500㎡超	左記以外 （法6条1項4号）
鉄骨造	地上4階以上or 高さ13m又は軒高9m超	階数2以上or 延べ面積200㎡超	
RC造、SRC造・併用	高さ20m超		
補強CB造など	地上4階以上		
上記の併用構造	地上4階以上or 高さ13m又は軒高9m超		
その他	大臣指定の建築物	高さ13m又は軒高9m超	

②**耐久性等関係規定**

原則	構造方法(令36条) 大規模建築物(令36条の２) 構造設計の原則(令36条の３) 基礎(令38条１項) 屋根材等の緊結(令39条１項)
品質	木材(令41条) コンクリート材料(令72条) コンクリート強度(令74条)
耐久性	構造部材の耐久(令37条) 基礎(令38条６項) 特定天井の防腐措置(令39条４項) 木造外壁の防腐措置(令49条) 鉄筋かぶり厚(令79条) 鉄骨かぶり厚(令79条の３)
施工	基礎(令38条５項) コンクリート養生(令75条) 型枠･支柱の除去(令76条)
火熱等	柱の防火被覆(令70条)
その他	補足(令80条の２)

③**保有水平耐力計算**により**除外**できる仕様規定

鉄骨造	鋼材の接合(令67条１項) ボルト孔(令68条４項)
ＲＣ造	重ね継手･定着の長さ等(令73条) 柱の配筋[主筋の本数以外] (令77条２号～６号) 床版の接合(令77条の２第２項) はりの配筋(令78条) 耐力壁の配筋 (令78条の２第１項３号)
その他	補足(令80条の２)

2）構造計算の方法

限界耐力計算 令 82 条の５
①地震時を除く許容応力度計算 ②積雪･暴風時(1.4S･1.6W)の終局耐力計算 ③地震時の損傷限界耐力層間変位 ④地下部分の許容応力度計算 ⑤安全限界固有周期による保有水平耐力 ⑥部材のたわみ量の制限 ⑦屋根ふき材等の計算 ⑧特別警戒区域内の構造計算

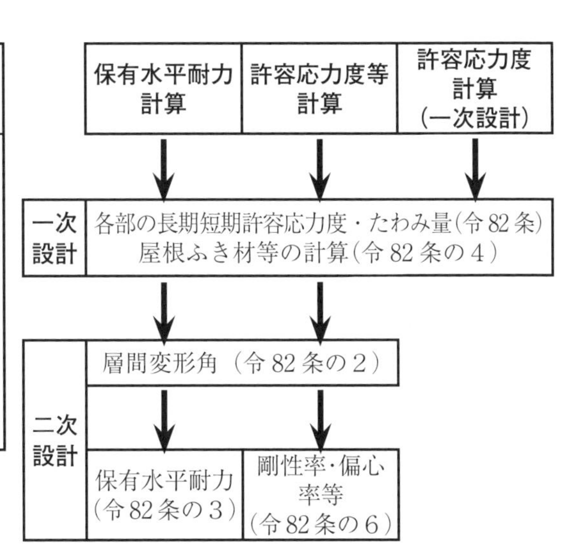

問題 2

構造強度等に関する次の記述について、建築基準法上、**正しいか、誤っているか**、判断しなさい。

問題１　〈ヒント条文〉➡令68条１項、２項

鉄骨造の建築物において、高力ボルトの相互間の中心距離は、その径の2.5倍以上とし、かつ、高力ボルト孔の径は、原則として、高力ボルトの径より２㎜を超えて大きくしてはならない。

問題２　〈ヒント条文〉➡令74条１項

高さが６ｍの鉄筋コンクリート造の建築物に使用するコンクリートの４週圧縮強度は、軽量骨材を使用しない場合においては、１mm^2につき９Ｎ以上でなければならない。

問題３　〈ヒント条文〉➡令79条１項

鉄筋に対するコンクリートのかぶり厚さは、原則として、基礎（布基礎の立上り部分を除く。）にあっては捨てコンクリートの部分を除いて６㎝以上としなければならない。

問題４　〈ヒント条文〉➡令85条１項

地震力を計算する場合、事務室の床の積載荷重については、800Ｎ/㎡に床面積を乗じて計算することができる。

問題５　〈ヒント条文〉➡令85条１項

固定席の映画館に連絡する廊下の床の構造計算をする場合の積載荷重は、実況に応じて計算しない場合、3,500Ｎ/㎡に床面積を乗じて計算することができる。

問題６　〈ヒント条文〉➡令86条４項

屋根の積雪荷重は、屋根に雪止めがある場合を除き、その勾配が60度を超える場合においては、零とすることができる。

問題７　〈ヒント条文〉➡令87条１項

風圧力は、速度圧に風力係数を乗じて計算しなければならない。

問題８　〈ヒント条文〉➡令91条１項

コンクリートの短期に生ずる力に対する圧縮の許容応力度は、設計基準強度の２/３である。

問題９　〈ヒント条文〉➡令97条１項

設計基準強度が18Ｎ/mm^2のコンクリートのせん断の材料強度は、原則として、18Ｎ/mm^2としなければならない。

建築物の構造計算に関する次の記述について、建築基準法上、**正しいか、誤っているか**、判断しなさい。

問題10　〈ヒント条文〉➡令82条の６第２号

許容応力度等計算を行う場合、建築物の地上部分については、各階の剛性率が、それぞれ6/10以上であることを確かめなければならない。

問題11　〈ヒント条文〉➡令82条、令82条の２

保有水平耐力計算においては、高さ25mの鉄筋コンクリート造の建築物の地上部分について、保有水平耐力が必要保有水平耐力以上であることを確かめた場合には、層間変形角が所定の数値以内であることを確かめなくてもよい。

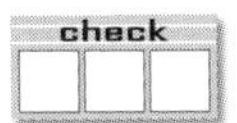

問題12　〈ヒント条文〉➡令82条の５第１号

限界耐力計算を行う場合、構造耐力上主要な部分の断面に生ずる長期(常時及び積雪時)及び短期(積雪時及び暴風時)の各応力度が、それぞれ長期に生ずる力又は短期に生ずる力に対する各許容応力度を超えないことを確かめなければならない。

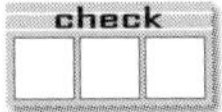

問題13　〈ヒント条文〉➡令36条２項１号、令77条２号

保有水平耐力計算によって安全性が確かめられた高さ４mを超える鉄筋コンクリート造の建築物において、構造耐力上主要な部分である柱の主筋は帯筋と緊結する必要はない。

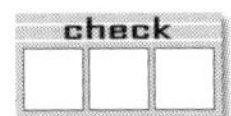

問題14　〈ヒント条文〉➡令36条２項１号、令79条

保有水平耐力計算によって安全性が確かめられた場合、鉄筋コンクリート造の基礎(布基礎の立上り部分を除く。)の鉄筋に対するコンクリートのかぶり厚さは、捨コンクリートの部分を除いて６cm未満とすることができる。

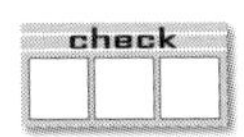

問題15　〈ヒント条文〉➡令36条２項２号、令65条

鉄骨造の建築物において、限界耐力計算によって安全性が確かめられた場合、構造耐力上主要な部分である鋼材の圧縮材の有効細長比は、柱にあっては200以下としないことができる。

◇◇

【関連】

問題６　屋根勾配による積雪荷重(雪止めがない場合)

▷●60°以下 ⇨ 低減

●60°超 ⇨ 零

問題８　**圧縮の許容応力度数**

▷ 長期圧縮 ⇨ $F/3$

短　期 ⇨ 長期の**２倍**

$\therefore (F/3) \times 2 = 2F/3$

解説

問題１　正しい

高力ボルトの相互間の**中心距離**は、その径の**2.5倍以上**としなければならない。高力ボルト孔の径は、原則として、高力ボルトの径より**２㎜**を超えて大きくしてはならない。なお、高力ボルト孔の径が27㎜以上で、かつ、構造耐力上支障がない場合は、高力ボルト孔の径を高力ボルトの径より３㎜まで大きくすることができる。

問題２　誤り

鉄筋コンクリート造に使用するコンクリートの**４週圧縮強度**は、１㎜^{2}につき**12N以上**とする。なお、軽量骨材を使用する場合においては、１㎜^{2}につき９N以上とする。

問題３　正しい

鉄筋に対するコンクリートの**かぶり厚さ**は、原則として、基礎（布基礎の立上り部分を除く）にあっては捨てコンクリートの部分を除いて**６㎝以上**としなければならない。

問題４　正しい

事務室の床の積載荷重については、**地震力**を計算する場合、**800N/㎡**に床面積を乗じて計算することができる。

問題５　正しい

固定席の映画館に連絡する**廊下の床**の構造計算をする場合の積載荷重については、実況に応じて計算しない場合、**3,500N/㎡**に床面積を乗じて計算することができる。

問題６　正しい

屋根の**積雪荷重**は、屋根に雪止めがある場合を除き、勾配が60度以下の場合は、勾配に応じて積雪荷重に所定の式によって計算した屋根形状係数を乗じた数値とし、勾配が**60度を超える**場合は、**零**とすることができる。

問題７　正しい

風圧力は、**速度圧**に**風力係数**を乗じて計算する。なお、速度圧は、令87条２項によって計算する。

問題８　正しい

コンクリートの短期に生ずる力に対する圧縮の許容応力度は、長期に対する２倍であり、$2F/3$となるので、**設計基準強度の２/３**である。

問題9　誤り

設計基準強度が18N/mm^{2}のコンクリートのせん断の材料強度は、

$F/10 = 18/10 =$ **1.8**N/mm^2　となる。

問題10　正しい

許容応力度等計算は、**許容応力度計算**に**層間変形角**、**剛性率・偏心率**などの計算を行う。したがって、建築物の地上部分について、各階の剛性率は、それぞれ6/10以上であることを確かめなければならない。

問題11　誤り

保有水平耐力計算は、いわゆる**許容応力度計算**［一次設計］（令82条各号・令82条の４）に**層間変形角**（令82条の２）と**保有水平耐力**（令82条の３）の計算を行う。したがって、令82条の２に規定する、層間変形角が所定の数値以内であることを確かめなければならない。

問題12　正しい

限界耐力計算の際も、地震時以外の許容応力度の計算（令82条一号から三号まで）は行う。したがって、令82条二号、三号により、長期の応力度は「常時及び積雪時」で計算し、短期の応力度は地震時を除いた「積雪時及び暴風時」で計算し、**各応力度が各許容応力度を超えないこと**を確かめる。

問題13　正しい

問題14　誤り

保有水平耐力計算によって安全性を確かめる場合は、令36条２項一号に列記する規定に適合する構造方法を用いればよい。（かっこ書により**除外されている規定**は**適合させなくてもよい**。）

- 鉄筋コンクリート造の構造耐力上主要な部分である柱の主筋を帯筋と緊結する規定は、除外されているので、柱の主筋は、帯筋と緊結しなくてもよい。
- 鉄筋コンクリート造の鉄筋のかぶり厚さの規定は、除外されていないので、適合させなければならない。したがって、設問のかぶり厚さは、６cm以上とする。

問題15　正しい

限界耐力計算によって安全性を確かめる場合、**耐久性等関係規定**（令36条１項）に**適合する構造方法**を用いなければならない。鉄骨造の圧縮材の有効細長比に関する規定は、耐久性等関係規定に該当しないので、適合させなくてもよい。

Ⅲ 法規

Check Point 3 防火関係規定

❶ 特殊建築物　（法27条・令115条の３・別表第１）

別表第１（法27条・令115条の３・令19条）

	（1）	（2）	（3）	（4）	（5）	（6）
（い）	劇場、集会場など※1	病院、共同住宅、児童福祉施設等など	学校、博物館など	百貨店、飲食店など※2	倉庫など	車庫、スタジオなど
（ろ）	※3	※4	※3	※3		
（は）						
（に）						

⇒性能の基準（令110条及び令110条の３）に適合した建築物（大臣認定又は告示仕様）
⇒**耐火建築物**　⇒**耐火又は準耐火建築物**

※１：劇場・映画館・演芸場
⇒主階が１階にないもの（階数３以下で延べ面積200㎡未満除く）
※２：床面積の合計3,000㎡以上
※３：階数３で延べ面積200㎡未満除く
※４：階数３で延べ面積200㎡未満除く（就寝用途は所定の警報設備が必要）

❷ 防火地域・準防火地域内の防火規定（法61条・令136条の２）

防火地域・準防火地域内の構造制限（法61条１項・令136条の２）

防火地域	階数３以上 延べ面積100㎡超	耐火建築物又はこれと同等以上の延焼防止時間となる建築物※１
	階数２以下で延べ面積100㎡以下	耐火建築物　若しくは 準耐火建築物又はこれらと同等以上の延焼防止時間となる建築物※２
	高さ２m超の門・塀	延焼防止上支障のない構造

※１：耐火建築物＋延焼防止建築物（令136条の２第１号ロの建築物）
※２：準耐火建築物＋準延焼防止建築物（令136条の２第２号ロの建築物）

準防火地域	地上４階建以上 延べ面積1,500㎡超	耐火建築物又はこれと同等以上の延焼防止時間となる建築物
	地上３階建で延べ面積1,500㎡以下 地上２階建以下で延べ面積500㎡超1,500㎡以下	耐火建築物　若しくは 準耐火建築物又はこれらと同等以上の延焼防止時間となる建築物
	地上２階建以下で延べ面積500㎡以下	外壁の開口部で延焼のおそれのある部分を片面遮炎の防火設備※３
	木造建築物等に附属する高さ２m超の門・塀	延焼防止上支障のない構造

木造建築物等の場合は、外壁・軒裏で延焼のおそれのある部分を防火構造

❸ 防火区画　　(令112条)

防火区画は大規模建築物等を防火上有効に区画し、火災の拡大を防ぐために設けられる。

① **面積区画(1～6項)**

1）原則

● 主要構造部 ⇨ 準耐火構造(特定主要構造部が耐火構造も含む)
　→原則、**1,500㎡以内**ごとに区画。

● 区画 ⇨ 準耐火構造(1時間耐火)の壁、床、**特定防火設備**

● 自動式の消火設備(スプリンクラー等)を設けた場合は、設けた床面積の1/2を除いて計算できる。

2）準耐火建築物など

● 2項 ⇨ **500㎡以内**ごとに区画(原則)

● 3項 ⇨ **1,000㎡以内**ごとに区画(原則)

② **高層区画(7～10項)**

● 原則、**11階以上**の部分は**100㎡以内**ごとに区画する。

	仕上げ・下地	防火設備	区画の構造	区画面積
7項	準不燃材料	特定防火設備	耐火構造	200㎡以内
8項	不燃材料			500㎡以内

③ **竪穴区画(11～15項)**

● 主要構造部が準耐火構造(特定主要構造部が耐火構造も含む)などで、地階、または3階以上に居室がある場合、吹抜け・階段・ダクトスペースの部分を区画する。

● 区画 ⇨ 準耐火構造の壁、床、**法2条9号の2ロに規定する防火設備**

④ **異種用途区画(18項)**

建築物の一部が法27条に該当する場合に区画する必要がある。

● 区画(27条) ⇨ 準耐火構造(1時間準耐火基準)の床、壁、特定防火設備

❹ 区画避難安全検証法・階避難安全検証法・全館避難安全検証法(令128条の7～令129条の2)

主要構造部が準耐火構造(特定主要構造部が耐火構造も含む)又は主要構造部が不燃材料で造られた建築物で、区画避難安全性能・階避難安全性能・全館避難安全性能を有することが、それぞれの検証法により確かめられたもの又は大臣の認定を受けたものは、令128条の7第1項・令129条1項・令129条の2第1項に掲げられた規定は適用しない。したがって、適用除外とならない規定については、当該規定に適合していなければならない。

アドバイス　**防火関係規定**

● 防火地域・準防火地域は令136条の2で確認する。
● 法別表第1では、「2階の部分に限る」等の添え書きに注意する。
● 準耐火建築物は、その種類により区画面積が異なることに注意。
● 避難安全検証法により、適用が除外される規定を整理すること。

問題 3-1 次の記述について、建築基準法上、**正しいか、誤っているか**、判断しなさい。

耐火建築物等

check

問題1　〈ヒント条文〉➡法27条2項1号、法別表第1（5）項

防火地域及び準防火地域以外の区域内にある3階建の建築物において、3階の部分を倉庫の用途に供し、その床面積が300㎡の場合、耐火建築物としなければならない。

問題2　〈ヒント条文〉➡法27条2項2号、法別表第1（6）項

防火地域及び準防火地域以外の区域内において、延べ面積が2,500㎡の3階建の自動車車庫は、耐火建築物としなければならない。

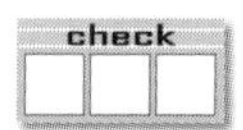

問題3　〈ヒント条文〉➡法27条1項1号、法別表第1（3）項、令115条の3第2号

防火地域及び準防火地域以外の区域内において、延べ面積2,000㎡、地上3階建ての図書館を新築する場合は、耐火建築物としなければならない。

防火地域・準防火地域

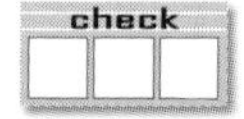

問題4　〈ヒント条文〉➡法61条1項、令136条の2第2号

防火地域内においては、延べ面積80㎡、地上2階建ての一戸建て住宅は、耐火建築物若しくは準耐火建築物又はこれらと同等以上の延焼防止時間となる建築物としなければならない。

問題5　〈ヒント条文〉➡法61条1項、令136条の2第5号

防火地域内にある建築物に附属する門又は塀で、高さ2mを超えるものは、延焼防止上支障のない構造としなければならない。

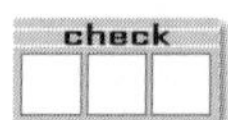

問題6　〈ヒント条文〉➡法64条

防火地域内においては、高さが2mの広告塔で、建築物の屋上に設けるものは、その主要な部分を不燃材料で造り、又は覆わなければならない。

問題7　〈ヒント条文〉➡法61条1項、令136条の2第2号

準防火地域内においては、延べ面積500㎡、地下1階、地上2階建ての建築物で各階を事務所の用途に供するものは、耐火建築物若しくは準耐火建築物又はこれらと同等以上の延焼防止時間となる建築物としなければならない。

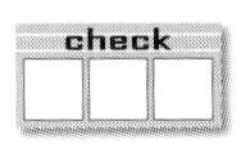

問題８　〈ヒント条文〉➡法61条１項、令136条の２第１号

準防火地域内においては、地上２階建、延べ面積1,000㎡の建築物である自動車車庫は、耐火建築物又はこれと同等以上の延焼防止時間となる建築物としなければならない。

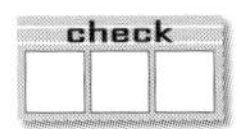

問題９　〈ヒント条文〉➡法63条

準防火地域内にある建築物で、外壁が耐火構造のものについては、その外壁を隣地境界線に接して設けることができる。

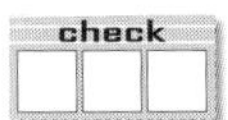

問題10　〈ヒント条文〉➡法65条２項

建築物が防火地域及び準防火地域にわたる場合、建築物が防火地域外において防火壁で区画されている場合においては、その防火壁外の部分については、準防火地域内の建築物に関する規定を適用する。

問題11　〈ヒント条文〉➡法62条、令136条の２の２

準防火地域内における共同住宅の屋根の構造は、市街地における通常の火災による火の粉により、防火上有害な発炎をしないものであり、かつ、屋内に達する防火上有害な溶融、亀裂その他の損傷を生じないものでなければならない。

【関連】

問題８　防火地域又は準防火地域内の特殊建築物

▷ 法61条、令136条の２と、法27条の両面から検討する。

問題10　この規定は、敷地が２つの地域にわたる場合ではなく、建築物がわたる場合であることに注意する。

解説 

問題1　正しい

3階の部分を**倉庫**の用途に供し、その床面積の合計が**200㎡以上**の場合、**耐火**建築物としなければならない。

問題2　正しい

自動車車庫は、法別表第1(6)項の用途に類し、**3階以上**の階を自動車車庫の用途に供するものは**耐火**建築物としなければならない。

問題3　誤り

地上3階建ての図書館は、法別表第1(3)項(ろ)欄に該当し、その特定主要構造部は、**令110条各号いずれか**に適合するものとしなければならない。したがって、一号による特定避難時間による構造とすることができ、**耐火建築物以外**の建築物とすることができる。

問題4　正しい

防火地域内で、**階数2以下**で延べ面積**100㎡以下**の建築物は「**準耐火**建築物(令136条の2第二号イ)」又は「同号イと同等以上の延焼防止時間となる建築物(同号ロ)」とする。上位の性能である一号の基準とすることもできるので、「**耐火**建築物若しくは**準耐火**建築物又はこれらと同等以上の延焼防止時間となる建築物」としなければならない。

問題5　正しい

高さ2mを超える門又は塀で、防火地域内にある建築物に附属するものは、**延焼防止上支障のない構造**としなければならない。

問題6　正しい

防火地域内にある広告塔等の工作物で、「建築物の**屋上に設けるもの**」又は「高さ**3mを超えるもの**」は、その主要な部分を不燃材料で造り、又は覆わなければならない。

問題7　誤り

準防火地域内では、地階を除く階数が2以下で延べ面積が500㎡を超え1,500㎡以下のものは、耐火建築物若しくは準耐火建築物又はこれらと同等以上の延焼防止時間となる建築物としなければならないが、**延べ面積が500㎡を超えていないので、**耐火建築物若しくは準耐火建築物又はこれらと同等以上の延焼防止時間となる建築物としなくてもよい。

問題8　誤り

準防火地域内においては、地階を除く**階数が4以上**又は延べ面積が**1,500㎡を超える**場合、**耐火**建築物又はこれと同等以上の延焼防止時間となる建築物とする。また、法27条2項二号、法別表第1(6)項より、**3階以上**の階を**自動車車庫**とした場合は、**耐火**建築物とする。したがって、耐火建築物としなくてもよい。

問題9　正しい

防火地域又は**準防火**地域内にある建築物で、**外壁が耐火構造**のものについては、その外壁を**隣地境界線**に接して設けることができる。

問題10　正しい

建築物が**防火**地域及び**準防火**地域にわたる場合においては、その**全部**について**防火地域内**の建築物に関する規定を適用する。ただし、建築物が防火地域外において**防火壁で区画**されている場合は、その防火壁外の部分については、準防火地域内の建築物に関する規定を適用する。

問題11　正しい

屋根に必要な性能に関する技術的基準は、その区域に応じて、次表の火災による火の粉により、次表の要件を満たすことである。設問の共同住宅の屋根は、防火・準防火地域の基準に該当する。

屋根	火災の種類	要件
法22条指定区域の建築物の屋根(令109条の9)	通常の火災	①防火上有害な**発炎をしない** ②屋内に達する防火上有害な溶融、亀裂等の**損傷を生じない**(不燃性物品を保管する倉庫などでそれぞれの火災による火の粉が屋内に到達した場合に建築物の火災が発生するおそれのないものを除く)
防火地域及び**準防火地域**の建築物の屋根(令136条の2の2)	**市街地**における**通常**の火災	

問題 3-2

防火区画等に関する次の記述について、建築基準法上、**正しいか、誤っているか**、判断しなさい。ただし、自動式のスプリンクラー設備等は設けられていないものとする。

防火区画

問題1　〈ヒント条文〉➡令112条１項

防火戸であって、これに通常の火災による火熱が加えられた場合に、加熱開始後45分間当該加熱面以外の面に火炎を出さないものとして、国土交通大臣が定めた構造方法を用いるものは、「特定防火設備」である。

問題2　〈ヒント条文〉➡令112条７項

準防火地域内においては、地上15階建の事務所の12階の部分で、当該階の床面積の合計が500㎡のものは、原則として、床面積の合計100㎡以内ごとに防火区画しなければならない。

問題3　〈ヒント条文〉➡令112条11項

主要構造部を準耐火構造とした地上５階建のホテル（３階以上の階に客室を有するもの）の昇降機の昇降路の部分については、原則として、当該部分とその他の部分とを防火区画しなければならない。

問題4　〈ヒント条文〉➡令112条11項２号

主要構造部を耐火構造とした共同住宅の住戸で、その階数が３であり床面積の合計が200㎡のものは、当該住戸の階段の部分とその他の部分とを防火区画しなければならない。

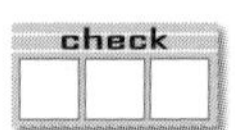

問題5　〈ヒント条文〉➡令112条18項

１階を自動車車庫（当該用途に供する部分の床面積の合計が130㎡）とし、２階及び３階を事務所とする地上３階建ての建築物においては、当該自動車車庫部分と事務所部分とを防火区画しなければならない。

問題6　〈ヒント条文〉➡令112条19項１号イ、２号イ

防火区画に用いる防火シャッター等の特定防火設備は、常時閉鎖若しくは作動をした状態にあるか、又は随時閉鎖若しくは作動をできるものでなければならない。

問題7　〈ヒント条文〉➡令112条16項

防火区画に接する外壁については、外壁面から50cm以上突出した準耐火構造のひさし、床、袖壁等で防火上有効に遮られている場合においては、当該外壁の所定の部分を準耐火構造とする要件が緩和される。

問題８　〈ヒント条文〉➡令114条２項

老人福祉施設の用途に供する建築物の当該用途に供する部分については、原則として、その防火上主要な間仕切壁を準耐火構造とし、強化天井としたものを除き、小屋裏又は天井裏に達せしめなければならない。

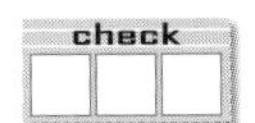

問題９　〈ヒント条文〉➡法26条、令113条１項

延べ面積1,500㎡、耐火建築物及び準耐火建築物以外の、木造、地上２階建ての美術館について、防火上有効な構造の防火壁に設ける開口部の幅及び高さを、それぞれ2.5ｍとし、かつ、これに特定防火設備で所定の構造であるものを設けた。

次の記述について、建築基準法上、**正しいか、誤っているか**、判断しなさい。

Ⅲ 法規

防火融合

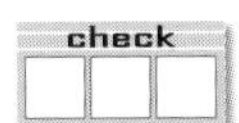

問題10　〈ヒント条文〉➡令108条の４第４項、５項

防火区画検証法は、開口部に設けられる防火設備について、屋内及び建築物の周囲において発生が予測される火災による火熱が加えられた場合に、火災の継続時間以上、加熱面以外の面に火炎を出すことなく耐えることができることを確かめる方法である。

問題11　〈ヒント条文〉➡法２条９号、令108条の２

不燃材料として、建築物の外部の仕上げに用いる建築材料が適合すべき不燃性能及びその技術的基準は、建築材料に、通常の火災による火熱が加えられた場合に、加熱開始後20分間、「燃焼しないものであること」及び「防火上有害な変形、溶融、亀裂その他の損傷を生じないものであること」である。

【関連】

問題４　高層区画においても、自動式のスプリンクラー設備等を設けた場合は、区画面積が緩和される（令112条１項かっこ書）。

問題９　老人福祉施設 ⇨ 児童福祉施設等に含まれる（令19条１項）。

解説

問題1　誤り

特定防火設備は、防火設備（令109条により防火戸は防火設備に該当する）であって、通常の火災による火熱に対して「**1時間**」、加熱面以外の面に**火炎を出さない**もので、大臣が定めた構造方法又は大臣の認定を受けたものをいう。

問題2　正しい

建築物の**11階以上**の部分で、各階の床面積の合計が**100㎡を超える**ものは、床面積の合計**100㎡以内ごと**に耐火構造の床若しくは壁又は法2条九号の二ロに規定する防火設備で**区画**しなければならない。

問題3　正しい

主要構造部を**準耐火構造**とし、かつ、地階又は3階以上の階に**居室**を有する建築物は、原則として、吹抜きとなっている部分、階段の部分、昇降機の昇降路の部分等の**竪穴部分**と、その他の部分とを**防火区画**しなければならない。

問題4　誤り

主要構造部が耐火構造で、かつ、地上3階建ての建築物なので、原則として**竪穴区画**をしなければならないが、**階数3以下**で延べ面積が**200㎡以内**の共同住宅の住戸は、除かれている。

問題5　誤り

建築物の**一部**が法27条の**特殊建築物**に該当する場合、特殊建築物の部分とその他の部分とを**異種用途区画**しなければならない。自動車車庫は、法別表第1(6)項に該当するが、2階以下で**150㎡未満**により法27条に**該当しない**ので、防火区画をしなくてよい。

問題6　正しい

防火区画に用いる特定防火設備は、**常時閉鎖**若しくは**作動**をした状態にあるか、又は**随時閉鎖**若しくは**作動**をできるものでなければならない。

問題7　正しい

防火区画に接する外壁の開口部は、開口部を介した延焼を防ぐため、開口部相互の距離**90cm以上**を**準耐火構造**としなければならないが、外壁面から**50cm以上突出**した**準耐火構造**の**ひさし**、**袖壁**等を設置した場合は**除かれている**。

問題8　正しい

学校、病院、診療所（患者の収容施設を有しないものを除く）、**児童福祉施設等**（**老人福祉施設**は令19条１項により児童福祉施設等に含まれる）、ホテル、旅館、下宿、寄宿舎又はマーケットの用途に供する建築物においては、原則として、その防火上主要な間仕切壁を**準耐火構造**とし、強化天井としたものを除き、**小屋裏**又は**天井裏**に達せしめなければならない。

問題9　正しい

耐火建築物又は準耐火建築物以外で、延べ面積1,000㎡を超える建築物は、原則として、防火壁又は防火床によって**1,000㎡以内**ごとに**区画**しなければならない。また、防火壁又は防火床に設ける開口部の幅及び高さは、それぞれ**2.5m以下**とし、かつ、これに特定防火設備で令112条19項一号の構造のものを設けなければならない。

問題10　誤り

防火区画検証法とは、開口部に設けられる防火設備の火災時における遮炎に関する性能を検証する方法をいい、**屋内火災**による**遮炎性を確かめるもの**である。したがって、「建築物の周囲の火災」は要件に含まれていない。

問題11　正しい

不燃性能に関する技術的基準は、通常の火災による火熱が加えられた場合に、加熱開始後**20分間**、「①燃焼しないこと、②防火上有害な変形等の損傷を生じないこと、③避難上有害な煙又はガスを発生しないこと」であるが、建築物の**外部の仕上げ**に用いるものは、**③の要件**は**除かれている**。

Check Point 4

内装制限

❶ 内装制限 （法35条の２・令128条の４・128条の５）

① **特殊建築物等の内装（法35条の２）**

下記の建築物等は室内に面する壁、天井を防火上支障のないようにする。

- 別表第１**(い)欄**の用途の建築物
- **階数**が**３以上**の建築物
- **無窓の居室**を有する建築物
- 延べ面積が**1,000㎡**を超える建築物
- 火気使用室

② **内装制限を受ける特殊建築物**(用途による制限)（令128条の４第１項）

１）**劇場・映画館・演芸場・観覧場・公会堂・集会場（１項１号表（１））**

耐火建築物など	400㎡以上(客席)
準耐火建築物など	100㎡以上(客席)
その他	100㎡以上(客席)

２）**病院・診療所(病室有り)・ホテル・旅館・下宿・共同住宅・寄宿舎・児童福祉施設等（１項１号表（２））**

耐火建築物など	300㎡以上（３階以上）
準耐火建築物など	300㎡以上（２階部分）
その他	合計200㎡以上

３）**百貨店・マーケット・展示場・キャバレー・カフェー・ナイトクラブ・バー・ダンスホール・遊技場・公衆浴場・待合・料理店・飲食店・10㎡を超える物品販売業を営む店舗（１項１号表（３））**

耐火建築物など	1,000㎡以上（３階以上）
準耐火建築物など	500㎡以上（２階部分）
その他	合計200㎡以上

４）**自動車車庫・自動車修理工場（１項２号）**

原則、構造・規模を問わず、すべて適用。

５）**地階、地下工作物の居室**で上記１）、２）、３）の用途を有するもの（１項３号）

原則、構造・規模を問わず、すべて適用。

③ **内装制限を受ける大規模建築物**(面積・階数による制限)（２・３項）

- **階数 ⇨ ３以上：延べ面積 ⇨ 500㎡超(学校等を除く)**
- **階数 ⇨ ２：延べ面積 ⇨ 1,000㎡超(学校等を除く)**
- **階数 ⇨ １：延べ面積 ⇨ 3,000㎡超(学校等を除く)**

④　**内装制限を受ける火気使用室**(火気使用による制限)(４項)
- 階数が２以上の住宅、兼用住宅で、最上階以外の階に火を使用する設備や器具を設けたもの。
- その他の建築物の火気使用室は、すべての階において内装制限を受ける。

⑤　**内装制限を受ける無窓の居室(無窓居室による制限)**(令128条の３の２)
- 床面積が50㎡を超える居室で、開放できる開口部の面積が床面積の１/50未満のもの。
- 温湿度調節を要する作業室等で、それぞれの建築物の用途に必要な採光有効面積が確保できないもの。

2 特殊建築物等の内装　(令128条の５)

①　内装制限を受ける**特殊建築物** ⇨ １内装制限②１)、２)、３)
- 居室の天井、壁 ⇨ **難燃**材料以上(１項１号)
- ３階以上に居室がある場合の各階の天井－準不燃材料以上(１項１号かっこ書)
- 廊下、階段等 ⇨ **準不燃**材料以上(１項２号)

②　**自動車車庫、地階**に設ける特殊建築物等 ⇨ １・②４)、５)
- すべての天井、壁 ⇨ **準不燃**材料以上(１項２号)

③　内装制限を受ける**大規模建築物** ⇨ １・③
- 居室の天井、壁 ⇨ **難燃**材料以上(４項)
- 廊下、階段等 ⇨ **準不燃**材料以上(１項２号)

④　内装制限を受ける**無窓の居室** ⇨ １・⑤
- すべての天井、壁 ⇨ **準不燃**材料以上(１項２号)

⑤　内装制限を受ける**調理室等** ⇨ １・④
- 壁、天井 ⇨ **準不燃**材料以上(１項２号)

アドバイス　内装制限

- 内装制限における無窓居室、火気使用室の扱いに注意する。
- 令128条の４の表の見方に慣れること。
- 令128条の５に規定されている内装制限の対象となる部分と受けない部分を整理しておく。

問題 4　内装制限に関する次の記述について、建築基準法上、**正しいか、誤っているか**、判断しなさい。ただし、制限を受ける「窓その他の開口部を有しない居室」には該当しないものとする。

check □□□

問題１　〈ヒント条文〉➡法35条の２、令128条の３の２
床面積が50㎡を超える居室で、天井又は天井から下方80㎝以内の距離に窓その他の開口部の開放できる部分を有しないものは、原則として、内装の制限を受ける。

check □□□

問題２　〈ヒント条文〉➡令128条の４第１項表（１）
主要構造部を耐火構造とした地上２階建の公会堂で、客席の床面積の合計が500㎡のものは、原則として、内装の制限を受ける。

check □□□

問題３　〈ヒント条文〉➡令128条の４第１項表（２）
主要構造部を耐火構造とした耐火建築物で、病院の用途に供する３階以上の部分の床面積の合計が300㎡であるものは、原則として、内装の制限を受ける。

check □□□

問題４　〈ヒント条文〉➡法35条の２、令128条の４第１項表（３）、2項、3項
主要構造部を準耐火構造とした地上２階建の物品販売業を営む店舗（１時間準耐火基準に適合しないもの）で、各階の床面積がいずれも400㎡のものは、原則として、内装の制限を受ける。

check □□□

問題５　〈ヒント条文〉➡令128条の４第１項２号
自動車修理工場は、その床面積にかかわらず、原則として、内装制限を受ける。

check □□□

問題６　〈ヒント条文〉➡令128条の４第１項３号
地階にある飲食店は、その床面積にかかわらず、原則として、内装制限を受ける。

check □□□

問題７　〈ヒント条文〉➡法35条の２、令128条の４第２項
主要構造部を耐火構造とした地上５階建の事務所（各階を当該用途に供するもの）で、各階の床面積がいずれも300㎡のものは、内装の制限を受けない。

check □□□

問題８　〈ヒント条文〉➡令128条の４第４項
主要構造部を準耐火構造とした地上２階建の住宅において、２階にある台所（火を使用する器具を設けたもの）は、内装の制限を受けない。

問題９　〈ヒント条文〉➡令128条の５第１項
　内装の制限を受ける建築物であっても、居室の壁については、床面からの高さが1.2m以下の部分について、内装の制限の対象とならないことがある。

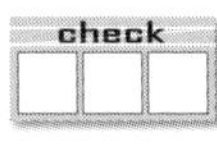

問題10　〈ヒント条文〉➡令128条の５第４項
　主要構造部を耐火構造とした延べ面積600㎡、地上３階建ての図書館において、３階部分にある図書室の壁及び天井の室内に面する部分の仕上げを、難燃材料でした。

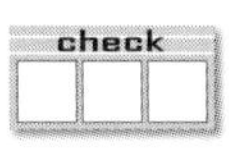

問題11　〈ヒント条文〉➡令128条の５第１項～５項
　内装の制限を受ける廊下、階段その他の通路については、原則として、壁及び天井の室内に面する部分の仕上げを難燃材料でしなければならない。

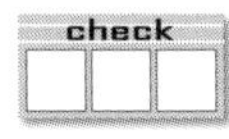

問題12　〈ヒント条文〉➡令128条の４第１項、令128条の５第２項
　地上２階建、延べ面積1,000㎡の建築物である自動車車庫の壁及び天井の室内に面する部分の仕上げは、原則として、難燃材料としなければならない。

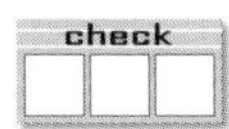

問題13　〈ヒント条文〉➡令128条の５第７項
　火災が発生した場合に避難上支障のある高さまで煙又はガスの降下が生じない建築物の部分として、国土交通大臣が定めるものについては、内装の制限の規定は適用されない。

◇◇

【関連】
問題５　自動車車庫、自動車修理工場 ▷ 原則として、構造、規模を問わず制限を受ける。
問題13　内装の制限の適用除外
　▷ 国土交通大臣が定める建築物の部分

解説

問題1　正しい

床面積が**50㎡を超える**居室で、天井又は天井から下方**80cm以内**の距離に窓その他開口部の開放できる部分の面積の合計が居室の床面積の**1/50未満**のものは、内装制限上の無窓の居室として、令129条5項により**内装制限**を**受ける**。

問題2　正しい

主要構造部を耐火構造とした**公会堂**で、客席の床面積の合計が**400㎡以上**の場合、原則として、内装制限を**受ける**。

問題3　正しい

主要構造部を耐火構造とした**病院**は、当該用途に供する**3階以上**の部分の床面積の合計が**300㎡以上**のものは、原則として、内装制限を**受ける**。

問題4　誤り

主要構造部を準耐火構造(法2条9号の3イ)とした地上2階建の**物品販売業を営む店舗**(法別表第1(い)欄(4)項)で、当該用途に供する**2階**部分の床面積の合計が**500㎡以上**のものは内装制限を**受ける**が、各階の床面積が400㎡なので該当しない。また、令128条の4第2項、3項にも該当しないので内装制限は受けない。

問題5　正しい

自動車車庫又は**自動車修理工場**の用途に供するものは、原則として、内装制限を**受ける**。

問題6　正しい

地階又は地下工作物内に設ける**飲食店**(令115条の3第三号により法別表第1(い)欄(4)項の用途に類する)の用途に供するものは、原則として、内装制限を**受ける**。

問題7　誤り

階数が**3以上**である建築物で、延べ面積が**500㎡を超える**もの(学校等の用途に供するものを除く)は内装制限を**受ける**。したがって、5階建、延べ面積1,500㎡(各階の床面積が300㎡により)の事務所は、内装制限を受ける。

問題8　正しい

階数**2以上**の**住宅**で、最上階以外の階にある台所は、原則として、内装制限を受けるが、**最上階**の台所は、内装制限を**受けない**。

問題9　正しい

内装制限を受ける建築物であっても、居室の壁については、床面からの高さが**1.2m以下**の部分について、内装制限の対象とならないことがある(かっこ書)。

問題10　正しい

令128条の4第2項により、階数3以上で延べ面積が500㎡を超える建築物は、原則として、内装制限を受け、居室の仕上げは、**難燃材料**で**適合**する。

問題11　誤り

内装制限を受ける**廊下・階段**等の壁及び天井の室内に面する部分の仕上げを**準不燃材料**又は所定の方法、材料の組合せによるものとしなければならない。

問題12　誤り

自動車車庫に供する部分及び通路等の壁及び天井の室内に面する部分の仕上げは、**準不燃材料**又は準不燃材料に準ずるものとして国土交通大臣が定める方法、材料の組合せによるものとしなければならない。したがって、**難燃材料**は認められない。

問題13　正しい

避難上支障のある高さまで煙又はガスの降下が生じない部分として、床面積、天井の高さ並びに消火設備及び排煙設備の設置の状況及び構造を考慮して大臣が定めるものについては、内装制限は**適用されない**。

Check Point 5 避難規定

❶ 適用の範囲 （法35条・令117条）

① 別表第１(い)欄(１)項～(４)項の**特殊建築物**(令115条の３も含む)
② **階数**が３以上の建築物
③ **無窓の居室**を有する階(令116条の２)
④ 延べ面積が**1,000㎡**を超える建築物

❷ 客席からの出口の戸 （令118条）

劇場・映画館・演芸場・観覧場・公会堂・集会場の出口の戸は**内開き**としてはならない。

❸ 廊下の幅 （令119条）

廊下	両側に居室がある場合	その他の廊下
小・中・高校等の児童、生徒用	2.3m	1.8m
病院(患者用)・共同住宅の住戸等の床面積の合計100㎡を超える階の共用のもの・居室の床面積の合計200㎡(地階：100㎡)を超える階におけるもの	1.6m	1.2m

※ 小、中、高校等の児童、生徒用・病院の患者用・共同住宅の共用の各廊下を除き、３室以下の専用の廊下幅員は規制されていない。

❹ 直通階段の設置 （令120条）

避難階以外の階(地下街を除く)においては、居室の各部分から避難階または、地上に通じる直通階段の一に至る歩行距離が規定されている。

① **歩行距離の求め方**

●居室の用途、種類をチェック
⇨ 主要構造部が準耐火構造等であるか？
⇨ 居室、通路の内装が準不燃材料か？
⇨ 居室のある階が15階以上か？
⇨ 次表で検討する。

② **歩行距離**

主要構造部	準耐火構造（特定主要構造部が耐火構造の場合を含む）、不燃材料		その他
居室の種類	可燃・難燃材料	準不燃材料	
採光有効面積が床面積の 1/20未満の居室*・百貨店・マーケット・展示場・キャバレー・遊技場・料理店・10㎡を超える店舗	30m（20m）以下	40m（30m）以下	30m以下
病院・診療所（病室有り）・ホテル・旅館・下宿・共同住宅・寄宿舎・児童福祉施設等	50m（40m）以下	60m（50m）以下	30m以下
その他の居室			40m以下

● （　）内の数字は、15階以上の階の居室の場合である。

● ＊：避難上支障がないものとして大臣が定める基準に適合するものを除く。

5 2以上の直通階段を設けなければならない建築物（令121条）

① 劇場・映画館・演芸場・観覧場・公会堂・集会場 ⇨ 客席・集会室のある階（1項1号）

② 物品販売業を営む店舗（1500㎡超）⇨ 売場のある階（1項2号）

③ キャバレー・カフェー・ナイトクラブ・バー等 ⇨ 客席を有する階（ただし、下記のものは除かれる。）（1項3号）

● 5階以下の階で居室が100㎡（200㎡）以下、かつ、バルコニー及び屋外避難階段等を設けたもの。

● 避難階の直上階、直下階で5階以下の階にある居室が100㎡（200㎡）以下のもの。

④ 病院・診療所の病室・児童福祉施設等の主たる用途の居室 ⇨ 床面積の合計が50㎡（100㎡）を超える階（1項4号）　除外：令121条4項に該当する場合

⑤ ホテル・旅館・下宿の宿泊室・共同住宅の居室・寄宿舎の寝室 ⇨ 床面積の合計が100㎡（200㎡）を超える階（1項5号）　除外：令121条4項に該当する場合

⑥ ①～⑤で掲げた以外の階で次に掲げるもの（1項6号）

1） 6階以上の階で居室のある階（ただし、居室が100㎡（200㎡）以下、かつ、バルコニー及び屋外避難階段等を設けたものは除く。）（1項6号イ）

2） 5階以下で避難階の直上階の居室の床面積の合計が200㎡（400㎡）を超えるもの。（1項6号ロ）

3） 5階以下の階で避難階の直上階以外の階の居室の床面積の合計が100㎡（200㎡）を超えるもの。（1項6号ロ）

※ （　）－主要構造部が準耐火構造（特定主要構造部が耐火構造の場合を含む）・不燃材料の場合。（2項）

6 避難階段の設置・構造 (令122・123条)

① **特別避難階段としなければならない建築物(令122条)**
- **15階以上の階、地下3階以下**の階に通ずる直通階段。(1項)
- 1,500㎡を超える物品販売業を営む店舗で、**5階以上14階以内の売場**に通ずる直通階段のうち1つ以上。(3項)
- **1,500㎡**を超える物品販売業を営む店舗で、**15階以上の売場**に通ずる直通階段のすべて。(3項)

② **特別避難階段の構造(令123条3項)**
- 屋内と階段室はバルコニー、窓付や排煙設備付などの付室を通じて連絡する。
- 階段室、バルコニー、付室 ⇨ **耐火構造**の壁で囲む。
- 階段室、付室の天井、壁 ⇨ **不燃材料**
- 階段室 ⇨ 付室に面する採光上有効な窓、照明設備(予備電源)
- 階段室のバルコニーまたは付室に面する部分に窓を設ける場合は、法2条9号のロに規定する防火設備の**はめごろし戸**を設ける。
- 屋内からバルコニーまたは付室に通ずる出入口には令112条19項2号に規定する構造の特定防火設備を設け、避難方向に開くこと。

7 屋上広場等 (令126条)

- **5階以上**の部分を百貨店の売場とする場合 ⇨ **屋上広場**を設ける。
- 屋上広場、2階以上の階にあるバルコニー等 ⇨ 高さ**1.1 m以上**の**手すり**、さく、**金網**を設ける。

8 排煙設備の設置 (令126条の2)

① 排煙設備を設けなければならない建築物
- 別表第1(1)項～(4)項の**特殊建築物**(延べ面積**500㎡超**)
- **階段**が**3以上**で、延べ面積**500㎡超**
- 天井または天井から80㎝以内に床面積の1/50以上の開口部のない**無窓の居室**
- 延べ面積1,000㎡を超える建築物で、床面積が200㎡を超える居室

② ①のうち排煙設備を設置しなくてもよい建築物等
- 病院、病室のある診療所、ホテル、旅館、下宿、寄宿舎、児童福祉施設等で、100㎡以内ごとに防火区画したもの。
- 学校(幼保連携型認定こども園を除く)、体育館、ボーリング場、スキー場、スケート場、水泳場、スポーツの練習場。
- 階段の部分、昇降機の昇降路部分等。
- 機械製作工場、不燃性の物品を保管する倉庫等で、主要構造部が不燃材料で造られた火災の発生の少ない構造のもの等。

⑨ 非常用照明装置の設置 （令126条の4）

① 下記の居室及び居室から地上に通ずる**廊下、階段**には非常用の照明装置を設置しなければならない。（有効採光がある開放通路を除く）
- 別表第1（1）項～（4）項の特殊建築物の居室
- 階数が3以上で、かつ、延べ面積が500㎡を超える建築物の居室
- 居室の床面積の1/20以上の採光有効面積がない無窓の居室
- 延べ面積が1,000㎡を超える建築物の居室

② 非常用の照明装置を設けなくてもよい建築物
- 一戸建の住宅、長屋、共同住宅の住戸
- 病院の病室、下宿の宿泊室、寄宿舎の寝室等
- 学校（幼保連携型認定こども園を除く）、体育館、ボーリング場、スキー場、スケート場、水泳場、スポーツの練習場

※ 共同住宅の住戸や病院の病室等は除外されているが、その廊下・階段等には非常用の照明装置を設けなければならない。

⑩ 非常用の昇降機 （法34条・129条の13の2～3）

① 高さが31mを超える建築物には、原則として、非常用の昇降機を設ける。

② 適用除外：次に掲げるものには非常用の昇降機の設置を要しない。
- 高さが31mを超える部分が階段室、昇降機等の建築設備の機械室などの場合。
- 高さが31mを超える部分の各階の床面積の合計が500㎡以下の場合。
- 高さが31mを超える部分の階数が4以下で、特定主要構造部を耐火構造とし、100㎡以内ごとに耐火構造・特定防火設備で防火区画されている場合 など。

アドバイス 避難規定

- 歩行距離に関する令120条の表の見方に慣れること。
- 2以上の直通階段を設けなければならない建築物については、多くの問題に接し、令121条の条文の表現に慣れること。
- 避難階段、特別避難階段の設置基準、構造等について、関連条文をすぐに引けるよう整理する。

問題 5	避難施設等に関する次の記述について、建築基準法上、**正しいか、誤っているか**、判断しなさい。また、避難階は地上1階とし、屋上広場はないものとする。

check

問題1　〈ヒント条文〉➡令119条表

病院における患者用の廊下の幅は、両側に居室がある場合、1.6m以上としなければならない。

check

問題2　〈ヒント条文〉➡令120条1項表(2)

主要構造部を耐火構造とした地上15階建ての共同住宅において、15階の居室及びこれから地上に通ずる主たる廊下、階段その他の通路の壁及び天井の室内に面する部分の仕上げを準不燃材料でした場合、当該居室の各部分から避難階又は地上に通ずる直通階段の一に至る歩行距離は、60m以下としなければならない。

check

問題3　〈ヒント条文〉➡令121条1項4号、2項

延べ面積400㎡、地上3階建の主要構造部が耐火構造である診療所の避難階以外の階で、その階における病室の床面積の合計が100㎡である場合においては、その階から避難階又は地上に通ずる2以上の直通階段を設けなければならない。

check

問題4　〈ヒント条文〉➡令121条1項5号、2項

主要構造部を耐火構造とした旅館における避難階以外の階で、宿泊室の床面積の合計が200㎡をこえるものにおいては、その階から避難階又は地上に通ずる2以上の直通階段を設けなければならない。

check

問題5　〈ヒント条文〉➡令121条1項6号ロ、2項

主要構造部を準耐火構造とした、延べ面積1,000㎡、地上2階建ての物品販売業を営む店舗で、2階における売場の床面積の合計が500㎡のものにおいては、2階から1階又は地上に通ずる2以上の直通階段を設けなければならない。

check

問題6　〈ヒント条文〉➡令122条2項、3項

地上12階建延べ面積5,000㎡の建築物で、5階以上の階を物品販売業を営む店舗の用途に供する場合、5階以上の売場に通ずる直通階段はその一以上を、特別避難階段としなければならない。

check

問題7　〈ヒント条文〉➡令123条2項1号

屋外避難階段は、その階段に通ずる出入口以外の開口部から、原則として、2m以上の距離に設けなければならない。

check

問題8　〈ヒント条文〉➡令123条3項1号

特別避難階段にあっては、屋内と階段室とは、バルコニー及び付室を通じて連絡する構造としなければならない。

check

問題9　〈ヒント条文〉➡令124条１項１号

各階を物品販売業を営む店舗の用途に供する地上４階建ての建築物（各階の床面積が600㎡）において、各階における避難階段の幅の合計を3.6mとした。

check

問題10　〈ヒント条文〉➡令125条２項

劇場の客用に供する屋外への出口の戸は、劇場の規模にかかわらず、内開きとしてはならない。

check

問題11　〈ヒント条文〉➡令117条、令126条１項

共同住宅で２階以上の階にあるバルコニーの周囲には、安全上必要な高さが1.1m以上の手すり壁、さく又は金網を設けなければならない。

check

問題12　〈ヒント条文〉➡令126条２項

建築物の５階以上の階を共同住宅の用途に供する場合においては、避難の用に供することができる屋上広場を設けなければならない。

check

問題13　〈ヒント条文〉➡令126条の２第１項

延べ面積900㎡の平家建博物館には、原則として、排煙設備を設けなければならない。

check

問題14　〈ヒント条文〉➡令126条の２第１項

延べ面積が1,000㎡の病院において、その床面積200㎡以内ごとに防火区画されているものには、排煙設備を設けなくてもよい。

check

問題15　〈ヒント条文〉➡令126条の４

病院の病室には、非常用の照明装置を設けなくてもよい。

check

問題16　〈ヒント条文〉➡令126条の４

階数が３で延べ面積が2,000㎡のボーリング場には、非常用の照明装置を設けなくてもよい。

check

問題17　〈ヒント条文〉➡令128条

延べ面積200㎡、地上２階建の建築物の敷地内には、屋外に設ける避難階段から道又は公園、広場その他の空地に通ずる幅員が1.5m以上の通路を設けなければならない。

check

問題18　〈ヒント条文〉➡令129条の13の２

高さ31mを超える部分を昇降機の機械室の用途に供する建築物には、非常用の昇降機を設けなくてもよい。

check

問題19　〈ヒント条文〉➡令129条の13の２

高さ31mを超える建築物であっても、高さ31mを超える部分の各階の床面積の合計が500㎡以下のものには、非常用の昇降機を設けなくてもよい。

解説

問題１　正しい

「**病院**における**患者用**のもの」、「共同住宅の住戸若しくは住室の床面積の合計が100㎡を超える階における共用のもの」又は「３室以下の専用のものを除き居室の床面積の合計が200㎡（地階にあっては、100㎡）を超える階におけるもの」の廊下の幅は、**両側**に**居室**がある場合、**1.6m以上**としなければならない。

問題２　誤り

共同住宅は、法別表第１（い）欄(2)項に該当するので、避難階以外の直通階段までの歩行距離は、「主要構造部が**準耐火構造**」の欄から、**50m以下**としなければならない（上位の性能である耐火構造は、準耐火構造に含まれる）。なお、設問の居室及び通路は仕上げが準不燃材料であるが、15階以上の階の居室であるので、２項ただし書により緩和の対象とならず、３項の適用もない。

問題３　誤り

診療所の用途に供する階で、その階における病室の床面積の合計が、**100㎡**（２項により）を**超える**ものは、**２以上の直通階段**を設けなければならない。100㎡を超えていないので設けなくてもよい。

問題４　正しい

旅館の用途に供する階で、その階における宿泊室の床面積の合計が**200㎡**（２項により）を**超える**ものは、避難階又は地上に通ずる、**２以上の直通階段**を設けなければならない。

問題５　正しい

物品販売業を営む店舗で1,500㎡を超えていないが、５階以下で避難階の直上階の居室が**400㎡**（２項により）を**超えている**（２階売場：500㎡）ので、**２以上の直通階段**が**必要**である。

問題６　正しい

３階以上の階を**物品販売業を営む店舗**（令121条１項二号より、床面積の合計が1,500㎡を超えるもの）の用途に供する場合は、**２以上の直通階段**を設け、これを避難階段又は特別避難階段とし、**５階以上**の売場に通ずる直通階段は、その**１以上**を**特別避難階段**としなければならない。

問題７　正しい

屋外避難階段は、原則として、その階段に通ずる**出入口以外の開口部**（開口部面積が１㎡以内で、所定の防火設備ではめごろし戸であるものが設けられたものを除く）から**２m以上**の距離に設ける。

問題８　誤り

屋内と特別避難階段の階段室とは、**バルコニー**又は**付室**を通じて連絡すること。

問題9　正しい

物品販売業を営む店舗（令121条1項二号より、床面積の合計が**1,500㎡を超えるもの**）の用途に供する建築物の各階における避難階段等の幅の合計は、原則として、その上階のうち**最大**の**階**で計算し、床面積**100㎡あたり60cm以上**とする。したがって、600㎡×60cm/100㎡＝360cm以上としなければならない。

問題10　正しい

劇場、映画館、演芸場、観覧場、公会堂又は集会場の**客用**に供する屋外への**出口の戸**は、**内開き**としては**ならない**。

問題11　正しい

屋上広場又は**2階以上**の階にあるバルコニー等の周囲には、安全上必要な高さが**1.1m以上**の手すり壁、さく又は金網を設けなければならない。

問題12　誤り

建築物の**5階以上**の階を**百貨店の売場**の用途に供する場合においては、**避難**の用に供することができる**屋上広場**を設けなければならない。したがって、**共同住宅**の用途に供する場合は、設けなくてもよい。

問題13　正しい、問題14　誤り

博物館は、令115条の3第二号により、法別表第1（い）欄（3）項の用途に該当し、延べ面積が**500㎡を超える**ので排煙設備を設けなければならない。また、**病院**（法別表第1（い）欄（2）項）で延べ面積が**500㎡を超える**場合は、原則として排煙設備を設けなければならない。ただし、床面積100㎡以内に準耐火構造の床若しくは壁又は所定の防火設備で区画された部分は適用を受けない。

問題15・16　正しい

病院（法別表第1（い）欄（2）項に該当）の居室及びこれらの居室から地上に通ずる廊下、階段その他の通路には非常用の照明装置を設けなければならないが、**病室**の部分は適用を受けない。また、**ボーリング場**は、令126条の2第1項二号により、**学校等**に含まれるので、規模にかかわらず、非常用の照明装置を**設けなくてもよい**。

問題17　正しい

敷地内には、令125条1項の避難階の出口から道又は公園、広場その他の空地に通ずる幅員が**1.5m以上**の通路を設けなければならない。

問題18・19　正しい

法34条2項により、高さ**31mを超える**建築物には、**非常用の昇降機**の設置が**必要**であるが、高さ31mを超える部分を階段室、昇降機その他の建築設備の**機械室**、装飾塔、物見塔、屋窓等の用途に供する建築物、高さ31mを超える部分の各階の床面積の合計が**500㎡以下**の建築物には**設置しなくてもよい**。

Check Point 6 道路・用途地域

1 道　路　（法42～47条）

① **道路の定義（法42条１項）**

道路とは下記に該当する幅員**４ｍ**（特定行政庁が都道府県都市計画審議会の議を経て指定する区域内では６ｍ）**以上**のもの（地下におけるものを除く）をいう。

１）**国道、都道府県道、市町村道**等。

２）**都市計画法、土地区画整理法、都市再開発法**等の法律に基づく事業による道路。

３）法第３章が適用される以前から存在する道。

４）**事業計画**のある道路で、**２年以内**に事業が執行される予定のものとして**特定行政庁**が**指定**したもの。

５）土地を建築物の**敷地**として利用するため、一定の基準（令144条の４）に適合する道で**特定行政庁**から**位置の指定**を受けたもの。

② **法42条２項道路**

法第３章が適用された際、現に建築物が立ち並んでいる**幅員４ｍ（６ｍ）未満**の道で、**特定行政庁**が**指定**したものは道路とみなす。

- 道路の両側に敷地がある場合
  ⇨ 道路の中心線から２ｍ（６ｍ区域は３ｍ）後退した線を道路の境界線とみなす。
- 道路の反対側にがけ地、川、線路敷地等がある場合
  ⇨ 道路の反対側から４ｍ（６ｍ）の線を道路の境界線とみなす。

③ **敷地等と道路との関係（法43条）**

１）接道長さ ⇨ 建築物の敷地は、原則、道路に**２ｍ以上**接しなければならない。なお、その敷地が幅員４ｍ以上の道に２ｍ以上接する建築物のうち、利用者が少数であるものとしてその用途及び規模に関し国土交通省令で定める基準に適合するもので、特定行政庁が交通上、安全上、防火上及び衛生上支障がないと認めるもの又はその敷地の周囲に広い空地を有する建築物その他の国土交通省令で定める基準に適合する建築物で、特定行政庁が交通上、安全上、防火上及び衛生上支障がないと認めて建築審査会の同意を得て許可したものについては、適用しない。

２）地方公共団体の**条例**による制限の付加

地方公共団体は、下記の建築物について、避難、安全のため接道長さや道路幅員に条例で、制限を付加することができる。

- 特殊建築物
- 階数が３以上の建築物
- 無窓の居室を有する建築物
- 延べ面積が1,000㎡超の建築物
- 敷地が袋路状道路にのみ接する延べ面積が150㎡超の建築物（一戸建ての住宅を除く）

④ 道路内の建築制限（法44条）

1）道路内に建築、築造できないもの

建築物、敷地を造成するための擁壁。

2）道路内に建築できるもの

- **地盤面下**に設ける建築物

3）**特定行政庁**の**許可**を要するもの

- **公衆便所、巡査派出所**等で通行上支障のないもの
- 公共用歩廊（アーケード）
- 道路の上空に設けられる渡り廊下等で特定主要構造部が耐火構造または主要構造部が不燃材料で造られた一定の建築物
- 高架の道路の路面下に設ける建築物
- 自動車専用道路内に設ける休憩所、給油所など、自動車修理所

⑤ 私道の変更・廃止の制限（法45条）

私道の変更・廃止により、道路に接しない敷地ができる場合、特定行政庁は変更・廃止を禁止・制限することができる。

⑥ 壁面線（法46・47条）

特定行政庁は、環境の向上を図るため壁面線を指定できる。**建築審査会の同意**と利害関係者の出頭を求め、**公開**による**意見の聴取**が必要となる。

2 用途地域　（法48条・別表第２・令130条の３～９の８）

別表第２の概要

○：建築可 ×：原則不可 △：制限付可	一種低層	二種低層	一種中高層	二種中高層	一種住居	二種住居	準住居	田園住居	近隣商業	商業	準工業	工業	工業専用
住宅	○	○	○	○	○	○	○	○	○	○	○	○	×
学校等	△	△	○	○	○	○	○	△	○	○	○	△	×
店舗等	×	△	△	△	△	△	△	△	○	○	○	△	×
事務所	×	×	×	△	△	○	○	×	○	○	○	○	○
宿泊施設	×	×	×	×	△	○	○	×	○	○	○	×	×
遊戯施設等	×	×	×	×	△	△	△	×	○	○	○	△	△
工場等	×	×	×	△	△	△	△	△	△	△	△	△	○

アドバイス　道路・用途地域

- 法42条～法47条「道路の定義」「敷地等と道路との関係」「道路内の建築制限」「壁面線の指定」など、各項目から幅広く出題されている。
- 用途地域については、第一種・第二種低層住居専用地域や工業専用地域、工業地域等、見つけやすい用途地域から先に検討するとよい。
- 正答率の高い分野なので、確実に理解すること。

問題 6　都市計画区域内の道路等に関する次の記述について、建築基準法上、**正しいか、誤っているか**、判断しなさい。

check □□□

問題１　〈ヒント条文〉➡法42条１項
幅員６ｍの道路法による道路で地下におけるものは、建築基準法上の道路ではない。

check □□□

問題２　〈ヒント条文〉➡法42条１項４号
道路法による新設の事業計画のある幅員６ｍの道路で、２年以内にその事業が執行される予定のものとして特定行政庁が指定したものは、建築基準法上の道路である。

check □□□

問題３　〈ヒント条文〉➡法42条１項５号、令144条の４第１項
土地を建築物の敷地として利用するため袋路状道路を築造する場合、特定行政庁からその位置の指定を受けるためには、その幅員を６ｍ以上とし、かつ、延長を35ｍ以下としなければならない。

check □□□

問題４　〈ヒント条文〉➡法42条２項
都市計画区域に編入された際現に建築物が立ち並んでいる幅員４ｍ未満の道で、特定行政庁の指定したものは、建築基準法上の道路とみなされる。

check □□□

問題５　〈ヒント条文〉➡法42条２項、６項
特定行政庁は、都市計画区域に編入された際現に建築物が立ち並んでいる幅員1.8ｍ未満の道を指定する場合においては、あらかじめ、建築審査会の同意を得なければならない。

check □□□

問題６　〈ヒント条文〉➡法43条２項２号、規則10条の３第４項１号
敷地の周囲に公園、緑地、広場等広い空地を有する建築物で、特定行政庁が交通上、安全上、防火上及び衛生上支障がないと認めて建築審査会の同意を得て許可したものの敷地は、建築基準法上の道路に接しなくてもよい。

check □□□

問題７　〈ヒント条文〉➡法43条３項
地方公共団体は、特殊建築物の敷地が道路に接する部分の長さについて、条例で必要な制限を付加することができる。

check □□□

問題８　〈ヒント条文〉➡法44条１項
道路の地盤面下に、建築物に附属する地下通路を設ける場合、特定行政庁の許可が必要である。

check □□□

問題９　〈ヒント条文〉➡法44条１項４号、令145条２項
自動車のみの交通の用に供する道路に設けられる建築物である休憩所は、原則として、特定行政庁の許可を受けなければ建築することができない。

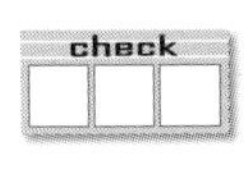

問題10　〈ヒント条文〉➡法45条１項

私道の変更又は廃止によって、その道路に接する敷地が敷地等と道路との関係の規定に基く条例の規定に抵触することとなる場合であっても、特定行政庁は、その私道の変更又は廃止を禁止し、又は制限することはできない。

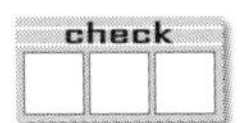

問題11　〈ヒント条文〉➡法47条

特定行政庁が、街区内における建築物の位置を整えその環境の向上を図るために必要があると認めて建築審査会の同意を得て、壁面線を指定した場合であっても、建築物のひさしは、壁面線を越えて建築することができる。

問題12　〈ヒント条文〉➡法52条９項

幅員15m以上の道路は、特定道路である。

問題13　〈ヒント条文〉➡法85条２項

災害があった場合に建築する公益上必要な用途に供する応急仮設建築物の敷地であっても、道路に２m以上接しなければならない。

都市計画区域内における次の建築物のうち、建築基準法上、新築することが**できる**か、**できない**か、判断しなさい。ただし、特定行政庁の許可は受けないものとし、用途地域以外の地域、地区等は考慮しないものとする。また、いずれの建築物も各階を当該用途に供するものとする。

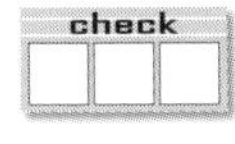

問題14　〈ヒント条文〉➡法別表第２(い)項、令130条の３

第一種低層住居専用地域内の「延べ面積160㎡、地上２階建ての理髪店兼用住宅(居住の用に供する部分の床面積が120㎡のもの)」

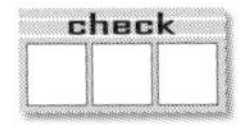

問題15　〈ヒント条文〉➡法別表第２(は)項、令130条の５の４

第一種中高層住居専用地域内の「延べ面積2,500㎡の５階建の税務署」

問題16　〈ヒント条文〉➡法別表第２(へ)項

第二種住居地域内の「延べ面積400㎡、地上２階建てのカラオケボックス」

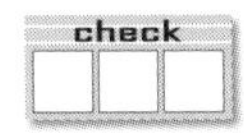

問題17　〈ヒント条文〉➡法別表第２(り)項

近隣商業地域内の「作業場の床面積の合計が300㎡、地上２階建ての自動車修理工場」

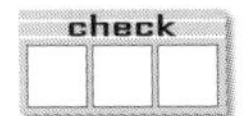

問題18　〈ヒント条文〉➡法別表第２(ぬ)項

商業地域内の「延べ面積1,000㎡、地上２階建ての日刊新聞の印刷所」

解説

問題1　正しい

道路法などによる幅員４m（特定行政庁が指定する区域内においては６m）以上の道路は、建築基準法上の道路である。なお、地下におけるものは、除かれているため、「地下における道路法による道路」は、建築基準法上の道路ではない。

問題2　正しい

道路法、都市計画法等による幅員４m（特定行政庁が指定する区域内では６m）以上の**計画道路**で、**２年以内**にその事業が執行される予定のものとして、**特定行政庁**が指定したものは、建築基準法上の道路である。

問題3　誤り

袋路状の道路を築造する場合、令144条の４第１項一号イ～ホのいずれかに該当し、かつ、二号～五号の基準に適合すれば、特定行政庁からその位置の指定を受けることができる。**幅員６m以上**（一号ニ）と**延長35m以下**（一号イ）は、同じ一号であり、**どちらかに適合**すればよい。

問題4　正しい

都市計画区域に編入された際、現に建築物が立ち並んでいる幅員**４m未満**の道で、**特定行政庁**の指定したものは道路とみなされる。

問題5　正しい

都市計画区域に編入された際、現に建築物が立ち並んでいる幅員４m未満の道で、特定行政庁の指定したものは、道路とみなされるが、６項により、特定行政庁は、幅員**1.8m未満**の道を指定する場合においては、あらかじめ、**建築審査会の同意**を得なければならない。

問題6　正しい

建築物の敷地は、原則として、道路に**２m以上**接しなければならないが、その敷地の周囲に公園、緑地、広場等**広い空地**を有する建築物等で、**特定行政庁**が交通上、安全上、防火上及び衛生上支障がないと認めて建築審査会の同意を得て許可したものは、**接しなくてもよい**。

問題7　正しい

地方公共団体は、特殊建築物、階数が３以上である建築物、無窓居室を有する建築物又は延べ面積が1,000㎡を超える建築物などの敷地が接しなければならない道路の幅員、その敷地が道路に接する部分の長さ等について、**条例**で、**必要な制限**を**付加**することができる。

問題8　誤り

道路の**地盤面下**に設ける建築物は、特定行政庁の許可を要しない。

問題9　正しい

自動車専用道路内の休憩所、給油所等で**特定行政庁**が**許可**したものは、建築することができる。したがって、許可を受けなければ建築できない。

問題10　誤り

私道の変更又は廃止によって、その道路に接する敷地が接道義務等に抵触する場合は、**特定行政庁**は、その私道の変更又は廃止を禁止し、又は制限することができる。

問題11　正しい

建築物の壁・柱、高さ２mを超える門・塀は、壁面線を越えて建築してはならないが、**軒・ひさし**は、壁面線を**越えて**建築することができる。

問題12　正しい

幅員**15m以上**の道路を**特定道路**という。

問題13　誤り

災害があった場合の**公益上必要**な**応急仮設建築物**又は工事現場の事務所等は、法第３章の規定は適用しない。したがって、法43条の接道義務はない。

問題14　できる

第一種低層住居専用地域内に、延べ面積（160㎡）の**１/２以上**を**居住**の用（120㎡）に供し、かつ、理髪店の床面積の合計（40㎡）が**50㎡以内**の理髪店兼用住宅は、新築することが**できる**。

問題15　できない

第一種中高層住居専用地域内に**税務署**等の公益上必要な建築物は建築できるが、５階以上の部分をこれらの用途に供するものは、原則として、建築できない。

問題16　できる

第二種住居地域内に、延べ面積400㎡、地上２階建ての**カラオケボックス**は、（へ）項各号に該当しないので、新築することが**できる**。

問題17　できる

近隣商業地域内に、作業場の床面積の合計が300㎡、地上２階建の**自動車修理工場**は、（り）項各号に該当しないので、建築**できる**。

問題18　できる

商業地域内に、**日刊新聞の印刷所**は、新築することが**できる**。

Check Point 7

容積率・建蔽（ぺい）率

❶ 容積率 （法52条）

①

$$容積率 = \frac{延べ面積}{敷地面積} \leqq 容積率の限度$$

② **容積率の限度**

- **指定容積率** ⇨ 都市計画によって定められる。
- **道路幅員による容積率** ⇨ 前面道路（前面道路が**２以上**ある場合は幅員の最も**大きい**道路）の幅員に住居系で**4/10**、その他の地域で**6/10**を乗じた数値（特定行政庁の指定がない場合）。
- 「指定容積率」と「道路幅員による容積率」のうち値の**小さい**方がその敷地の容積率となる。

③ **注意点**

- 前面道路の幅員が12m以上の場合は、道路幅員による容積率は考慮しない。
  ⇨ 指定容積率で計算する。
- 建築物の敷地が容積制限の異なる地域や区域にわたる場合は、それぞれの部分ごとに計算し、これらの延べ面積の**合計**を限度とする。

④ **容積率算定上の前面道路幅員の緩和（法52条９項、令135条の18）**

特定道路（**幅員15m以上**のもの）に接続する**６m以上12m未満**の道路に接する敷地で、特定道路から**70m以内**の部分にある敷地については、次のような緩和措置がある。

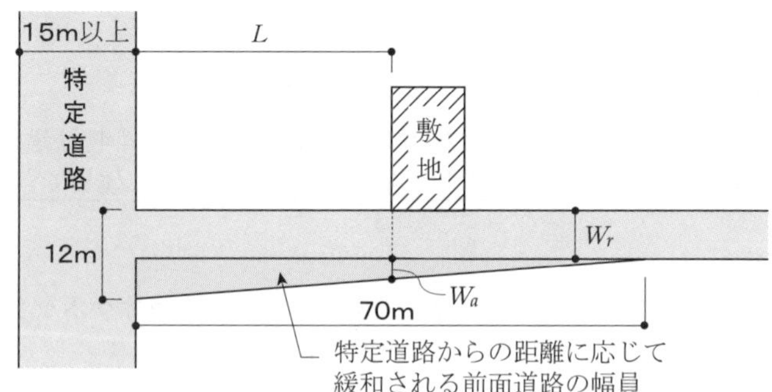

$$Wa = \frac{(12 - Wr)(70 - L)}{70}$$

$$W = Wr + Wa$$

Wa：割増すことができる数値
Wr：前面道路の幅員
L：特定道路からの距離
W：緩和された前面道路の幅員

容積率の計算の流れ（法52条）

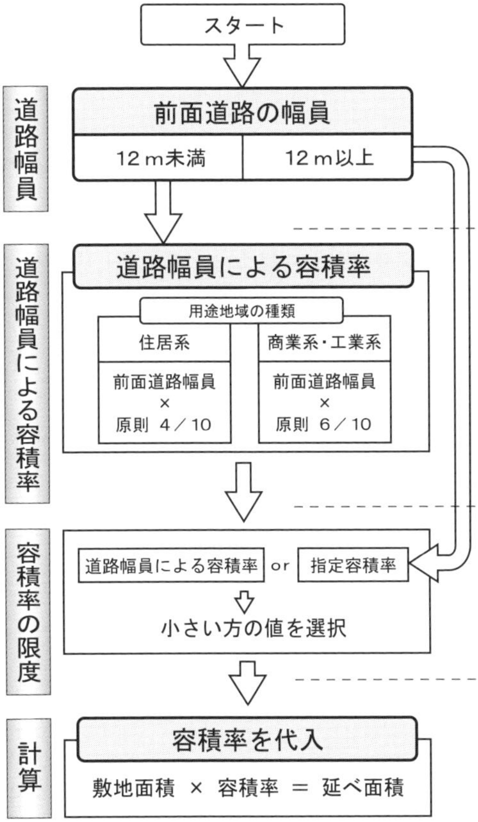

《計算手順のチェック》

1．前面道路

●**幅　員**
　⇨ 12m未満➡容積率を比較する
　⇨ 12m以上➡指定容積率で計算する

●前面道路が２以上
　⇨ 最大幅員のもの

●幅員６ｍ以上の前面道路が特定道路に接続
　⇨ 道路幅員の緩和
　（法52条９項、令135条の18）

2．道路幅員による容積率

●用途地域のチェック
　⇨ 特定行政庁の指定がない場合は、原則、住居系なら４/10、商業系・工業系なら６/10を乗ずる。

●用途地域が２以上
　⇨ 各地域ごとに計算し、合計する

3．容積率の限度

●道路幅員、指定容積率の比較
　⇨ 小さい方の値を選ぶ

4．延べ面積の計算

●敷地面積×容積率
　⇨ 敷地面積算定時の注意
　（２項道路等の確認）

アドバイス　容　積　率

●計算の流れを把握する。
●法42条２項道路に接する場合、敷地が異なる地域・地区にわたる場合、前面道路が特定道路に接続する場合など特殊条件が付加される場合が多いので、それぞれの解き方を整理すること。

❷ 建蔽率

（法53条）

① **建蔽率**＝$\dfrac{\text{建築面積}}{\text{敷地面積}}$≦建蔽率の限度

② 建蔽率の限度は用途地域ごとに定められている。

③ 建蔽率の緩和措置 ⇨ 下記のいずれかに該当した場合は、定められた建蔽率の値に**1/10**を加えた数値を建蔽率とする。

- **防火**地域内（指定建蔽率が**8/10**の地域**以外**）の**耐火建築物等**
- **準防火**地域内の**耐火建築物等**
- **準防火**地域内の**準耐火建築物等**

④ **角地**にある敷地で**特定行政庁**が**指定**したもの、または特定行政庁が指定した街区にある敷地は、定められた建蔽率の値に**1/10**を加えた数値を建蔽率とする。

⑤ 上記③、④を同時に満たしたものは、**2/10**を加えた値とする。

⑥ 建築物の敷地が建蔽率の異なる地域や区域にわたる場合は、それぞれの部分ごとに計算し、これらの建築面積の**合計**を限度とする。

アドバイス 建　蔽　率

- 計算の流れを把握する。
- 緩和措置や適用除外と融合された形で出題されることが多い。
- 法53条７項（防火地域の内外にわたる場合）の適用に注意する。

建蔽率の計算の流れ (法53条)

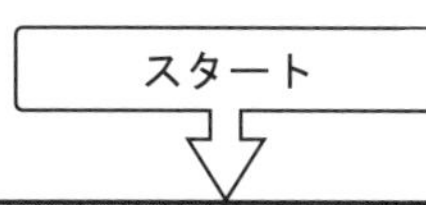

建蔽率の決定

用途地域・建蔽率の確認（1項）

用途地域	建蔽率
第一・第二種低層住居専用地域 第一・第二種中高層住居専用地域 田園住居地域 工業専用地域	3／10，4／10 5／10，6／10
第一・第二種住居地域 準住居地域 準工業地域	5／10，6／10 8／10
近隣商業地域	6／10，8／10
商業地域	8／10
工業地域	5／10，6／10

緩和措置の確認（3項）

① ●防火地域内(指定建蔽率が8/10の地域以外)の耐火建築物等 ●準防火地域内の耐火建築物等 ●準防火地域内の準耐火建築物等	＋1／10
② 街区の角地（特定行政庁の指定）	＋1／10
③ 上記①及び②に該当	＋2／10

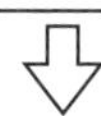

計算

建蔽率を代入

敷地面積 × 建蔽率 ＝ 建築面積

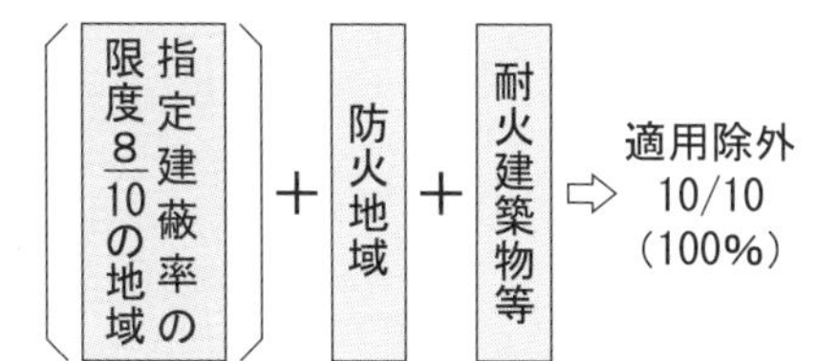

《計算手順のチェック》

1．建蔽率の決定

●商業地域以外の地域の建蔽率
⇨都市計画で指定

●緩和措置
⇨条件に該当した場合、1/10または2/10緩和
◆例えば、建蔽率6/10の準住居地域・防火地域・街区の角地に耐火建築物を建築する場合
6/10＋2/10＝8/10

2．建築面積の計算

敷地面積×建蔽率
＝**建築面積**
※用途地域が2以上の場合
⇨各地域ごとに求め合計する。（2項）

《建蔽率の適用除外（6項）》

次の条件に該当した場合は、建蔽率は適用されない。

問題 7-1 容積率

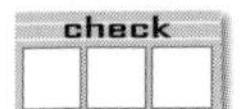

図のような敷地において、建築基準法上、**新築することができる建築物の容積率(同法第52条に規定する容積率)の最高限度**は、次のうちどれか。ただし、図に記載されているものを除き、地域、地区等及び特定行政庁の指定、許可等は考慮しないものとする。

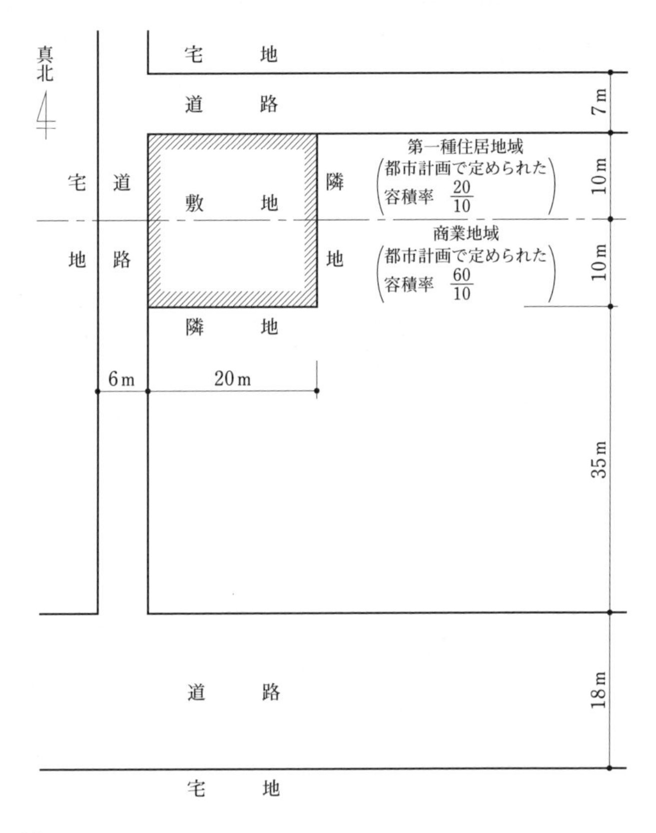

1. $\frac{28}{10}$
2. $\frac{31}{10}$
3. $\frac{37}{10}$
4. $\frac{40}{10}$

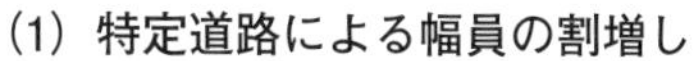

解説

(1) **特定道路による幅員の割増し**

●法52条９項、令135条の18。敷地が**特定道路**から**70m以内**にあり、特定道路に接続する**前面道路**が**幅員６m以上12m未満**なので、前面道路の幅員にWaを割増しする。

$$Wa = \frac{(12 - Wr)(70 - L)}{70} = \frac{(12 - 6)(70 - 35)}{70} = 3\,m$$

したがって、西側前面道路の幅員は、６m＋３m＝９mとなる。

北側前面道路（７m）と比較し、**幅員の大きい方**を**前面道路幅員**とするため、前面道路幅員は９mとなる。

(2) **容積率の限度**

●法52条２項。前面道路の幅員が**12m未満**の場合、道路幅員（道路が２以上の場合、最大のもの）による容積率と指定容積率のいずれか**小さい方**とする。

●法52条７項。敷地が容積率の異なる地域等にわたる場合は、地域ごとに建築できる面積を計算し、これらの合計が延べ面積の限度となるため、この合計した延べ面積を敷地面積で割ったもの（加重平均）が、その敷地の容積率の限度となる。

〔第一種住居地域〕

・指定容積率：20/10

・前面道路の幅員による容積率：９×４/10＝36/10　よって**20/10**

20m×10m×**20/10**＝400m^2

〔商業地域〕

・指定容積率：60/10

・前面道路の幅員による容積率：９×６/10＝54/10　よって**54/10**

20m×10m×**54/10**＝1,080m^2

したがって、容積率の最高限度は、（400m^2＋1,080m^2）÷400m^2＝37/10となる。

※この設問では、異なる地域にある敷地面積が同じであるため、
（54/10＋20/10）×１/２＝37/10　として計算することもできる。

正答 → ❸

問題7-2 建蔽率

check

図のような敷地において、耐火建築物を新築する場合、建築基準法上、建築することができる**建築面積の最大のもの**は、次のうちどれか。ただし、図に記載されているものを除き、地域、地区等及び特定行政庁の指定等はないものとする。

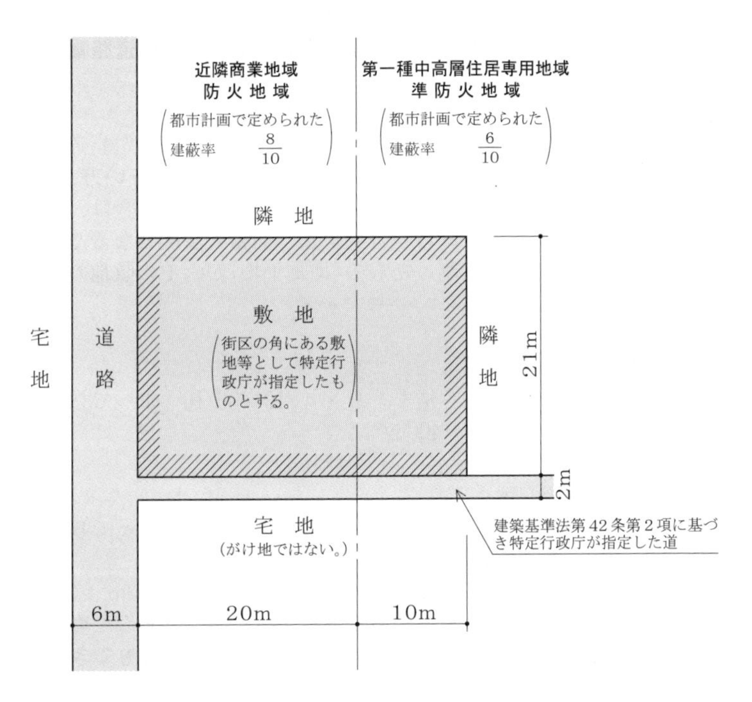

1. 588㎡
2. 567㎡
3. 560㎡
4. 540㎡

解説

- 法53条２項。建築物の敷地が建蔽率の異なる２以上の地域にわたる場合は、それぞれの地域について計算して得た数値を合計したもの以下とする。
- 法53条７項。敷地が防火地域の内外にわたる場合、建築物の全部が耐火建築物であるときは、その敷地はすべて防火地域にあるものとみなす。

〔近隣商業地域〕

(1) 建蔽率の限度

- 法53条６項一号。建蔽率の限度が $\frac{8}{10}$ とされている地域内で、かつ、防火地域内にある耐火建築物は、建蔽率の制限を受けない。したがって、敷地いっぱいに建築できる。

(2) 建築面積の計算

- 法42条２項道路に接する部分は、その道の中心より２m後退した部分は、敷地面積に算入されない。

$$(21-1)\times 20\times \frac{10}{10}=400\text{m}^2$$

〔第一種中高層住居専用地域〕

(1) 建蔽率の限度

- 法53条３項一号イ、二号。第一種中高層住居専用地域内の建蔽率は、７項の適用により、防火地域内にある耐火建築物であるので $\frac{1}{10}$ を加算し、さらに特定行政庁が指定する角地であるので $\frac{1}{10}$ を加算して $\frac{8}{10}$ となる。

(2) 建築面積の計算

$$(21-1)\times 10\times \frac{8}{10}=160\text{m}^2$$

したがって、建築面積の最大は、400＋160＝560m²となる。

正答 → ❸

Check Point 8

高さ制限

❶ 建築物の高さ （法55・56条）

項目／用途地域	絶対高さ	北側斜線	道路斜線	隣地斜線
		勾配（立上り）	勾配（適用距離）	勾配（立上り）
第1種低層 第2種低層 田園住居	10又は12（m）	1.25（5m）	1.25（20、25、30、35m）	
第1種中高層 第2種中高層		1.25（10m）	1.25（1.5）*（20、25、30、35m）	1.25**（20m）
第1種住居 第2種住居 準住居			1.25（1.5）*（20、25、30、35m）	1.25**（20m）
近隣商業 商業			1.5（20、25、30、35、40、45、50m）	2.5（31m）
準工業 工業 工業専用			1.5（20、25、30、35m）	2.5（31m）

＊：前面道路の幅員が12m以上の場合、法56条3項の緩和により、「前面道路の幅員×1.25」以上の区域内においては、「1.5」の勾配とする。尚、後退距離による4項の緩和も受けられる。

＊＊：指定容積率30/10以下の第一種・第二種中高層住居専用地域以外で、特定行政庁が指定する区域内では、2.5とする。

❷ 敷地が2以上の道路に接した場合の道路斜線 （令132条）

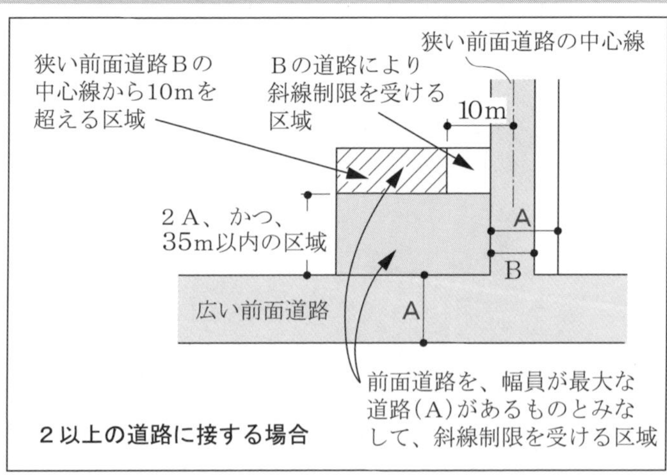

❸ 道路斜線制限の計算の流れ

道路幅員による容積率

道路幅員による容積率

用途地域の種類

住居系	商業・工業系
前面道路幅員 × 原則　4／10	前面道路幅員 × 原則　6／10

⇩

基準容積率

道路幅員による容積率 or 指定容積率

⇩

小さい方の値を選択

‖

基準容積率

⇩

別表第三

適用距離のチェック

求める点→適用距離の範囲内？

範囲内	範囲外
⇩	⇩ 道路斜線を受けない

数値（勾配）

1.25（住居系）or 1.5（商業・工業系）

⇩

計算

道路斜線による高さの限度h

h＝（前面道路の反対側の境界線から求める点までの距離）×数値

《計算手順のチェック》

1．用途地域

●道路幅員による容積率の算定（法52条２項）
原則、住居系**4**/10：商業・工業系**6**/10を乗ずる。

●２以上の用途地域
⇨適用距離は、道路に接している地域
⇨勾配は、それぞれの地域

2．前面道路

●２以上の前面道路（法56条６項、令132条）
⇨緩和措置

3．適用距離

●基準容積率より求める。

●適用距離の範囲外
⇨道路斜線を受けない。

4．後退距離

●道路斜線制限からセットバックして建築する場合
⇨前面道路の反対側の境界線は、セットバックした分だけ、外側にあるものとみなす。
（道路斜線の起算点）

❹ 隣地斜線制限の計算の流れ　（法56条１項２号）

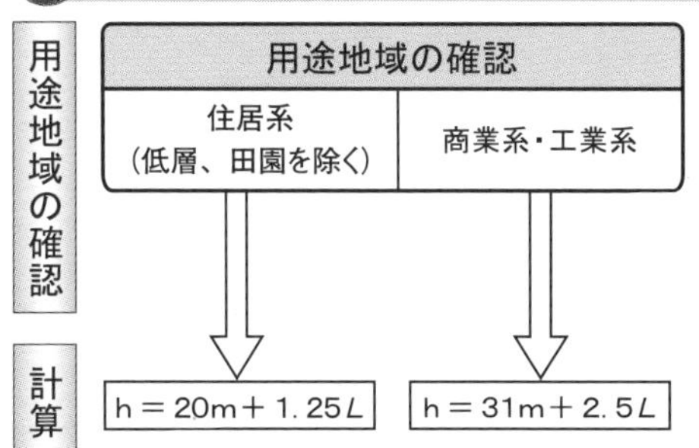

《隣地境界線》

1．隣地境界線からの距離（*L*）

●高さが20m（乗ずる数値が2.5である場合は31m）を超える部分が隣地境界線より後退している場合。
⇨隣地境界線が後退している分だけ外側にあるものとみなす。

2．第一種・第二種低層住居専用地域又は田園住居地域は、制限を受けない。

問題 8 高さ制限

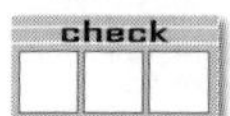

近隣商業地域内にある図のような敷地に建築物を新築する場合、A点における建築物の高さの最高限度として、建築基準法上、**正しい**ものは、次のうちどれか。ただし、敷地、隣地及び道路の相互間に高低差はなく、また、用途地域以外の地域、地区等及び特定行政庁の指定等はないものとし、日影による中高層の建築物の高さの制限及び天空率に関する規定は考慮しないものとする。なお、建築物は、すべての部分において、高さの最高限度まで建築されるものとする。

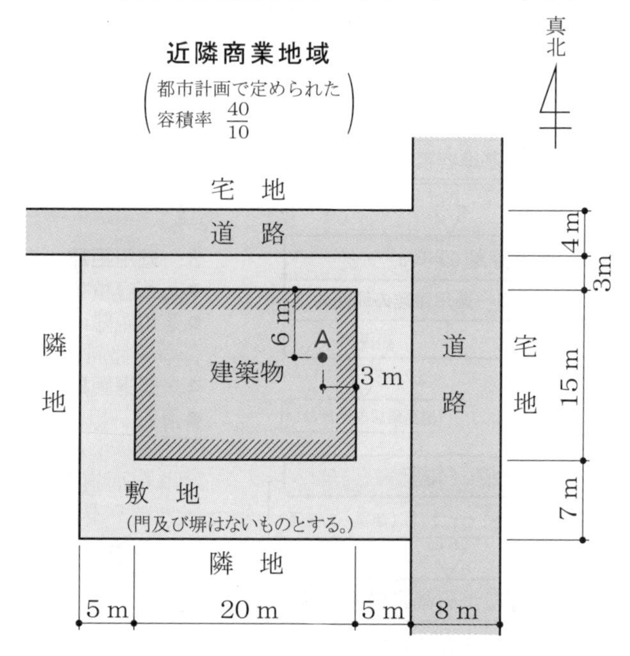

1. 19.5m
2. 24.0m
3. 25.5m
4. 30.0m

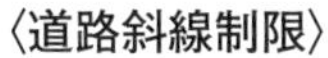

解説

〈道路斜線制限〉

- 法56条１項一号、法別表第３。近隣商業地域内の前面道路による高さの斜線制限は、前面道路の反対側境界線までの水平距離×1.5。

  適用距離は、前面道路幅員の最大が８ｍなので、$8 \times \frac{6}{10} = \frac{48}{10}$

  したがって、指定容積率$\left(\frac{40}{10}\right)$により、**20m**となる。
- 法56条２項。前面道路の境界線から後退した建築物に対する前面道路の反対側の境界線は、後退距離に相当する距離だけ外側の線とする。
- 法56条６項、令132条１項。Ａ点は、東側道路境界線から幅員の２倍（８×２＝16m）以内かつ35m以内にあるので、幅員４ｍの北側道路は、幅員８ｍとみなす。

  〔北側道路による場合〕

  ３＋８＋３＋６＝20mとなり、適用距離の範囲内にあるので、高さの制限は、
  20×**1.5**＝**30.0**m……………………①

  〔東側道路による場合〕

  ５＋８＋５＋３＝21mとなり、適用距離の範囲外にあるので、道路斜線制限は適用されない。

〈隣地斜線制限〉

- 法56条１項二号。近隣商業地域内の隣地境界線までの水平距離による高さの斜線制限は、

  隣地境界線までの水平距離×2.5＋31m……………………②

したがって、Ａ点における建築物の高さの最高限度は、①により**30m**となる。

正答 → **4**

Ⅲ 法規

Check Point 9 建築協定・建築設備

❶ 建築協定 （法69～77条）

① **建築協定の内容**

建築物の**敷地・位置・構造・用途・形態・意匠・建築設備**に関する基準について協定を締結できる。

② **建築協定の締結条件**

建築協定に関する**条例**を定めている市町村でなければ、締結できない。また、都市計画区域以外においても定めることができる。

③ **建築協定書の認可**

建築協定を締結しようとする**土地の所有者等**は、**区域**、**基準**、**有効期間**、**違反があった場合の措置**を定めた**建築協定書**を作成して、**特定行政庁**に申請し、**認可**を受けなければならない。

④ **建築協定書の合意**

建築協定書を**締結・変更**する場合は、**土地の所有者等**の**全員の合意**が必要である。ただし、借地権の目的となっている土地については借地権を有する全員の合意があればよい。

⑤ **建築協定の効力**

特定行政庁の認可の**公告**のあった日以後において、区域内の**土地の所有者等**になった者に対しても建築協定の**効力**がある。

⑥ **建築協定の廃止**

建築協定を**廃止**する場合は、**土地の所有者等**の**過半数の合意**があり、特定行政庁の認可を受けることにより**廃止**できる。

※「土地の所有者等」とは、①土地の所有者②借地権を有する者等。①、②両方を含む。

❷ 地区計画等の区域 （法68条の2、令136条の2の5）

地区計画等の区域内において、**市町村**の**条例**で建築物の敷地、構造等に関する事項等の制限を定めることができる。

① 建築物の**用途**の制限

② **容積率の最高限度**（**5/10以上**の数値で定める）

③ **建蔽率の最高限度**（3/10以上の数値で定める）

④ **敷地面積の最低限度**

⑤ 建築物の**壁面の位置**及び高さ2mを超える門や塀の位置の制限

⑥ 建築物の**高さの最高限度**

⑦ 商業や住居の一体的な整備や高度利用を促進するための、建築物の高さの最低限度、容積率の最低限度、建築面積の最低限度

⑧ 建築物の**形態**又は**意匠**の制限等

3 建築設備

① **給水・排水その他の配管設備（令129条の２の４）**

- コンクリートへの埋設等により、腐食のおそれのある部分には、腐食防止のための措置をとる。
- 給排水等の配管は、エレベーターの昇降路内に設けない。ただし、エレベーターに必要な配管設備を除く。
- 圧力タンク、給湯設備には、有効な安全装置を設ける。
- 給水管、配電管等が防火区画、防火壁、界壁などを貫通する場合は、原則として、**貫通する部分**及び貫通する**両側１ｍ以内**にある部分を**不燃材料**で造る等の構造とする。

② **換気設備（令129条の２の５）**

１）**自然換気設備**

- 換気上有効な給気口、排気筒を設ける。
- **給気口**は、居室の天井の高さの**１/２以下**の高さの位置に設け、常時外気に開放された構造とする。
- 排気筒には、頂部、排気口を除き、開口部を設けないこと。

２）**機械換気設備**は、換気上有効な「給気機・排気機」、「給気機・排気口」または、「給気口・排気機」を有すること。

③ **昇降機**（令129条の３～令129条の13の３）

１）エレベーター

- エレベーターのかごの積載荷重

かごの種類	かごの床面積	積載荷重（N）
乗用エレベーターのかご ※人荷共用ＥＶを含み、寝台用ＥＶを除く。	1.5m²以下	3,600×A
	1.5m²超３m²以下	（A－1.5）×4,900＋5,400
	３m²超	（A－３）×5,900＋13,000
乗用エレベーター以外のエレベーターのかご		2,500×A

A：かごの床面積（m²）

２）エスカレーターの構造（令129条の12）

- 勾配 ⇨ 30度以下
- 昇降口において階段の昇降を停止させる装置等の安全装置を設ける。
- エスカレーターの積載荷重

P＝2,600A　　P：積載荷重（N）
A：踏段面の水平投影面積（m²）

アドバイス　建築協定・建築設備

- 建築協定は、根拠条文を引ければ解答可能な問題が多い。
- 市町村の条例で定める事項も融合問題として出題されることが多い。
- 建築設備は、根拠条文を引き出せれば解答可能な問題が多く、取りこぼしのないように注意する。

問題 9 地区計画又は建築協定に関する次の記述について、建築基準法上、**正しいか、誤っているか**、判断しなさい。

check □□□

問題１　〈ヒント条文〉➡法４章
建築協定は、都市計画区域及び準都市計画区域以外の区域内においても定めることができる。

check □□□

問題２　〈ヒント条文〉➡法69条
建築物の用途に関する基準については、建築協定として締結することはできない。

check □□□

問題３　〈ヒント条文〉➡法69条
建築協定に関する市町村の条例が定められていない場合は、建築協定を締結することができない。

check □□□

問題４　〈ヒント条文〉➡法70条３項
建築協定書の作成に当たって、建築協定区域内の土地に借地権の目的となっている土地がある場合、借地権を有する者全員の合意がなければならない。

check □□□

問題５　〈ヒント条文〉➡法71条
市町村の長は、建築協定書の提出があった場合においては、遅滞なく、その旨を公告し、20日以上の相当の期間を定めて、これを関係人の縦覧に供さなければならない。

check □□□

問題６　〈ヒント条文〉➡法74条１項、２項
建築協定は、土地の所有者等(当該建築協定の効力が及ばない者を除く)の過半数の合意があれば、特定行政庁の認可を受けて、その内容を変更することができる。

check □□□

問題７　〈ヒント条文〉➡法75条
建築協定は、認可の公告があった日以後に新たに当該建築協定区域内の土地の所有者となった者に対しては、その効力が及ばない。

check □□□

問題８　〈ヒント条文〉➡法76条１項
認可を受けた建築協定を廃止しようとする場合には、建築協定区域内の土地の所有者等(当該建築協定の効力が及ばない者を除く。)の過半数の合意が必要である。

check □□□

問題９　〈ヒント条文〉➡法68条の２
市町村は、地区計画の区域内において、建築物の敷地、構造又は建築設備に関する事項で当該地区計画の内容として定められたものを、条例で、これらに関する制限として定めることができる。

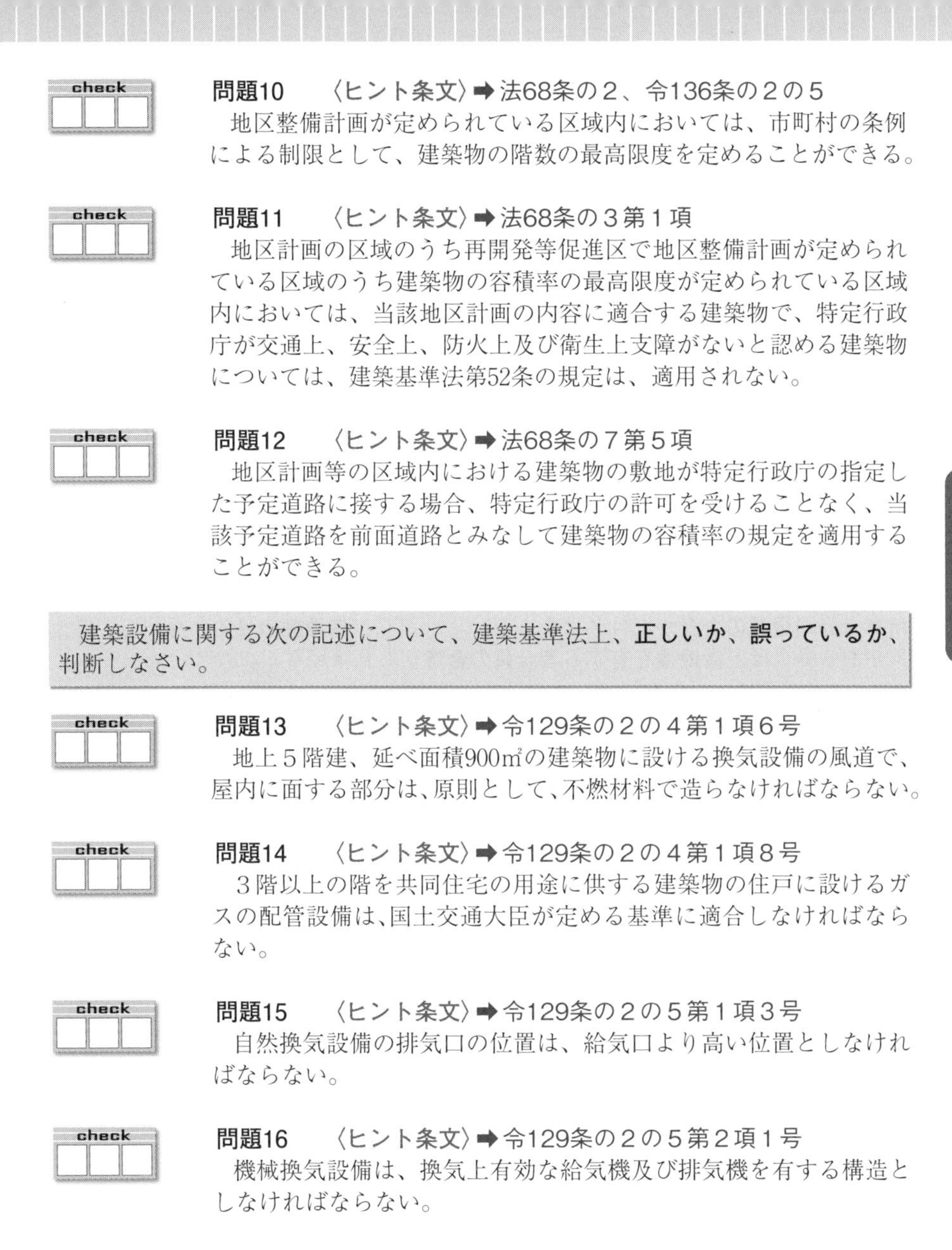

check

問題10　〈ヒント条文〉➡法68条の２、令136条の２の５

地区整備計画が定められている区域内においては、市町村の条例による制限として、建築物の階数の最高限度を定めることができる。

check

問題11　〈ヒント条文〉➡法68条の３第１項

地区計画の区域のうち再開発等促進区で地区整備計画が定められている区域のうち建築物の容積率の最高限度が定められている区域内においては、当該地区計画の内容に適合する建築物で、特定行政庁が交通上、安全上、防火上及び衛生上支障がないと認める建築物については、建築基準法第52条の規定は、適用されない。

check

問題12　〈ヒント条文〉➡法68条の７第５項

地区計画等の区域内における建築物の敷地が特定行政庁の指定した予定道路に接する場合、特定行政庁の許可を受けることなく、当該予定道路を前面道路とみなして建築物の容積率の規定を適用することができる。

建築設備に関する次の記述について、建築基準法上、**正しいか、誤っているか**、判断しなさい。

check

問題13　〈ヒント条文〉➡令129条の２の４第１項６号

地上５階建、延べ面積900m²の建築物に設ける換気設備の風道で、屋内に面する部分は、原則として、不燃材料で造らなければならない。

check

問題14　〈ヒント条文〉➡令129条の２の４第１項８号

３階以上の階を共同住宅の用途に供する建築物の住戸に設けるガスの配管設備は、国土交通大臣が定める基準に適合しなければならない。

check

問題15　〈ヒント条文〉➡令129条の２の５第１項３号

自然換気設備の排気口の位置は、給気口より高い位置としなければならない。

check

問題16　〈ヒント条文〉➡令129条の２の５第２項１号

機械換気設備は、換気上有効な給気機及び排気機を有する構造としなければならない。

check

問題17　〈ヒント条文〉➡令129条の５第２項

かごの床面積が４m²の乗用エレベーターのかごの積載荷重は、18,900Nを下回ってはならない。

check

問題18　〈ヒント条文〉➡令129条の12第３項

エスカレーターの踏段の積載荷重は、踏段面の水平投影面積が10m²である場合、26,000N以上としなければならない。

解 説

問題1　正しい

建築協定は、法第４章(法69条～法77条)に規定されているので、都市計画区域の内外に関係なく、定めることができる。

問題2　誤り

建築協定では、住宅地としての環境又は商店街としての利便を高度に維持増進する等のために、その区域内における建築物の敷地、位置、構造、**用途**、形態、意匠又は建築設備に関する基準についての協定を締結することができる。

問題3　正しい

市町村は、建築協定を締結することができる旨を、条例で、定めることができる。したがって、**条例**が定められていなければ、建築協定を**締結できない**。

問題4　正しい

建築協定を締結しようとするときの**建築協定書**については、原則として、**土地の所有者等**の**全員の合意**がなければならない。ただし、**借地権**の目的となっている土地がある場合は、**借地権を有する者全員の合意**があれば足りる。

問題5　正しい

市町村の長は、建築協定書の提出があった場合においては、遅滞なく、その旨を**公告**し、20日以上の相当の期間を定めて、これを関係人の**縦覧**に供さなければならない。

問題6　誤り

協定の内容の変更には、法70条～73条が準用され、原則として、土地の所有者等の**全員の合意**が必要である。

問題7　誤り

認可の公告のあった建築協定は、その**公告のあった日以後**において建築協定区域内の土地の所有者等になった者に対しても、原則として、その効力がある。

問題8　正しい

建築協定の廃止は、建築協定区域内の土地の所有者等(当該建築協定の効力が及ばない者を除く。)の**過半数の合意**が必要であり、その旨を特定行政庁に申請してその認可を受けなければならない。

問題9　正しい

市町村は、**地区計画等の区域内**において、建築物の敷地、構造、建築設備又は用途に関する事項で、当該地区計画等の内容として定められたものを**条例**で、これらに関する制限として**定めることができる**。

問題10　誤り

地区整備計画の定められている区域内において条例で定める制限には、建築物の高さの最高限度は規定されるが、階数については、規定されていない。したがって、階数の最高限度は条例で定めることができない。

問題11　正しい

再開発等促進区内の制限の緩和において、設問の要件により、特定行政庁が**認定**したものは、容積率(法52条)の規定は、**適用しない**。

問題12　誤り

地区計画における予定道路に接する敷地で「特定行政庁が許可したもの」は、その**予定道路**を**前面道路とみなして**容積率の**規定**を**適用**する。

問題13　正しい

地階を除く階数が**３以上**である建築物、地階に居室を有する建築物又は延べ面積が3,000㎡を超える建築物に設ける**換気**、暖房又は冷房の設備の**風道**及びダストシュート等その他これらに類するもの(屋外に面する部分等を除く)は、**不燃材料**で造ること。

問題14　正しい

３階以上の階を**共同住宅**の用途に供する建築物の住戸に設ける**ガスの配管設備**は、国土交通大臣が安全を確保するために必要があると認めて定める基準による。

問題15　正しい

法28条２項、令20条の２第一号イによる**自然換気設備**の**排気口**は、**給気口**より**高い位置**に設け、常時開放された構造とし、かつ、排気筒の立上り部分に直結しなければならない。

問題16　誤り

機械換気設備は、換気上有効な「給気機及び排気機」、「給気機及び排気口」又は「給気口及び排気機」を有する構造としなければならない。

問題17　正しい

乗用エレベーターの**かご**の積載荷重は、かごの床面積が３㎡を超えるものは、床面積の**３㎡を超える**面積に対して**１㎡につき5,900Ｎ**として計算した数値に**13,000Ｎを加えた**数値を下回ってはならない。

13,000＋5,900×（４－３）＝18,900Ｎ

問題18　正しい

エスカレーターの**踏段**の積載荷重Ｐ(Ｎ)は、次式によって計算した数値以上としなければならない。

Ｐ＝2,600Ａ　　Ａ：エスカレーターの踏段面の水平投影面積(㎡)

したがって、踏段面の水平投影面積が10㎡である場合の積載荷重は、

2,600Ｎ×10＝26,000Ｎ以上とする。

Check Point 10 建築士法・職業倫理

❶ 建築士法

① **定義(士法２条)**

- **設計図書** ⇨ 建築工事の実施に必要な**図面**、**仕様書**。(現寸図等を除く)
- **工事監理** ⇨ 工事を設計図書と照合し、そのとおりに実施されているかを確認すること。

② **１級建築士でなければできない設計・工事監理(士法３条)**

- 延べ面積が**500㎡**を超える学校、病院、劇場、映画館、観覧場、公会堂、オーディトリアムのある集会場、百貨店
- **木造** ⇨ 高さ**13m超**：軒の高さ**９m超**
- ＲＣ造、Ｓ造、石造、れんが造、コンクリートブロック造、無筋コンクリート造 ⇨ 延べ面積**300㎡超**：高さ**13m超**：軒の高さ**９m超**
- 延べ面積が**1,000㎡**を超え、階数が**２以上**の建築物

建築士でなければできない設計・工事監理

<table>
<tr><td colspan="2" rowspan="3">構造・規模
面積(㎡)
及び用途等</td><td colspan="4">木造建築物</td><td colspan="3">鉄筋コンクリート造、鉄骨造、石造、れんが造、コンクリートブロック造、無筋コンクリート造</td></tr>
<tr><td colspan="3">高さ13m、軒の高さ９m以下</td><td rowspan="2">高さ13m、軒の高さ９mを超えるもの</td><td colspan="2">高さ13m、軒の高さ９m以下</td><td rowspan="2">高さ13m、軒の高さ９mを超えるもの</td></tr>
<tr><td>階数１</td><td>階数２</td><td>階数３以上</td><td>階数１
階数２</td><td>階数３以上</td></tr>
<tr><td colspan="2">A≦ 30</td><td>建築士でなくても可</td><td>建築士でなくても可</td><td>２級建築士以上</td><td>１級建築士</td><td>建築士でなくても可</td><td>２級建築士以上</td><td>１級建築士</td></tr>
<tr><td colspan="2">30＜A≦100</td><td>建築士でなくても可</td><td>建築士でなくても可</td><td>２級建築士以上</td><td>１級建築士</td><td>２級建築士以上</td><td>２級建築士以上</td><td>１級建築士</td></tr>
<tr><td colspan="2">100＜A≦300</td><td>木造建築士以上</td><td>木造建築士以上</td><td>２級建築士以上</td><td>１級建築士</td><td>２級建築士以上</td><td>２級建築士以上</td><td>１級建築士</td></tr>
<tr><td colspan="2">300＜A≦500</td><td>２級建築士以上</td><td>２級建築士以上</td><td>２級建築士以上</td><td>１級建築士</td><td>１級建築士</td><td>１級建築士</td><td>１級建築士</td></tr>
<tr><td rowspan="2">500＜A≦1,000</td><td>一般</td><td>２級建築士以上</td><td>２級建築士以上</td><td>２級建築士以上</td><td>１級建築士</td><td>１級建築士</td><td>１級建築士</td><td>１級建築士</td></tr>
<tr><td>特殊建築物</td><td>１級建築士</td><td>１級建築士</td><td>１級建築士</td><td>１級建築士</td><td>１級建築士</td><td>１級建築士</td><td>１級建築士</td></tr>
<tr><td rowspan="2">1,000＜A</td><td>一般</td><td>２級建築士以上</td><td>１級建築士</td><td>１級建築士</td><td>１級建築士</td><td>１級建築士</td><td>１級建築士</td><td>１級建築士</td></tr>
<tr><td>特殊建築物</td><td>１級建築士</td><td>１級建築士</td><td>１級建築士</td><td>１級建築士</td><td>１級建築士</td><td>１級建築士</td><td>１級建築士</td></tr>
</table>

▒：１級建築士　▒：２級建築士以上　░：木造建築士以上
□：建築士でなくても可

③ **免許(士法４～11条)**

- １級建築士になろうとする者は、１級建築士試験に**合格**し、**国土交通大臣**の**免許**を受けなければならない。
- 免許証の交付の日から30日以内に住所その他所定の事項を届け出なければならない(変更があった場合も同様)。

④　**業務（士法18～22条の３）**

- **建築士**は、工事監理を行う場合、工事が設計図書のとおりに実施されていないと認めるときは、**直ちに工事施工者**に指摘し、設計図書のとおりに実施するよう求め、これに従わないときは、**建築主**に**報告**しなければならない。
- 他の建築士が設計した設計図書の一部を変更しようとする場合は、原則として、その建築士の**承諾**を得なければならない。
- 設計または設計変更を行った場合は、設計をした本人が建築士である旨の表示をして、**記名**しなければならない。
- 工事監理を終了したときは、**直ち**にその結果を**文書**で**建築主**に報告しなければならない。

⑤　**建築士事務所の登録（士法23条）**

- 建築士が、他人の求めに応じて、報酬を得て次のいずれかの業務を行う場合は、建築士事務所の**登録**をしなければならない。
- 設計、工事監理
- 建築工事契約に関する事務
- 建築工事の指導監督
- 建築物に関する調査、鑑定、手続きの代理

⑥　**建築士事務所の管理（士法24条）**

- １級建築士事務所には、**専任**の１級建築士を置かなければならない。

⑦　**帳簿の備え付け等及び図書の保存（士法24条の４）**

- 建築士事務所の開設者は、帳簿、設計図書、工事監理報告書等を**15年間**保存しなければならない。

⑧　**監督処分（士法26条）**

- 都道府県知事は、建築士事務所の開設者が、同法１項各号のいずれかに該当する場合、建築士事務所の登録を取り消さなければならない。
- 都道府県知事は、同法２項各号のいずれかに該当する事実がある場合、建築士事務所の開設者に対し、戒告し、若しくは１年以内の期間を定めて建築士事務所の閉鎖を命じ、又は登録を取り消すことができる。

⑨　**罰　　則**

罰則は、士法37条から士法43条に規定されている。

2 職業倫理

- 国土交通省のホームページ等により、社会情勢等を情報収集し、確認する。

アドバイス　建 築 士 法

- 手続き関連の問題では、「誰が」「どこに」「何日以内に」を明確に把握する。
- 過去の問題の類似問題が多く出題されているので、過去問題集等で確実に把握すること。

問題10

次の記述について、建築士法上、**正しいか、誤っているか**、判断しなさい。

問題１　〈ヒント条文〉➡建築士法３条１項

延べ面積が400㎡の鉄骨造の集会場を新築する場合においては、一級建築士でなければ、その設計又は工事監理をしてはならない。

問題２　〈ヒント条文〉➡建築士法３条１項

延べ面積500㎡、高さ14m、軒の高さ９mの木造の地上３階建ての共同住宅の新築については、一級建築士事務所の管理建築士の監督の下に、当該建築士事務所に属する二級建築士が工事監理をすることができる。

問題３　〈ヒント条文〉➡建築士法５条の２第２項、規則８条１項

一級建築士は、勤務先の建築士事務所の名称が変わったときは、その日から30日以内に、その旨を、住所地の都道府県知事に届け出なければならない。

問題４　〈ヒント条文〉➡建築士法10条１項、４項

国土交通大臣は、建築基準法の規定に違反した一級建築士の免許の取消しをしようとするときは、中央建築士審査会の同意を得なければならない。

問題５　〈ヒント条文〉➡建築士法18条３項

建築士は、工事監理を行う場合において、工事が設計図書のとおりに実施されていないと認めるときは、直ちに、工事施工者に対して、その旨を指摘し、当該工事を設計図書のとおりに実施するよう求め、当該工事施工者がこれに従わないときは、その旨を建築主に報告しなければならない。

問題６　〈ヒント条文〉➡建築士法19条

一級建築士は、他の建築士の設計した設計図書の一部を変更しようとする場合、当該建築士の承諾が得られなかったときは、自己の責任において、その設計図書の一部を変更することができる。

問題７　〈ヒント条文〉➡建築士法20条１項、24条３項

建築士事務所を管理する一級建築士は、当該事務所に属する他の建築士が設計を行った建築物の設計図書について、一級建築士である旨の表示をして記名しなければならない。

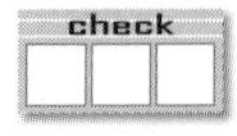

問題８　〈ヒント条文〉➡建築士法20条３項

建築士は工事監理を終了したとき、直ちに、その結果を文書で建築主に報告しなければならない。

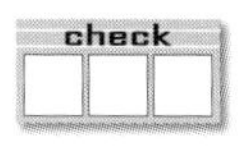

問題9　〈ヒント条文〉➡建築士法22条の2

建築士事務所に属する構造設計一級建築士は、一級建築士定期講習と構造設計一級建築士定期講習の両方を受けなければならない。

問題10　〈ヒント条文〉➡建築士法23条１項

一級建築士は、他人の求めに応じ報酬を得て、建築工事契約に関する事務を業として行おうとするときは、一級建築士事務所を定めて、その建築士事務所について、登録を受けなければならない。

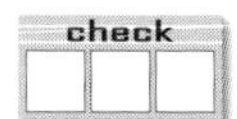

問題11　〈ヒント条文〉➡建築士法23条の５第１項

建築士事務所の開設者は、その建築士事務所の所在地について変更があったときは、２週間以内に、その旨を当該都道府県知事に届け出なければならない。

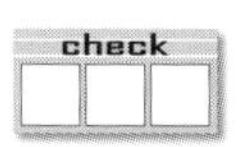

問題12　〈ヒント条文〉➡建築士法24条の４第２項、規則21条４項

工事監理報告書は、建築士事務所の開設者が保存しなければならない図書に含まれない。

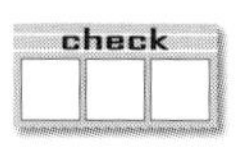

問題13　〈ヒント条文〉➡建築士法24条の４第２項、規則21条５項

建築士事務所の開設者が保存しなければならない設計図書の保存期間は、作成した日から起算して15年間である。

職業倫理

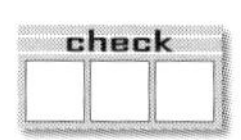

問題14　〈ヒント条文〉➡建築士法10条１項

一級建築士による「工事監理者であるにもかかわらず、工事監理を十分に行わなかったことにより、施工上の重大な欠陥を見逃した」行為は、建築士法に基づいて業務停止等の懲戒処分の対象となる。

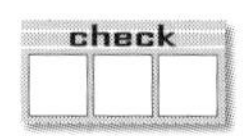

問題15　〈ヒント条文〉➡建築基準法101条１項

一級建築士でなければ行ってはならない建築物の設計及び工事監理を二級建築士が行い、工事が施工された場合、当該二級建築士は罰則の適用の対象となり、当該建築物の工事施工者は罰則の適用の対象とならない。

問題16　〈ヒント条文〉➡建築士法21条の３

建築士は、建築基準法、建築士法等の規定に違反する行為について、相談に応じてはならない。

解説

問題1　正しい、問題2　誤り

次のいずれかに該当する建築物を新築する場合は、**1級建築士**でなければ、その設計又は工事監理をしてはならない。

① 学校、病院、劇場等で、延べ面積が500㎡を超えるもの
② 木造の建築物で、高さが13m又は軒の高さが9mを超えるもの
③ **鉄筋コンクリート造、鉄骨造**等の建築物で、延べ面積が**300㎡**、高さが**13m**又は軒の高さが**9m**を**超える**もの
④ 延べ面積が1,000㎡を超え、かつ、階数が2以上の建築物

問題3　誤り

建築士は、**勤務先の名称**等の国土交通省令で定める事項に変更があったときは、その日から**30日以内**に、その旨を**一級建築士**にあっては国土交通大臣に届け出なければならない。

問題4　正しい

国土交通大臣は、建築基準法の規定等に違反した**一級建築士**の業務の停止を命じ、又は**免許を取り消そう**とするときは、**中央建築士審査会の同意**を得なければならない。なお、都道府県知事の免許である二級建築士又は木造建築士にあっては、都道府県知事が都道府県建築士審査会の同意を得る。

問題5　正しい

建築士は、**工事監理**を行う場合において、工事が設計図書のとおりに実施されていないと認めるときは、**直ちに**、工事施工者に対して、その旨を**指摘**し、工事を設計図書のとおりに実施するよう求め、工事施工者がこれに**従わないとき**は、その旨を**建築主**に**報告**しなければならない。

問題6　正しい

一級建築士は、**他の建築士の設計**した設計図書の一部を**変更**しようとするときは、当該建築士の**承諾**を求めなければならない。ただし、承諾が**得られなかった**とき等は、**自己の責任**において、その設計図書の一部を**変更**することができる。

問題7　誤り

一級建築士は、**設計を行った**場合、設計図書に一級建築士である旨の**表示**をして**記名**しなければならない。したがって、設計を行った建築士が記名する。なお、管理建築士は、技術的事項を総括等する。

問題8　正しい

建築士は、**工事監理**を**終了**したときは、直ちに、その結果を**文書**で**建築主**に**報告**しなければならない。

問題9　正しい

「建築士事務所に**属する**一級・二級・木造建築士」及び「構造設計一級建築士・設備設計一級建築士」は、一定期間ごとに、登録講習機関が行う講習を受けなければならない。したがって、一級建築士定期講習と構造設計一級建築士定期講習の**両方**を受けなければならない。

問題10　正しい

一級建築士は、他人の求めに応じ**報酬**を得て、設計、工事監理、**建築工事契約に関する事務**、建築工事の指導監督、建築物に関する調査若しくは鑑定又は建築物の建築に関する法令若しくは条例の規定に基づく手続の代理を業として行おうとするときは、**一級建築士事務所**を定めて、その建築士事務所について、都道府県知事の**登録**を受けなければならない。

問題11　正しい

建築士事務所の**開設者**は、建築士事務所の名称及び所在地（建築士法23条の２第一号）等について**変更**があったときは、**２週間以内**にその旨を都道府県**知事**に届け出なければならない。

問題12　誤り、問題13　正しい

建築士事務所の**開設者**は、建築士事務所の業務に関する図書で、建築士事務所に属する建築士が建築士事務所の業務として作成した所定の**設計図書**、**工事監理報告書**等を、図書を作成した日から起算して**15年間保存**しなければならない。

問題14　正しい

国土交通大臣又は都道府県知事は、免許を受けた建築士が、①建築士法若しくは建築物の建築に関する他の法律又はこれらに基づく命令若しくは条例の規定に違反したとき、②業務に関して**不誠実な行為**をしたときは、建築士に対し、戒告し、若しくは１年以内の期間を定めて業務の停止を命じ、又は免許を取り消すことができる。設問の記述は同項一号に該当し、免許取消、業務停止の懲戒処分を行うことができる。

問題15　誤り

建築基準法５条の６第５項の規定（建築主は、建築士法の規定により所定の建築士の設計によらなければならない工事をする場合においては、所定の建築士である工事監理者を定めなければならず、この規定に違反した工事は、することができない）に違反した場合における当該建築物の工事施工者は、100万円以下の罰金に処する。

問題16　正しい

建築士は、建築基準法の定める建築物に関する基準に適合しない建築物の建築その他のこの法律若しくは建築物の建築に関する他の法律又はこれらに基づく命令若しくは条例の**規定に違反**する行為について指示をし、相談に応じ、その他これらに類する行為をしてはならない。

Check Point 11 その他の関係法令

1 都市計画法

① **開発行為の許可(知事)**

- 都市計画区域、準都市計画区域での開発行為

② **許可を要しない開発行為(29条)**

- 1,000㎡未満の開発行為(市街化区域等)
- 農林漁業用の畜舎、堆肥舎、農林漁業者用住宅(市街化調整区域等)
- 鉄道施設、図書館、公民館等の建築のための開発行為(区域を問わない)
- 都市計画事業、土地区画整理事業等による開発行為(〃)
- 非常災害のため必要な応急措置としての開発行為(〃)
- 通常の管理行為、軽易な行為(〃)

2 消 防 法

① **建築許可等についての同意(7条)**

- 建築物の建築許可、許可又は確認を行う場合には、行政庁等は、原則として、消防長又は消防署長の同意を受けなければならない。

② **学校等の防火管理者(8条)**

多人数が使用する学校、病院、工場等の管理の権限者は、**防火管理者**を定めなければならない。

- 自力で避難が困難な人が入所する老人ホーム等…収容人員**10**人以上
- 劇場、映画館、遊技場、飲食店、百貨店等…収容人員**30**人以上
- 共同住宅、学校、図書館等…収容人員**50**人以上

③ **特定防火対象物**

- 消防法17条の2の5第2項4号:百貨店、旅館、病院、地下街、所定の複合用途防火対象物
- 消防令34条の4第2項:劇場、映画館、遊技場、飲食店、マーケット、ホテル、児童福祉施設、幼稚園等

④ **消防用設備等の設置基準(令10条～29条の3)**

消防令別表第1に掲げる**防火対象物**には、**消防用設備等**(消防令7条)を設けなければならない。これら消防用設備等については、別表第1を使い設置すべき建築物を確認する。

- 屋内消火栓設備(消防令11条)
- スプリンクラー設備(消防令12条)
- 屋外消火栓設備(消防令19条)
- 自動火災報知設備(消防令21条)

❸ バリアフリー法

所定の特別特定建築物を建築しようとする者、又は維持保全する者は「建築物移動等円滑化基準」に適合させなければならない(**14条**)。また、特定建築物を建築しようとする者は、「建築物移動等円滑化基準」に適合させるために必要な措置を講ずるよう努めなければならない(**16条**)。

① **特別特定建築物(2条19号、令5条)**

- 不特定かつ多数の者が利用し、又は主として高齢者、障害者等が利用する特定建築物で、移動等円滑化が特に必要なものとして定められるもの。

② **特定建築物(2条18号、令4条)**

- 学校、病院、劇場、観覧場、集会場、展示場、百貨店、ホテル、事務所、共同住宅、老人ホーム等、多数の者が利用するものとして定められる建築物又はその部分をいい、これらに附属する建築物特定施設を含む。

③ **建築物特定施設(2条20号、令6条、規則3条)**

- **出入口**
- **廊下等**
- **階段**
- **傾斜路**
- **エレベーターその他の昇降機**
- **便所**
- **ホテル又は旅館の客室**
- **敷地内の通路**
- **駐車場**
- **劇場等の客席**
- **浴室等**

④ **計画の認定(17条)**

- 特定建築物の建築等をしようとする者は、特定建築物の建築等及び維持保全の計画を作成し、**所管行政庁**に認定の申請をすることができる。併せて、建築確認申請書を提出し、建築確認の特例(適合通知)を求めることができる。

⑤ **建築確認の特例(17条4項~8項)**

- 適合通知を受けて所管行政庁が計画の認定を行った場合は、建築確認を受けたものとみなす。

❹ 耐震改修促進法

① **特定既存耐震不適格建築物の所有者の努力(14条)**

次に掲げる特定既存耐震不適格建築物の所有者は、耐震診断を行い、その結果、地震に対する安全性の向上を図る必要があると認められるときは、耐震改修を行うように努めなければならない。

- 学校、病院、劇場、集会場、百貨店、事務所、老人ホーム等、多数の者が利用する建築物で政令で定めるものであって、政令で定める規模以上のもの。

- 火薬類、石油類その他政令で定める危険物であって、政令で定める数量以上のものの貯蔵場又は処理場の用途に供する建築物。
- その敷地が都道府県耐震改修促進計画に記載された道路又は市町村耐震改修促進計画に記載された道路に接する通行障害建築物。

② **特定既存耐震不適格建築物に係る指導及び助言並びに指示等（15条）**

所管行政庁は、特定既存耐震不適格建築物の所有者に対し、必要な指導及び助言をすることができる。

所管行政庁は、次に掲げる特定既存耐震不適格建築物（政令で定めるものであって政令で定める規模以上のものに限る。）について必要な耐震診断又は耐震改修が行われていないと認めるときは、特定既存耐震不適格建築物の所有者に対し、必要な指示をすることができる。

- 病院、劇場、観覧場、集会場、展示場、百貨店その他不特定かつ多数の者が利用する特定既存耐震不適格建築物
- 小学校、老人ホームその他地震の際の避難確保上特に配慮を要する者が主として利用する特定既存耐震不適格建築物
- 火薬類等の危険物で、所定の数量以上の貯蔵場等に供する特定既存耐震不適格建築物
- その敷地が都道府県耐震改修促進計画に記載された道路又は市町村耐震改修促進計画に記載された道路に接する通行障害建築物である特定既存耐震不適格建築物

③ **計画の認定（17条）**

- 建築物の耐震改修をしようとする者は、建築物の耐震改修の計画を作成し、所管行政庁の認定を申請することができる。
- 建築物の耐震改修の計画には、建築物の「位置」、「階数、延べ面積、構造方法及び用途」、「耐震改修の事業内容」、「耐震改修の事業に関する資金計画」、「建築面積及び耐震改修の事業の実施時期」を記載する。

5 品 確 法

① **日本住宅性能表示基準（３条）**

- 国土交通大臣及び内閣総理大臣は、住宅の性能に関する表示の適正化を図るため、日本住宅性能表示基準を定めなければならない。

② **住宅性能評価書（５条）**

- 登録住宅性能評価機関は、申請により、住宅性能評価を行い、住宅性能評価書を交付することができる。

③ **住宅性能評価書等と契約内容（６条）**

次の場合、契約したものとみなす。

- 住宅の建設工事の請負人は、設計住宅性能評価書（又は写し）を請負契約書に添付又は交付した場合において、その性能を有する住宅の建設工事を行うこと
- 新築住宅の建設工事の完了前に売買契約を締結した売主は、設計住宅性能評価書を売買契約書に添付又は交付した場合において、その性能を有する新築住宅を引き渡すこと
（工事の完了後に売買契約を締結した場合は、建設住宅性能評価書）

④　**瑕疵担保責任**

●住宅新築請負契約・売買契約において、請負人・売主は、注文者・買主に引き渡した時から10年間、住宅の構造耐力上主要な部分等の瑕疵について、民法に規定する担保責任を負う(94・95条)。

6 建築物省エネ法

規制措置

①　**適合義務制度(11・12条)**

●300m²以上の非住宅建築物は省エネ基準に適合させなければならない。

②　**届出義務制度(19条)**

●300m²以上の住宅は、省エネ計画を所管行政庁に届出なければならない。

③　**説明義務制度(27条)**

●300m²未満の住宅・建築物の設計の際、建築士から建築主に省エネ基準への適合などについて説明しなければならない。

	非住宅	住宅
大規模建築物 中規模建築物 (300m²以上)	[特定建築物] 適合義務	届出義務
小規模建築物 (10m²超300m²未満)	省エネ基準適合への努力義務 + 建築士から建築主への説明義務	

④　**住宅トップランナー制度(28・31条)**

●住宅トップランナー基準(省エネ基準よりも高い水準)を定め、省エネ性能の向上を誘導。

誘導措置

⑤　**容積率特例に係る認定制度(34・35・40条)**

●誘導基準に適合していること等について所管行政庁の認定を受けたものについては、省エネ性能向上のための設備について通常の建築物の床面積を超える部分を不算入とする(10%を上限)。

アドバイス　その他の関係法令

●都市計画法：出題範囲が広範囲に及ぶので、過去の類似問題については、確実に得点できるような学習をすること。
●消防法：消防法令別表第1と各消防用設備等の規定との関連を理解すること。
●バリアフリー法と耐震改修促進法は、同じような構成であり、出題のポイントも似ている。過去の問題を把握することで対応が可能である。

問題 11-1

次の記述について、都市計画法上、**正しいか、誤っているか**、判断しなさい。

問題1　〈ヒント条文〉➡都計法４条12項
建築物の建築の用に供する目的で行う土地の区画形質の変更は、その土地の規模にかかわらず「開発行為」である。

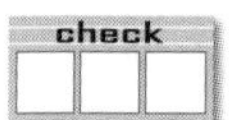

問題2　〈ヒント条文〉➡都計法７条３項、13条１項７号
市街化調整区域については、原則として、用途地域を定めないものとされている。

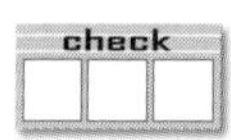

問題3　〈ヒント条文〉➡都計法29条１項２号、令20条
市街化調整区域内において、農産物の集荷の用に供する倉庫を建築する目的で開発行為をしようとする者は、開発許可を受けなければならない。

問題4　〈ヒント条文〉➡都計法29条１項１号、令19条１項
市街化区域内において、各種学校の建築の用に供する目的で行う開発行為で、その規模が1,500㎡のものは、開発許可を受けなければならない。

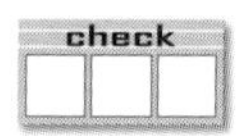

問題5　〈ヒント条文〉➡都計法29条１項２号
市街化調整区域内において、病院の建築を目的とする開発行為で、その規模が1,000㎡のものは、開発許可を受けなければならない。

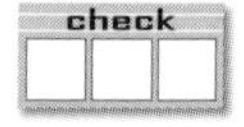

問題6　〈ヒント条文〉➡都計法37条
開発許可を受けた区域内の土地においては、開発行為に関する工事の完了の公告がなされるまでは、原則として、許可に係る予定建築物であっても、建築してはならない。

問題7　〈ヒント条文〉➡都計法43条１項３号
市街化調整区域のうち開発許可を受けた開発区域以外の区域内において、仮設建築物を新築する場合は、都道府県知事の許可を受ける必要はない。

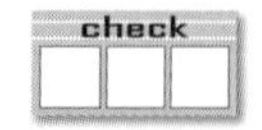

問題8　〈ヒント条文〉➡都計法53条１項１号、令37条
都市計画事業の認可等の告示前においては、都市計画施設の区域内において、階数が２以下で、かつ、地階を有しない木造の建築物の改築は、都道府県知事の許可を要しない。

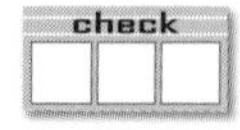

問題9　〈ヒント条文〉➡都計法58条の２第１項
地区計画による地区整備計画が定められている区域内において、建築物の建築を行おうとする者は、原則として、建築に着手する日の30日前までに、行為の種類、場所等を市町村長に届け出なければならない。

次の記述について、消防法上、**正しいか、誤っているか**、判断しなさい。

check □□□

問題10　〈ヒント条文〉➡消防法８条１項、令１条の２第３項

収容人員が30人以上の映画館については、防火管理者を定めなければならない。

check □□□

問題11　〈ヒント条文〉➡消防法17条の２の５第２項、令34条の４、令別表第１

美術館は、特定防火対象物に該当する。

次の記述について、消防法上、**正しいか、誤っているか**、判断しなさい。ただし、いずれも地階及び無窓階を有しないものとし、危険物等の貯蔵及び取扱いは行わないものとする。

check □□□

問題12　〈ヒント条文〉➡消防法令８条１号

防火対象物が開口部のない防火構造の床又は壁で区画されているときは、その区画された部分は、消防用設備等の設置及び維持の技術上の基準の規定の適用については、それぞれ別の防火対象物とみなす。

check □□□

問題13　〈ヒント条文〉➡消防法令12条１項

耐火建築物で、延べ面積3,000㎡の３階建のスーパーマーケットについては、原則として、スプリンクラー設備を設置しなければならない。

check □□□

問題14　〈ヒント条文〉➡消防法17条の２の５第２項４号、令34条の４第２項

図書館は、消防用設備等の技術上の基準に関する政令等の規定の施行又は適用の際、現に存する建築物であっても、新築の場合と同様に消防用設備等の規定が適用される「特定防火対象物」である。

check □□□

問題15　〈ヒント条文〉➡消防法令21条１項

展示場で、延べ面積300㎡のものには、原則として、自動火災報知設備を設置しなければならない。

解説

問題1　正しい

開発行為とは、「建築物の建築又は特定工作物の建設」の用に供する目的で行う土地の**区画形質の変更**をいい、土地及び建築物の**規模**は**規定されていない**。

問題2　正しい

市街化調整区域は、市街化を抑制すべき区域とされ、原則として**用途地域**を**定めない**ものとされる。

問題3　誤り

市街化調整区域、区域区分が定められていない都市計画区域又は準都市計画区域内において行う開発行為で、**農産物の集荷**の用に供する**倉庫**を建築する場合は、許可を要しない。

問題4　正しい

市街化区域内において行う開発行為で、その規模が**1,000㎡以上**であるものは、開発許可を受けなければならない。また、都計法29条１項三号、同法施行令21条各号より、**各種学校**は、許可を要しない公益上必要な建築物には該当しない(同条二十六号により除外)ので、開発許可を受けなければならない。

問題5　正しい

市街化調整区域内の**病院**は、市街化調整区域内において行う許可を要しない開発行為に該当しない。また、都計法29条１項三号、同法施行令21条各号に定める許可を要しない公益上必要な建築物にも該当しない(同条二十六号により除外)。したがって、開発許可を受けなければならない。

問題6　正しい

開発許可を受けた**開発区域内**の土地においては、開発行為に関する工事の完了の**公告があるまでの間**は、原則として、建築物を建築し、又は特定工作物を建設してはならない。

問題7　正しい

市街化調整区域のうち開発許可を受けた開発区域以外の区域内においては、原則として、都道府県知事の許可を受けなければ、同法29条１項二号及び三号の建築物以外の建築物の新築等をしてはならないが、**仮設建築物**の新築は**除かれている**。

問題8　正しい

都市計画施設の区域又は**市街地開発事業の施行区域内**において建築物の建築をしようとする者は、**都道府県知事**の許可を受けなければならないが、階数が**２以下**で、かつ、**地階を有しない**木造の建築物の**改築**又は移転等については、許可を要しない。

問題9　正しい

地区整備計画が定められている地区計画の区域内において、土地の区画形質の変更、**建築物の建築**等を行おうとする者は、原則として、当該行為に着手する日の**30日前**までに、省令で定めるところにより、行為の種類、場所、設計又は施行方法、着手予定日等を**市町村長**に届け出なければならない。

問題10　正しい

映画館は、消防法令別表第１（１）項イに該当し、収容人員**30人以上**の場合、**防火管理者**を定めなければならない防火対象物となる。

問題11　誤り

特定防火対象物は、消防用設備等の技術上の基準に関する政令等の施行又は適用の際、現に存する百貨店、旅館、病院、地下街、複合用途防火対象物その他多数の者が出入するものとして政令で定めるものであるが、**美術館**は該当しない。

問題12　誤り

防火対象物が開口部のない「**耐火構造**」の床又は壁で区画されているときは、その区画された部分は、消防用設備等の設置及び維持の技術上の基準の規定の適用については、それぞれ**別の防火対象物**と**みなす**。**防火構造ではない**。

問題13　正しい

スーパーマーケットは、消防法令別表第１（４）項に該当し、床面積の合計が**3,000㎡以上**のものは、原則として、**スプリンクラー設備**の設置を要する。

問題14　誤り

特定防火対象物は、消防用設備等の技術上の基準に関する政令等の施行又は適用の際、現に存する「百貨店、旅館、病院、地下街、複合用途防火対象物」、「その他多数の者が出入するものとして政令で定めるもの」であるが、**図書館**（令別表第１（８）項）は該当しない。

問題15　正しい

展示場は、消防法令別表第１（４）項に該当し、延べ面積が**300㎡以上**の場合、原則として、**自動火災報知設備**を設置しなければならない。

問題 11-2

次の記述について、「高齢者、障害者等の移動等の円滑化の促進に関する法律」上、**正しいか、誤っているか**、判断しなさい。

check □□□

問題1　〈ヒント条文〉➡バリアフリー法14条1項、令5条

建築主等は、床面積の合計が3,000㎡の共同住宅の新築をしようとするときは、当該建築物を建築物移動等円滑化基準に適合させなければならない。

check □□□

問題2　〈ヒント条文〉➡バリアフリー法令18条2項7号

移動等円滑化経路を構成する敷地内の通路は、幅を120cm以上とし、50m以内ごとに車椅子の転回に支障がない場所を設けなければならない。

check □□□

問題3　〈ヒント条文〉➡バリアフリー法14条1項、令15条1項

床面積の合計が3,000㎡のホテルを新築するに当たって、客室の総数が150室の場合には、車椅子使用者用客室を2室以上設けなければならない。

check □□□

問題4　〈ヒント条文〉➡バリアフリー法19条、令26条

認定特定建築物の建築物特定施設の床面積のうち、移動等円滑化の措置をとることにより通常の建築物の建築物特定施設の床面積を超えることとなる部分については、認定特定建築物の延べ面積の1/5を限度として、容積率の算定の基礎となる延べ面積には算入しないものとする。

次の記述について、「建築物の耐震改修の促進に関する法律」上、**正しいか、誤っているか**、判断しなさい。

check □□□

問題5　〈ヒント条文〉➡耐震改修法11条

要安全確認計画記載建築物の所有者は、当該建築物について耐震診断の結果、地震に対する安全性の向上を図る必要があると認められるときは、耐震改修を行うよう努めなければならない。

check □□□

問題6　〈ヒント条文〉➡耐震改修法14条

特定既存耐震不適格建築物の所有者は、当該建築物について耐震診断を行い、その結果、地震に対する安全性の向上を図る必要があると認められるときは、耐震改修を行うよう努めなければならない。

check □□□

問題7　〈ヒント条文〉➡耐震改修法15条2項

所管行政庁は、床面積の合計が2,000㎡のホテルについて、必要な耐震診断又は耐震改修が行われていないと認めるときは、その所有者に対し、必要な指示をすることができる。

check □□□

問題8　〈ヒント条文〉➡耐震改修法17条1項

一定規模以上の特定既存耐震不適格建築物の所有者は、当該特定既存耐震不適格建築物について耐震改修の計画を作成し、所管行政庁の認可を受けなければならない。

次の記述について、「住宅の品質確保の促進等に関する法律」上、**正しいか、誤っているか**、判断しなさい。

check

問題9　〈ヒント条文〉➡品確法２条２項

新たに建設された住宅で、まだ人の居住の用に供したことのないものであり、かつ、当該住宅の建設工事の完了の日から起算して１年を経過していないものは、「新築住宅」である。

check

問題10　〈ヒント条文〉➡品確法６条１項

住宅の建設工事の請負人は、設計住宅性能評価書の写しを請負契約書に添付した場合においては、当該設計住宅性能評価書の写しに表示された性能を有する住宅の建設工事を行うことを契約したものとみなす。

check

問題11　〈ヒント条文〉➡品確法94条１項、令５条２項２号

住宅新築請負契約又は新築住宅の売買契約における瑕疵担保責任の規定において、「住宅の構造耐力上主要な部分等」には、「雨水を排除するため住宅に設ける排水管のうち、当該住宅の屋根若しくは外壁の内部又は屋内にある部分」は含まれない。

check

問題12　〈ヒント条文〉➡品確法97条

住宅新築請負契約又は新築住宅の売買契約においては、住宅の構造耐力上主要な部分等の瑕疵（構造耐力又は雨水の浸入に影響のないものを除く。）について担保の責任を負うべき期間を、引き渡した時から20年間とすることができる。

次の記述について、「建築物のエネルギー消費性能の向上等に関する法律」上、**正しいか、誤っているか**、判断しなさい。

check

問題13　〈ヒント条文〉➡建築物省エネ法34条１項

建築主等は、エネルギー消費性能の一層の向上のために建築物の修繕をしようとするときは、建築物エネルギー消費性能向上計画を作成し、所管行政庁の認定を申請することができる。

check

問題14　〈ヒント条文〉➡建築物省エネ法35条８項

建築物エネルギー消費性能向上計画の認定を受けたときは、当該建築物の新築等のうち、建築物エネルギー消費性能適合性判定を受けなければならないものについては、原則として、適合判定通知書の交付を受けたものとみなされる。

check

問題15　〈ヒント条文〉➡建築物省エネ法12条１項、令４条１項

建築主は、非住宅部分の床面積の合計が300㎡の建築物を新築しようとするときは、その工事に着手する日の21日前までに、当該行為に係る建築物のエネルギー消費性能の確保のための構造及び設備に関する計画を所管行政庁に届けなければならない。

check

問題16　〈ヒント条文〉➡建築物省エネ法31条１項、令10条１項

請負型一戸建て規格住宅を１年間に新たに300戸建設する特定一戸建て住宅建設工事業者は、当該住宅をエネルギー消費性能の一層の向上のために必要な住宅の構造及び設備に関する基準に適合させるよう努めなければならない。

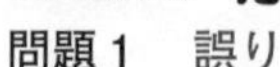

解説

問題１　誤り

建築主等は、**特別特定建築物**で床面積の合計**2,000㎡**（公衆便所に合っては、50㎡）以上の建築をしようとするときは、当該特定建築物を、**建築物移動等円滑化基準**に**適合**させなければならない。特別特定建築物は、同法２条十九号、同法施行令５条に定義されており、**共同住宅**は**該当しない**。

問題２　正しい

移動等円滑化経路を構成する敷地内通路の幅は**120cm以上**とし、**50m以内ごと**に車椅子の**転回**に支障がない場所を設けなければならない。

問題３　正しい

建築主等は、床面積2,000㎡以上の特別特定建築物（ホテルは、同法施行令５条七号により該当）の建築をしようとするときは、当該特別特定建築物を、建築物移動等円滑化基準に適合させなければならない。したがって、客室の総数が50以上の場合は、車椅子使用者用客室を客室の総数に**１/100**を乗じて得た数（その数に１未満の端数があるときは、その**端数**を**切り上げた数**）以上設けなければならない。当該ホテルは150室なので、150×１/100＝1.5　→**２室以上**設けなければならない。

問題４　誤り

認定特定建築物の建築物特定施設の床面積のうち、移動等円滑化の措置をとることにより通常の建築物の建築物特定施設の床面積を超えることとなる部分については、延べ面積の**１/10を限度**として、**算入しない**ものとする。

問題５　正しい

要安全確認計画記載建築物の所有者は、耐震診断の結果、地震に対する安全性の向上を図る必要があると認められるときは、**耐震改修**を行うよう**努めなければならない**。

問題６　正しい

特定既存耐震不適格建築物であるものの所有者は、耐震診断を行い、その結果、地震に対する安全性の向上を図る必要があると認められるときは、**耐震改修**を行うよう**努めなければならない**。

問題７　正しい

所管行政庁は、所定の**特定既存耐震不適格建築物**（ホテルは、同法施行令８条１項七号に該当）で、所定の規模（同令８条２項一号により床面積**2,000㎡**）以上のものについて、特定建築物の所有者に対し、必要な**指示**をすることができる。

問題８　誤り

耐震改修をしようとする者は、その計画を作成し、所管行政庁の**認定申請**ができる。したがって、特定既存耐震不適格建築物以外のものも、その規模に関わらず**認定**を申請することができる。また、「認可」の義務規定はない。

問題9　正しい
「新築住宅」とは、新たに建設された住宅で、まだ人の居住の用に供したことのないもの（建設工事の完了の日から起算して**1年を経過したものを除く**）をいう。

問題10　正しい
住宅の建設工事の請負人は、**設計住宅性能評価書**の**写し**を請負契約書に**添付**した場合においては、当該設計住宅性能評価書の写しに表示された性能を有する住宅の建設工事を行うことを**契約したものとみなす**。

問題11　誤り
「住宅の構造耐力上主要な部分等」には、「雨水を排除するため住宅に設ける排水管のうち、当該住宅の屋根若しくは外壁の内部又は屋内にある部分」が**含まれる**。

問題12　正しい
新築住宅の請負契約又は売買契約において、住宅の構造耐力上主要な部分等の**瑕疵担保責任の期間**は、原則として、注文者又は買主に引き渡したときから**10年間**（同法94条1項、95条1項）であるが、**20年以内**とすることができる。

問題13　正しい
建築主等は、エネルギー消費性能の一層の向上のための建築物の新築、増築、改築又は**修繕等**をしようとするときは、所定の建築物エネルギー消費性能向上計画を作成し、所管行政庁の**認定**を**申請**することができる。

問題14　正しい
建築物エネルギー消費性能向上計画の認定を受けたときは、当該建築物の新築等のうち、建築物エネルギー消費性能適合性判定を受けなければならないものについては、原則として、**適合判定通知書**の交付を**受けたものとみなされる**。

問題15　誤り
建築主は、**特定建築行為**（同法11条1項、同法施行令4条1項より、**非住宅部分が300㎡以上**の建築物の新築等）をしようとするときは、その工事に着手する前に、建築物エネルギー消費性能確保計画を提出して所管行政庁の**建築物エネルギー消費性能適合性判定**を受けなければならない。**届出ではない**。

問題16　正しい
1年間に新たに建設する**請負型一戸建て規格住宅**の戸数が、**300戸以上**である特定一戸建て住宅建設工事業者は、新たに建設する請負型一戸建て規格住宅を、「エネルギー消費性能の一層の向上のために必要な住宅の構造及び設備に関する基準」に**適合**させるように**努めなければならない**。

Challenge 令和６年 学科試験問題

check

No. 1 次の記述のうち、建築基準法上、**誤っている**ものはどれか。

1. 建築物に設ける消火用の貯水槽は、「建築設備」に該当する。
2. 建築材料の品質における「安全上、防火上又は衛生上重要である建築物の部分」には、屋外階段で防火上重要であるものとして国土交通大臣が定めるものも含まれる。
3. 高さ４mの記念塔の工事用の図面は、「設計図書」に含まれる。
4. 同一敷地内に二つの地上２階建ての建築物（延べ面積はそれぞれ400m^{2}及び200m^{2}とし、いずれも耐火構造の壁等はないものとする。）を新築する場合において、当該建築物相互の外壁間の距離を５mとする場合は、二つの建築物は「延焼のおそれのある部分」を有している。

No. 2 面積、高さ又は階数に関する次の記述のうち、建築基準法上、**誤っている**ものはどれか。

1. 建築物の敷地内に都市計画において定められた計画道路（都市計画法等による新設又は変更の事業計画のある道路で、２年以内にその事業が執行される予定のものとして特定行政庁が指定したものを除く。）がある場合において、特定行政庁の許可を受けて当該計画道路を容積率の算定に当たっての前面道路とみなす場合は、当該敷地のうち計画道路に係る部分の面積は、敷地面積又は敷地の部分の面積に算入しない。
2. 北側高さ制限において、建築物の敷地が北側で公園に接する場合、当該公園に接する隣地境界線は、当該公園の幅の$\frac{1}{2}$だけ外側にあるものとみなす。
3. 前面道路の境界線から後退した建築物の各部分の高さの制限において、当該建築物の後退距離の算定の特例を受ける場合の「軒の高さ」の算定については、前面道路の路面の中心からの高さによる。
4. 建築物の敷地が斜面又は段地である場合その他建築物の部分によって階数を異にする場合においては、これらの階数のうち最大なものを、当該建築物の階数とする。

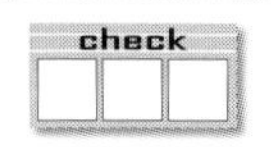

No. 3 次の記述のうち、建築基準法上、**誤っている**ものはどれか。

1. 原動機を使用する観覧車の築造については、確認済証の交付を受けなければならない。
2. 延べ面積3,000m^2、地上３階建ての病院の避難施設等に関する工事の施工中において当該建築物を使用する場合においては、建築主は、あらかじめ、当該工事の施工中における当該建築物の安全上、防火上又は避難上の措置に関する計画を作成して特定行政庁に届け出なければならない。
3. 高さが60mを超える建築物を建築しようとする場合において、建築主は、所定の構造計算によって安全性が確かめられたものとして国土交通大臣の認定を受ける必要があるが、都道府県知事又は指定構造計算適合性判定機関の構造計算適合性判定を受ける必要はない。
4. 鉄骨造、地上８階建ての共同住宅の増築の工事で、避難施設等に関する工事を含むものをする場合においては、建築主は、原則として、検査済証の交付を受けた後でなければ、当該避難施設等に関する工事に係る建築物又は建築物の部分を使用することができない。

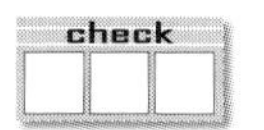

No. 4 建築物の用途の変更に関する次の記述のうち、建築基準法上、**誤っている**ものはどれか。ただし、増築、改築、大規模の修繕又は大規模の模様替を伴わないものとする。

1. 商業地域内において、鉄筋コンクリート造、延べ面積400m^2、地上３階建ての診療所(患者の収容施設があるもの)の用途を変更して、地域活動支援センターとする場合においては、確認済証の交付を受ける必要がない。
2. 鉄筋コンクリート造、延べ面積800m^2、地上２階建ての劇場の用途を変更して、公会堂とする場合においては、確認済証の交付を受けなければならない。
3. 原動機の出力の合計が3.0kWの空気圧縮機を使用する自動車修理工場において、その建築後に用途地域が変更されたため、原動機の出力の合計が現行の用途地域の規定に適合せず、建築基準法第３条第２項の規定の適用を受けているものについては、原動機の出力の合計を3.5kWに変更することができる。
4. 建築物の用途の変更についての確認済証の交付を指定確認検査機関から受けた場合においては、建築主は、建築物の用途の変更に係る工事が完了したときは、当該指定確認検査機関に届け出なければならない。

check

No. 5 イ～ニの記述について、建築基準法上、**正しいもののみの組合せ**は、次のうちどれか。

イ．劇場における昇降機機械室用階段の蹴上げ及び踏面の寸法は、それぞれ23cm及び15cmとすることができる。

ロ．高等学校における職員室には、採光のための窓その他の開口部を設けなければならない。

ハ．住宅の居室で地階に設けるものは、所定の基準によりからぼりに面する一定の開口部を設け、かつ、居室内の湿度を調節する設備を設けなければならない。

ニ．準工業地域内の有料老人ホームの入所者の使用する寝室(天窓を有しないもの)で、外側に幅１mの縁側(ぬれ縁を除く。)を有する開口部(道に面しないもの)の採光補正係数は、水平距離が６mであり、かつ、採光関係比率が0.24である場合においては、0.7とする。

1. イとロ
2. イとニ
3. ロとハ
4. ハとニ

No. 6 防火区画、防火壁及び防火床に関する次の記述のうち、建築基準法上、**誤っている**ものはどれか。

1. 主要構造部を耐火構造とした建築物について、区画された部分の床面積を3,000m^{2}とする場合の自動式のスプリンクラー設備を設けた部分の床面積には、手動式の補助散水栓による部分の床面積は含まれない。
2. 給水管、配電管等が防火壁又は防火床を貫通する場合においては、当該管等と当該防火壁又は防火床との隙間をモルタルその他の不燃材料で埋めなければならない。
3. 耐火建築物及び準耐火建築物以外の延べ面積が1,000m^{2}を超える木造の小学校は、原則として、床面積の合計1,000m^{2}以内ごとに準耐火構造の防火壁又は防火床で有効に区画しなければならない。
4. 避難階が地上１階であり、地下１階から地上２階の各階に居室を有する事務所の用途に供する建築物で、主要構造部を耐火構造としたものにおいては、地下１階から地上２階に通ずる階段の部分とその他の部分との区画に用いる防火設備は、避難上及び防火上支障のない遮煙性能を有するものでなければならない。

No. 7 次の記述のうち、建築基準法上、**誤っている**ものはどれか。

1. 準防火地域内における共同住宅の屋根の構造は、市街地における通常の火災による火の粉により、防火上有害な発炎をしないものであり、かつ、屋内に達する防火上有害な溶融、亀裂その他の損傷を生じないものでなければならない。
2. 耐火構造の耐力壁と準耐火構造の耐力壁は、いずれも、通常の火災による火熱がそれぞれについて定められた時間加えられた場合に、加熱終了後も構造耐力上支障のある変形、溶融、破壊その他の損傷を生じないものでなければならない。
3. 防火構造として、建築物の軒裏の構造は、軒裏に建築物の周囲において発生する通常の火災による火熱が加えられた場合に、加熱開始後30分間当該加熱面以外の面(屋内に面するものに限る。)の温度が可燃物燃焼温度以上に上昇しないものでなければならない。
4. 準防火性能に関する技術的基準に適合する構造として、建築物の耐力壁以外の外壁の構造は、外壁に建築物の周囲において発生する通常の火災による火熱が加えられた場合に、加熱開始後20分間当該加熱面以外の面(屋内に面するものに限る。)の温度が可燃物燃焼温度以上に上昇しないものでなければならない。

No. 8 避難施設等に関する次の記述のうち、建築基準法上、**誤っている**ものはどれか。

1. 建築物の高さ31m以下の部分にある３階以上の各階において、非常用の進入口の設置が必要な場合、外壁面の長さ40m以内ごとにこれを設けなければならない。
2. 地上23階建てのホテルの特別避難階段について、15階以上の各階における階段室及びこれと屋内とを連絡するバルコニー又は付室の床面積(バルコニーで床面積がないものにあっては、床部分の面積)の合計は、当該階に設ける各居室の床面積に$\frac{3}{100}$を乗じたものの合計以上としなければならない。
3. 主要構造部が耐火構造である地上５階建ての共同住宅において、各階の居室の床面積の合計が200m^{2}である場合、避難階以外の階から避難階又は地上に通ずる２以上の直通階段を設けなくてもよい。
4. 延べ面積1,200m^2、地上３階建ての集会場の客用に供する屋外への出口の戸は内開きとはせず、敷地内には当該出口から道又は公園、広場その他の空地に通ずる幅員が1.5m以上の通路を設けなければならない。

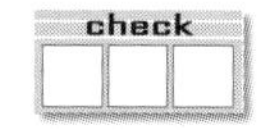

No. 9 次の記述のうち、建築基準法に**適合しない**ものはどれか。

1. 一戸建て住宅の窓のない床面積30m^{2}のシアタールームについて、これを区画する主要構造部を耐火構造とする代わりに、自動火災報知設備を設置した。
2. 屋内から屋外避難階段に通ずる出入口に、通常の火災による火熱が加えられた場合に、加熱開始後10分間当該加熱面以外の面に火炎を出さない防火設備を設置した。
3. 耐火建築物である地上２階建ての映画館において、客席(天井の高さが７m)の床面積の合計を500m^{2}としたので、客席の壁及び天井の室内に面する部分の仕上げを、難燃材料とした。
4. 延べ面積200m^2、平家建ての自動車車庫において、当該用途に供する部分の壁及び天井の室内に面する部分の仕上げを、準不燃材料とした。

No. 10 建築設備に関する次の記述のうち、建築基準法上、**誤っている**ものはどれか。ただし、エレベーター及びエスカレーターは、所定の特殊な構造又は使用形態のものを除くものとする。

1. 非常用エレベーターの乗降ロビーの構造が、通常の火災時に生ずる煙が乗降ロビーを通じて昇降路に流入することを有効に防止できるものとして、国土交通大臣が定めた構造方法を用いるもの又は国土交通大臣の認定を受けたものである場合においては、バルコニーの設置を要しない。
2. 排煙設備及び非常用エレベーターを設けた建築物の中央管理室は、排煙設備の制御及び作動状態の監視並びに非常用エレベーターの籠を呼び戻す装置の作動を行うことができるものとしなければならない。
3. 特定行政庁が衛生上特に支障があると認めて規則で指定する区域における処理対象人員400人の合併処理浄化槽は、原則として、放流水に含まれる大腸菌群数が3,000個/cm^3以下、かつ、通常の使用状態において、生物化学的酸素要求量の除去率が70％以上、合併処理浄化槽からの放流水の生物化学的酸素要求量が60mg/l以下とする性能を有するものでなければならない。
4. 建築物に設けるエスカレーターで、踏段面の水平投影面積が13m^2であるものの踏段の積載荷重は、33kNとすることができる。

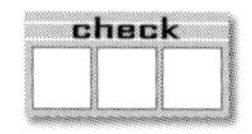

No. 11 建築物の構造計算に関する次の記述のうち、建築基準法上、**誤っているもの**はどれか。ただし、高さが4mを超える建築物とする。

1. 鉄筋コンクリート造の建築物において、保有水平耐力計算によって安全性を確かめる場合、構造耐力上主要な部分である柱の帯筋比は、0.2%以上としなくてもよい。
2. 鉄筋コンクリート造の建築物において、保有水平耐力計算によって安全性を確かめる場合、耐力壁の厚さは、12cm以上としなくてもよい。
3. 鉄骨造の建築物において、限界耐力計算によって安全性を確かめる場合、高力ボルト、ボルト又はリベットの相互間の中心距離は、その径の2.5倍以上としなくてもよい。
4. 鉄筋コンクリート造の建築物において、限界耐力計算によって安全性を確かめる場合、柱の出すみ部分の異形鉄筋の末端は、かぎ状に折り曲げて、コンクリートから抜け出ないように定着しなくてもよい。

No. 12 鉄筋コンクリート造、高さ31mの建築物の構造計算に関する次の記述のうち、建築基準法上、**誤っているもの**はどれか。

1. 許容応力度等計算を行う場合、建築物の地下部分の各部分に作用する地震力は、当該部分の固定荷重と積載荷重との和に、原則として、所定の式に適合する地震層せん断力係数を乗じて計算しなければならない。
2. 許容応力度等計算を行う場合、建築物の地上部分については、所定の地震力によって各階に生ずる層間変形角が所定の数値以内であることを確かめなければならない。
3. 保有水平耐力計算を行う場合、各階の剛性率がそれぞれ$\frac{6}{10}$以上であることを確かめなくてもよい。
4. 限界耐力計算によって安全性を確かめた場合には、保有水平耐力計算又はこれと同等以上に安全性を確かめることができるものとして国土交通大臣が定める基準に従った構造計算を行わなくてもよい。

No. 13 建築物の構造計算に関する次の記述のうち、建築基準法上、**誤っている**ものはどれか。

1. 建築物の実況によらないで、柱の垂直荷重による圧縮力を計算する場合、教室で柱の支える床の数が２のときは、床の積載荷重として採用する数値を1,995N/m^2とすることができる。
2. 木材の繊維方向における、長期に生ずる力に対する引張りの許容応力度は、原則として、木材の種類及び品質に応じて国土交通大臣が定める引張りに対する基準強度の$\frac{1.1}{3}$の数値である。
3. ステンレス鋼の高力ボルトの引張りに対する材料強度は、鋼材等の種類及び品質に応じて国土交通大臣が定める基準強度と同じ数値である。
4. 鋼材の突合せ溶接における、溶接継目ののど断面に対する、短期に生ずる力に対するせん断の許容応力度は、溶接される鋼材の種類及び品質に応じて国土交通大臣が定める溶接部の基準強度の$\frac{1}{1.5\sqrt{3}}$の数値である。

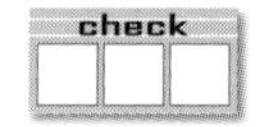

No. 14 都市計画区域内の道路に関する次の記述のうち、建築基準法上、**誤っている**ものはどれか。

1. その地方の気候などにより必要な場合には、特定行政庁により道路の幅員を６m以上とする区域が指定されることがある。
2. 自動車のみの交通の用に供する道路のみに接している敷地には、原則として、建築物を新築することができない。
3. 道路の地盤面下に、建築物に附属する地下通路を設ける場合には、特定行政庁の許可を受けることなく新築することができる。
4. 地区計画等の区域内において、建築物の敷地内に予定道路が指定された場合、当該予定道路の上空に設けられる渡り廊下は、特定行政庁の許可を受けることなく新築することができる。

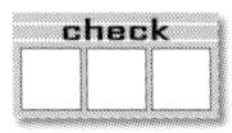

No. 15 建築物の用途の制限に関する次の記述のうち、建築基準法上、**誤っている**ものはどれか。ただし、用途地域以外の地域、地区等の指定はなく、また、特定行政庁の許可等は考慮しないものとする。

1. 田園住居地域内において、「延べ面積700m^2、平家建ての老人福祉センター」は、新築することができる。
2. 近隣商業地域内において、「延べ面積1,000m^2、地上２階建ての日刊新聞の印刷所」は、新築することができる。
3. 全ての用途地域内において、「延べ面積500m^2、地上２階建ての地方公共団体の支所」は、新築することができる。
4. 用途地域の指定のない区域（市街化調整区域を除く。）内において、「延べ面積10,000m^2、地上２階建ての店舗」は、新築することができる。

No. 16 図のような敷地において、建築基準法上、**新築することができる建築物の容積率の算定の基礎となる延べ面積の最大の**ものは、次のうちどれか。ただし、図に記載されているものを除き、地域、地区等及び特定行政庁の指定、許可等は考慮しないものとする。

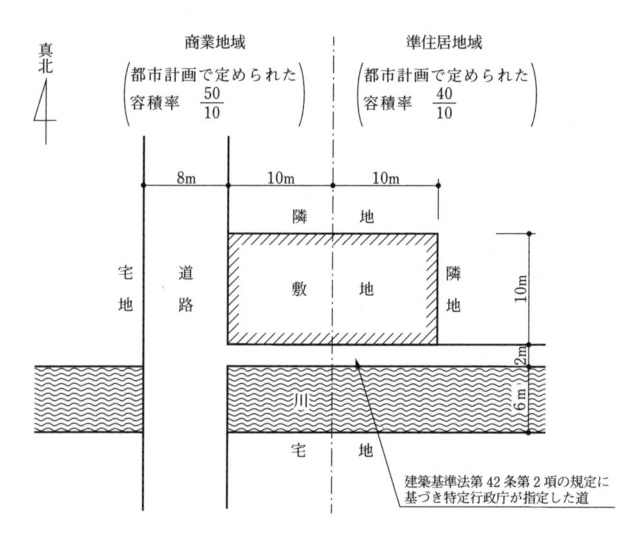

1. 640 m²
2. 720 m²
3. 800 m²
4. 810 m²

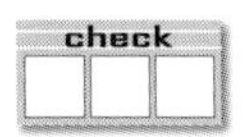

No. 17 図のような敷地において、建築物を新築する場合、建築基準法上、A点における地盤面からの**建築物の高さの最高限度**は、次のうちどれか。ただし、敷地は平坦で、敷地、隣地及び道路の相互間に高低差はなく、門、塀等はないものとする。また、図に記載されているものを除き、地域、地区等及び特定行政庁による指定、許可等並びに天空率に関する規定は考慮しないものとする。なお、建築物は、全ての部分において、高さの最高限度まで建築されるものとする。

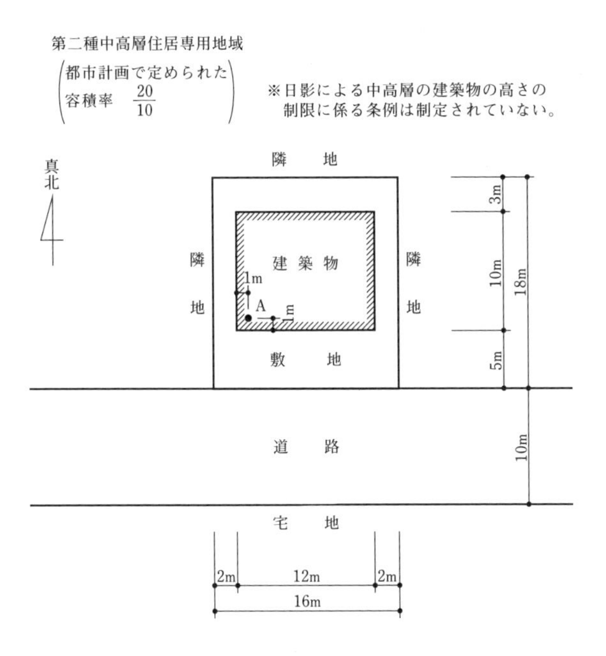

1. 20.00 m
2. 23.75 m
3. 25.00 m
4. 26.25 m

Ⅲ 法規

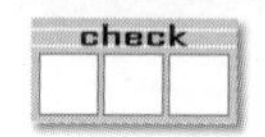

No. 18

図のような敷地において、用途上不可分の関係にあるA～Dの建築物を新築する場合、建築基準法上、**誤っている**ものは、次のうちどれか。ただし、いずれの建築物も防火壁を設けていないものとし、建築物に附属する門又は塀はないものとする。また、図に記載されているものを除き、地域、地区等の制限については考慮しないものとし、危険物の貯蔵等は行わないものとする。

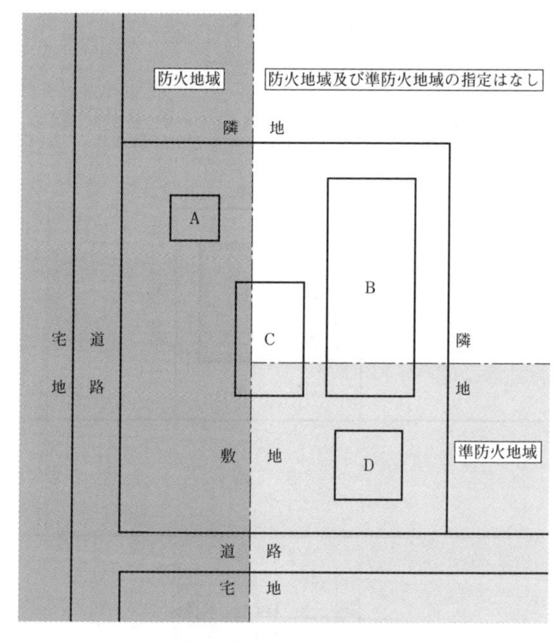

A：延べ面積 90m²、地上２階建ての事務所棟
B：延べ面積 1,200m²、地上３階建ての事務所棟
C：延べ面積 140m²、平家建ての自動車車庫棟
D：延べ面積 400m²、地上４階建ての事務所棟

1. Aは、耐火建築物若しくは準耐火建築物又はこれらと同等以上の延焼防止時間となる建築物としなければならない。
2. Bは、耐火建築物若しくは準耐火建築物又はこれらと同等以上の延焼防止時間となる建築物としなければならない。
3. Cは、耐火建築物若しくは準耐火建築物又はこれらと同等以上の延焼防止時間となる建築物としなければならない。
4. Dは、耐火建築物又はこれと同等以上の延焼防止時間となる建築物としなければならない。

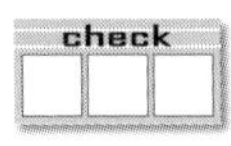

No. 19 次の記述のうち、建築基準法上、**誤っている**ものはどれか。ただし、特定行政庁の許可は考慮しないものとする。

1. 一団地内に建築される１又は２以上の構えを成す建築物のうち、特定行政庁がその位置及び構造が安全上、防火上及び衛生上支障がないと認めるものに対する用途地域等による用途の制限の規定の適用については、当該一団地は一の敷地とみなされる。
2. 建築協定は、都市計画区域及び準都市計画区域外であっても定められることがある。
3. 都市計画において建築物の高さの限度が10mと定められた第二種低層住居専用地域内においては、その敷地内に政令で定める空地を有し、かつ、その敷地面積が政令で定める規模以上である建築物であって、特定行政庁が低層住宅に係る良好な住居の環境を害するおそれがないと認めるものについては、建築物の高さの限度は、12mとすることができる。
4. 避難階を１階とするホテルにおける３階以上の階の宿泊室(床面積が30m^{2}を超えるもの)には、採光上有効な窓がある場合であっても、非常用の照明装置を設けなければならない。

Ⅲ 法規

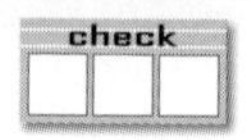

No. 20 次の記述のうち、建築基準法上、**誤っている**ものはどれか。

1. 建築工事等における根切り及び山留めについては、その工事の施工中必要に応じて点検を行い、山留めを補強し、排水を適当に行う等これを安全な状態に維持するための措置を講ずるとともに、矢板等の抜取りに際しては、周辺の地盤の沈下による危害を防止するための措置を講じなければならない。
2. 模様替の工事中に使用されている共同住宅について、特定行政庁により、避難上著しく支障があると認められた場合には、使用制限が命ぜられることがある。
3. 建築基準法第３条第２項の規定により排煙設備の規定の適用を受けない建築物について、２以上の工事に分けて増築を含む工事を行う場合、特定行政庁による工事に係る全体計画の認定を受けていれば、いずれの工事の完了後であっても、現行基準に適合するように排煙設備を設置するための改修を行う必要はない。
4. 建築基準法令の規定に違反することが明らかな増築の工事中の建築物については、緊急の必要があって所定の手続によることができない場合に限り、建築監視員により、これらの手続によらないで、当該工事の請負人等に対して、当該工事の施工の停止が命ぜられることがある。

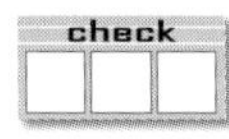

No. 21 建築士が行う「工事監理」に関する次の記述のうち、建築士法上、**誤っている**ものはどれか。

1. 工事監理受託契約の当事者は、延べ面積が300m^{2}を超える建築物の新築に係る工事監理受託契約の締結に際して、工事監理の実施の状況に関する報告の方法や、工事監理に従事する建築士の氏名等を記載した書面を相互に交付しなければならない。
2. 工事監理受託契約を締結しようとする者は、国土交通大臣が定めた報酬の基準に準拠した委託代金で工事監理受託契約を締結するよう努めなければならない。
3. 工事監理を行う建築士は、工事監理の委託者から請求があったときには、建築士免許証又は建築士免許証明書を提示し、工事監理を終了したときには、直ちに、その結果を建築主に工事監理報告書を提出して報告しなければならない。
4. 工事監理を行う建築士は、工事が設計図書のとおりに実施されていないと認めるときは、直ちに、工事施工者に対して、その旨を指摘し、当該工事を設計図書のとおりに実施するよう求め、当該工事施工者がこれに従わないときは、その旨を特定行政庁に報告しなければならない。

No. 22 建築士事務所の開設者に係る「工事監理」に関する次の記述のうち、建築士法上、**誤っている**ものはどれか。

1. 建築士事務所の開設者は、工事監理の業務に関し生じた損害を賠償するために必要な金額を担保するための保険契約の締結その他の措置を講ずるよう努めなければならない。
2. 建築士事務所の開設者は、工事監理の実績を含む「設計等の業務に関する報告書」を都道府県知事に事業年度ごとに提出しなかった場合、30万円以下の罰金に処せられる。
3. 建築士事務所の開設者は、建築物の新築工事に係る工事監理の業務について、延べ面積が300m^{2}以下の建築物であれば、委託者の許諾を得たうえで、一括して他の建築士事務所の開設者に委託することができる。
4. 建築士事務所の開設者は、その建築士事務所の業務に関する工事監理報告書を、作成した日から起算して５年間保存しなければならない。

No. 23 建築士事務所の開設者と、当該建築士事務所に属する建築士（以下「所属建築士」という。）との関係に関する次の記述のうち、建築士法上、**誤っている**ものはどれか。

1. 建築士事務所の開設者は、所属建築士の監督及びその業務遂行の適正の確保に関する技術的事項を自ら総括しなければならない。
2. 建築士事務所の開設者は、設計等を委託しようとする者の求めに応じて閲覧させる書類として、所属建築士の氏名及び業務の実績を記載したものを当該建築士事務所に備え置かなければならない。
3. 建築士事務所の開設者は、当該建築士事務所を管理する専任の所属建築士を置かなければならない。
4. 建築士事務所の開設者は、設計受託契約を建築主と締結しようとするときは、あらかじめ、当該建築主に対し、所属建築士から、設計受託契約の内容について、これらの事項を記載した書面を交付して説明をさせなければならない。

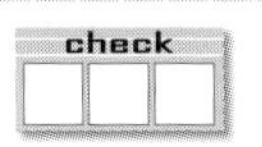

No. 24 次の記述のうち、都市計画法上、**誤っている**ものはどれか。

1. 市街化調整区域内における地区整備計画が定められた地区計画の区域内において、当該地区計画に定められた内容に適合する病院の建築の用に供する目的で行う開発行為は、所定の要件に該当すれば、都道府県知事の許可を受けることができる。
2. 開発許可を受けた開発区域内において、都道府県知事の許可を受ける必要のない国土交通省令で定める軽微な変更をしたときは、遅滞なく、その旨を都道府県知事に届け出なければならない。
3. 開発許可を受けた開発区域内の土地に用途地域等が定められている場合、当該開発行為に関する工事が完了した旨の公告があった後に、当該開発許可に係る予定建築物等以外の建築物を新築するときは、都道府県知事の許可を受けなければならない。
4. 都市計画施設の区域内において、地階を有しない木造、地上２階建ての飲食店を新築する場合は、原則として、都道府県知事等の許可を受けなければならない。

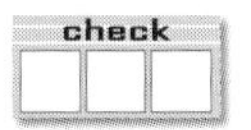

No. 25 次の記述のうち、消防法上、**誤っている**ものはどれか。ただし、建築物は、いずれも無窓階を有しないものとし、指定可燃物の貯蔵又は取扱いは行わないものとする。

1. 延べ面積2,500m^2、地上３階建ての倉庫に設ける屋内消火栓は、当該倉庫の階ごとに、その階の各部分から一のホース接続口までの水平距離が25m以下となるように設けなければならない。
2. 延べ面積150m^2、地上２階建ての飲食店については、消火器又は簡易消火用具を設置しなくてもよい。
3. 物品販売業を営む店舗と共同住宅とが開口部のない耐火構造の床又は壁で区画されているときは、その区画された部分は、消防用設備等の設置及び維持の技術上の基準の規定の適用については、それぞれ別の防火対象物とみなす。
4. 地上５階建ての大学には、避難口誘導灯を設けなくてもよい。

No. 26　床面積の合計が2,000m²のホテルを新築しようとする場合における次の記述のうち、「高齢者、障害者等の移動等の円滑化の促進に関する法律」上、**誤っている**ものはどれか。

1. 客室の総数が120室の場合は、車椅子使用者用客室を２室以上設けなければならない。
2. 車椅子使用者用駐車施設を設ける場合は、当該施設から利用居室までの経路の長さができるだけ短くなる位置に設けなければならない。
3. 建築主等は、特定建築物の建築等及び維持保全の計画を作成し、所管行政庁の認定を申請しなければならない。
4. 移動等円滑化経路を構成するエレベーター（所定の特殊な構造又は使用形態のものを除く。）の乗降ロビーの幅及び奥行きは、それぞれ150cm以上としなければならない。

No. 27　次の記述のうち、「建築物のエネルギー消費性能の向上等に関する法律」上、**誤っている**ものはどれか。

1. 建築主は、特定建築物の増築（非住宅部分の増築に係る部分の床面積の合計が300m²以上であるものに限る。）をしようとするときは、当該特定建築物（非住宅部分に限る。）を建築物エネルギー消費性能基準に適合するよう努めなければならない。
2. 分譲型一戸建て規格住宅を１年間に150戸以上新築し、これを分譲することを業として行う建築主は、当該住宅をエネルギー消費性能の一層の向上のために必要な住宅の構造及び設備に関する基準に適合させるよう努めなければならない。
3. 分譲型規格共同住宅等を１年間に1,000戸以上新築し、これを分譲することを業として行う建築主は、当該住宅をエネルギー消費性能の一層の向上のために必要な住宅の構造及び設備に関する基準に適合させるよう努めなければならない。
4. 建築主等は、エネルギー消費性能の一層の向上のための建築物に設けた空気調和設備等の改修をしようとするときは、建築物エネルギー消費性能向上計画を作成し、所管行政庁の認定を申請することができる。

check

No. 28 以下の条件に該当する建築物の新築に係る設計に際して、建築基準法その他の法令の規定の適用に関する設計者の判断として、次の記述のうち、**誤っている**ものはどれか。

【条件】

・用　途：物品販売業を営む店舗
・規　模：地上４階建て(避難階は１階)、高さ15m、延べ面積2,000m^2
・構　造：木造(主要構造部に木材を用いたもの)
・所有者となる建築主：民間事業者
・設計者：「構造設計一級建築士」及び「設備設計一級建築士」いずれの資格も有していない一級建築士

1. 構造計算において、「応力度の計算等による構造耐力上主要な部分の安全性」、「層間変形角」、「屋根ふき材等における風圧に対する構造耐力上の安全性」、「各階の剛性率」、「各階の偏心率」及び「建築物の地上部分の地震に対する安全性」を確かめた。
2. 「通常火災終了時間が80分」及び「特定避難時間が70分」と算出されたため、柱及びはりを80分間の性能を有する準耐火構造とした。
3. 他の構造設計一級建築士に構造関係規定に適合するかどうかの確認を求めたが、他の設備設計一級建築士に設備関係規定に適合するかどうかの確認を求めなかった。
4. 建築主に対して、５年の間隔をおいて、定期に、一級建築士若しくは二級建築士又は建築物調査員に建築物の状況の調査をさせ、かつ、その結果を特定行政庁に報告する義務がある旨を伝えた。

check

No. 29 以下の条件に該当する建築物の新築に係る設計に際して、建築基準法その他の法令の規定の適用に関する設計者の判断として、次の記述のうち、**誤っている**ものはどれか。

【条件】
・立　地：第一種住居地域
容積率の最高限度300%
・用　途：１階の一部　飲食店
１階の一部及び２～４階　物品販売業を営む店舗（各階に売場を有する）
・規　模：地上４階建て（避難階は１階のみ）
延べ面積　4,000m^2（各階の床面積は1,000m^2）
敷地面積　1,300m^2

1. 用途地域に基づく建築物の用途の制限に関し、住居の環境を害するおそれがないものとして特定行政庁の許可を受けることとした。
2. 太陽光発電設備の設置によって容積率の最高限度を超えた建築計画となったことから、建築物のエネルギー消費性能が「建築物エネルギー消費性能誘導基準」に適合するように設計し、「建築物エネルギー消費性能向上計画」の認定を受けることとした。
3. ２階から４階までの各階の売場から１階に通ずる直通階段を三つ設け、このうちの二つを「避難階段」とし、他の一つは「避難階段」及び「特別避難階段」のいずれにも該当しないものとすることとした。
4. １階における物品販売業を営む店舗と飲食店とを防火区画する代わりに、火災の発生を感知し、そのことを各階に報知することができる自動火災報知設備を設けることとした。

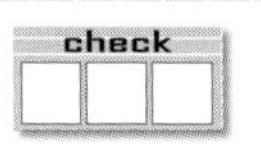

No. 30 次の記述のうち、関係法令上、**誤っている**ものはどれか。

1. 「建築基準法」に基づき、工業地域内において、1日当たりの処理能力が6t以下の廃プラスチック類を破砕する産業廃棄物処理施設の用途に供する建築物は、特定行政庁の許可を受けずに新築することができる。
2. 「景観法」に基づき、景観計画区域内において、建築物の外観を変更することとなる模様替をしようとする者は、原則として、あらかじめ、行為の種類、場所、設計又は施行方法等について、景観行政団体の長に届け出なければならない。
3. 「土砂災害警戒区域等における土砂災害防止対策の推進に関する法律」に基づき、特別警戒区域内において、予定建築物が分譲住宅である開発行為をしようとする者は、原則として、あらかじめ、都道府県知事の許可を受けなければならない。
4. 「宅地造成及び特定盛土等規制法」に基づき、特定盛土等規制区域内において、盛土で高さ3mの崖を生ずる工事をしようとする者は、原則として、当該工事に着手する日の30日前までに、都道府県知事に届け出なければならない。

学科Ⅲ（法規）　解答番号

〔No. 1〕	3	〔No. 2〕	2	〔No. 3〕	2	〔No. 4〕	4	〔No. 5〕	2
〔No. 6〕	3	〔No. 7〕	2	〔No. 8〕	1	〔No. 9〕	2	〔No. 10〕	4
〔No. 11〕	2	〔No. 12〕	1	〔No. 13〕	4	〔No. 14〕	4	〔No. 15〕	1
〔No. 16〕	1	〔No. 17〕	3	〔No. 18〕	3	〔No. 19〕	1	〔No. 20〕	3
〔No. 21〕	4	〔No. 22〕	4	〔No. 23〕	1	〔No. 24〕	3	〔No. 25〕	2
〔No. 26〕	3	〔No. 27〕	1	〔No. 28〕	4	〔No. 29〕	3	〔No. 30〕	4

学科Ⅳ 構　　造

● 構　　造　出題一覧（直近10年間）●

分類項目	出題年度	平27	平28	平29	平30	令元	令2	令3	令4	令5	令6
構造力学	力のつり合い・反力	1			1	1				1	
	静定梁・静定ラーメンの応力	1		1	1			1	1		
	静定トラス・合成骨組の応力	1	1	1	1	1	1		2		1
	断面の性質・応力度	1		1				1			1
	応力度とひずみ度・座屈・変形		2	2	1	1	1	3	1	2	1
	不静定構造物の反力と応力	1	1		1	2	2			1	3
構造設計	振動（固有周期・応答せん断力）		1					1	1		1
	全塑性モーメント		1		1	1	1		1		
	崩壊荷重	1	1	1			1	1	1	2	
	荷重・外力	2	1	2	2	2	2	2	1	2	1
	構造設計・構造計画	2	2		2	2	2	1	2	3	3
一般構造	木質構造	2	2	2	2	2	2	2	2	2	2
	鉄骨構造	4	4	3	4	4	4	4	4	4	4
	鉄筋コンクリート構造	4	4	5	4	4	4	5	4	4	4
	壁構造・プレストレストコンクリート構造	1	1		1	1	1	1	1	1	1
	合成構造・混合構造			1						1	1
	制振構造・免震構造	1	1	2		2	1	1	1	1	1
	地盤・基礎構造	3	3	3	3	3	3	3	3	3	3
	各種構造融合問題	2	2	3	3	1	2	1	2		
材料	木材・木質系材料	1	1	1	1	1	1	1	1	1	1
	コンクリート	1	1	1	1	1	1	1	1	1	1
	金属材料	1	1	1	1	1	1	1	1	1	1
合計		30	30	30	30	30	30	30	30	30	30

Check Point 1 静定構造物の応力

❶ 応力の種類

① **軸方向力(N)：引張力(＋)・圧縮力(－)**
材を軸方向に伸縮させようとする一対の力。

② **せん断力(Q)：右下がり(＋)・左下がり(－)**
外力が材軸に直角に作用したとき、部材を切断しようとする一対の力。

③ **曲げモーメント(M)：下に凸(＋)・上に凸(－)**
部材を曲げようとする一対のモーメント。

❷ 応力の求め方

① 反力を求める。⇨ つりあい条件式を使う。
② 応力を求める。⇨ 一方の材端から考えを進める。

❸ 静定トラスの応力

(1) 節点法

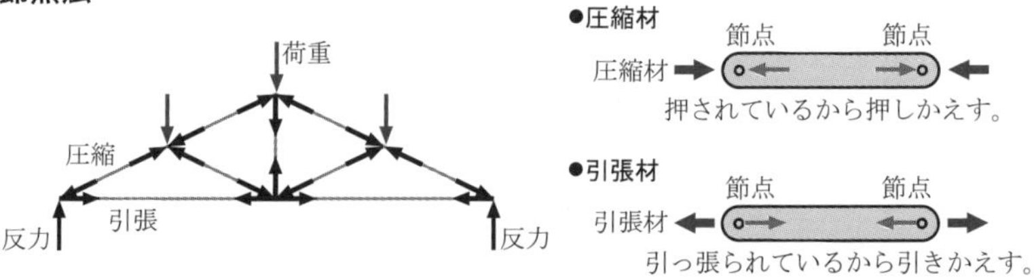

トラスの各節点で力がつりあうという条件から各部材の応力を求める。

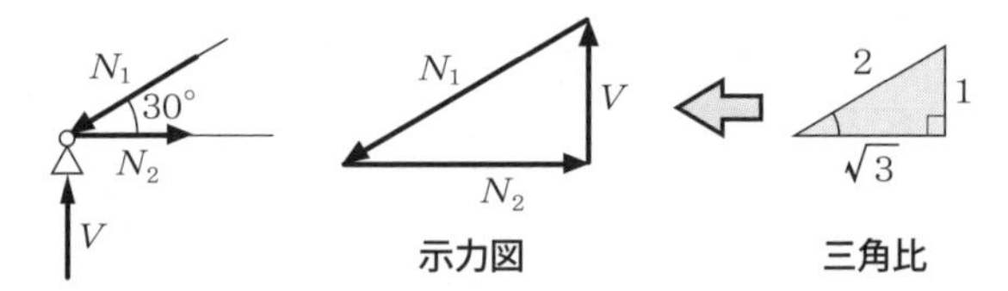

(2) トラス応力の性質
トラスには、応力を求める際に役立つ次のような性質がある。

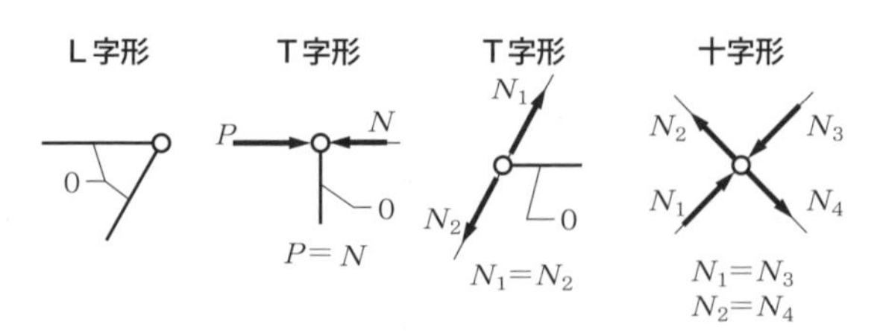

(3) 切断法

切断法を用いて図の材の㋐応力を求める。

① 反力を求める。

② ㋐材を含んで部材を切断し、トラスを左右2つに分割する。

③ 切断された部材に軸方向力N_1、N_2、N_3を仮定する。

④ 左側部分について、つりあい条件式から㋐材の軸方向力N_1を求める。

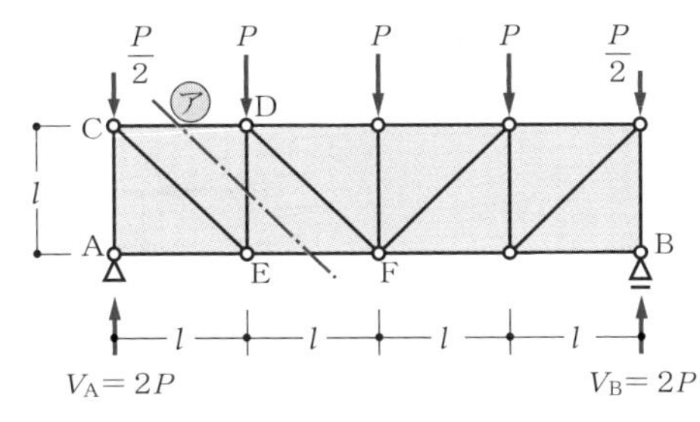

ΣM_E(左側) = 0より

$$\oplus V_A \times l \ominus \frac{P}{2} \times l \ominus N_1 \times l = 0$$

$$\oplus 2Pl \ominus \frac{Pl}{2} \ominus N_1 l = 0$$

$$\therefore N_1 = \frac{3}{2}P$$

N_1は左向きでC点を押しているので、$N_1 = \frac{3}{2}P$(圧縮力)

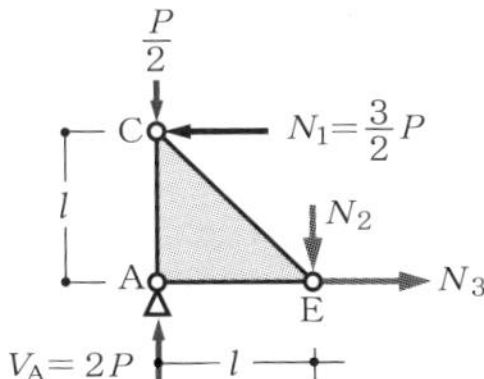

【参考】

● N_2を求める ⇨ ΣY = 0を利用

$$V_A - \frac{P}{2} - N_2 = 0$$

$$2P - \frac{P}{2} - N_2 = 0$$

$$\therefore N_2 = \frac{3}{2}P \text{(圧縮力)}$$

● N_3を求める ⇨ ΣX = 0を利用

$$-N_1 + N_3 = 0$$

$$\therefore N_3 = \frac{3}{2}P \text{(引張力)}$$

アドバイス **静定構造物の応力**

● 単純梁系ラーメンの応力を求める場合、以下の手順による。

① 反力を求める。

② 求めたい点からどちらか一方の外力を合計する。(曲げモーメントの場合は外力によるモーメントの合計)

● 静定トラス(節点法):反力を求め、次に未知の応力が2つ以下の節点から、順次求めていく。

節点の形(L字、T字、十字)によるトラス応力の性質を有効に利用する。

● 静定トラス(切断法):反力を求め、求めたい部材を含んで、トラスを切断する。
ΣX = 0、ΣY = 0、ΣM = 0より求める。

● 計算の結果、符号が逆となった場合は、仮定の向きが逆であることを示す。
圧縮・引張の判断に注意する。

問題 1-1 静定ラーメンの応力(単純梁系ラーメンの応力－基本問題)

check

図のような集中荷重Pを受けるラーメンの曲げモーメント図として、**正しい**ものは、次のうちどれか。ただし、曲げモーメント図は材の引張側に描くものとする。

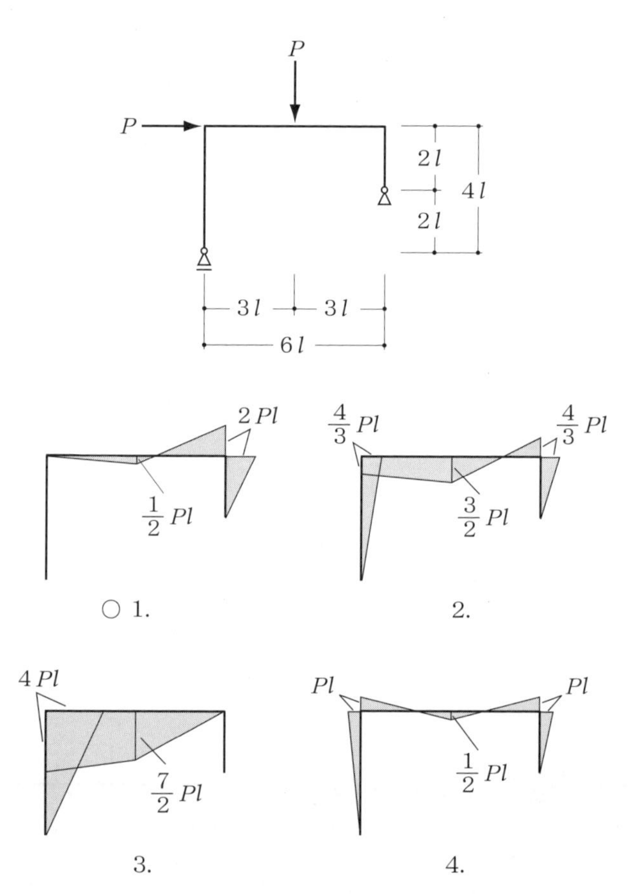

アドバイス 単純梁系ラーメンの応力－基本問題

- ローラー支点側の柱には、柱に水平荷重が作用しない限り、曲げモーメントは生じない。
- 支点の支持が逆になるだけで、曲げモーメント図は全く異なる。
  ⇨ 支点の支持が逆の場合の曲げモーメント図も検討してみよう！

解説

支点Aはピンローラーなので、鉛直反力のみが生じる。したがって、柱A～B間には曲げモーメントが生じないので、曲げモーメント図は1．となる(計算せずに解答が得られる)。

以下、すべての手順に沿った解答手順を示す。

1)　反力を図①のように仮定して求める。

$\Sigma X = 0$

$P - H_D = 0 \quad H_D = P$ (左向き)

$\Sigma M_D = 0$

$V_A \times 6l + P \times 2l - P \times 3l = 0$

$V_A \times 6l + 2Pl - 3Pl = 0$

$V_A = \dfrac{1}{6}P$ (上向き)

$\Sigma Y = 0$

$V_A - P + V_D = 0$

$\dfrac{1}{6}P - P + V_D = 0$

$V_D = \dfrac{5}{6}P$ (上向き)

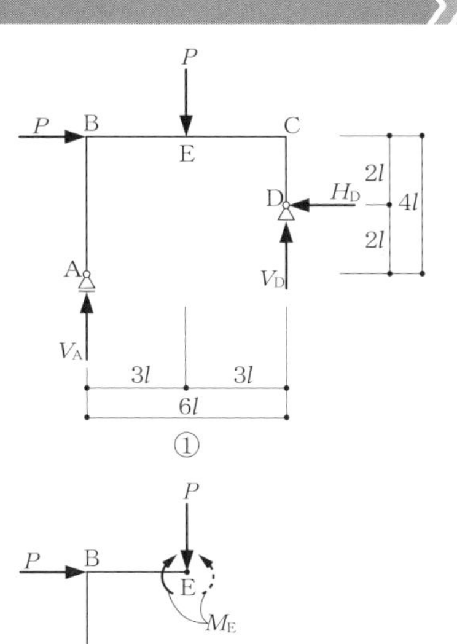

2)　各点の曲げモーメントを求める。

- A点の曲げモーメントM_A：

  $M_A = 0$

- B点の曲げモーメントM_B：

  $M_B = 0$

- E点の曲げモーメントM_E：図②参照。

  $M_E = \dfrac{1}{6}P \times 3l + P \times 0 = \dfrac{3}{6}Pl$

  $= \dfrac{1}{2}Pl$ (下側凸)

- C点の曲げモーメントM_C：

  図③、④参照。

  $M_C = \dfrac{1}{6}P \times 6l - P \times 3l + P \times 0$

  $= Pl - 3Pl$

  $= -2Pl$

  $\begin{cases} M_C(\text{梁})：上側凸 \\ M_C(\text{柱})：右側凸 \end{cases}$

- D点の曲げモーメントM_D：

  $M_D = 0$

3)　曲げモーメント図：図⑤参照。

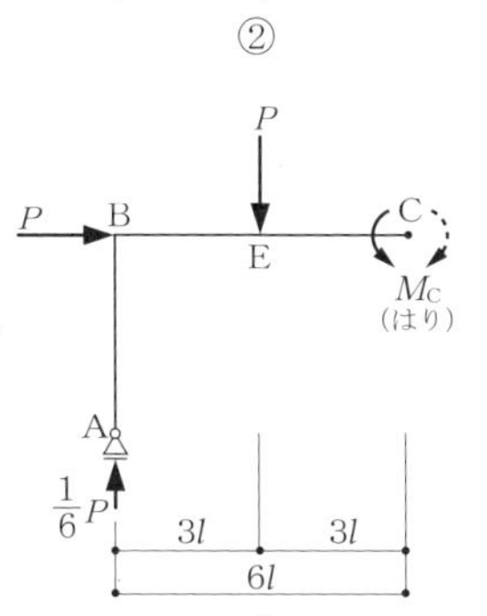

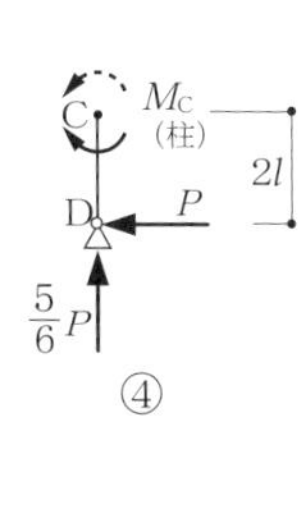

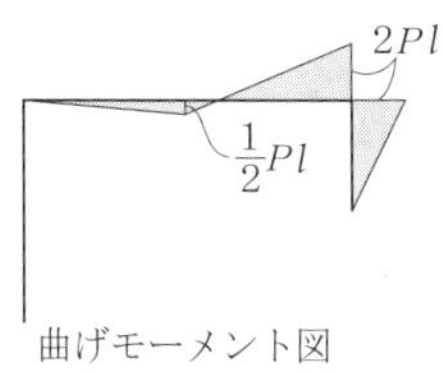

曲げモーメント図

⑤

正答 

問題 1-2 静定ラーメンの応力（単純梁系ラーメンの応力ー応用問題）

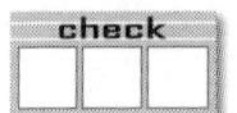

図のようなラーメンにおいて、A点に鉛直荷重P及びB点に水平荷重αPが作用したとき、A点における曲げモーメントが0になるためのαの値として、**正しい**ものは次のうちどれか。ただし、全ての部材は全長にわたって等質等断面の弾性部材とし、自重は無視する。

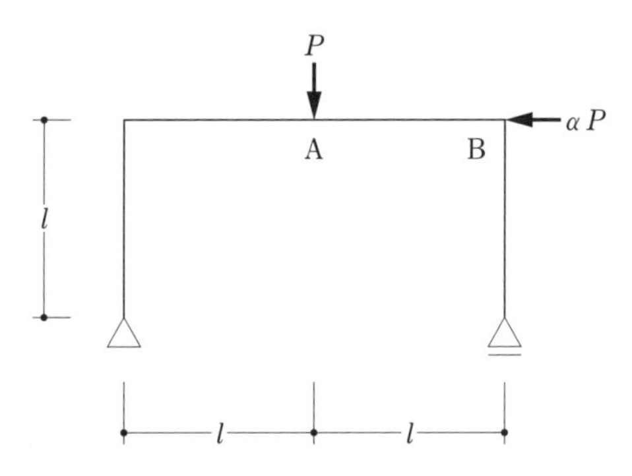

1. $\alpha = \dfrac{1}{2}$
2. $\alpha = 1$
3. $\alpha = \dfrac{3}{2}$
4. $\alpha = 2$

アドバイス 単純梁系ラーメンの応力ー応用問題

- 反力を求め、A点で切断した片側部分を取り出し、$M_A = 0$の式をつくる。
- 荷重をA点のP、B点のαPと分けて考える解法もある。

解説

【解法１】荷重を分けて考える方法

鉛直荷重Pと水平荷重αPを分けて、それぞれの曲げモーメント図を描くと、図aのようになる。鉛直荷重Pのみが作用する場合、Pは、梁中央に作用するため、鉛直反力は、いずれも上向き$\dfrac{P}{2}$となり、A点における曲げモーメントM_{A1}は

$$M_{A1} = \frac{P}{2} \times l = \frac{Pl}{2} \quad （下側引張）$$

また、水平荷重αPが作用する場合、左側にあるピン支点の水平反力は、右向きαPとなる。この場合、左柱の柱頭C点の曲げモーメントM_Cは

$$M_C = \alpha P \times l = \alpha Pl \quad \text{（左側引張）}$$

この曲げモーメントαPlは、梁端には上側引張となり伝達する。ここで、梁の右端B点では、曲げモーメントは0であり、A点は、CB間の中央にある。したがって

$$M_{A2} = \alpha Pl \times \frac{1}{2} = \frac{\alpha Pl}{2} \quad \text{（上側引張）}$$

これら2つの曲げモーメント図を足し合わせたものが、鉛直荷重Pと水平荷重αPが同時に作用する場合の曲げモーメント図となる。つまり、題意より、A点における曲げモーメントが0になるということは、M_{A1}とM_{A2}の合計が0になるということである。したがって、M_{A1}を「+」、M_{A2}を「−」として計算すると

$$\frac{Pl}{2} - \frac{\alpha Pl}{2} = 0 \qquad \therefore \quad \alpha = 1$$

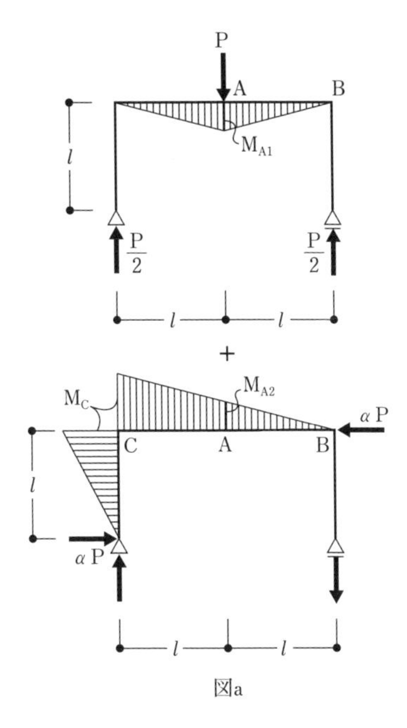

図a

【解法2】荷重を分けず、まとめて考える方法

図bのように、支点に反力を仮定する。ここで、題意より、A点における曲げモーメントが0になるということは、$V_E \times l = 0$となることであるため、E点の鉛直反力V_Eを求める。D点まわりのモーメントのつり合い　$\Sigma M_D = 0$より

$$P \times l - \alpha P \times l - V_E \times 2l = 0$$
$$V_E \times 2l = P \times l - \alpha P \times l$$
$$\therefore \quad V_E = \frac{P - \alpha P}{2}$$

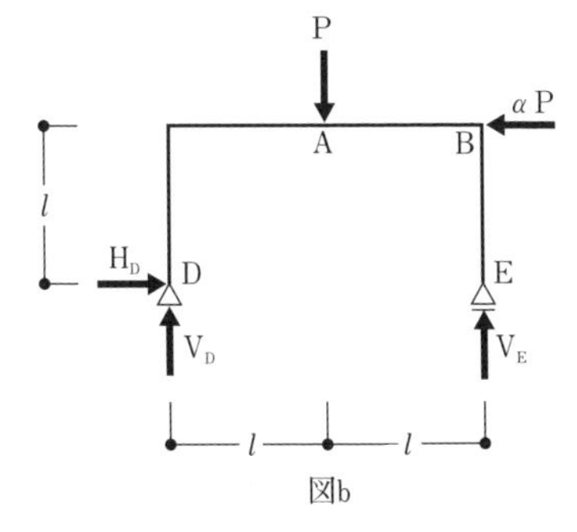

図b

図cのようにA点で部材を切断した右側部分を取り出す。ここで、A点における曲げモーメントM_Aが0になるという条件より

$$M_A = -\left(\frac{P}{2} - \frac{\alpha P}{2}\right) \times l = 0$$
$$-\frac{Pl}{2} + \frac{\alpha Pl}{2} = 0 \qquad \therefore \quad \alpha = 1$$

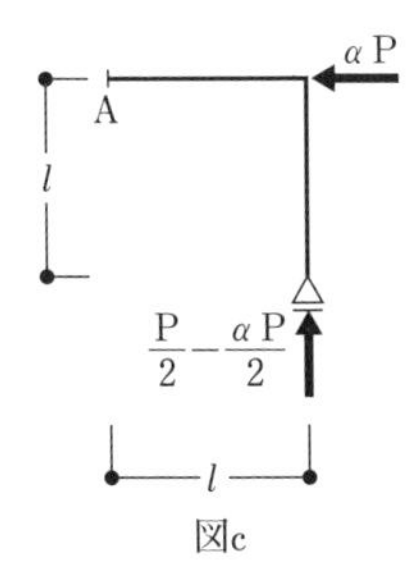

図c

正答 ➡ ❷

問題 1-3　静定ラーメンの応力(スリーヒンジラーメンの応力)

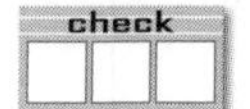

図のような荷重を受けるラーメンにおいて、A点及びB点に生じる曲げモーメントの大きさの組合せとして、**正しい**ものは、次のうちどれか。

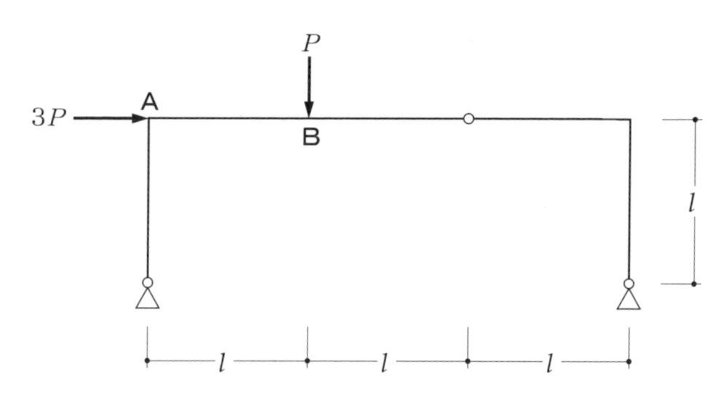

	A点	B点
1.	$\dfrac{2Pl}{3}$	$\dfrac{4Pl}{3}$
2.	$\dfrac{4Pl}{3}$	$2Pl$
3.	$\dfrac{5Pl}{3}$	$\dfrac{4Pl}{3}$
4.	$\dfrac{5Pl}{3}$	$2Pl$

アドバイス　スリーヒンジラーメン

スリーヒンジラーメンの反力計算には、つり合い3条件

- $\Sigma X = 0$
- $\Sigma Y = 0$
- $\Sigma M = 0$(任意の点の全てのモーメントの和が0)

の他に

- 中間のピン節点の$M = 0$(M_E(右)$= 0$またはM_E(左)$= 0$)

を利用する。

解 説

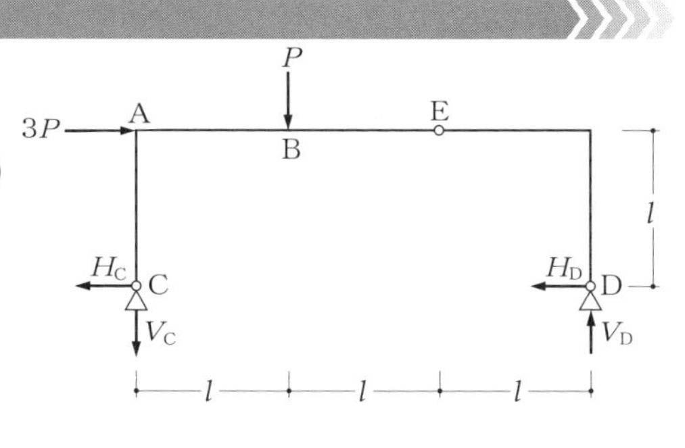

① 反力を求める。

● $\Sigma M_C = 0$

$3P \times l + P \times l - V_D \times 3l = 0$

$3Pl + Pl - V_D \times 3l = 0$

$V_D = \dfrac{4Pl}{3l} = \dfrac{4P}{3}$ (上向き)

● $\Sigma Y = 0$

$-V_C - P + V_D = 0$

$-V_C - P + \dfrac{4P}{3} = 0$

$V_C = \dfrac{P}{3}$ (下向き)

● M_E(右) $= 0$

$-V_D \times l + H_D \times l = 0$

$H_D = \dfrac{4P}{3}$ (左向き)

● $\Sigma X = 0$

$-H_C + 3P - H_D = 0$

$-H_C + 3P - \dfrac{4P}{3} = 0$

$H_C = \dfrac{5P}{3}$ (左向き)

② 応力を求める。

$M_A = V_C \times 0 + H_C \times l$

$= \dfrac{5P}{3} \times l$

$= \dfrac{5Pl}{3}$

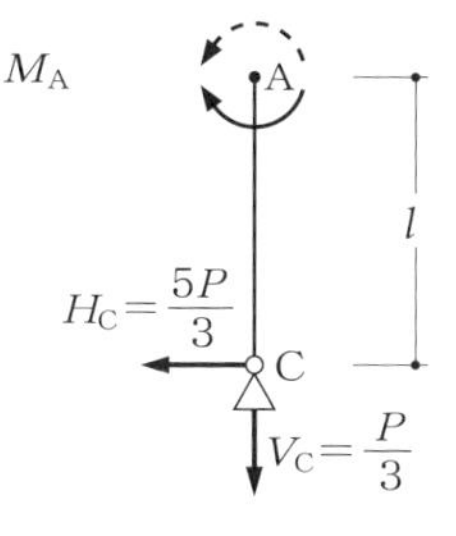

$M_B = H_C \times l - V_C \times l$

$= \dfrac{5P}{3} \times l - \dfrac{P}{3} \times l$

$= \dfrac{4Pl}{3}$

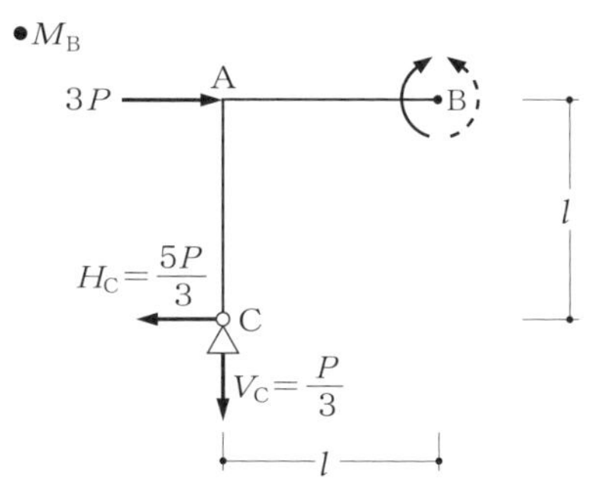

【参考】

$\Sigma M_C = 0$でV_Dを、M_E(右) $= 0$でH_Dを求めれば、その時点でM_A、M_Bとも右側から求めることができる。

正答 ➡ ❸

問題 1-4 静定トラスの応力（切断法）

図のような鉛直荷重が作用するトラスにおいて、部材ABに生じる軸方向力として、**正しい**ものは、次のうちどれか。ただし、軸方向力の符号は、引張力を「＋」とする。

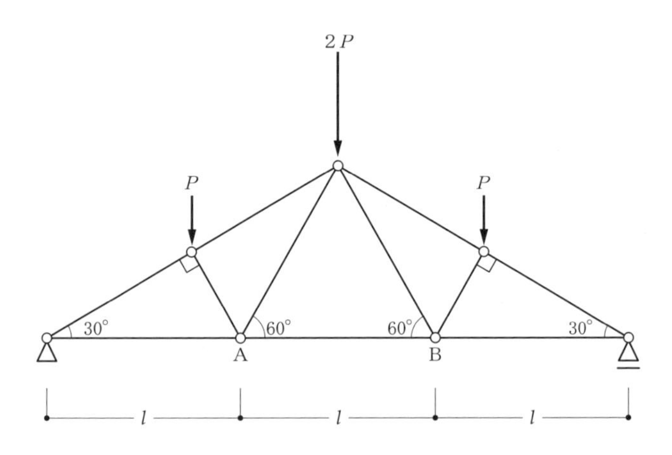

1. 0
2. $+\dfrac{\sqrt{3}}{2}P$
3. $+\sqrt{3}\,P$
4. $+\dfrac{3\sqrt{3}}{2}P$

アドバイス　切断法の手順

① 反力を求める。
② 求める部材を含んでトラスを切断する。
③ つり合い条件を用いて、軸方向力を求める。
- $\Sigma X = 0$
- $\Sigma Y = 0$
- $\Sigma M = 0$ ⇨ 求める部材以外の応力の作用線上（２つの作用線が交差する点上）を回転の中心とする）

解説

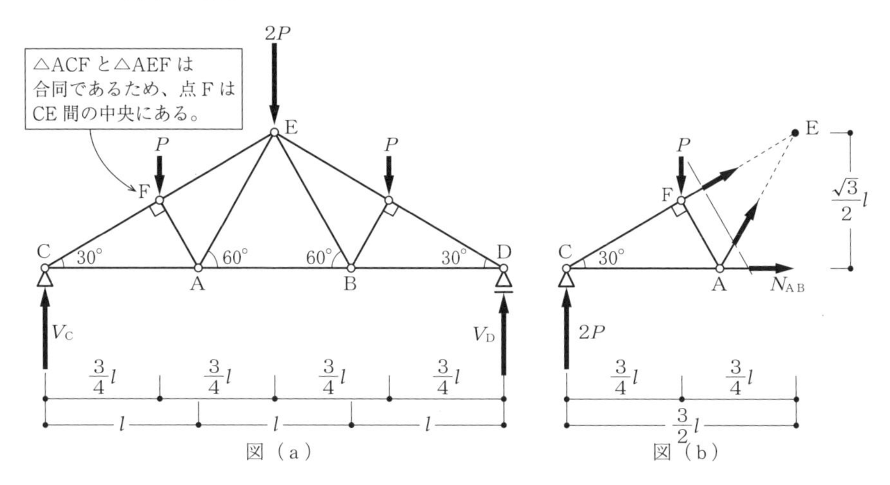

図（a）　　図（b）

1）支点C、Dの鉛直反力V_C、V_Dを求める。図(a)参照。
架構、荷重が対称なので、反力は全荷重の1/2となる。

$$V_C = V_D = \frac{4P}{2} = 2P\text{(上向き)}$$

2）部材ABを含んだ形で、トラスを切断した左側部分を取り出し、切断面に軸方向力を引張力として仮定する。図(b)参照。

3）$\Sigma M_E = 0$より、軸方向力N_{AB}を求める。

$$2P \times \frac{3}{2}l - P \times \frac{3}{4}l - N_{AB} \times \frac{\sqrt{3}}{2}l = 0$$

$$3Pl - \frac{3}{4}Pl - N_{AB} \times \frac{\sqrt{3}}{2}l = 0$$

$$N_{AB} \times \frac{\sqrt{3}}{2}l = \frac{9}{4}Pl$$

$$N_{AB} = \frac{9}{2\sqrt{3}}P = \frac{9}{2\sqrt{3}}P \times \frac{\sqrt{3}}{\sqrt{3}} = \frac{9\sqrt{3}}{6}P = +\frac{3\sqrt{3}}{2}P$$

（選択枝に$+\frac{9}{2\sqrt{3}}P$はないので、$\frac{\sqrt{3}}{\sqrt{3}}$を乗じて、分母の有理化を行う。）

（計算結果が「＋」であったので、N_{AB}は、仮定通り引張力「＋」となる）

正答 → ❹

問題 1-5　静定トラスの応力（節点法）

check

図のような荷重を受けるトラスにおいて、部材Aに生じる軸方向力として、**正しい**ものは、次のうちどれか。ただし、軸方向力は、引張力を「＋」、圧縮力を「－」とする。

1. $-\dfrac{1}{\sqrt{2}}P$
2. $-\dfrac{3}{4}P$
3. $+\dfrac{1}{\sqrt{2}}P$
4. $+\dfrac{3}{4}P$

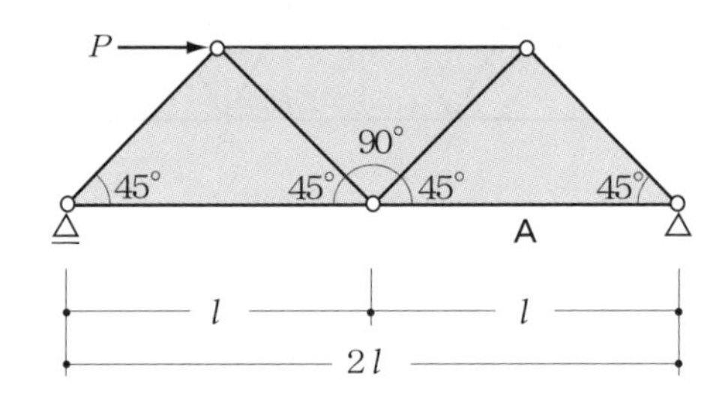

解 説

1)　反力を図①のように仮定して求める。

● $\Sigma M_B = 0$

$$P \times \frac{l}{2} - V_C \times 2l = 0$$

$$V_C = \frac{P}{4}\text{（上向き）}$$

● $\Sigma X = 0$

$$P - H_C = 0$$

$$H_C = P\text{（左向き）}$$

①

2)　節点法により、部材Aに生じる軸方向力N_Aを求める。

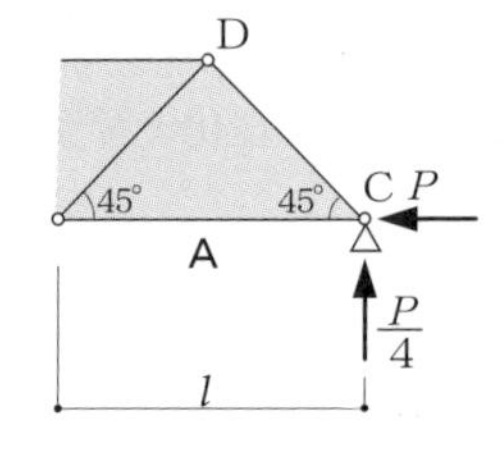

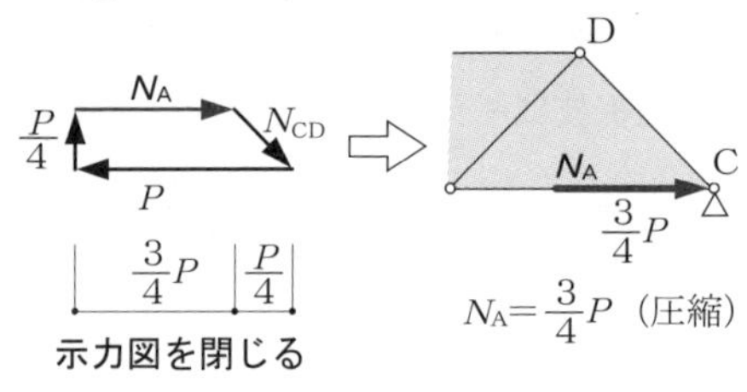

正答 → ❷

問題 1-6 静定トラスの応力（軸方向力０部材を応用した解法）

check □□□

図のような荷重を受けるトラスにおいて、部材ＡＢに生じる軸方向力として、**正しい**ものは、次のうちどれか。ただし、軸方向力は、引張力を「＋」、圧縮力を「－」とする。

1. $-2P$
2. $-P$
3. $+P$
4. $+2P$

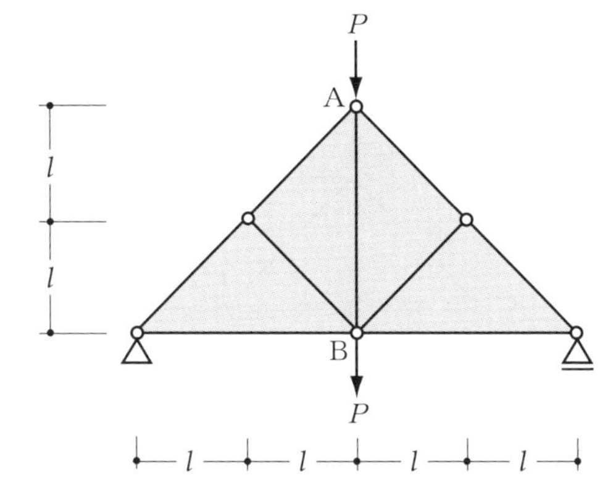

解説

はじめに軸方向力０部材を特定する。

Ｃ節点とＤ節点はＴ字形の節点であるので、部材ＢＣと部材ＢＤの軸方向力は０である。したがって、Ｂ節点は十字形の節点となる。

一直線上の部材に生じる力と外力は等しい（向きは逆）ので、$N_{AB} = P$（引張）となる。

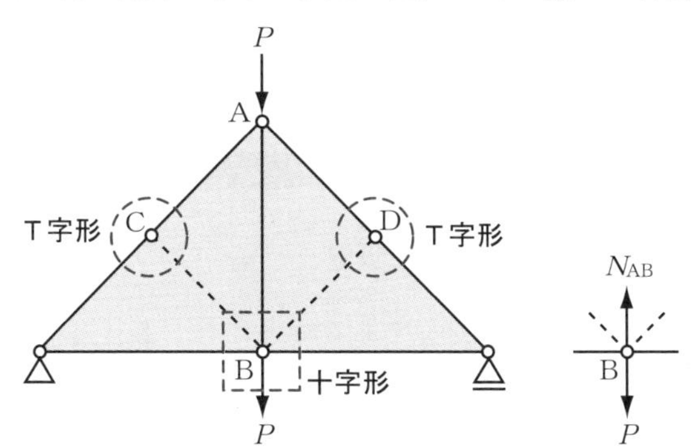

正答 → ❸

アドバイス 軸方向力０部材の応用

はじめに軸方向力０部材を見つけておくと、その部材を力学上無いものとみなすことができるため、よりシンプルに考えることができる。

Ⅳ 構造

問題 1-7　静定トラスの応力（切断法・節点法）

check

図のような荷重が作用するトラスにおいて、部材A、B、C及びDに生じる軸方向力をそれぞれN_A、N_B、N_C及びN_Dとするとき、それらの値として、**誤っている**ものは、次のうちどれか。ただし、軸方向力は、引張力を「＋」、圧縮力を「－」とする。

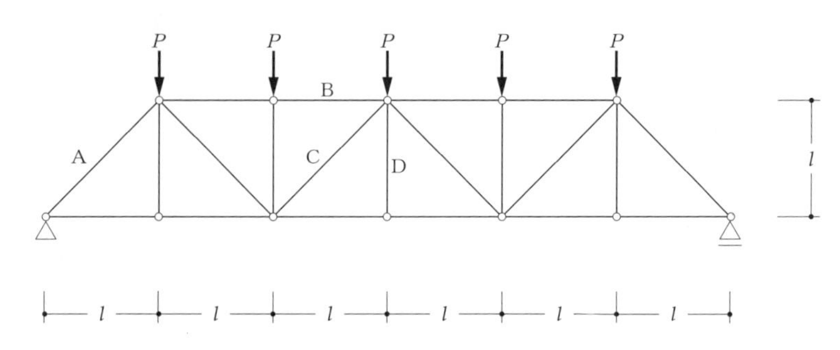

1. $N_A = -\dfrac{5\sqrt{2}}{2}P$
2. $N_B = -5\,P$
3. $N_C = -\dfrac{\sqrt{2}}{2}P$
4. $N_D = 0$

解説

1）図(a)のように支点に反力を仮定し、反力を求める。
荷重及び架構は左右対称であるから、支点a、bの鉛直反力V_aとV_bは等しく、大きさは全荷重の1／2となる。

$$V_a = V_b = \frac{5P}{2}\ (\text{上向き})$$

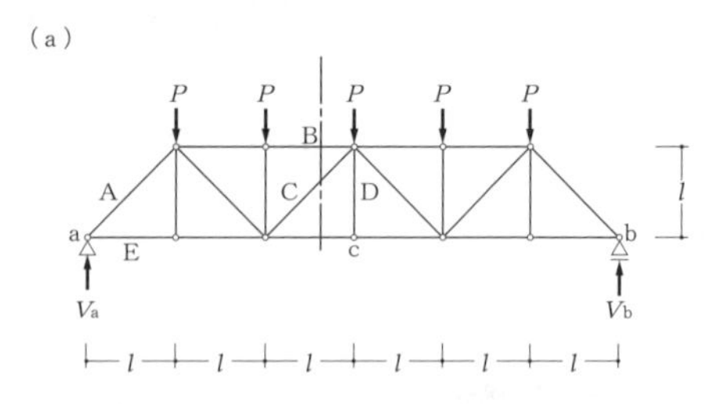

2）部材A、Dの軸方向力N_A、N_Dを求める。図(b)、(c)参照。

節点法で考える。

a支点でつり合いを考えると、示力図の辺の比は、1 ： 1 ：$\sqrt{2}$の三角形の辺の比となることから、その大きさがわかる。

（b） a支点の示力図

（c） C節点、T字形

割合が1で$\dfrac{5P}{2}$であるから、

割合が$\sqrt{2}$のN_Aは、

$$\frac{5P}{2}\times\sqrt{2} = \frac{5\sqrt{2}P}{2}$$ となる。

矢印がa支点に向かう力なので、圧縮力となる。

$\therefore\quad N_A = -\dfrac{5\sqrt{2}P}{2}$　枝1.は適当。

c節点でつり合いを考えると、c節点はT字形の節点であるので、部材Dは、ゼロメンバーである。

$\therefore N_D = 0$　枝4.は適当。

3）部材B、Cの軸方向力N_B、N_Cを求める。図(d)参照。

切断法で考える。

部材B、Cを含んだ形で、トラスを切断した左側部分を取り出し、切断面に軸方向力を引張力として仮定する。

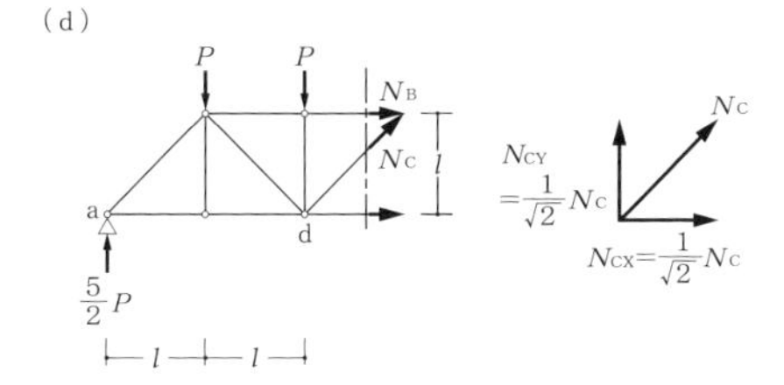

（d）

$\Sigma M_d = 0$より、

$$\frac{5P}{2}\times 2l - P\times l + N_B\times l = 0$$

$$4P + N_B = 0$$

$N_B = -4P$（計算結果「－」であるため、N_Bは仮定した向きと逆であり、圧縮力となる。）枝2.が不適当。

4）N_CのY方向の分力N_{CY}は、1 ： 1 ：$\sqrt{2}$の三角形の辺の比から、

$$N_C : N_{CY} = \sqrt{2} : 1 \quad\Rightarrow\quad N_{CY} = \frac{1}{\sqrt{2}}N_C$$

$\Sigma Y = 0$より、$\dfrac{5P}{2} - 2P + \dfrac{1}{\sqrt{2}}N_C = 0$

$$\frac{P}{2} + \frac{1}{\sqrt{2}}N_C = 0$$

$N_C = -\dfrac{\sqrt{2}P}{2}$（計算結果「－」であるため、$N_C$は仮定した向きと逆であり、圧縮力となる。）　枝3.は適当。

正答 → ❷

Ⅳ 構造

Check Point 2

断面の性質と応力度

❶ 断面の性質

構造物の部材においては、外力に応じて伸び・縮み・曲がり等の変形を生じ、同時に変形に抵抗し元に戻ろうとする力(応力)が部材内に生じて外力とつりあう。

このような曲げ強さ・変形のしにくさ・座屈のしにくさは断面の形や大きさによって異なるためにこの性質を数値で表す必要がある。

❷ 断面の性質を示す公式

① **断面一次モーメント**(S_X、単位：mm^3)

断面の**図心**(図形の重心)の位置を求める場合に利用する。

$$S_X = A \times y_0$$

⇨ $y_0 = \dfrac{S_X}{A}$ (mm)

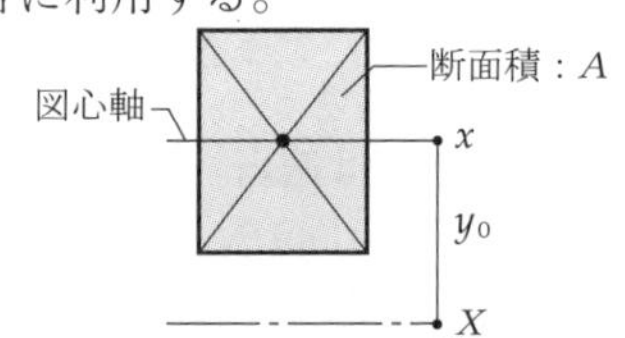

② **断面二次モーメント**(I_X、単位：mm^4)

曲げ材の変形しにくさを表す。断面二次モーメントの大きい材料は曲がりにくい。**たわみ**は断面二次モーメントに反比例する。

$$I_X = \frac{bh^3}{12}$$

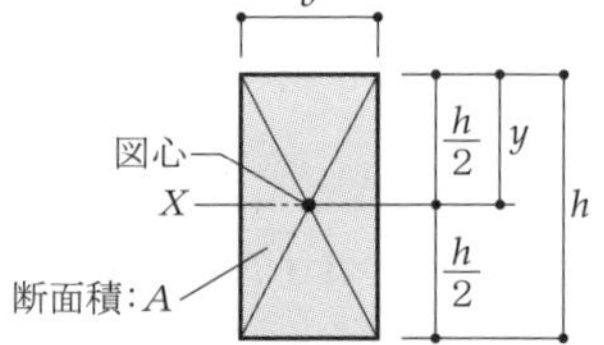

③ **断面係数**(Z_X、単位：mm^3)

断面係数は、断面二次モーメントをその図心軸から縁までの距離で除したもので、曲げを受ける部材の断面算定(曲げ強さ)に用いられる。断面係数の大きい部材は、曲げに強い部材である。

$$Z_X = \frac{I_X}{y} = \frac{\frac{bh^3}{12}}{\frac{h}{2}} = \frac{bh^3}{12} \times \frac{2}{h} = \frac{bh^2}{6}$$

④ **断面二次半径**(i_X、単位：mm)

断面二次半径は、圧縮材や曲げ材の座屈しにくさを示す。

断面二次半径の大きい断面ほど座屈に強い。

$$i_X = \sqrt{\frac{I_X}{A}} = \sqrt{\frac{\frac{bh^3}{12}}{bh}} = \sqrt{\frac{h^2}{12}} = \frac{h}{2\sqrt{3}}$$

❸ 応力度（部材断面の単位面積当たりの応力）

① **軸方向応力度**（σ）　$\sigma = \dfrac{N}{A}$

A：断面積
P：軸方向力(引張力、圧縮力)

② **せん断応力度**（τ）　$\tau = \dfrac{Q}{A}$

A：断面積　　Q：せん断力

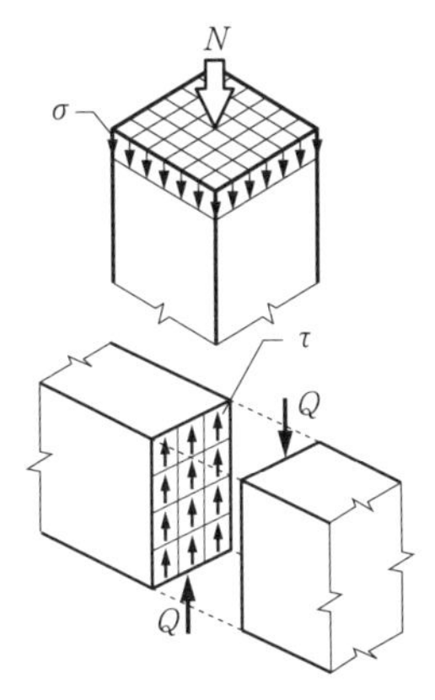

③ **梁の応力度**

〔曲げ応力度〕　$\sigma_b = \dfrac{M}{Z}$

σ_b：縁応力度(最大曲げ応力度)
M：最大曲げモーメント
Z：断面係数

〔せん断応力度〕　$\tau_{max} = k \times \dfrac{Q}{A}$

τ_{max}：最大せん断応力度
k：断面の形によって定まる係数
Q：せん断力　　A：断面積

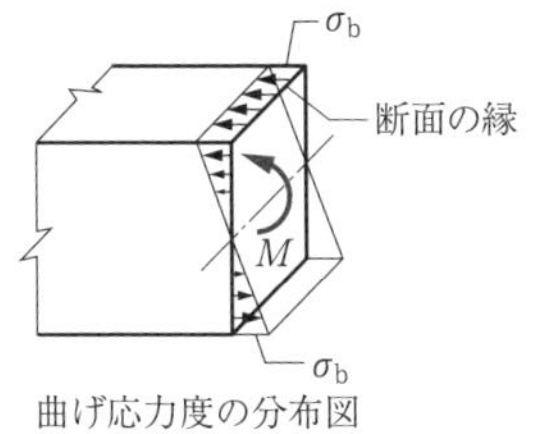

曲げ応力度の分布図

曲げ材のせん断応力度

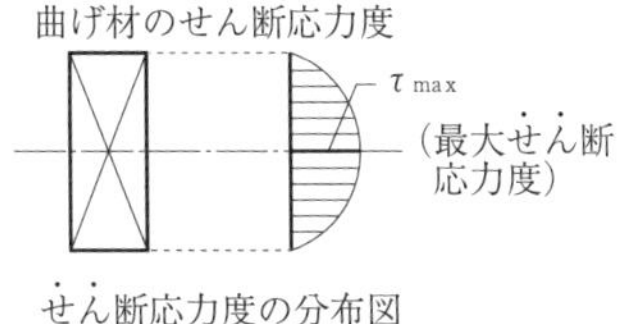

せん断応力度の分布図

アドバイス　**断面の性質・応力度**

- 断面の性質を示す主な公式は記憶する。また式だけではなく、考え方や関係する変形の状態(たわみ、座屈、曲げ強さなど)も理解する。
- 応力度を求める公式(最大せん断応力度、最大曲げ応力度)を記憶する。

問題 2-1 断面の性質

図のような断面のX軸に関する断面二次モーメントIと断面係数Zとの組合せとして、**最も適当な**ものは、次のうちどれか。ただし、図中における寸法の単位はmmとする。

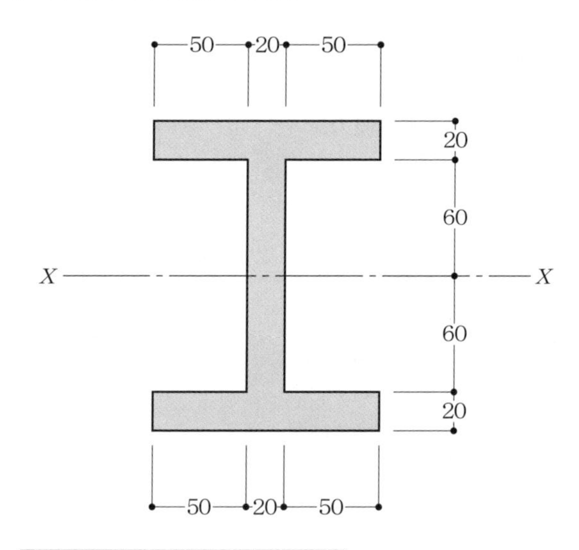

	I (mm^4)	Z (mm^3)
1.	3.32×10^6	4.15×10^4
2.	3.32×10^6	6.80×10^4
3.	2.66×10^7	2.72×10^5
4.	2.66×10^7	3.32×10^5

解説

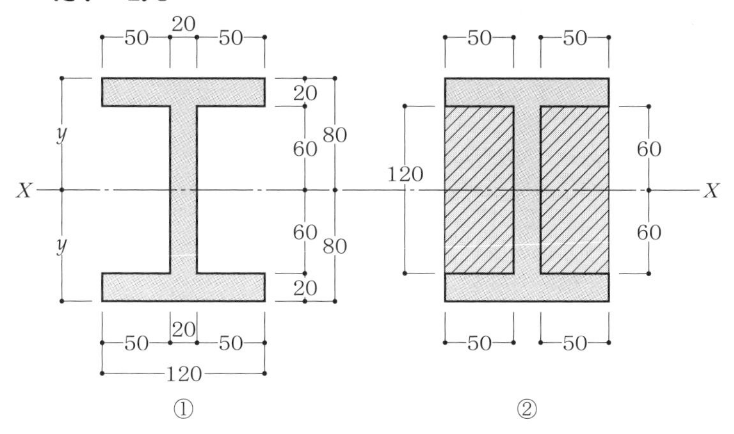

1)　H形断面のX軸に関する**断面二次モーメント**I_Xを求める。

I_Xは、図②において斜線部分を含んだ長方形断面の断面二次モーメントから斜線部分の長方形断面の断面二次モーメントを差し引いて求める。

$$I_X = \frac{120\times(160)^3}{12} - \frac{50\times(120)^3}{12}\times 2$$

$$= \frac{491{,}520{,}000}{12} - \frac{172{,}800{,}000}{12}$$

$$= \frac{318{,}720{,}000}{12}$$

$$= 26{,}560{,}000 \fallingdotseq 2.66\times10^7\text{mm}^4$$

2)　H形断面のX軸に関する**断面係数**Z_Xを求める。

Z_Xは、X軸についての断面二次モーメントI_Xを、X軸（中立軸）から断面の縁までの距離yで除して求める。

$$Z_X = \frac{I_X}{y} = \frac{26{,}560{,}000}{80}$$

$$= 332{,}000$$

$$= 3.32\times10^5\text{mm}^3$$

正答 → **4**

アドバイス　断面二次モーメントの和と差

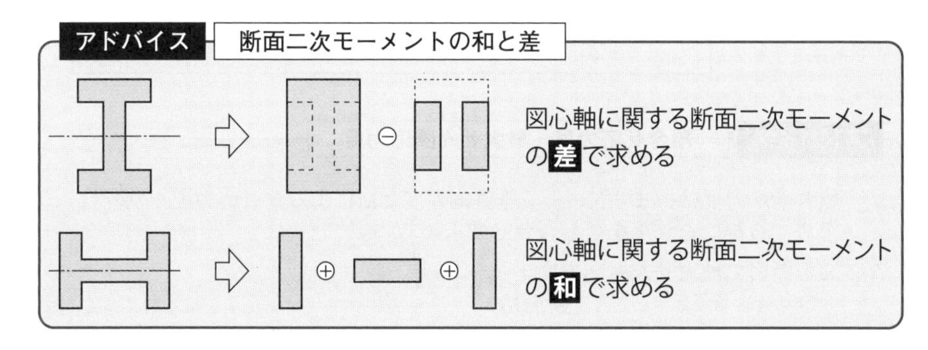

図心軸に関する断面二次モーメントの差で求める
図心軸に関する断面二次モーメントの和で求める

問題 2-2 応力度（組合せ応力度・最大せん断応力度）

check

図－1のように、脚部で固定された柱の頂部に、鉛直荷重N及び水平荷重Qが作用している。柱の断面形状は図－2に示すような長方形断面であり、N及びQは断面の図心に作用しているものとする。柱脚部断面における引張縁応力度、圧縮縁応力度及び最大せん断応力度の組合せとして、**正しい**ものは、次のうちどれか。ただし、柱は全長にわたって等質等断面の弾性部材とし、自重は無視する。また、引張応力度を「＋」、圧縮応力度を「－」とする。

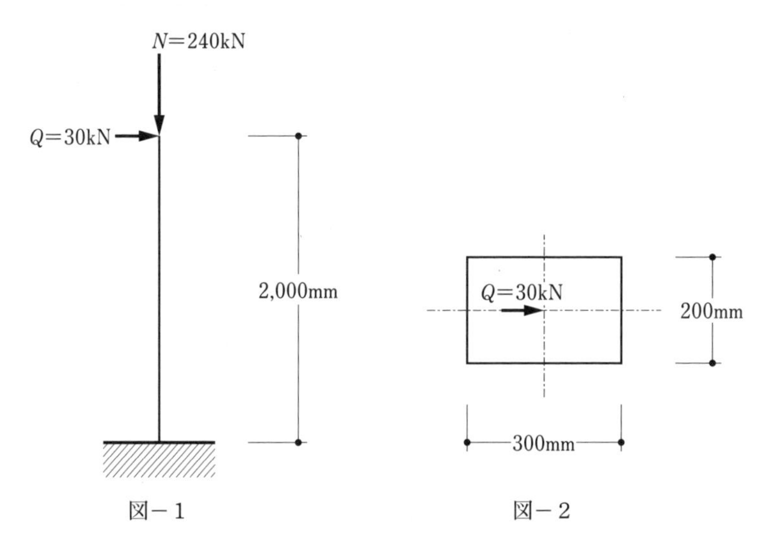

図－1　　図－2

	引張縁応力度 (N/mm^2)	圧縮縁応力度 (N/mm^2)	最大せん断応力度 (N/mm^2)
1.	＋16	－24	0.50
2.	＋16	－24	0.75
3.	＋26	－34	0.50
4.	＋26	－34	0.75

アドバイス　組合せ応力度・最大せん断応力度

① 組合せ応力度は、まずNによる垂直応力度とMによる垂直応力度を別々に求め、最後にそれらを足し合わせて求める。

② 矩形断面の最大せん断応力度 $\tau_{max} = 1.5\dfrac{Q}{A}$

　Q：せん断力　　A：断面積

解説

① 柱脚部に生じる応力を求める

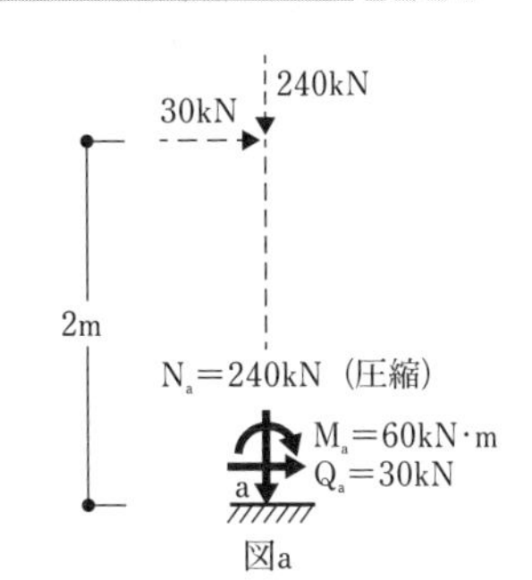

図a

図a参照。軸方向力N_aは、鉛直荷重240kNが、せん断力Q_aは、水平荷重30kNがそれぞれ伝達する。したがって

$N_a = 240\text{kN} = 240 \times 10^3\text{N}$　　$Q_a = 30\text{kN} = 30 \times 10^3\text{N}$

また、曲げモーメント$M_a = 30 \times 2 = 60\text{kN} \cdot \text{m}$
$= 60 \times 10^6\text{N} \cdot \text{mm}$

② 引張縁応力度、圧縮縁応力度（組合せ応力度）を求める

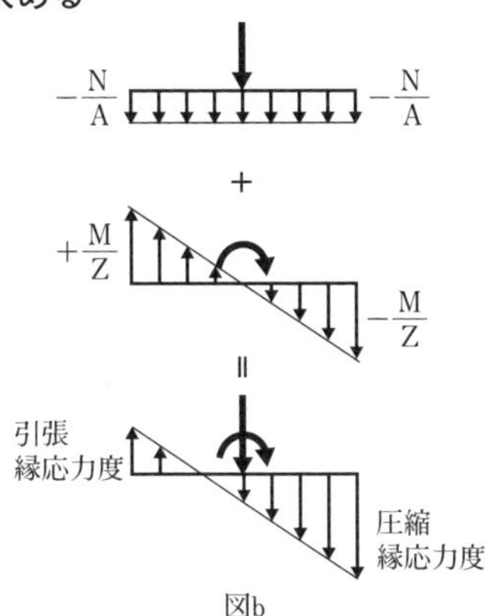

図b
（垂直応力度分布）

軸方向力N_a及び曲げモーメントM_aによる垂直応力度分布は、図bのようになる。ここで

断面積$A = 200 \times 300 = 60{,}000\text{mm}^2 = 60 \times 10^3\text{mm}^2$

したがって、軸方向力N_aによる垂直応力度

$$\frac{N_a}{A} = \frac{240 \times 10^3\text{N}}{60 \times 10^3\text{mm}^2} = 4\text{N/mm}^2$$

なお、軸方向力N_aは、圧縮力であるため、符号は「－」となる。

曲げモーメントM_aによる縁応力度の大きさを求めるには、断面係数Zを求める必要がある。ここで、断面における曲げの軸は、図cに示す軸である。したがって

$$\text{断面係数}Z = \frac{200 \times 300 \times 300}{6} = 3{,}000{,}000\text{mm}^3$$

$$= 3 \times 10^6\text{mm}^3$$

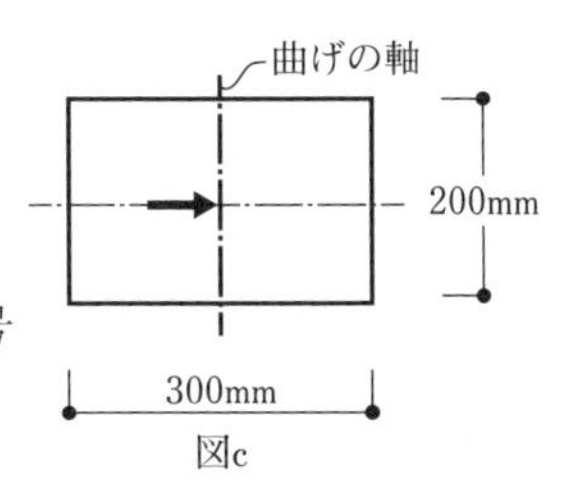

図c

よって、曲げモーメントM_aによる縁応力度

$$\frac{M_a}{Z} = \frac{60 \times 10^6\text{N} \cdot \text{mm}}{3 \times 10^6\text{mm}^3} = 20\text{N/mm}^2$$

なお、左側引張であるため、断面左端（引張縁）の符号は「＋」、右端（圧縮縁）の符号は「－」となる。

故に

引張縁応力度$= -4 + 20 = +16\text{N/mm}^2$

圧縮縁応力度$= -4 - 20 = -24\text{N/mm}^2$

③ 最大せん断応力度を求める

せん断応力度分布は、図dのようになる。

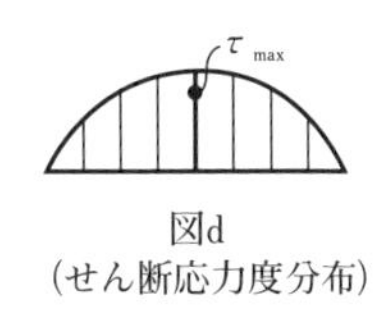

図d
（せん断応力度分布）

$$\text{最大せん断応力度}\ \tau_{max} = 1.5\frac{Q_a}{A} = 1.5 \times \frac{30 \times 10^3\text{N}}{60 \times 10^3\text{mm}^2} = 1.5 \times 0.5$$

$$= 0.75\text{N/mm}^2$$

正答 ➡ ❷

Check Point 3

変形・座屈

❶ 構造物の変形（梁）

梁の曲げ変形は、**たわみ**（δ）と**たわみ角**（θ）で表す。単純梁と片持梁は次式により求められる。

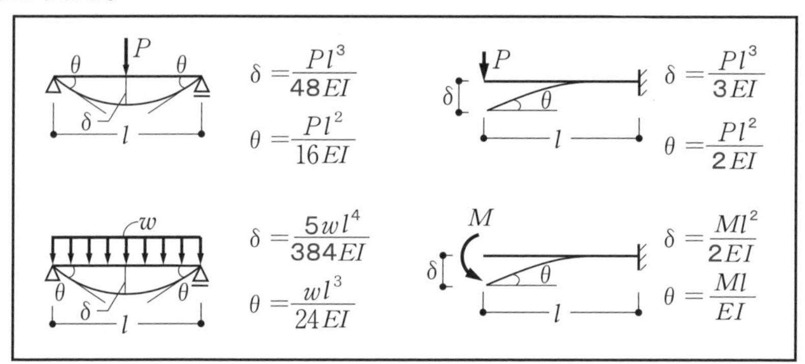

E：ヤング係数（N/mm^2）、I：断面二次モーメント（mm^4）

❷ 座　　屈

座屈とは構造物が荷重を受け、その荷重がある大きさに達したとき、部材が横方向に湾曲し、はらみ出す現象をいう。座屈は等質等断面の部材でも、部材の両端の支持条件により異なるため、**座屈長さ**を考慮する必要がある。

座屈が発生する時点の荷重を**弾性座屈荷重**といい、次式で表される。

$$P_e=\frac{\pi^2EI}{l_k^2}$$

P_e：弾性座屈荷重
π：円周率
E：ヤング係数
I：座屈軸（通常は弱軸）に関する断面二次モーメント
l_k：座屈長さ

- P_eは、柱材の**ヤング係数**に**比例**する。
- P_eは、柱の断面の弱軸に関する**断面二次モーメント**に**比例**する。
- P_eは、**座屈長さ**（柱の長さ）の**2乗**に**反比例**する。
  （座屈長さが**長い** ⇨ 弾性座屈荷重が**小さい**）

【座屈長さ】

移動に対する条件		拘束			自由	
回転に対する条件		両端ピン	両端固定	一端固定 他端ピン	両端固定	一端固定 他端ピン
座屈形状 l ：材長 l_k：座屈長さ						
l_k	理論値	l	$0.5l$	$0.7l$	l	$2l$

〈例〉弾性座屈荷重の大小

- 柱の材端条件が、「**両端ピン**」の場合より「**両端固定**」の場合のほうが大きい。
- 柱の材端条件が、「**両端ピン**」の場合より「**一端ピン他端固定**」の場合のほうが大きい。
- 柱の材端条件が、「**一端ピン他端固定**」の場合より「**両端固定**」の場合のほうが大きい。

Ⅳ構造

アドバイス 変形・座屈

- たわみ(δ)、たわみ角(θ)を求める公式を記憶する。
- 弾性座屈荷重(P_e)を求める公式を記憶する。
  →弾性座屈荷重の大小の比較において、必ず必要。また、文章題での出題もあるので、公式の記憶が必要。
- 座屈形状を描き、座屈長さ(l_k)のとり方を理解する。

問題 3-1　梁の変形(重ね梁のたわみ)

図のように、材料とスパンが同じで、断面が異なる単純梁A、B及びCの中央に集中荷重Pが作用したとき、それぞれの梁の曲げによる中央たわみδ_A、δ_B及びδ_Cの大小関係として、**正しい**ものは、次のうちどれか。ただし、それぞれの梁は全長にわたって等質等断面の弾性部材とし、自重は無視する。また、梁を構成する部材の接触面の摩擦及び接着はないものとする。

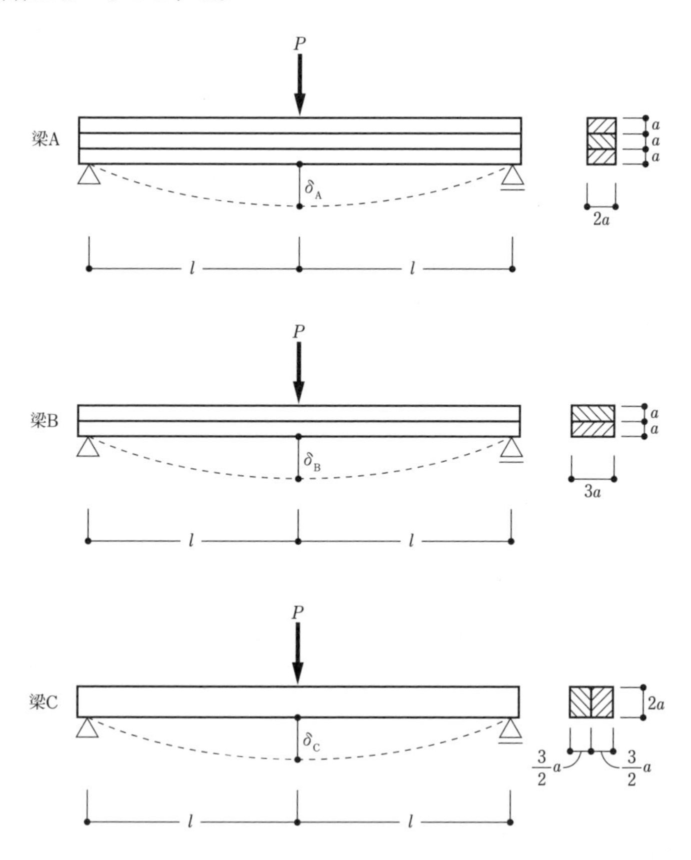

1. $\delta_A < \delta_B = \delta_C$
2. $\delta_A = \delta_B < \delta_C$
3. $\delta_B = \delta_C < \delta_A$
4. $\delta_C < \delta_A = \delta_B$

解 説

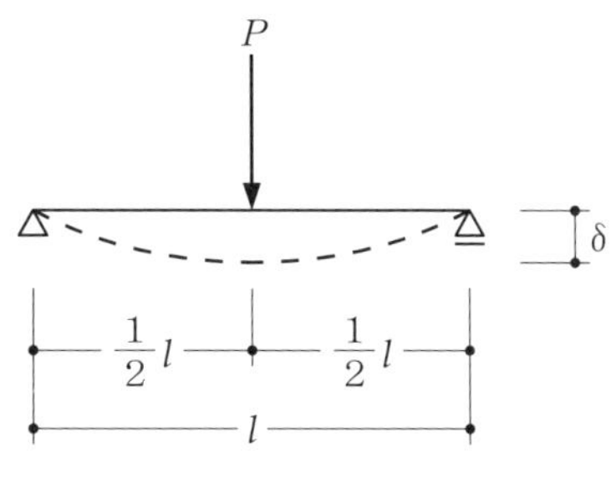

右図のような、曲げ剛性EI、長さlである単純梁の中央に集中荷重Pが作用する場合、中央(最大)たわみδは

$$\delta = \frac{Pl^3}{48EI}$$

ここで、すべての梁は、材料、スパン、荷重の大きさが同じであるため、上式のうち、断面二次モーメントIのみが異なる。また、中央たわみδは、断面二次モーメントIに反比例するため、まず、それぞれの梁における断面二次モーメントIを求めて大小関係を特定する。それを裏返した大小関係が、中央たわみδの大小関係である。

右図のような矩形断面において、図心を通るx軸に関する断面二次モーメントI_xは

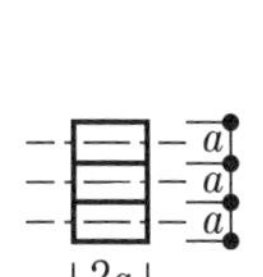

$$I_x = \frac{bh^3}{12}$$

梁A、B、Cの断面二次モーメントI_A、I_B、I_Cは、それぞれ

$$I_A = \frac{2a \times a^3}{12} \times 3 = \frac{6a^4}{12}$$

$$I_B = \frac{3a \times a^3}{12} \times 2 = \frac{6a^4}{12}$$

$$I_C = \frac{\frac{3}{2}a \times 2a \times 2a \times 2a}{12} \times 2 = \frac{24a^4}{12}$$

したがって、断面二次モーメントの大小関係は　$I_C > I_A = I_B$

故に、中央たわみの大小関係は　$\delta_C < \delta_A = \delta_B$

梁A断面

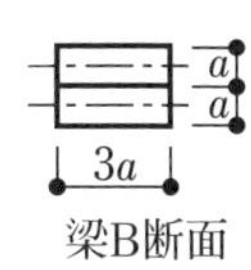

梁B断面

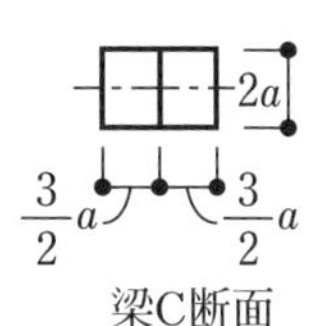

梁C断面

正答 → 4

Ⅳ 構造

問題 3-2 梁の変形（材の傾斜が影響）

図－1のような等質等断面で曲げ剛性$E\ I$の片持ち梁のA点に曲げモーメントMが作用すると、自由端A点の回転角は$\dfrac{Ml}{E\ I}$となる。図－2のような等質等断面で曲げ剛性$E\ I$の片持ち梁のA点及びB点に逆向きの二つの曲げモーメントが作用している場合、自由端C点の回転角の大きさとして、**正しい**ものは、次のうちどれか。

1. 0
2. $\dfrac{Ml}{E\,I}$
3. $\dfrac{2Ml}{E\,I}$
4. $\dfrac{3Ml}{E\,I}$

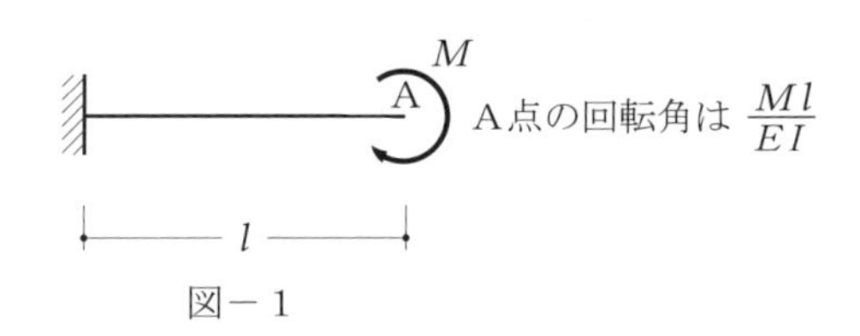

図－1

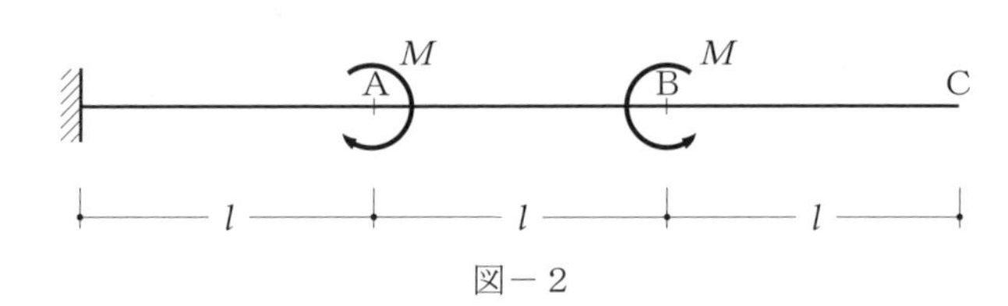

図－2

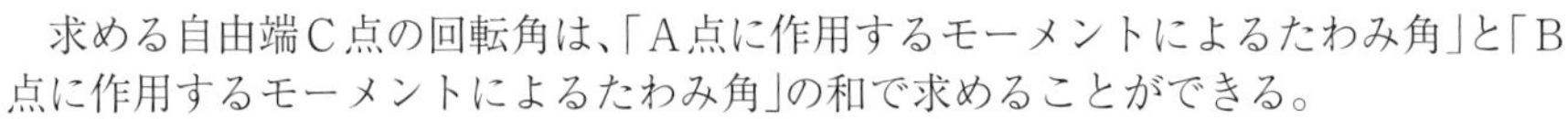

解説

求める自由端C点の回転角は、「A点に作用するモーメントによるたわみ角」と「B点に作用するモーメントによるたわみ角」の和で求めることができる。

1) A点のみに曲げモーメントMが作用した場合のC点の回転角を求める。(図①)

・A点のたわみ角θ_Aは、問題文の式より、

$$\theta_A = \frac{Ml}{EI} \text{（時計回り）}$$

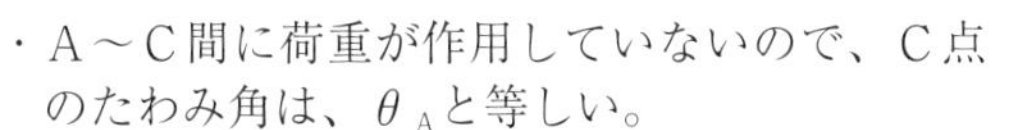

・A～C間に荷重が作用していないので、C点のたわみ角は、θ_Aと等しい。

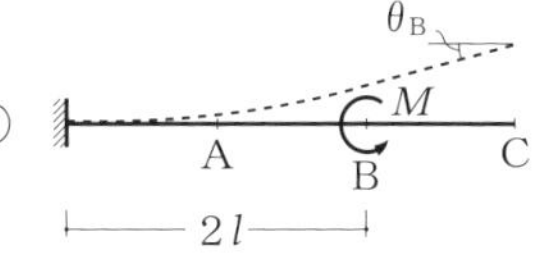

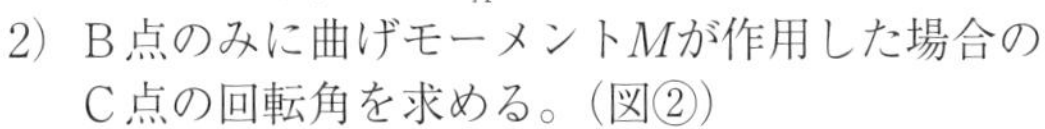

2) B点のみに曲げモーメントMが作用した場合のC点の回転角を求める。(図②)

・B点のたわみ角θ_Bは、スパンが$2l$の片持ち梁に置き換え、また、モーメントMは反時計回りに作用していることから、

$$\theta_B = -\frac{M(2l)}{EI} = -\frac{2Ml}{EI} \text{（反時計回り）}$$

・B～C間に荷重が作用していないので、C点のたわみ角は、θ_Bと等しい。

3) A点、B点に同時に曲げモーメントMが作用した場合のC点の回転角θ_Cを求める。(図③)

$$\begin{aligned} \theta_C &= \theta_A + \theta_B \\ &= \frac{Ml}{EI} + \left(-\frac{2Ml}{EI}\right) \\ &= -\frac{Ml}{EI} \text{（反時計回り）} \end{aligned}$$

題意より、自由端C点の回転角θ_Cは、大きさを求めればよいので、$\frac{Ml}{EI}$である。

正答 → ❷

Ⅳ 構造

問題 3-3　座　屈

図のような構造物A、B、Cの柱の弾性座屈荷重をそれぞれP_A、P_B、P_Cとしたとき、それらの大小関係として**正しい**ものは、次のうちどれか。ただし、全ての柱は等質等断面で、梁は剛体であり、柱及び梁の自重、柱の面外方向の座屈は無視する。

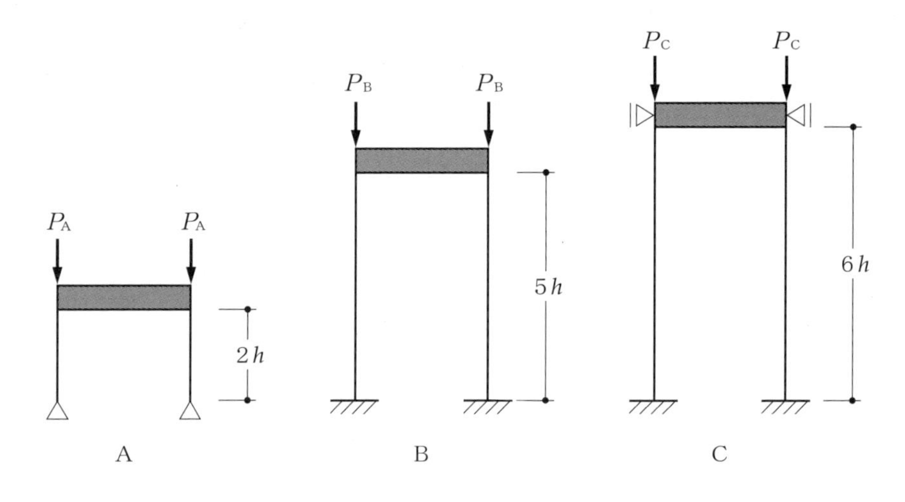

1. $P_A > P_C > P_B$
2. $P_B > P_A > P_C$
3. $P_C > P_A > P_B$
4. $P_C > P_B > P_A$

解説

弾性座屈荷重の理論値P_eは、次式から求める。

$$P_e = \frac{\pi^2 EI}{l_k^2}$$

π：≒3.14(一定)　E：ヤング係数　I：断面二次モーメント　l_k：座屈長さ

題意から、すべての柱は等質等断面でE、Iは同じ、梁及び柱の重量は無視するので、構造物A、B、Cの弾性座屈荷重P_eの大小関係は、$1/l_k^2$の大小関係から判断できる。

したがって、座屈長さl_kが小さいほど、弾性座屈荷重P_eの理論値は大きくなる。なお、中心圧縮力を受ける長柱の座屈長さl_kの理論値は、次表の値を採用する。

座屈長さ　l_k（l：材長）

材端の支持状態	両端ピン（移動拘束）	両端固定（移動拘束）	一端ピン他端固定（移動拘束）	両端固定（移動自由）	一端ピン他端固定（移動自由）
座屈長さ l_k	l	$0.5l$	$0.7l$	l	$2l$

構造物A、B、Cの移動及び回転に対する条件は、次のとおりである。

① 移動に対する条件：構造物A、Bは自由、構造物Cは梁の両端にローラーがあるので水平移動拘束とする。

② 回転に対する条件：構造物A、B、Cは梁が剛体であり、剛接合の柱頭はすべて回転拘束とする。なお、柱脚は、回転端は自由、固定端は拘束とする。

以上により、各柱の座屈長さは次のようになる。

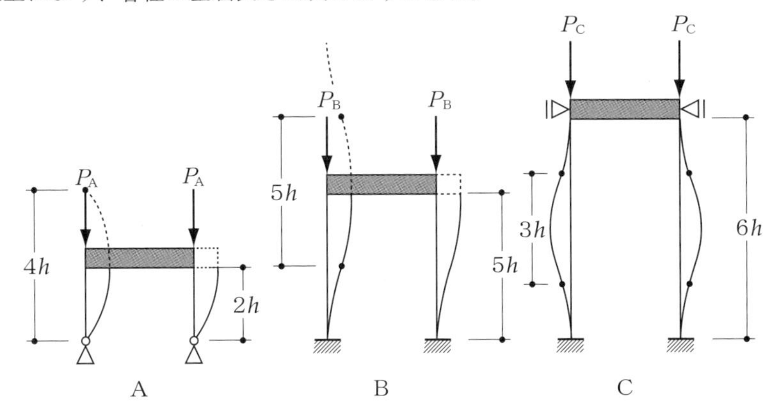

1）構造物Aの柱の座屈長さ（移動自由、一端ピン・他端固定）：

$l_{kA} = 2l = 2 \times 2h = 4h$

2）構造物Bの柱の座屈長さ（移動自由、両端固定）：

$l_{kB} = l = 1.0 \times 5h = 5h$

3）構造物Cの柱の座屈長さ（移動拘束、両端固定）：

$l_{kC} = 0.5l = 0.5 \times 6h = 3h$

したがって、$l_{kB} > l_{kA} > l_{kC}$　となる。P_eはl_kの２乗に反比例するので、

$\therefore P_C > P_A > P_B$

正答 → ❸

Check Point 4 不静定構造物

❶ 不静定梁の応力

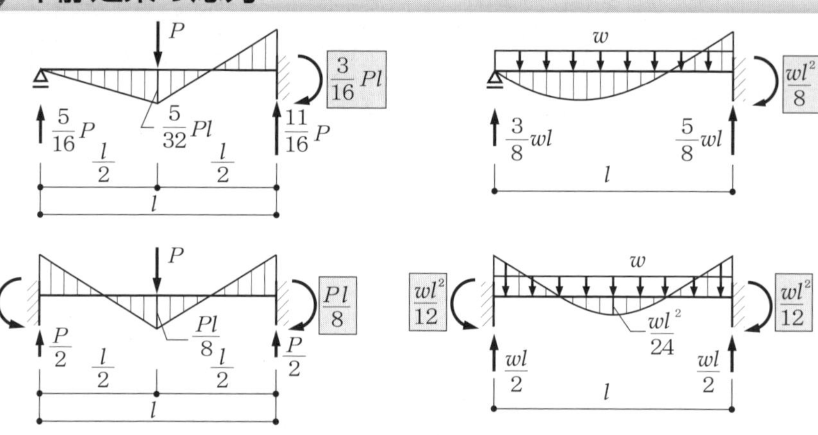

❷ 水平力が作用するラーメンの応力

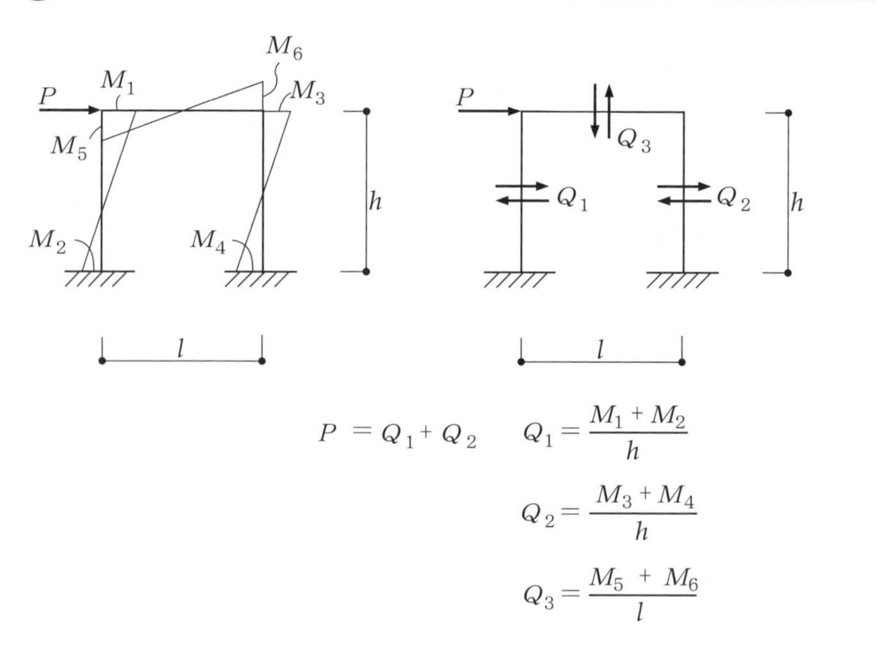

$$P = Q_1 + Q_2 \qquad Q_1 = \frac{M_1 + M_2}{h}$$

$$Q_2 = \frac{M_3 + M_4}{h}$$

$$Q_3 = \frac{M_5 + M_6}{l}$$

❸ 水平力が作用するラーメンの柱のせん断力の分担割合

$\delta_A = \delta_B$

$$K_A = \frac{12EI}{h^3} \qquad K_B = \frac{3EI}{h^3}$$

$Q = K\delta$ より

$$Q_A : Q_B = K_A\delta_A : K_B\delta_B = \frac{12EI}{h^3} : \frac{3EI}{h^3} = 4 : 1$$

❹ 水平力が作用するラーメンの水平変位

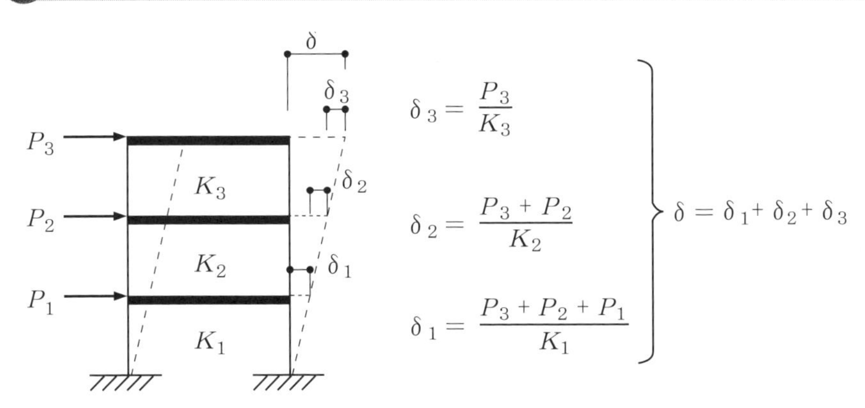

アドバイス 不静定構造物の応力

- 力のつり合いのみで反力・応力を求められない場合は、変形を応用する。
- 変形しにくい部材ほど、多くの力を負担する。

問題 4-1 水平力が作用するラーメンの応力

図は、ある二層構造物の各階に水平荷重が作用したときのラーメンの応力のうち、柱の曲げモーメントを示したものである。このとき、図中のⒶ～Ⓓそれぞれの値として、**誤っている**ものは、次のうちどれか。

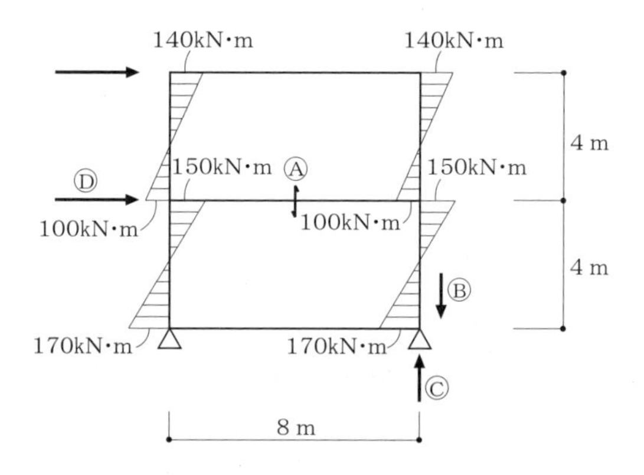

1. 梁のせん断力Ⓐは、62.5kN
2. 柱の軸方向力Ⓑは、97.5kN
3. 支点の反力Ⓒは、140kN
4. ２階床レベルの水平荷重Ⓓは、160kN

解 説

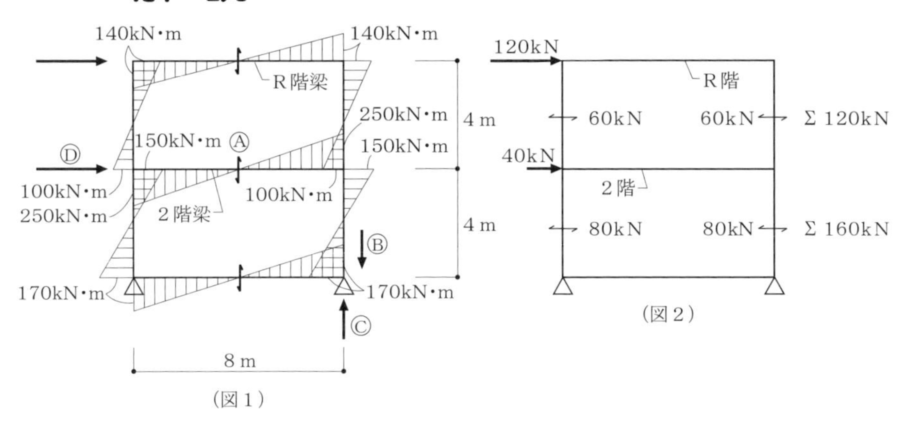

（図１）

（図２）

柱の曲げモーメント図から、梁の曲げモーメント図を描く（図１）。

1.　梁のせん断力は、梁両端部の曲げモーメントの合計をスパンで割って求める。

$Q_{Ⓐ}=\dfrac{250+250}{8}=62.5\mathrm{kN}$　　枝１は正しい

2.　柱の軸方向力は、R階及び２階梁のせん断力を合計して求める。

$Q_{R階}=\dfrac{140+140}{8}=35\mathrm{kN}$

$N_{Ⓑ}=Q_{R階}+Q_{Ⓐ}=35+62.5=97.5\mathrm{kN}$　　枝２は正しい

3.　支点の反力は、すべての梁のせん断力を合計して求める。

$R_{Ⓒ}=Q_{R階}+Q_{Ⓐ}+\dfrac{170+170}{8}=35+62.5+42.5=140\mathrm{kN}$　　枝３は正しい

4.　1)　２階部分及び１階部分の柱に生ずるせん断力の総和を求める（図１、２)。

● ２階部分の柱に生ずるせん断力の総和 $=\dfrac{140+100}{4}\times 2=120\mathrm{kN}$

この120kNがR階床レベルの水平荷重となる。

● １階部分の柱に生ずるせん断力の総和 $=\dfrac{150+170}{4}\times 2=160\mathrm{kN}$

この値が、各層に作用する水平力の総和となる。したがって、この総和の値（160kN）から、R階床レベルの水平力を差し引くと、２階床レベルの水平荷重となる。

2)　２階床レベルの水平荷重 $P_{Ⓓ}$ を求める（図2)。

$P_{Ⓓ}=160-120=40\mathrm{kN}$　　枝４は誤り

正答 → ❹

Ⅳ 構 造

問題 4-2 水平力が作用するラーメンの柱のせん断力の分担割合

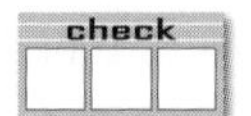

図のような水平力Pが作用する骨組において、柱A、B、Cの水平力の分担比$Q_A:Q_B:Q_C$として、**正しい**ものは、次のうちどれか。ただし、３本の柱は全て等質等断面の弾性部材とし、梁は剛体とする。

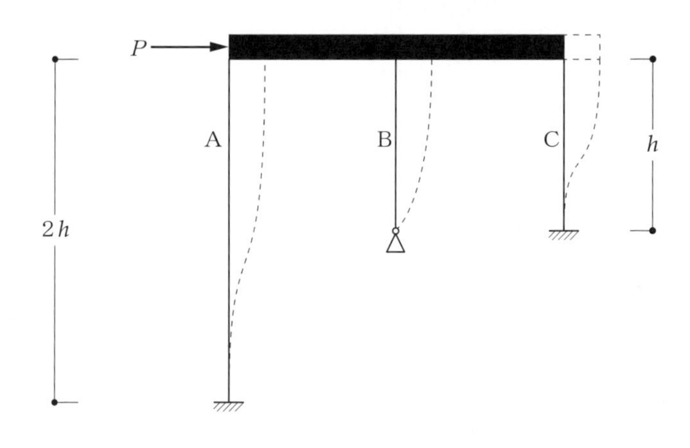

	$Q_A:Q_B:Q_C$
1.	1 : 1 : 4
2.	1 : 2 : 4
3.	1 : 2 : 8
4.	1 : 4 : 8

解説

1）図のような剛体の梁をもつラーメンが水平力を受けたとき、点線で示すように変形した。このとき、$Q = K\delta$の関係が成り立つ。

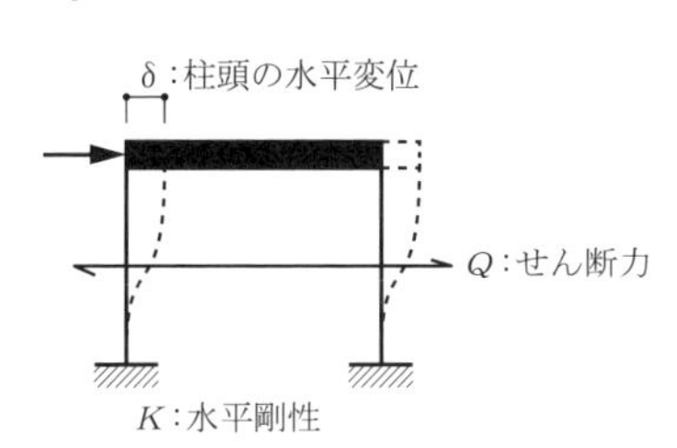

この関係は、図のような１層のラーメンだけでなく、多層ラーメンの層ごとにも成り立つ。また、柱１本においても成り立つ。
柱A、B、Cの水平剛性をK_A、K_B、K_C、柱頭の水平変位をδ_A、δ_B、δ_Cとすると

$$Q_A : Q_B : Q_C = K_A\delta_A : K_B\delta_B : K_C\delta_C$$

ここで、剛体の梁に接続された柱における柱頭の水平変位は、等しくなる（$\delta_A = \delta_B = \delta_C$）。つまり、剛体の梁に接続された柱の負担せん断力の比は、柱の水平剛性の比より求められる。

2）右図のような長さh、曲げ剛性EIの柱において

・両端固定の場合　$K = \dfrac{12EI}{h^3}$

・一端ピン他端固定の場合　$K = \dfrac{3EI}{h^3}$

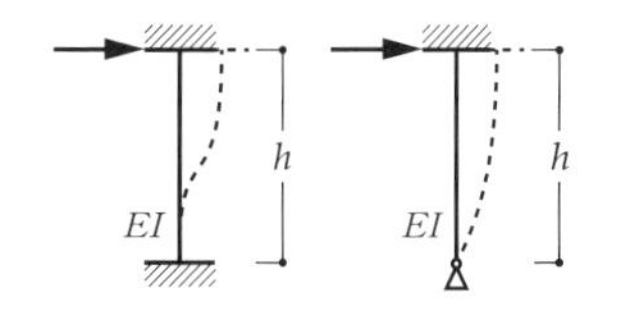

したがって

$$K_A = \frac{12EI}{(2h)^3} = \frac{12EI}{8h^3} = \frac{3EI}{2h^3}$$

$$K_B = \frac{3EI}{h^3}$$

$$K_C = \frac{12EI}{h^3}$$

3）
$$\begin{aligned} Q_A : Q_B : Q_C &= K_A : K_B : K_C \\ &= \frac{3EI}{2h^3} : \frac{3EI}{h^3} : \frac{12EI}{h^3} \\ &= \frac{3}{2} : \frac{6}{2} : \frac{24}{2} \\ &= 1 : 2 : 8 \end{aligned}$$

正答 → ❸

Ⅳ 構造

問題 4-3 水平力が作用するラーメンの水平変位

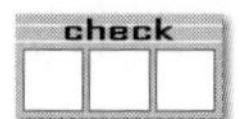

図のような水平力が作用する2層構造物（1層の水平剛性$2K$、2層の水平剛性K）において、1層の層間変位δ_1と2層の層間変位δ_2との比として、**正しい**ものは、次のうちどれか。ただし、梁は剛とし、柱の軸方向の伸縮はないものとする。

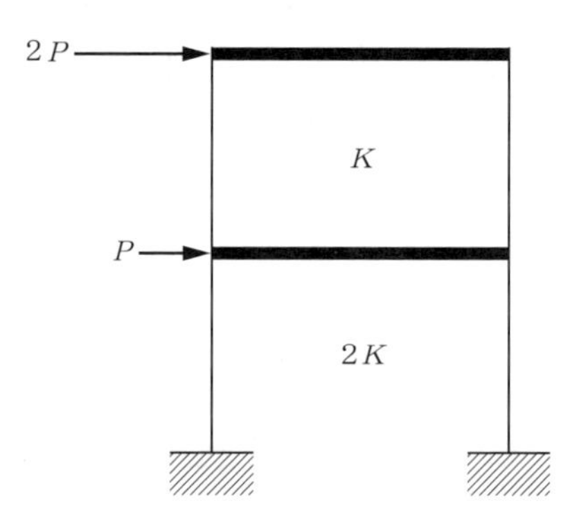

	$\delta_1 : \delta_2$
1.	1 : 2
2.	1 : 4
3.	2 : 3
4.	3 : 4

解説

1）図のような剛体の梁をもつラーメンが水平力を受けたとき、点線で示すように変形した。このとき、$Q = K\delta$ の関係が成り立つ。

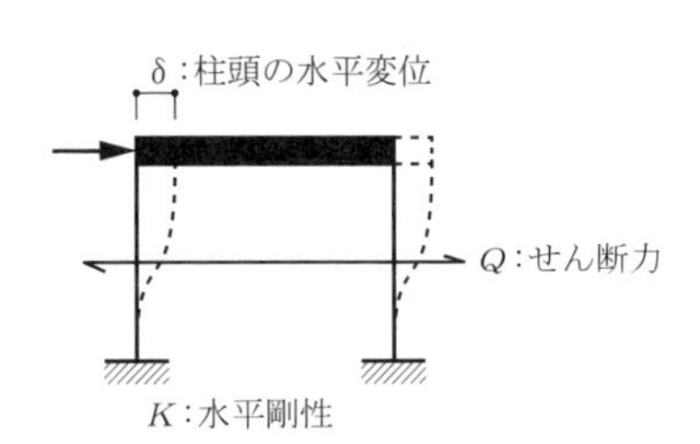

この関係は、図のような1層のラーメンだけでなく、多層ラーメンの層ごとにも成り立つ。また、柱1本においても成り立つ。

$Q = K\delta$ を変形すると、$\delta = \dfrac{Q}{K}$ より

$$\delta_1 : \delta_2 = \frac{Q_1}{K_1} : \frac{Q_2}{K_2}$$

ここで、$K_1 = 2K$、$K_2 = K$ と与えられているが、各層の層せん断力 Q_1、Q_2 が不明であるため、それらを求める必要がある。

2）各層の層せん断力を求める。

2層の層せん断力

$Q_2 = 2P$

1層の層せん断力

$Q_1 = P + 2P = 3P$

3）1層の層間変位 δ_1 と2層の層間変位 δ_2 の比

$$\therefore \ \delta_1 : \delta_2 = \frac{3P}{2K} : \frac{2P}{K}$$

$$= \frac{3}{2} : 2$$

$$= 3 : 4$$

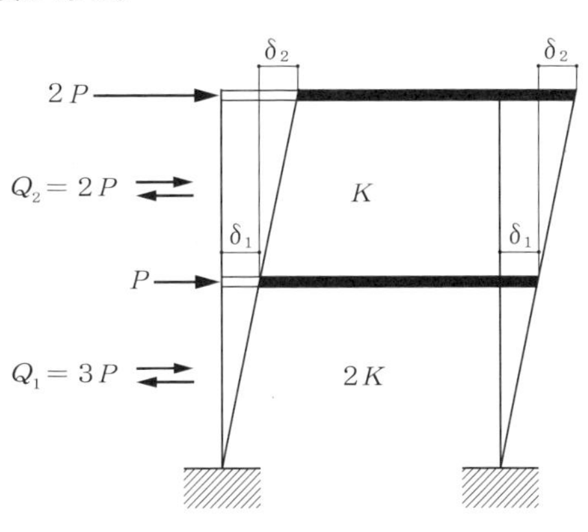

正答 → 4

Check Point 5 全塑性モーメント・崩壊荷重

❶ 全塑性モーメント（M_p）

部材の全断面が降伏し、作用している曲げモーメントが、一定の大きさを保ちながら曲率が自由に増大し得る状態になったときの最終の曲げモーメント。

⇨ **降伏ヒンジ**を形成しているときに生じている曲げモーメント。

全塑性モーメントの考え方

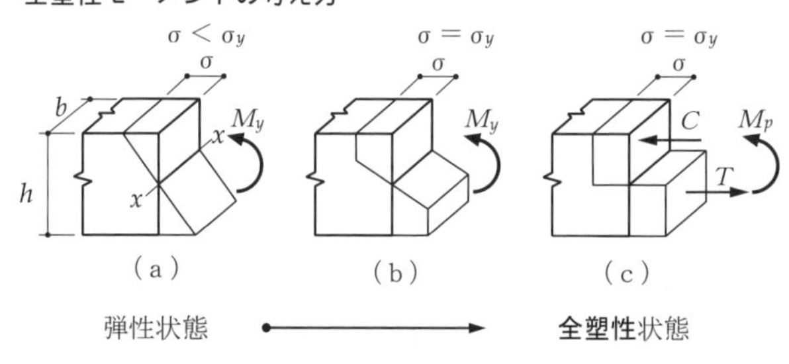

長方形断面の部材が、断面の主軸x軸まわりに曲げモーメントを受ける場合、曲げモーメントがしだいに増加すると、曲げ応力度は(a)から(c)のように変化する。この(c)のように断面全部が降伏して塑性となったときの曲げモーメントであり、せい：h、幅：b、降伏応力度の合力を、圧縮側：C、引張側：Tとすると、

$$C = T = b \times \frac{h}{2} \times \sigma_y、\ j = \frac{h}{2}$$

であるので、

$$\boxed{M_p = C \times j = T \times j} = \frac{bh}{2} \times \sigma_y \times \frac{h}{2} = \frac{bh^2}{4} \sigma_y$$

↑ 塑性断面係数（$\frac{bh^2}{4}$）

❷ 崩壊荷重（Pu）

図のような骨組の**崩壊荷重**P_uを仮想仕事の原理(外力による仕事＝内力による仕事)より求める。

● 外力による仕事

各荷重点における荷重と荷重方向の変位量の積の総和

● 内力による仕事

各塑性ヒンジにおける全塑性モーメントと回転角の積の総和

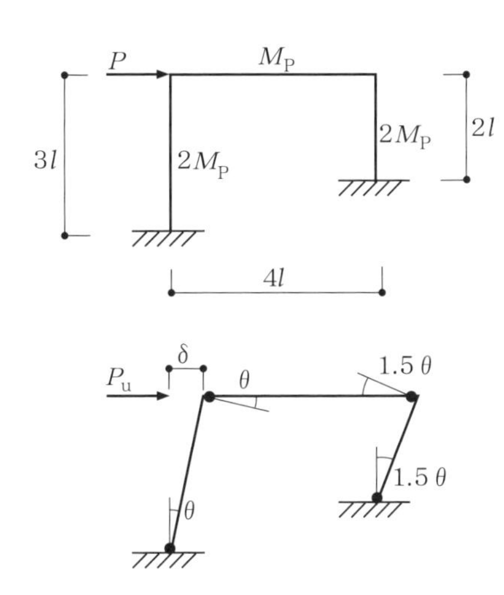

○ 外力による仕事

$=P_u\times\delta$

$=P_u\times 3l\times\theta$

○ 内力による仕事

$=2M_P\times\theta+M_P\times\theta$

$+M_P\times 1.5\theta+2M_P\times 1.5\theta$

$=7.5M_P\cdot\theta$

$\therefore\ P_u\times 3l\times\theta=7.5M_P\cdot\theta$

$$P_u=\frac{7.5M_P\cdot\theta}{3l\times\theta}$$

$$=\frac{2.5M_P}{l}$$

δ：荷重点における荷重方向の変位量

M_p：全塑性モーメント

θ：塑性ヒンジにおける回転角

アドバイス　全塑性モーメント・崩壊荷重

● 全塑性モーメントの出題は、「軸圧縮力を考慮した全塑性モーメント」が出題されるので、考え方を理解する。

● 崩壊荷重は、外力による仕事の計算に用いるδの求め方、内力による仕事の計算に用いる回転角θの求め方を理解する。

→崩壊メカニズムが与えられていない問題においては、塑性ヒンジの発生する箇所やその考え方を理解する。

問題 5-1　全塑性モーメント

check

図－1のような等質な材料からなる断面が、図－2に示す垂直応力度分布となって全塑性状態に達している。このとき、断面の図心に作用する圧縮軸力Nと曲げモーメントMとの組合せとして、**正しい**ものは、次のうちどれか。ただし、降伏応力度はσ_yとする。

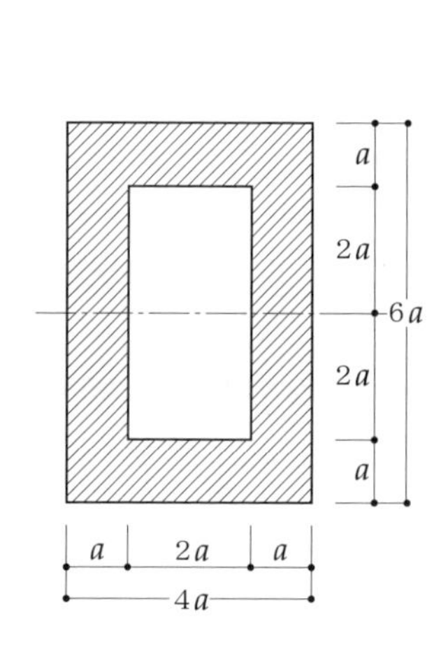

図－1　断面形状

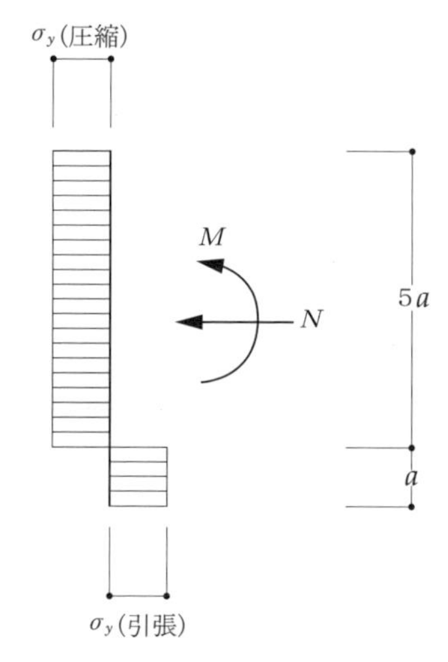

図－2　垂直応力度分布

	N	M
1.	$4a^2\sigma_y$	$10a^3\sigma_y$
2.	$4a^2\sigma_y$	$20a^3\sigma_y$
3.	$8a^2\sigma_y$	$10a^3\sigma_y$
4.	$8a^2\sigma_y$	$20a^3\sigma_y$

解 説

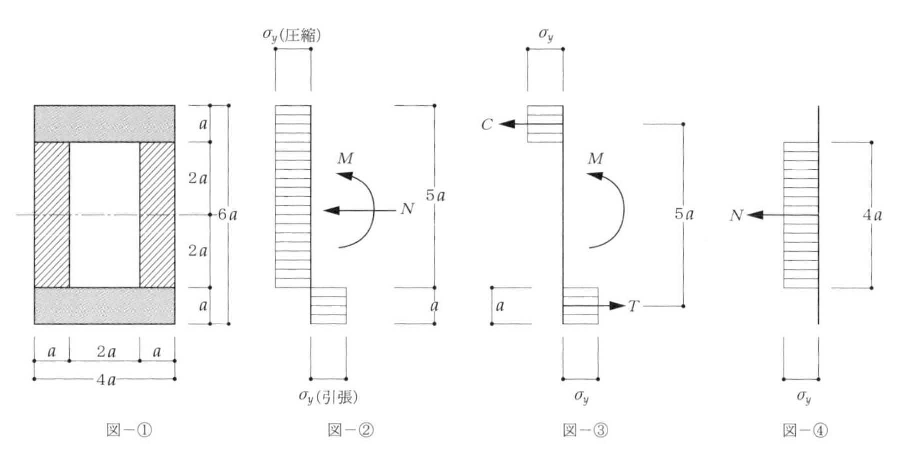

図－① 図－② 図－③ 図－④

図－②の垂直応力度分布のように全断面が塑性化している場合、曲げモーメントMに寄与する部分(図－③)と圧縮軸力Nに寄与する部分(図－④)に分けて考えることができる。

1）図－③において、全塑性状態の曲げモーメントMを求める。

$T = C = 4a \times a \times \sigma_y = 4a^2\sigma_y$

$4a \times a$：網かけ部分の断面積

σ_y：降伏応力度

$\therefore M = T \times 5a = C \times 5a = 4a^2\sigma_y \times 5a$

$= 20a^3\sigma_y$

2）図－④において、全塑性状態での圧縮軸力Nを求める。

$\therefore N = a \times 4a \times 2 \times \sigma_y = 8a^2\sigma_y$

$a \times 4a \times 2$：ハッチング部分の断面積

正答 → 4

問題 5-2 崩壊荷重

check

図－1のような水平荷重Pを受けるラーメンにおいて、Pを増大させたとき、そのラーメンは、図－2のような崩壊機構を示した。ラーメンの崩壊荷重P_uの値として、**正しい**ものは、次のうちどれか。ただし、柱、梁の全塑性モーメントの値は、それぞれ400kN･m、200kN･mとする。

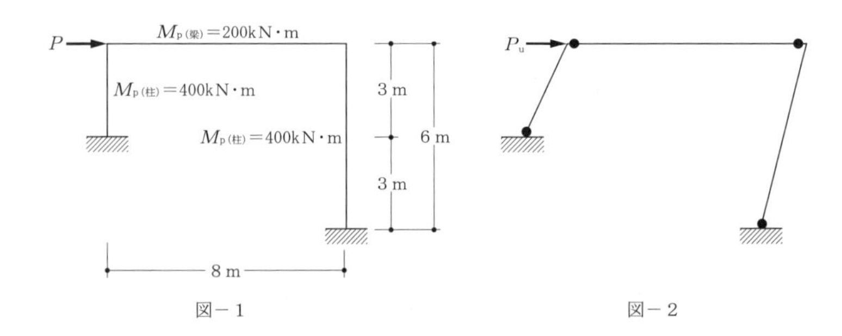

図－1　　図－2

1. 200 kN
2. 300 kN
3. 400 kN
4. 600 kN

アドバイス 崩壊メカニズムの考え方

- 塑性ヒンジは、**荷重の作用点**、部材の端部(**支点・節点**)に発生する。
- 塑性ヒンジの発生する箇所数は、不静定次数＋1　となる。
- 剛接合されている柱梁接合部における塑性ヒンジは、全塑性モーメントの**小さい方の部材端部**に生じる。

解説

1)　はじめに、荷重点における荷重方向(水平方向)の変位を求める。

図のように、左柱の柱脚(A点)に生じた塑性ヒンジの回転角をθとおいたとき、荷重点(C点)における荷重方向の変位δ_Cは、図の網掛け部分の直角三角形における微小角の変位より

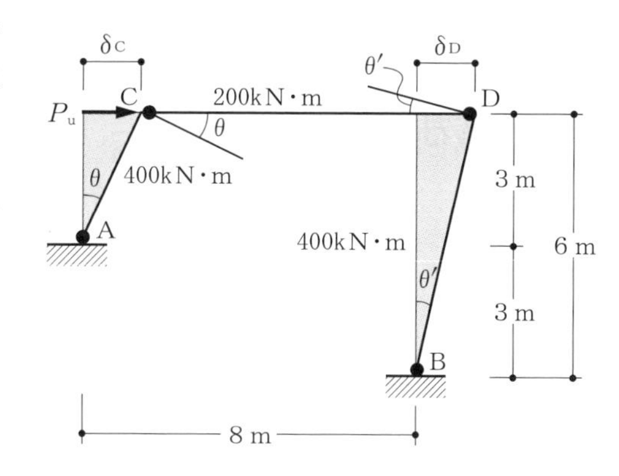

$$\delta_C = 3\theta$$

次に、各塑性ヒンジにおける回転角を求める。

θだけ傾いた左柱に剛接合されている梁の左端(C点)に生じた塑性ヒンジの回転角は、A点と同じθとなる。

右柱の柱脚(B点)に生じた塑性ヒンジの回転角をθ'とおく。ここで、D点の水平変位δ_Dは、δ_Cと同様の方法で求めると、$\delta_D = 6\theta'$となる。ここで、$\delta_C = \delta_D$より

$$3\theta = 6\theta' \qquad \therefore \quad \theta' = \frac{\theta}{2}$$

$\dfrac{\theta}{2}$だけ傾いた右柱に剛接合されている梁の右端(D点)に生じた塑性ヒンジの回転角は、B点と同じ$\dfrac{\theta}{2}$となる。

2)　外力のなす仕事$\Sigma P\delta$を求める。荷重点はC点のみであるため

$$\Sigma P\delta = P_u \times 3\theta$$

3)　内力のなす仕事$\Sigma M\theta$を求める。塑性ヒンジは4箇所あるため、4箇所分を合計して求める。A点から時計回りに計上すると

$$\Sigma M\theta = 400\theta + 200\theta + 200 \times \frac{\theta}{2} + 400 \times \frac{\theta}{2} = 900\theta$$

4)　$\Sigma P\delta = \Sigma M\theta$より、崩壊荷重$P_u$を求める。

$$P_u \times 3\theta = 900\theta \qquad よって、P_u = 300\text{kN}$$

正答 → ❷

Ⅳ 構造

Check Point 6 荷重・外力、固有周期（振動）

❶ 積載荷重

積載荷重は、人間・家具・物品等の荷重である。

- **床計算用＞大梁、柱、基礎の計算用＞地震力計算用**
- 倉庫業を営む倉庫の積載荷重は**3,900 N／㎡**以上とする。

❷ 積雪荷重

① **単位重量**

- 一般の地域 ⇨ 積雪 1 cmごとに**20 N／㎡**以上

② 積雪荷重＝単位荷重×屋根の水平投影面積×**垂直積雪量**

③ 屋根に雪止めがある場合を除き、屋根勾配に応じて低減できる。勾配が60度を超える場合は、積雪荷重を考慮しなくてもよい。

❸ 風　圧　力

① 風圧力（W）は、**速度圧**に**風力係数**を乗じて求める。

$W = q \cdot C_f$

q：速度圧 ⇨ $q = 0.6 \cdot E \cdot V_0^{\,2}$

C_f：風力係数

② 屋根の軒先、けらば等の局部の風力係数は屋根や壁面より**大きい**場合がある。

❹ 建築物の設計用地震力

建築物の地上部分に作用する水平方向の地震力は次式による。

$$Q_i = C_i \cdot W_i$$

Q_i：i階に作用する地震層せん断力

W_i：i階**が支える部分**における固定荷重と積載荷重の和（多雪区域においては積雪荷重も考慮）

C_i：i階の地震層せん断力係数

$$C_i = Z \cdot R_t \cdot A_i \cdot C_0$$

① **地震地域係数**(Z)

- 各地域を地震動の強さに応じ、危険性の最も高い地域を1.0とし0.7までの４種類に区分している。
- 九州、沖縄より北海道、本州の太平洋側の値のほうが**大きい**。

② **振動特性係数**(R_t)

- 建築物の設計用一次固有周期と地盤の種類により決まる。値は1.0以下。
- 固有周期が長いほどR_tが小さくなる。 ⇨ 地震力が小さくなる。
- 地盤が硬いほどR_tが小さくなる。 ⇨ 地震力が小さくなる。
  第３種地盤(軟弱)＞第２種地盤(普通)＞第１種地盤(硬質)

③ **地震層せん断力係数の高さ方向の分布係数**(A_i)

- 建物は上階ほど振動が大きくなるため、固有周期と階の位置に応じてC_iを補正する係数である。
- 地上１階(**地上部分最下層**)を**1.0**とし、**上階**ほど値が**大きく**なる。

④ **標準せん断力係数**(C_o)

- 地震の規模により決まる係数で、**許容応力度計算**を行う場合は、一般に、**0.2**以上とする。また、**必要保有水平耐力**を計算する場合は、**1.0**以上とする。

5 固有周期（*T*）

固有周期は次式より求める。

$$T = 2\pi\sqrt{\frac{m}{K}}$$

m：質量
K：ばね定数(水平剛性)

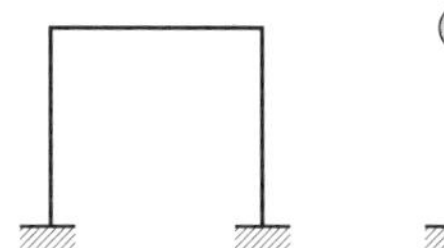

1質点系モデル

- 固有周期は、**水平剛性**の平方根に**反比例**し、**質量**の平方根に**比例**する。

アドバイス 荷重・外力、固有周期(振動)

- 大小関係、記憶しなければならない数値等があるので、学科Ⅲ(法規)と関連づけて学習すること。
- 地震力については、$Q_i = W_i \times C_i$の基本式の考え方、及び地震層せん断力係数C_iを構成する各種係数の関係が重要。
- 固有周期における剛性と質量の関係・考え方を公式も含めて理解する。

問題 6-1

荷重及び外力に関する次の記述について、**適当か**、**不適当か**、判断しなさい。

▌積載荷重・積雪荷重▌

check □□□

問題1
構造計算に用いる積載荷重の大小関係は、一般に、床用＞大梁・柱・基礎用＞地震力用である。

check □□□

問題2
学校の屋上広場の単位面積当たりの積載荷重は、実況に応じて計算しない場合、教室の単位面積当たりの積載荷重と同じ数値とすることができる。

check □□□

問題3
倉庫業を営む倉庫における床の構造計算に用いる積載荷重は、実況に応じて計算した数値が3,900N/㎡未満であっても、3,900N/㎡としなければならない。

check □□□

問題4
積雪荷重の計算に用いる積雪の単位荷重は、原則として、積雪量1㎝当たり20N/㎡以上とする。

check □□□

問題5
屋根の積雪荷重は、雪止めを設けない屋根の勾配が45度の場合、0とすることができる。

check □□□

問題6
多雪区域を指定する基準において、積雪の初終間日数の平年値が30日以上の区域であっても、垂直積雪量が1m未満の場合は、多雪区域とはならない。

check □□□

問題7
多雪区域における暴風時に生ずる力を計算する場合には、積雪荷重によって生ずる力を加える場合と加えない場合のそれぞれについて想定する。

風　圧　力

check

問題8

風圧力は、風の速度圧に風力係数を乗じて計算する。

問題9

風圧力の計算に用いる速度圧は、その地方における基準風速の平方根に比例する。

問題10

風圧力における平均風速の高さ方向の分布を表す係数E_rは、建築物の高さが同じ場合、一般に、「極めて平坦で障害物がない区域」より「都市化が極めて著しい区域」のほうが小さい。

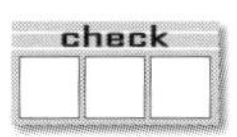

問題11

ガスト影響係数G_fは、一般に、建築物の高さと軒の高さとの平均Hの値が大きくなるほど、小さくなる。

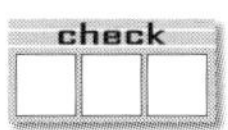

問題12

風圧力を計算するに当たって用いる風力係数は、風洞試験によって定める場合のほか、建築物の断面及び平面の形状に応じて定める数値によらなければならない。

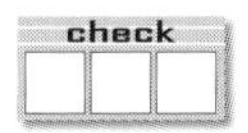

問題13

屋根の軒先などの局部の風力係数は、屋根面や壁面の風力係数より大きくなる場合がある。

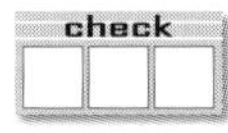

問題14

高さ13m以下の建築物において、屋根ふき材については、規定のピーク風力係数を用いて風圧力の計算をすることができる。

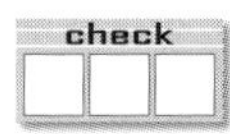

問題15

屋根葺き材に作用する風圧力の算出に用いる基準風速V_0は、構造骨組に用いる風圧力を算出する場合と異なる。

解 説

問題1　適当

構造計算に用いる積載荷重の数値は、室の種類と構造計算の対象によって異なり、積載荷重の大小関係は、一般に、**床**用＞**大梁・柱・基礎**用＞**地震力**用となる。令85条１項表。

問題2　不適当

学校の屋上広場の単位面積当たりの**積載荷重**は、実況に応じて計算しない場合、教室の積載荷重よりも大きな値で定められている。令85条１項表。

問題3　適当

倉庫業を営む倉庫の床の構造計算における積載荷重は、3,900 N/㎡未満であっても、**3,900 N/㎡**としなければならない。令85条３項。

問題4　適当

積雪荷重の計算に用いる積雪の**単位荷重**は、多雪区域を除き、積雪量**１cm当たり、20 N/㎡以上**とする。令86条２項。

問題5　不適当

屋根の積雪荷重は、屋根に雪止めを設けない場合、その勾配が**60度以下**の場合は、その勾配に応じて**低減**することができる。また、勾配が**60度を超える**場合は、**0**とすることができる。45度の場合は低減できるが、０とすることはできない。令86条４項。

【参考】外気温が低く、積雪底面が**凍って滑雪しない**おそれがある場合は、積雪荷重を**低減しない**などの考慮が必要である。

問題6　不適当

以下の**いずれか**を満たす区域は、**多雪区域**である。令第86条２項。

① **垂直積雪量**が１m以上の区域
② **積雪の初終間日数**（当該区域中の積雪部分の割合が１／２を超える状態が継続する期間の日数）**の平年値**が30日以上の区域

問題7　適当

多雪区域における**暴風時**に生ずる力は、**積雪荷重**によって生ずる力を加える場合（$G+P+0.35S+W$）と加えない場合（$G+P+W$）のそれぞれについて想定する。令82条。

問題8　適当

風圧力は、**速度圧**に**風力係数**を乗じて計算しなければならない。令87条１項。

問題９　不適当

風の**速度圧**q（N/㎡）は、次式より求める。

$q=0.6 \cdot E \cdot V_0{}^2$

E：当該建築物の屋根の高さ及び周辺の地域に存する建築物その他の工作物、樹木その他の風速に影響を与えるものの状況に応じて、国土交通大臣が定める方法により算出した数値

V_0：その地方における過去の台風の記録に基づく風害の程度その他の風の性状に応じて、30m毎秒から46m毎秒までの範囲において、国土交通大臣が定める風速（m/秒）

したがって、その地方における**基準風速**（V_0）の２乗に比例する。令87条２項。

問題10　適当

風圧力における平均風速の高さ方向の分布を表す係数E_rは、地表面粗度区分及び当該建築物の屋根の平均高さに応じて算定する。一般に、区分Ⅰの極めて平坦で障害物がない区域より、区分Ⅳの**都市化が極めて著しい区域**のほうが小さい。告示（平12）第1454号第１、建築物の構造関係技術基準解説書。

問題11　適当

ガスト影響係数G_fは、風の時間的変動により建築物が揺れた場合に発生する最大の力を算定する係数である。一般に、**建築物の高さと軒の高さとの平均Hの値が大きく**なるほど、**小さく**なる。告示（平12）第1454号第１、建築物の構造関係技術基準解説書。

問題12　適当

風圧力を計算するときに用いる**風力係数**は、風洞試験によって定める場合の他、建築物の断面及び平面の形状に応じて大臣が定める数値による。令87条４項、告示（平12）第1454号第三。

問題13　適当

屋根の軒先などには、特に大きな風圧が働くことがあるので、**屋根の軒先**などの局部の**風力係数**は、屋根面や壁面の風力係数より**大きく**なる場合がある。

問題14　適当

屋根ふき材は、個々の部材の寸法が小さく、屋根版全体ではなく取り付けられた部分の局部的な風圧力に対して設計する必要がある。したがって、**屋根ふき材の構造計算**に当たっては、規定の**ピーク風力係数**を用いて風圧力を計算することとしている。告示（平12）第1458号１項、建築物の構造関係技術基準解説書。

問題15　不適当

屋根葺き材に作用する風圧力の算出に用いる基準風速V_0**は、構造骨組に用いる風圧力を算出する場合と同じ値**を用いる。

問題 6-2　次の記述について、**適当か**、**不適当か**、判断しなさい。

▮地　震　力▮

問題１

建築物の地上部分におけるある層に作用する地震層せん断力は、地震層せん断力係数C_iに、その層の固定荷重と積載荷重との和を乗じて求める。

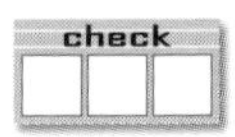

問題２

地震層せん断力Q_iの値は、建築物の下層ほど小さくなる。

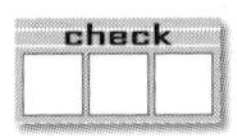

問題３

地震層せん断力係数C_iは、建築物の設計用一次固有周期Tが1.0秒の場合、硬質地盤の場合に比べて、軟弱地盤の場合のほうが大きい。

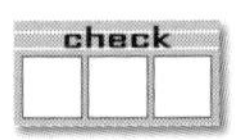

問題４

地震地域係数Zは、その地方における過去の地震記録に基づく震害の程度及び地震活動の状況などに応じて定められた数値である。

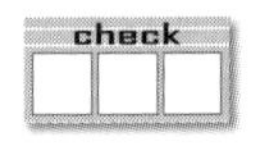

問題５

振動特性係数R_tの値は、一般に、建築物の設計用一次固有周期が長くなるほど小さくなる。

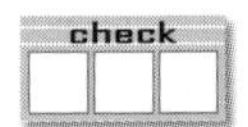

問題６

地震層せん断力係数の建築物の地上部分における高さ方向の分布を示す係数A_iの値は、一般に、建築物の上層ほど小さくなる。

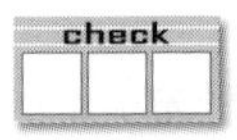

問題７

建築物の地上部分における各層の必要保有水平耐力を計算する場合、標準せん断力係数C_0の値は、1.0以上とする。

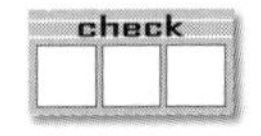

問題８

塔屋や屋上突出物には、地震による振動によって、建築物本体に比べて大きい加速度が作用する。

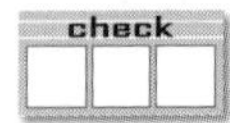

問題９

屋上から突出する水槽、煙突等の地震力に用いられる水平震度kは、地震地域係数Zに1.0以上の数値を乗じて得た数値とする。

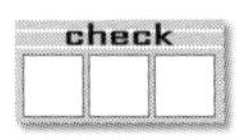

問題10

建築物の地下部分の各部分に作用する地震力は、一般に、当該部分の固定荷重と積載荷重との和に水平震度を乗じて計算する。

▌固有周期（振動）▌

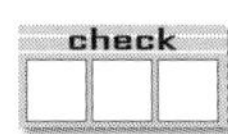

問題11

建築物の固有周期は、質量の平方根に比例し、剛性の平方根に反比例する。

問題12

建築物の固有周期は、質量が同じであれば、水平剛性が大きいほど長くなる。

問題13

建築物の一次の振動モードに対応する固有周期は、一般に、二次の振動モードに対応する固有周期に比べて長い。

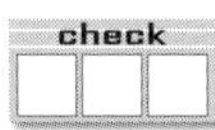

問題14

建築物の設計用一次固有周期Tは、建築物の高さが等しければ、一般に、鉄筋コンクリート構造より鉄骨構造のほうが長い。

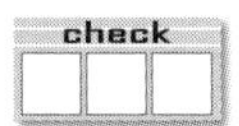

問題15

建築物の設計用一次固有周期Tは、同じ構造形式の場合、一般に、建築物の高さが高いものほど長くなる。

解説

問題1　不適当

地上部分のある層に作用する地震層せん断力Q_iは、**その層が支える**全重量W_iに、その層の地震層せん断力係数C_iを乗じて計算する。令88条1項。

問題2　不適当

上記より、建築物の**下層**ほどW_iが累積的に**大きく**なるため、それに比例してQ_iも大きくなる。

問題3・4・5　適当

問題6　不適当

問題7　適当

地震層せん断力係数C_iは、次式より求める。令88条1項、告示(昭55)第1793号。

$$C_i = Z \cdot R_t \cdot A_i \cdot C_0$$

Z：**地震地域係数**。その地方における過去の地震の記録に基づく震害の程度及び地震活動の状況などによって、1.0～0.7までの範囲において数値が定められている。⬅ **問題4**

R_t：建築物の振動特性係数 ⇨ 建築物の一次固有周期と地盤の種別に応じて定まる値。

A_i：建築物の振動特性に応じて、地震層せん断力係数の建築物の高さ方向の分布を表す係数 ⇨ 建築物の固有周期と質量に基づき求める。地上部分の1階を1.0とし、階(層)が**高く**なるほど**大きく**なるように定めたもの。

C_0：標準せん断力係数 ⇨ 一般には**0.2**以上、建築物の地上部分における各層の**必要保有水平耐力**を求める場合は、**1.0以上**とする。⬅ **問題7**

Z、C_0、R_tは、いずれも建物の層の位置には関係なく一定。A_iは、**上層**になるほど**大きく**なる。⬅ **問題6**

地盤の硬軟に応じてその値が変化するものは、建築物の**振動特性係数**R_tであり、一般に、**Tが長い**ほど**小さく**なる。また、硬質地盤(第1種地盤)における値に比べて、**軟弱**地盤(**第3種**地盤)の値のほうが、R_tは**大きく**なるので、C_iは、**軟弱**地盤のほうが**大きく**なる。⬅ **問題3・5**

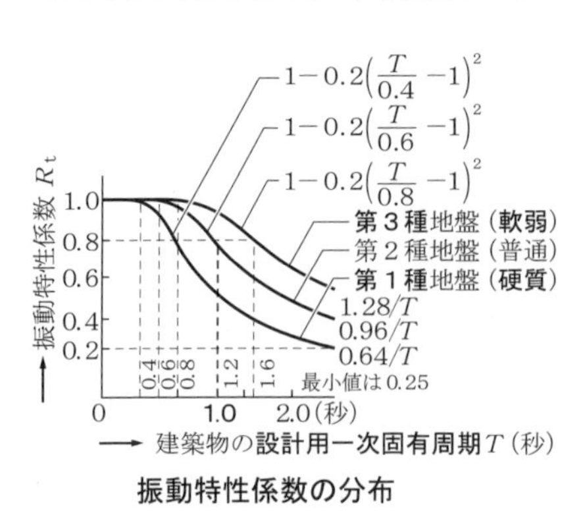

振動特性係数の分布

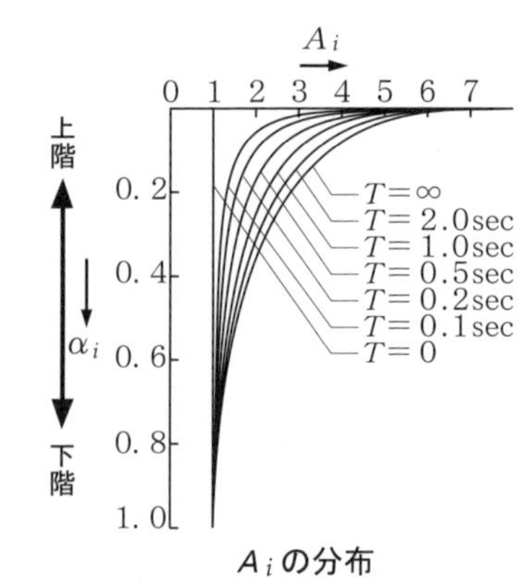

A_iの分布

問題8　適当

塔屋や水槽等の**屋上突出物**には、地震時に建築物本体が増幅器の働きをし、建築物本体よりも**大きい加速度**が作用する。

問題9　適当

屋上から突出する水槽、煙突、広告塔などに作用する地震力を求めるときの**水平震度k**は、**地震地域係数Z**に**1.0以上**の数値を**乗じて**得た数値とする。

$k = Z \times$(1.0以上の数値)　告示(平12)第1389号。

問題10　適当

建築物の**地下部分**の各部分に作用する**地震力**は、当該部分の固定荷重と積載荷重との和に水平震度を乗じて計算しなければならない。建築基準法施行令88条4項。

問題11　適当、問題12　不適当

建築物の**固有周期**Tは、下式から求める。

$T = 2\pi\sqrt{\dfrac{m}{K}}$　　m：質量　　K：ばね定数(水平剛性)

したがって建築物の固有周期Tは、**質量m**の平方根に**比例**し、**水平剛性K**の平方根に**反比例**する。

また、質量mが同じであれば、**水平剛性Kが大きい**ほど、建築物の固有周期Tは**短く**なる。

問題13　適当

一般に**一次**振動モードの固有周期(一次固有周期)が**最も長く**、次数が増加するにつれて、固有周期は短くなる。

問題14・15　適当

建築物の**設計用一次固有周期T**は、次式で与えられる。告示(昭55)第1793号。

$T = h(0.02 + 0.01\alpha)$

h：当該建築物の高さ(m)

α：当該建築物のうち柱及び梁の大部分が木造又は鉄骨造である階(地階を除く)の高さの合計のhに対する比

したがって、建築物の高さhが等しければ、鉄筋コンクリート造($0.02h$)より**鉄骨造**($0.03h$)のほうが**長い**。また、同じ構造形式の場合、建築物の高さに比例するので、**高い**建築物ほど**長く**なる。

問題 6-3　固有周期（振動）

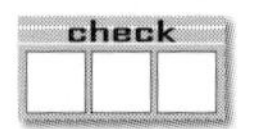

図のようなラーメン架構A、B及びCの水平方向の固有周期をそれぞれT_A、T_B及びT_Cとしたとき、それらの大小関係として、**正しい**ものは、次のうちどれか。ただし、柱の曲げ剛性は図中に示すEIあるいは$2EI$とし、梁は剛体とする。また、柱の質量は考慮しないものとする。

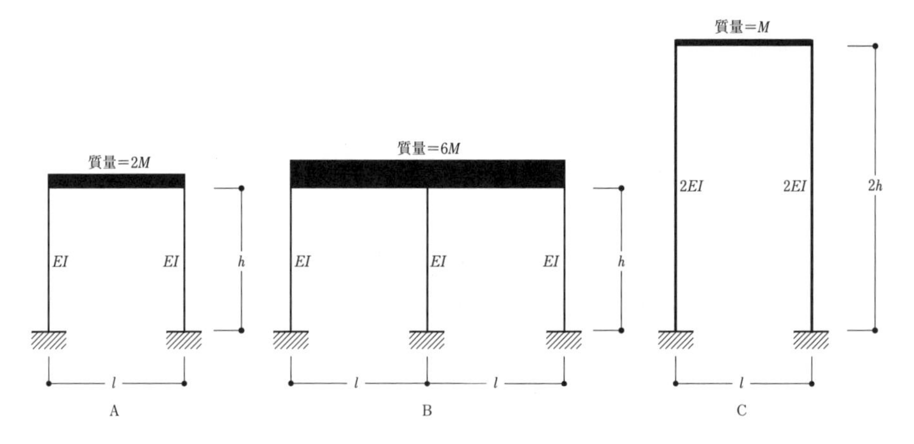

1. $T_A < T_B = T_C$
2. $T_B < T_A < T_C$
3. $T_B = T_C < T_A$
4. $T_C < T_A < T_B$

解説

1）固有周期Tは、次式より求める。

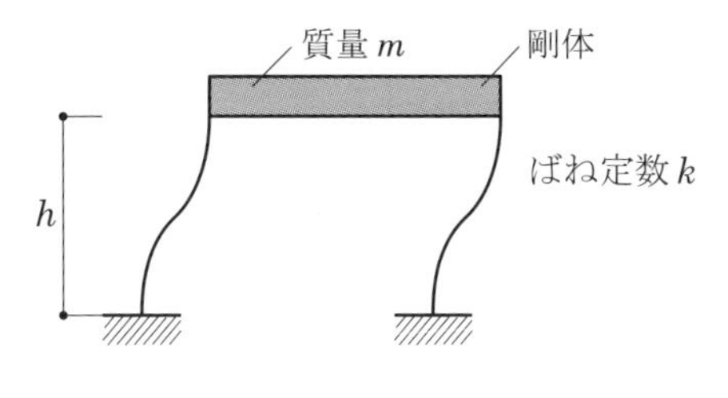

$$T = 2\pi \times \sqrt{\frac{m}{k}}$$

m：質量
k：ばね定数。建築物については層の水平剛性をいう。

両端固定の柱の水平剛性Kは、次式になる。

$$K = \frac{12EI}{h^3}$$

EI：柱の曲げ剛性　h：柱の長さ

2）各ラーメンの水平剛性k_A、k_B、k_Cを求める。

$$k_A = \frac{12EI}{h^3} \times 2 = \frac{24EI}{h^3}$$（同じ柱２本なので、×２）

$$k_B = \frac{12EI}{h^3} \times 3 = \frac{36EI}{h^3}$$

$$k_C = \frac{12 \times 2EI}{2h \times 2h \times 2h} \times 2 = \frac{3EI}{h^3} \times 2 = \frac{6EI}{h^3}$$

3）固有周期T_A、T_B、T_Cの大小関係を求める。

$$T_A = 2\pi \sqrt{\frac{2M}{\frac{24EI}{h^3}}} = 2\pi \sqrt{\frac{Mh^3}{12EI}}$$

$$T_B = 2\pi \sqrt{\frac{6M}{\frac{36EI}{h^3}}} = 2\pi \sqrt{\frac{Mh^3}{6EI}}$$

$$T_C = 2\pi \sqrt{\frac{M}{\frac{6EI}{h^3}}} = 2\pi \sqrt{\frac{Mh^3}{6EI}}$$

したがって、固有周期の大小関係は　$T_A < T_B = T_C$

正答 → ❶

Check Point 7

耐震設計・構造計画

❶ 耐震設計

1．耐震二次設計

① 変形量のチェック：各階層ごとの高さ方向の変形 ⇨ **層間変形角**の確認

② バランスのチェック

- 立面的バランス ⇨ **剛性率**の確認
- 平面的バランス ⇨ **偏心率**の確認

③ 終局耐力のチェック ⇨ **保有水平耐力**の確認

2．層間変形角

- 各階の最大の層間変位から各階の層間変形角を計算し、その数値が**1/200**以下であることを確かめる。
- 地震力による構造耐力上主要な部分の変形によって建築物の部分に著しい損傷が生ずるおそれのない場合は、**1/120**以下とすることができる。

3．剛　性　率

- 高さ方向における各階の剛性の変化を表す数値。
- 各階の**剛性率**は、**0.6以上**の値となるように柱、耐力壁などを配置する。
- 建築物の各階の剛性率の高さ方向の分布に大きな不連続があると、地震時に**剛性の小さな階**に変動や**損傷が集中**しやすい。

4．偏　心　率

- 重心と剛心の偏りのねじれ抵抗に対する割合。**0.15以下**とする。
- **剛心**と**重心**を**近づける**計画とし、地震時のねじれ振動による建築物外周部の揺れが大きくならないようにする。
- **ねじり剛性**を大きくするためには、中心部よりも**外周部**に**耐力壁や筋かいを配置**する。

5．保有水平耐力(Q_u)・必要保有水平耐力(Q_{un})

① **保有水平耐力**は、当該建築物の一部又は全体が地震力の作用によって**崩壊形（崩壊メカニズム）**を形成する場合において、各階の柱、耐力壁及び筋かいが負担する水平せん断力の和として求められる値である。

② **必要保有水平耐力**は大地震時に対して安全を確保するために必要とする各階の最小限の水平方向の耐力で、次式で与えられる。

$$Q_{un}=D_s \cdot F_{es} \cdot Q_{ud}$$

D_s：構造特性係数

F_{es}：形状係数

Q_{ud}：**大地震**を想定し、**C_0を1.0以上**とした**地震層せん断力**

- 各階の**保有水平耐力**が、**必要保有水平耐力以上**であることを確認する（**各階・**

各方向ごとに行う)。

③　**必要保有水平耐力**が**大きく**なる場合

- **剛性率が0.6を下回る階、偏心率が0.15を上回る階**は、形状係数F_{es}が大きくなり、必要保有水平耐力Q_{un}は大きくなる。
- **靱性**(**塑性変形能力**)が**低い**建築物は、構造特性係数D_sが大きくなるので、必要保有水平耐力Q_{un}は大きくなる。

6．耐震設計のポイント

①　地震力は、一般に床構造から耐力壁に伝わるので、地震力に対して耐力壁を有効に働かせるには、床スラブの**剛性**や**耐力**を大きくする。

②　建築物の耐震性の評価は、**強度**と**靱性**(変形能力)によって決まる。靱性の乏しい建築物の場合には、強度を十分に大きくし、耐震性を高める必要がある。

③　短柱のような部材が混在していると、その部材に力が集中し、他の部材より先に**脆性的**な**せん断破壊**を起こす。

④　ＲＣ造の建築物の垂れ壁や腰壁の付いた柱は、それらが付かない柱に比べ短柱となり、**脆性的**な**せん断破壊**を起こす。

⑤　柱に作用している軸方向力が大きいほど、柱の塑性変形能力は**低下**する。

⑥　純ラーメン構造の場合、隅柱は中柱に比べ軸方向力の変動が**大きい**。

⑦　建築物の各階の剛性の間に大きな不連続となる階があると、地震時に剛性の**小さい**階に変形や損傷が集中しやすい。

Ⅳ 構造

2 構造計画

①　**エキスパンションジョイント**を設け、建築物を別個のものとして構造計算を行う場合、最低限、一次設計用地震力による変形量の２倍程度をみる。

②　超高層建築物では、風圧力により部材断面が決定することもある。

③　建物の**重心**と**剛心**がなるべく**一致**するように、耐力壁の配置には特に注意が必要である。

④　コア部分は、長手方向の両端に分散させたほうが、**ねじれ剛性**も増加する。

アドバイス　**耐震設計・構造計画**

- 耐震設計では、せん断破壊の防止、靱性の確保に注意する。
- 必要保有水平耐力では、その考え方と構造特性係数D_sとの関係に注意する。
- 構造計画では、構造力学や耐震設計の考え方が基本となるので、その関連も含めて理解する。

問題 7

建築物の耐震設計、構造計画に関する次の記述について、**適当か**、**不適当か**、判断しなさい。

check □□□

問題1

平面形状が長方形の鉄骨構造の建築物において、短辺方向を純ラーメン構造、長辺方向をブレース構造とした場合、耐震計算ルートは両方向とも同じルートとする必要がある。

check □□□

問題2

建築物の各階ごとの剛性に大きな差があると、地震時に剛性の小さい階に変形や損傷が集中しやすい。

check □□□

問題3

ピロティ形式の建築物においては、一般に、ピロティ階の剛性率が小さくなるので、この階で層崩壊しないようにするため、柱に十分な強度と靱性をもたせるように計画した。

check □□□

問題4

建築物のねじり剛性を大きくするためには、一般に、耐力壁や筋かいは、平面上の中心部に配置するより、外周部に釣り合いよく配置するほうが有効である。

check □□□

問題5

保有水平耐力の算定において、増分解析に用いる外力分布は、地震層せん断力係数の建築物の高さ方向の分布を表す係数A_iに基づいて設定した。

check □□□

問題6

保有水平耐力計算における必要保有水平耐力の算定では、形状特性を表す係数F_{es}は、各階の剛性率及び偏心率のうち、それぞれの最大値を用いて、全階共通の一つの値として算出する。

check □□□

問題7

構造特性係数D_sは、一般に、架構が靭性に富むほど大きくすることができる。

check □□□

問題8

構造体の強度、靱性が同じ場合、一般に、建築物の全体の軽量化は、耐震性を向上させる。

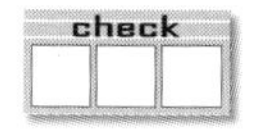

問題9

建築物の耐震性は、強度と靭性によって評価されるが、靭性に乏しい場合には、強度を十分に大きくする必要がある。

問題10

純ラーメン構造の場合、地震時の柱の軸方向力の変動は、一般に、中柱よりも隅柱のほうが小さい。

問題11

床スラブは、常時の鉛直荷重を支えるとともに、地震時における水平力の伝達、架構の一体性の確保等の役割をするので、床スラブの面内剛性及び耐力の検討を行った。

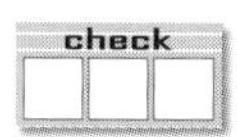

問題12

耐力壁周辺の床スラブには、水平剛性及び水平耐力が特に必要なので、開口部を設けないようにした。

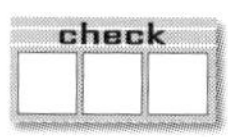

問題13

固有周期の異なる複数の建築物を接続するに当たって、地震時の挙動が異なるので、エキスパンションジョイントを設けた。

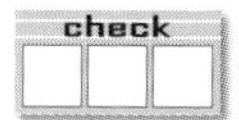

問題14

建築物のたわみや振動による使用上の支障が起こらないことを確認するために、梁及びスラブの断面の応力度を検討する方法を採用した。

解 説

問題1　不適当

1つの建築物において、構造及び規模によっては、短辺方向(**張り間**方向)及び長辺方向(**けた行**方向)のそれぞれに**異なる耐震計算ルート**を用いて耐震計算を行うことができる。例えば、鉄骨造で「耐震計算ルート[1]」を適用できる1つの建築物において、張り間方向(純ラーメン構造)は「耐震計算ルート[1]」、けた行方向(ブレース構造)については「耐震計算ルート[3]」を用いることができる。

問題2・3　適当

建築物の各階の間に剛性の偏りがあると、地震時に**剛性**の**小さい階**に**変形・損傷が集中**しやすい。令82条の6で、各階の剛性率を規定している。

ピロティ形式の建築物では、**ピロティ階**の**剛性率**が**小さく**なり、変形が集中し、この階で層崩壊するおそれがあるので、ピロティ階の構造部材は、十分な強度と靭性を確保する。建築物の構造関係技術基準解説書。

問題4　適当

ねじり剛性(建築物のねじり抵抗力)は、剛心から抵抗要素(耐力壁や筋かい)までの距離が大きいほど大きくなる。したがって、建築物のねじり剛性を大きくするためには、一般に、耐力壁や筋かいは平面上の中心部に配置するより、**外周部に配置**するほうが有効である。

問題5　適当

保有水平耐力は、原則として、一次設計の地震力作用時の応力算定において構造耐力上主要な部分とみなした部材からなる架構についてその弾塑性を適切に表すことのできるモデル化を行う。増分解析により計算する際、想定する外力分布は地震力の作用を近似した水平方向の外力分布に基づくものとし、原則として**A_i分布**に基づく外力分布により計算する。告示(平19)第594号第4、建築物の構造関係技術基準解説書。

問題6　不適当

必要保有水平耐力Q_{un}の算定に用いる**形状係数F_{es}**は、**剛性率が0.6を下回る**、または、**偏心率が0.15を上回る**階において、剛性率に応じた数値F_s（1.0～2.0）と偏心率に応じた数値F_e（1.0～1.5）の積により求められる割増係数である。この割増は、上記の条件に**該当する階のみ**行えばよい。告示(昭55)第1792号第7。

問題7　不適当

構造特性係数D_sは、架構が**靭性に富む**ほど、また**減衰が大きい**ほど小さくできる。

問題8　適当

構造体に作用する地震力の大きさは、建築物の重量に比例する。したがって、構造体の強度、靭性が同じなら、建築物の**軽量化**は**耐震性の向上**に役立つ。

問題9　適当

建築物の**耐震性**は、建築物の**強度**だけでなく、**靭性**、つまり、建築物に粘りを与えることによって高められる。そのため、靭性が乏しい場合には、強度を大きくして靭性を補い、また強度が不足する場合には、靭性を大きくして、建築物の耐震性を増すことが必要である。

問題10　不適当

純ラーメン構造の場合、地震時に生じる中柱の軸方向の大きさは、左右に接続する梁にそれぞれ生じるせん断力の大きさの差となるので、中柱より**隅柱**のほうが地震時の軸方向力の**変動が大きい**。

問題11　適当

床スラブは、常時の自重・積載荷重の鉛直荷重を支えるとともに、地震時に発生する水平力を柱や耐震壁への伝達、架構の一体性を確保する役割があるので、床スラブの**面内剛性**と**耐力**の検討が必要である。

問題12　適当

耐力壁と床スラブは一体となって、地震力などの水平力に抵抗する。**耐力壁周辺**の床スラブは、特に水平剛性および水平耐力が必要なので、**開口部**は**設けない**ほうがよい。

問題13　適当

固有周期の異なる複数の建築物を接続する場合は、各建築物の地震時の挙動が異なるので、**エキスパンションジョイント**を設け、地震による振動に対し、構造物に生じる応力や変形性状を制御する。

問題14　不適当

たわみや振動による**使用上の支障**が起こらないことを確認するには、断面の応力度ではなく、梁又は床版に生ずる**たわみ**の検討を行う。

これは、建築物の構造耐力上主要な部分(床面に用いる梁、床版)について満たすべきスパンに応じた梁のせい、床版の厚さを定め、これによらない場合には使用上の支障が起こらないことを構造計算により確認するもので、具体的には、建築物に常時作用している荷重(固定荷重・積載荷重)により、梁又は床版に生ずるたわみの最大値が、クリープを考慮してスパンの1/250以下であることを確かめることとしている。告示(平12)第1459号、建築物の構造関係技術基準解説書。

Check Point 8 地盤と基礎構造

❶ 地　盤

① **地　質**

- 第三紀層 ⇨ 支持地盤として最も信頼できる。
- 洪 積 層 ⇨ 基礎地盤として信頼できる良質な地盤。
- 沖 積 層 ⇨ 粘性土：圧密沈下を起こしやすい。
  砂質土：液状化の可能性がある。

② **粒　径**

れき＞砂＞シルト＞粘土

③ **砂質土・粘性土**

- 粘着力 ⇨ 粘性土＞砂質土
- 内部摩擦角、透水性 ⇨ 砂質土＞粘性土

④ **土の性質**

- **圧密沈下** ⇨ **粘性土**地盤において、地中の応力の増加により、**長時間**かかって土中の水が絞り出され、間隙が減少するために起こる。
- **液状化** ⇨ **飽和砂質土層**が、振動・衝撃などによる間隙水圧の上昇のためにせん断抵抗を失う現象。

〔液状化の検討〕

- 地表面から**20m程度以浅**の沖積層で、**細粒分含有率が35%以下**の飽和砂質土層は、液状化の検討を行う必要がある。

❷ 直接基礎

- 基礎構造の設計においては、地盤の破壊(極限鉛直支持力)及び地盤に対する基礎構造の沈下(沈下量)の検討が重要である。
- 極限鉛直支持力に関係する土の性質は、単位体積重量、粘着力及び内部摩擦角であり、基礎の形状・大きさ・根入れ深さが同一の場合、地盤の内部摩擦角及び粘着力が大きいほど、極限鉛直支持力は**大きく**なる。
- 基礎の根入れ深さが深くなるほど、極限鉛直支持力は**大きく**なる。
- 同じ底面積である場合、**短辺の幅が大きい(底面形状が正方形に近い)**ほうが、極限鉛直支持力は**大きく**なる。

3 杭基礎

- 杭基礎の鉛直支持力は、杭の支持力のみを考慮する。基礎スラブ底面の地盤支持力は考えない。
- 支持杭の鉛直支持力の算定 ⇨ 杭先端支持力に周面抵抗力を加算する。
- 地震時に地盤が液状化する可能性がある場合は、水平地盤反力係数を**低減**して、杭の水平力に対する検討を行う。
- 杭の曲げ剛性、杭幅及び杭に作用する水平力が同じであれば、
  水平地盤反力係数が大きい ⇨ 杭頭の水平変位・曲げモーメントは**小さく**なる。
- 鋼杭の腐食対策 ⇨ 防錆塗装、腐食しろを見込んで杭の肉厚を増す。
- 埋込み杭や場所打ちコンクリート杭は、施工方法によっては、支持力が低下する。
- 群杭は単杭に比べて沈下量が**大きい**。
- 負の摩擦力とは、圧密層を貫く**支持杭**において、圧密層の沈下に伴い、杭周面に生じる**下向き**の摩擦力である。

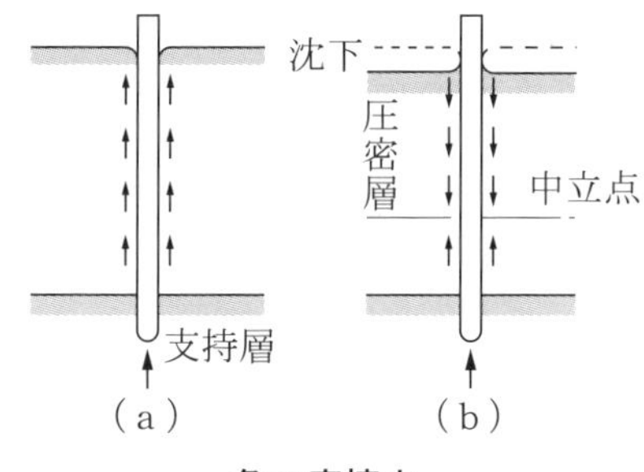

負の摩擦力

アドバイス 地盤・基礎構造

- 砂質土地盤(内部摩擦角、液状化、即時沈下)と粘性土地盤(粘着力、圧密沈下)の特性を理解する。
- 土圧の種類による大小関係は記憶する。また、地下水位と土圧、水圧の関係も理解する。
- 杭基礎では、杭頭の水平変位・曲げモーメントについての考え方(水平地盤反力係数など)、沈下(負の摩擦力など)について理解する。
- 杭の種類・施工別の特徴を理解する。

問題 8-1

地盤に関する次の記述について、**適当か**、**不適当か**、判断しなさい。

check

問題1

地震動が作用している軟弱な地盤においては、地盤のせん断ひずみが大きくなるほど、地盤の減衰定数は低下し、せん断剛性は増大する。

check

問題2

圧密沈下は、地中の有効応力の増加により、主に土粒子が変形することにより生じる。

check

問題3

地下水位下にある飽和砂質土層については、細粒土含有率が低いほど、地震時に液状化が起こりにくい。

check

問題4

土の含水比(土粒子の質量に対する土中の水の質量比)は、一般に、粘性土に比べて砂質土のほうが大きい。

check

問題5

沖積層は、最後の氷河期から現在までに堆積した地盤であり、一般に、洪積層と比べて軟弱な地盤が多い。

check

問題6

一般に、砂質土は、標準貫入試験のN値が大きいほど内部摩擦角は大きくなり、粘性土は、N値が大きいほど粘着力は大きくなる。

check

問題7

ボーリング孔内水平載荷試験により、水平地盤反力係数を求めることができる。

check

問題8

平板載荷試験により調査できる「地盤の支持力特性」は、載荷板幅の1.5～2.0倍程度の深さまでである。

check

問題9

地盤の許容応力度は、地盤の性質とともに、基礎の形状・大きさ・根入れ深さにより異なる。

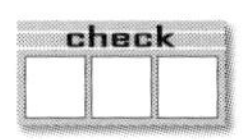

問題10

地盤のせん断剛性は、PS検層により測定されるS波速度が大きいほど小さくなる。

問題11

粘性土の内部摩擦角は、一軸圧縮試験により求めることができる。

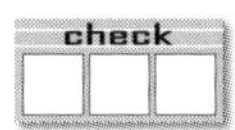

問題12

地盤の極限鉛直支持力は、一般に、土のせん断破壊が生じることにより決定される。

問題13

地下外壁に作用する土圧を静止土圧として算定する場合、砂質土及び粘性土については、一般に、静止土圧係数を0.5程度としている。

問題14

構造体と土の状態が同じ条件であれば、土圧の種類による大小関係は、主働土圧＞静止土圧＞受働土圧である。

問題15

擁壁に作用する土圧は、一般に、背面土の内部摩擦角が大きくなるほど小さくなる。

問題16

地下水位が高いほど、地下外壁に作用する土圧及び水圧による側圧は大きくなる。

【関連】

問題９　**根入れ深さ**が**深く**なるほど、**大きく**なる。

問題10　**土の単位体積重量**の計算は、**地下水位**が**最高**の場合について行う。

問題14

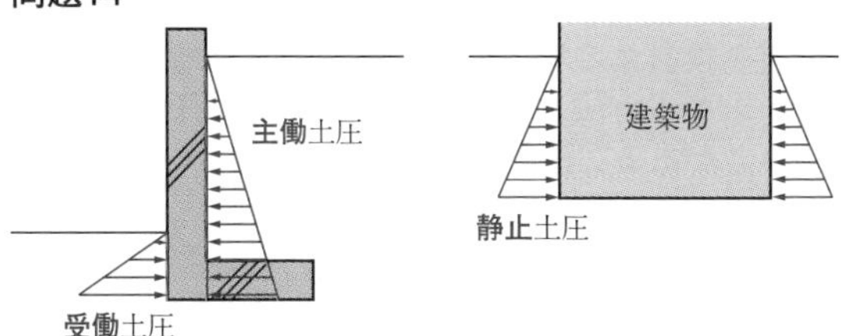

土圧の種類

解説

問題１　不適当

土は地震の作用を受けて生じたひずみに応じて剛性と減衰定数を変えていく性質を持っている。特に軟弱な地盤に大きなレベルの地震動が作用する場合にはひずみが極めて大きくなるので**剛性**は大幅に**低下**し、逆に**減衰定数**は、20％程度まで**増大する**。

問題２　不適当

圧密沈下は、地中の応力の増加に伴い、**長時間**かかって土中の間隙水が徐々に絞り出され、**間隙が減少**することにより起こる。建築基礎構造設計指針。

問題３　不適当

地下水位下にある**飽和砂質土層**は、①**細粒土含有率**が**低い**ほど、②*N*値が**小さい**ほど、③地下水位面が地表面に近いほど、④地震入力が大きいほど、一般に液状化が起こりやすい。建築基礎構造設計指針。

【参考】液状化の判定を行う必要がある飽和砂質土層は、一般に、地表面から約**20 m以内**の深さの細粒分含有率が**35％以下**の緩い沖積層である。

問題４　不適当

土の**含水比**は、土を構成している土粒子・水・空気の３要素のうち、土粒子の質量に対する水の質量の百分率で表したものであり、一般に、砂質土より**粘性土のほうが大きい**。

問題５　適当

沖積層は、最後の氷河期から現在までに堆(たい)積した地盤であり、粘土層、シルト層、砂礫(れき)層等で構成され、一般に、洪積層と比べ**軟弱な地盤**が多い。

問題６　適当

砂質土の標準貫入試験のN値と内部摩擦角ϕの関係及び粘性土の標準貫入試験のN値と粘着力cの関係は、以下の通りとなる。

- N値が大きくなると、**砂質土**の**内部摩擦角**は**大きく**なる。
- N値が大きくなると、**粘性土**の**粘着力**は**大きく**なる。

問題７　適当

地震時の杭の水平抵抗を検討する場合には、地盤の**水平地盤反力係数**が必要になる。水平地盤反力係数を求める方法としては、**ボーリング孔内水平載荷試験**のほかに、杭の水平載荷試験などがある。建築基礎構造設計指針。

問題８　適当

平板載荷試験で調査できるのは、**載荷板幅の1.5～２倍**程の範囲内における地盤の支持力特性にすぎない。建築基礎設計のための地盤調査計画指針。

問題9　適当

地盤の許容応力度は、**基礎の形状・大きさ、根入れ深さ**により異なる。告示(平13)第1113号。

【参考】基礎の形状・大きさ、根入れ深さが同一の場合、地盤の**内部摩擦角**及び**粘着力**が**大きい**ほど**大きく**なる。

問題10　不適当

地盤のせん断剛性を求める方法に、原位置で実施する弾性波探査(PS検層など)で求められるS波速度から求める方法がある。地盤の**せん断剛性**は、PS検層により測定される**S波速度**が**大きい**ほど**大きく**なる。建築基礎設計のための地盤調査計画指針。

問題11　不適当

土の**内部摩擦角**は、一軸圧縮試験で求めることはできない。内部摩擦角は、**三軸圧縮試験**で求めることができる。

問題12　適当

土の力学的性質には、土の圧縮性と強度があり、**地盤の極限支持力**は、地盤に荷重を加えた場合、一般に、地盤が**せん断破壊**を生じる極限の荷重をいう。

問題13　適当

地下外壁に作用する土圧を算定するとき、**静止土圧係数**は、現在のところ特殊な場合を除き、砂質土･粘性土とも土の内部摩擦角や粘着力などの土の性質にかかわらず、一般に、**0.5**を採用している。建築基礎構造設計指針。

問題14　不適当

構造体(壁)が土から離れる側に移動した場合の圧力を**主働**土圧、逆に構造体が土に向って移動した場合の圧力を**受働**土圧、壁体及びこれに接する土が静止状態にあるときの土圧を**静止**土圧という。構造体と土の状態が同じ条件ならば、**受働**土圧＞**静止**土圧＞**主働**土圧である。建築基礎構造設計指針。

問題15　適当

擁壁に作用する土圧は、背面土の**内部摩擦角**が**大きく**なるほど**小さく**なる。建築基礎構造設計指針。

【関連】
- 擁壁に作用する**水圧**は、一般に、擁壁の背面に十分な**排水措置**を講ずることにより考慮しなくてもよい。
- 擁壁が水平方向に非常に**長く連続**する場合には、状況に応じて**伸縮継手**を設ける。

問題16　適当

地下水位面より下部の地下外壁に作用する土圧及び水圧による**側圧**は、土の水中単位体積重量と地下水の単位体積重量による土圧及び水圧が付加されるので、**地下水位**が**高い**ほど**大きく**なる。

問題 8-2　基礎の設計に関する次の記述について、**適当か、不適当か**、判断しなさい。

問題1
極限鉛直支持力は、「地盤の粘着力に起因する支持力」、「地盤の自重に起因する支持力」及び「根入れによる押さえ効果に起因する支持力」のうちの最大値とする。

問題2
同一地盤に設ける直接基礎の単位面積当たりの極限鉛直支持力度は、支持力式により求める場合、一般に、基礎底面の形状によって異なる。

問題3
直接基礎の基礎スラブの構造強度を検討するときには、一般に、基礎スラブの自重及びその上部の埋戻し土の重量は含めない。

問題4
地盤の液状化がなく、偏土圧等の水平力が作用していない建築物の直接基礎は、地震による水平力に対し、基礎底面と地盤との摩擦により抵抗できると考えられている。

問題5
基礎の極限鉛直支持力は、傾斜地盤上部の近傍の水平地盤に基礎がある場合、斜面の角度、斜面の高さ、法肩からの距離に影響を受けるので、一般の水平地盤に基礎がある場合に比べて大きくなる。

問題6
支持地盤としている砂質地盤の下部に粘土層があり、その粘土層までの深さが基礎底面から概ね基礎幅の２倍以下の場合は、その粘土層の支持力に対する安全性を確認する。

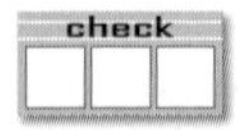

問題7
圧密沈下が生じる可能性のある地盤なので、不同沈下による障害を抑制するために、地中梁のない独立フーチング基礎とした。

問題8
直接基礎の地盤の許容応力度の算定において、根入れ深さD_fを評価する場合、隣接する建築物の影響を考慮する必要がある。

問題９

地盤の変形特性は非線形性状を示すが、通常の設計においては、地盤を等価な弾性体とみなし、即時沈下の計算を行ってもよい。

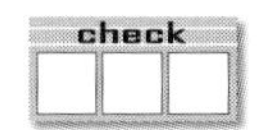

問題10

砂質土地盤において、直接基礎の底面に単位面積当たり同じ荷重が作用する場合、一般に、基礎底面が大きいほど、即時沈下量は小さくなる。

問題11

粘性土を支持層とする場合は、即時沈下だけではなく、圧密沈下も考慮する必要がある。

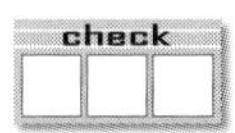

問題12

パイルド・ラフト基礎は、一般に、布基礎、べた基礎等の直接基礎と杭基礎とを併用した基礎形式であり、荷重に対して直接基礎と杭基礎とが複合して抵抗するものである。

解 説

問題1　不適当、問題2　適当

直接基礎の極限鉛直支持力R_uは、次式から求める。建築基礎構造設計指針。

$$R_u = q_u \cdot A = \{\underset{①}{(i_c \cdot \alpha \cdot c \cdot N_c)} + \underset{②}{(i_\gamma \cdot \beta \cdot \gamma_1 \cdot B \cdot \eta \cdot N_\gamma)} + \underset{③}{(i_q \cdot \gamma_2 \cdot D_f \cdot N_q)}\} \cdot A$$

q_u：単位面積当たりの極限鉛直支持力度(kN/㎡)
A：基礎の底面積(㎡、荷重の偏心がある場合には有効面積A_eを用いる)
N_c、N_γ、N_q：支持力係数(内部摩擦角ϕに依存し、ϕが大きいほど大きくなる)
c：支持地盤の**粘着力**(kN/㎡)
γ_1：支持地盤の**単位体積重量**(kN/m^3)
γ_2：根入れ部分の土の単位体積重量(kN/m^3)
α、β：**基礎の形状係数**
η：基礎の寸法効果による補正係数
i_c、i_γ、i_q：荷重の傾斜に対する補正係数
B：基礎幅(m→短辺幅、荷重の偏心がある場合には有効幅B_eを用いる)
D_f：**根入れ深さ**(m)

上式の右辺のカッコ内、第1項①は「**地盤の粘着力**に起因する支持力」、第2項②は「**地盤の自重**に起因する支持力」、第3項③は「**根入れによる押さえ効果**に起因する支持力」で、直接基礎の極限鉛直支持力は、これらの**総和**である。

また、直接基礎の極限鉛直支持力度q_uは、**基礎底面の平面形状**によって基礎の形状係数α、βが異なるので、**異なった値**となる。

問題3　適当

基礎スラブに作用する外力は、上向きに作用する**接地圧**σ_e(柱の軸方向圧縮力、基礎自重及び埋戻し土の重量の合力Nと同じ値)と下向きに作用する**基礎自重**W_F及び**埋戻し土の重量**W_Sである。スラブの構造強度を検討する場合、基礎スラブの自重及びその上部の埋戻しの土の重量を含めず、上向きの接地圧が作用する片持ち梁として計算する。鉄筋コンクリート構造計算規準。

問題4　適当

直接基礎の滑動抵抗は、原則として基礎底面と地盤との**摩擦抵抗**のみによって評価することが望ましい。しかしながら、水平力が常時作用する場合には、水平力に対する抵抗力として基礎底面の摩擦抵抗だけでは不足するおそれがある。地震時の上部構造からの水平力に対し、液状化などの地盤破壊がなく、かつ、偏土圧などの水平力が作用していなければ、基礎底面と地盤との摩擦により抵抗できると考えられる。建築基礎構造設計指針。

問題5　不適当

傾斜地盤上に直接基礎がある場合には、水平地盤上にあるときと比較して、**極限支持力**が**低下**する。さらに、斜面の角度や高さが大きい場合には、最大荷重に達した後に支持力の低下を招いたり地盤が崩壊する可能性もあり、傾斜地盤の支持力低下率は、斜面の角度、斜面高さ、法肩からの距離に影響される。建築基礎構造設計指針。

問題6　適当

平板載荷試験により鉛直支持力を算定する場合、調査できる範囲は、載荷板の**1.5倍～2倍**の範囲であり、実際の建築物の基礎幅は、載荷板よりも大きく、地盤に対し影響を及ぼす範囲は基礎幅の1.5倍～２倍と深くなるので、試験結果の解釈には注意が必要である。また、建築物の基礎底面から概ね基礎幅の２倍以下に粘土層がある場合、その粘土層に対しても基礎が影響を及ぼす可能性があるため、その粘土層の支持力に対する安全性を確認する必要がある。

問題7　不適当

圧密沈下が生じる可能性のある地盤では、圧密現象による**不同沈下**のおそれがある。不同沈下による障害を抑制するために、**剛強な地中梁**(**基礎梁**)を設ける。べた基礎にする等の基礎形式を考慮する。

問題8　適当

直接基礎の根入れ深さが深いほど、基礎底面上部の土の重量による押え効果により、鉛直支持力は増加する。しかし、将来隣接地あるいは基礎の近傍で掘削が行われて、この部分の土の重量が失われると、たちまち危険な状態を招いて事故を生ずる原因となる。そのことを踏まえ、直接基礎の地盤の許容応力度の算定においては、**隣接する建築物**、特に掘削が行われる可能性のある場合はその**影響**を**考慮**する。

問題9　適当

基礎の**荷重と沈下の関係**は、非線形性状を示す。これは、地盤に生じたひずみや応力によって地盤の変形特性が変化するためである。通常の設計においては、地盤を弾性体とみなし。即時沈下の計算を行ってもよい。

問題10　不適当

基礎の**即時沈下量**は、単位面積あたり同じ荷重(荷重度)が作用する場合は、一般に、基礎底面が**大きい**ほど、即時沈下量は**大きく**なる。建築基礎構造設計指針。

問題11　適当

建設地による**地盤沈下**には、**即時沈下**、**圧密沈下**、**液状化による沈下**がある。基礎の設計にあたっては、これらの沈下が建物に及ぼす影響を検討するとともに、必要に応じて適切な対策を講じる。建築基礎構造設計指針。

問題12　適当

パイルド･ラフト基礎とは、一般に、布基礎やべた基礎などの直接基礎と杭基礎を併用した基礎形式であり、荷重に対して直接基礎と杭基礎が複合して抵抗するものをいう。杭基礎の設計では基礎スラブ底面の地盤の抵抗力を無視するのが原則であるが、パイルド･ラフト基礎では、ある程度の沈下を許容したときに基礎底面における地盤の抵抗力が期待できる場合について、この抵抗力を積極的に利用して基礎の合理化をはかろうとするものである。建築基礎構造設計指針。

問題 8-3

杭基礎に関する次の記述について、**適当か**、**不適当か**、判断しなさい。

check

問題1

杭基礎の許容支持力は、杭の支持力のみによるものとし、一般に、基礎スラブ底面の地盤の支持力を加算しない。

check

問題2

鉛直荷重が作用する杭の抵抗要素には、先端抵抗と周面抵抗があり、杭頭に作用する上部構造物の荷重による杭の沈下の発生とともに先端抵抗が先行して発揮され、杭の沈下が増加すると周面抵抗が発揮される。

check

問題3

液状化の可能性のある地盤において、杭の水平力に対する検討を行う場合、一般に、水平地盤反力係数を低減する。

check

問題4

上部地盤が粘性土で将来にわたって地盤沈下するおそれがある場合、各杭が地盤から突出する影響を考慮して杭の水平抵抗の検討を行う。

check

問題5

杭に作用する水平力による杭頭の水平変位は、杭の曲げ剛性が大きくなるほど小さくなる。

check

問題6

長い杭において、杭頭の水平変位は、杭の曲げ剛性、杭幅及び杭に作用する水平力が同じであれば、水平地盤反力係数が大きいほど大きくなる。

check

問題7

長い杭において、杭頭が固定の場合、杭の曲げ剛性、杭幅及び杭に作用する水平力が同じであれば、水平地盤反力係数が大きいほど杭頭の曲げモーメントは大きくなる。

check

問題8

圧密沈下が生じる可能性のある地層を貫く支持杭の設計においては、一般に、杭周面に下向きに作用する摩擦力を考慮する。

check

問題9

支持杭に負の摩擦力が作用すると、一般に、杭先端部に加わる軸方向力は小さくなる。

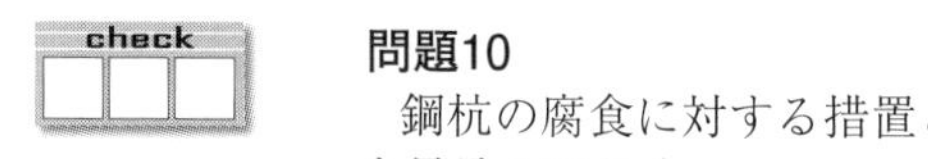

問題10
　鋼杭の腐食に対する措置として、一般に、厚さ１mm程度の腐食代を見込んでおく。

問題11
　１本当たりの杭頭荷重が等しい場合、一般に、群杭の沈下量は、単杭の沈下量よりも大きい。

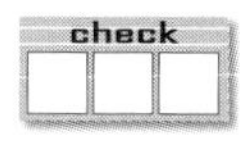

問題12
　支持杭の鉛直支持力の算定に当たっては、一般に、杭先端支持力に杭周面抵抗力のうち、いずれか小さいほうとする。

問題13
　埋込み杭は、主として地盤を掘削することによって既製杭を沈設する杭であり、打込み杭の欠点である施工に伴う騒音及び振動を低減することができる。

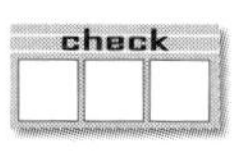

問題14
　杭頭接合部については、一般に、杭頭に作用する曲げモーメント、せん断力及び軸方向力に対して、強度及び変形性能を有するように設計する。

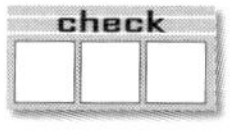

問題15
　砂質土における杭の極限先端支持力度の大小関係は、打込み杭＞埋込み杭＞場所打ちコンクリート杭である。

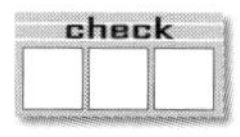

問題16
　砂質土における杭の極限周面抵抗力度の大小関係は、打込み杭＞埋込み杭（杭周固定液を使用）＞場所打ちコンクリート杭である。

問題17
　杭に作用する軸方向力は、支持杭に負の摩擦力が作用する場合、一般に、中立点において最大となる。

解説

問題１　適当

杭基礎の許容支持力は、**杭の支持力**のみによる。パイルド・ラフト基礎とするなど、特に検討した場合のほかは、**基礎スラブ底面**における地盤の支持力は**加算しない**ものとする。建築基礎構造設計指針。

問題２　不適当

杭の頭部に作用した鉛直荷重に対する抵抗要素は、杭の**先端支持力（先端抵抗）**と杭の**周面抵抗力**がある。杭頭に作用する上部構造物の荷重による杭の沈下の発生とともに**周面抵抗**が**先行**して発揮され、杭の沈下が増加すると**先端抵抗**が発揮される。

問題３　適当

液状化地盤における杭の水平抵抗の検討では、**水平地盤反力係数**及び塑性水平地盤反力を**低減**する。建築基礎構造設計指針。

問題４　適当

地盤沈下地域で支持杭に支持された杭基礎では、地盤沈下により、基礎スラブと地盤との間に**空隙**が生じ、杭頭が地盤面から突出するおそれがある。このような杭の設計においては、突出した場合を考慮して、**杭の水平抵抗の検討**を行う。建築基礎構造設計指針。

問題５　適当

曲げ剛性は、曲げにくさを示す量であるから、上部構造からの水平力が作用したときの柱頭の**水平変位**は、杭の**曲げ剛性**が**大きく**なるほど**小さく**なる。建築基礎構造設計指針。

問題６・７　不適当

水平地盤反力係数が**大きい**ほど、地盤が杭を支える力が大きくなるので、**杭頭の水平変位**は**小さく**、また、**杭頭の曲げモーメント**は**小さく**なる。建築基礎構造設計指針。

問題８　適当

圧密沈下が生じる可能性のある地層を貫く**支持杭**の設計では、通常の荷重に対する検討を行うほか、杭周面に下向きに作用する摩擦力（**負の摩擦力**）について、杭の安全性を検討する。建築基礎構造設計指針。

問題９　不適当

負の摩擦力は、軟弱地盤が沈下するに伴って、支持杭に下向きに働く摩擦力である。したがって、上部構造から杭に作用する圧縮力に付加されるので、杭の**先端部**に加わる軸方向力は**大きく**なる。なお、**中立点**で**最大**となる。建築基礎構造設計指針。

問題10　適当

鋼杭の腐食対策としては、肉厚を厚くする方法と、表面塗装として保護被膜を施す方法とがあり、これらのうちで一番簡単に行えるのは、腐食分を見込んで肉厚を増す方法で、**腐食しろ**としては、**1㎜程度**をとれば十分とされている。建築基礎構造設計指針。

問題11　適当

群杭では、地中応力が重ね合わさって大きな値となり、沈下に影響する地盤の範囲が深部にまで及ぶため、杭1本当たりの荷重が同じであっても単杭よりも**大きな沈下**が生ずる。建築基礎構造設計指針。

問題12　不適当

支持杭の支持力は、**杭先端支持力**に**杭周面抵抗力**を加えて算定する。建築基礎構造設計指針。

問題13　適当

埋込み杭は、既製コンクリート杭や鋼杭などの既製の杭体を、主として地盤を掘削することによって沈設する杭の総称である。従来最も多く使われていた打込み杭の持つ最大の欠点である施工に伴う騒音や振動を低減する目的で開発された工法である。建築基礎構造設計指針。

問題14　適当

基礎スラブ及び**杭頭接合部**の検討項目としては、**強度**(耐力)と回転剛性(**変形**)があげられ、検討すべき荷重の種類は、①軸方向の押込み力、②軸方向の引抜き力、③水平方向のせん断力、および④曲げモーメントの組合せである。建築基礎構造設計指針。

問題15　適当

埋込み杭や打込み杭は、施工によって杭先端が固められ、特に打込み杭は、打撃により締め固められる。したがって、**砂質土**の杭の**極限先端支持力度の大小関係**は、**打込み**杭＞**埋込み**杭＞**場所打ちコンクリート**杭の順である。建築基礎構造設計指針。

問題16　不適当

砂質地盤の極限周面抵抗力度は、杭の表面の粗さが摩擦抵抗等に大きな影響を及ぼす。場所打ちコンクリート杭は杭自身のコンクリートにより、また、埋込み杭は杭周固定液により、抵抗力が大きくなる。したがって、砂質土の杭の**極限周面抵抗力度の大小関係**は、**場所打ちコンクリート**杭＞**埋込み**杭(杭周固定液を使用)＞**打込み**杭の順である。

問題17　適当

地盤沈下のために負の摩擦力が作用している支持杭では、**中立点で軸方向力が最大**となり、杭頭部の軸方向力より大きい。建築基礎構造設計指針。

Ⅳ構造

Check Point 9 鉄骨構造

❶ 部材の設計

1. 圧　縮　材

① 幅厚比

幅厚比が大きくなると薄い板状になり、塑性変形能力は**低下**する。

- フランジの局部座屈防止 ⇨ **幅厚比**を**小さく**する。
- 幅厚比の制限値は、材料の基準強度が大きいほど厳しくなる。

② 座　屈

- ウェブのせん断座屈防止 ⇨ 材軸の直角方向に**中間スチフナ**設置。
- 横座屈(梁が横倒れを起こすこと)防止・弱軸の**細長比**を**小さく**する。また、横補剛材の設置箇所を増す。

③ 座屈長さ

- 節点の水平移動が拘束されていないラーメンの柱材の座屈長さは、その柱材の節点間距離より長くなる。
- 曲げ材の座屈の許容応力度の算定 ⇨ 鋼種・断面寸法・曲げモーメントの分布・圧縮フランジの支点間距離が必要。

2. そ　の　他

- **箱形断面材** ⇨ 横座屈を起こさず、ねじり剛性はＨ形断面より大きい。
- 梁材のたわみ ⇨ スパンの１/300以下：片持梁１/250以下
- Ｈ形断面材で構成された剛接合の柱と梁の**接合部パネル**には、地震時・台風時に大きなせん断力が生じる。

❷ 接　　合

1. 高力ボルト

- 高力ボルトには摩擦接合と引張接合がある。
- **高力ボルト摩擦接合**は、接合部材の接触面に接触圧を与えて、摩擦力により応力を伝達する接合法である。
- 許容せん断応力度は**すべり係数0.45**を基準に定められている。
- 高力ボルトと溶接を併用する場合、先に高力ボルトを接合したときは、両者に応力を負担させることができる。

2. 溶　　接

① 完全溶込み溶接(突合せ溶接)

全種類の応力を母材と同等に負担できる。

⇨ 通しダイアフラムと大梁フランジ：梁フランジと柱フランジ

② 隅肉溶接

主としてせん断力のみを負担する。また、厚さの異なる母材の隅肉溶接のサイズは薄い方の母材の厚さ以下としなければならない。 ⇨ ウェブとフランジ

③　**用　語**

- **アンダーカット** ⇨ 溶着金属が満たされず、みぞとなっている部分。
- **オーバーラップ** ⇨ 溶着金属が母材に融合せず、重なった部分。

3 鉄骨造の耐震設計

①　鉄骨造の**ルート**1の計算……**高さが13m以下、軒の高さが9m以下**。

- ルート1－1：地階を除く階数が3以下、スパン6m以下、延べ面積500m^{2}以内、**標準せん断力係数C_0を0.3以上**として許容応力度計算すること、筋かい端部・接合部の破断防止、冷間成形角形鋼管柱の応力割増し。
- ルート1－2：地階を除く階数が2以下、スパン12m以下、延べ面積500m^2(平家は3,000m^2)以内、**標準せん断力係数C_0を0.3以上**として許容応力度計算すること、筋かい端部・接合部及び柱、梁における継手、仕口部の破断防止、冷間成形角形鋼管柱の応力割増し、偏心率の確認、局部座屈の防止、梁の保有耐力横補剛、柱脚部の破断防止。

②　鉄骨造の**ルート**2の計算……**高さ31m以下**

層間変形角、剛性率、偏心率及び塔状比の各規定を満足する必要がある。また、筋かい端部・接合部及び柱、梁における継手、仕口部の破断防止、局部座屈等の防止、梁の保有耐力横補剛、柱脚部の破断防止、冷間成形角形鋼管柱の耐力比確保等。

- **筋かいのβによる応力の割増し**
  筋かいの水平力分担率βに応じて地震時の応力を割増し、**5/7を超える**場合は**1.5倍以上**として計算する。
- **局部座屈の防止**
  保有水平耐力の検討を行わなくても所要の耐震性を確保できるように、幅厚比の制限値が定められている。H形鋼の場合、フランジよりウェブのほうが規定値は大きい。

③　鉄骨造の**ルート**3の計算……**高さ60m以下**

層間変形角の確認の他、各階の保有水平耐力が**必要保有水平耐力以上**であることを確かめる、転倒の検討(塔状比が4を超える場合)を行う。

- **構造特性係数D_s**：鉄骨造の場合は、D_sの最小値は**0.25～0.5**。
- 保有水平耐力を算定する場合、炭素鋼の構造用鋼材のうち、**日本産業規格(JIS)**に定めるものについては、**材料強度の基準強度を割増し(1.1倍)**することができる。

アドバイス　**鉄骨構造**

- 鉄骨構造の基本的な性質、特徴を理解する。
- 有効細長比と座屈の関係、幅厚比と許容圧縮応力度の関係など、大小関係も含め理解する。
- 耐震設計については、各ルートごとのポイントと、基準となる数値を理解する。近年、出題が増加する傾向がある範囲。

問題 9-1　鉄骨構造の部材の設計に関する次の記述について、**適当か、不適当か、**判断しなさい。

check □□□

問題1
引張力を負担する筋かい材の設計において、筋かい材が塑性変形することにより地震のエネルギーを吸収できるように、接合部の破断強度は、軸部の降伏強度に比べて十分に大きくする。

check □□□

問題2
露出型柱脚とする場合、柱脚の形状により固定度を評価し、反曲点高比を定めて柱脚の曲げモーメントを求め、アンカーボルト及びベースプレートを設計した。

check □□□

問題3
柱脚の形式に根巻型を用いる場合、根巻き高さを柱幅(柱の見付け幅のうち大きいほう)の2.5倍以上とした。

check □□□

問題4
埋込み形式柱脚において、鉄骨柱のコンクリートへの埋込み部分の深さを、柱幅(柱の見付け幅のうち大きいほう)の２倍以上とした。

check □□□

問題5
鉄骨部材の許容圧縮応力度は、材種及び座屈長さが同じ場合、座屈軸周りの断面二次半径が小さくなるほど大きくなる。

check □□□

問題6
圧縮力を負担する構造耐力上主要な柱の有効細長比は、200以下とした。

check □□□

問題7
ラーメン構造の柱材の座屈長さは、節点の水平移動が拘束されていない場合、一般に、その柱材の節点間距離より短くなる。

check □□□

問題8
柱・梁に使用する材料をＳＮ400ＢからＳＮ490Ｂに変更したので、幅厚比の制限値を小さくした。

check □□□

問題9
Ｈ形断面の梁の許容曲げ応力度を、鋼材の基準強度、断面寸法、曲げモーメントの分布及び圧縮フランジの支点間距離を用いて計算した。

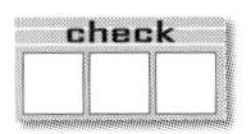

問題10

正方形断面を有する角形鋼管を用いて柱を設計する場合、横座屈を生じるおそれがないので、許容曲げ応力度を許容引張応力度と同じ値とした。

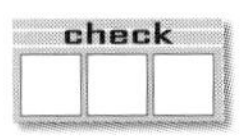

問題11

せいの高いH形断面を有する梁において、ウェブのせん断座屈を防ぐために、横補剛材を設けた。

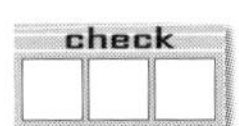

問題12

H型断面の梁において、横座屈を生じないようにするために、この梁に直交する小梁の本数を増やした。

問題13

H形鋼を用いた梁に均等間隔で横補剛材を設置して保有耐力横補剛とする場合において、梁を建築構造用圧延鋼材SN400Bから同一断面の建築構造用圧延鋼材SN490Bに変更することにより、横補剛の数を減らすことができる。

問題14

両端が拘束されている部材については、温度変化によって生じる圧縮応力や引張応力についても考慮した。

問題15

暴風時又は地震時に対する柱継手及び柱脚の応力算定において、積載荷重を除外した応力の組合せについても検討した。

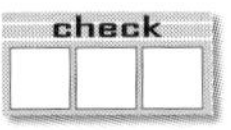

問題16

柱の限界細長比は、基準強度Fが大きいほど大きくなる。

解説

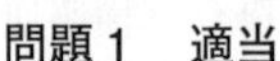

問題1　適当

地震時に筋かい材の軸部が降伏点に達し、破断点に至る間の塑性変形で地震エネルギーを吸収させる。したがって、**接合部の強度**は、**軸部の降伏強度**より十分に**大きく**することが必要である。建築物の構造関係技術基準解説書。

問題2　適当

露出柱脚は、その形状(アンカーボルト位置)に応じて、タイプⅠ、Ⅱ、Ⅲの３つに分類され、**反曲点高比**によって柱脚部にモーメントが作用することを想定して設計する。建築物の構造関係技術基準解説書。

問題3　適当

根巻型柱脚において、根巻き部分(鉄筋コンクリート造)のせん断降伏を防ぎ、曲げ降伏を先行させるためには、根巻きの高さは**柱幅**(見付け幅の大きいほう)の**2.5倍以上**とする。

問題4　適当

所定の構造計算を行わない場合の**埋込型**の柱脚のコンクリートへの柱の埋込み部分の深さは、**柱幅**の**２倍以上**とする。告示(平12)第1456号。

問題5　不適当

圧縮材の**許容圧縮応力度**は、**細長比**が**大きい**ほど、つまり、形状が**細長い**ほど座屈しやすいため、小さくなる。圧縮材の座屈軸回りの**断面二次半径**が**小さい**ほど、**細長比**は**大きく**なるため、**許容圧縮応力度**は**小さく**なる。鋼構造許容応力度設計規準。

問題6　適当

構造耐力上主要な部分である鋼材の圧縮材(圧縮力を負担する部材)の**有効細長比**は、柱にあっては**200以下**とする。建築基準法施行令65条。

問題7　不適当

水平移動(横移動)が**拘束されていない**ラーメンの柱材の座屈長さl_kは、**節点間距離**hより**長く**($l_k>h$)なる(右図参照)。鋼構造許容応力度設計規準。

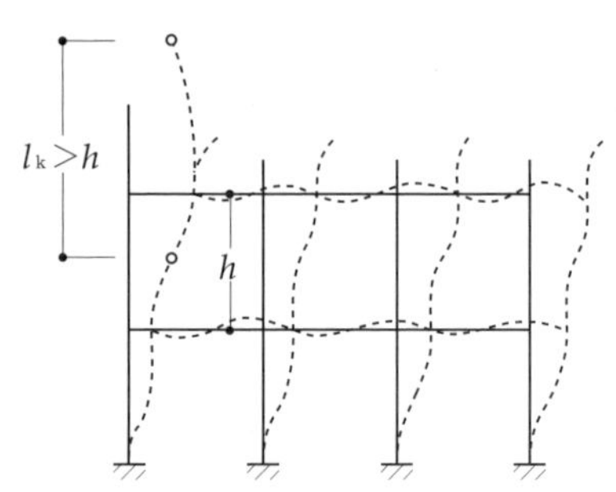

h：節点間距離
l_k：座屈長さ
(水平移動が拘束されていない)

問題8　適当

$$\frac{板要素の幅}{板要素の厚さ} \leqq a\sqrt{\frac{E}{F}}$$

幅厚比の制限値は、材料の**基準強度**Fが**大きい**ほど**小さく**なるので、**厳しく**なる。

問題9　適当

H形断面の梁の**許容曲げ応力度**f_bは、**鋼種・断面寸法・曲げモーメントの分布・圧縮フランジの支点間距離**が決まれば算定することができる。告示(平13)第1024号。

問題10　適当

角形鋼管の柱の設計では、横座屈が生じるおそれはないので、**許容曲げ応力度**f_bは、**許容引張応力度**f_tとしてよい。鋼構造許容応力度設計規準。

問題11　不適当

せいの高いH形断面梁の**ウェブの座屈**を防ぐためには、**スチフナ**によって対処する。中間スチフナは、せん断座屈が支配的な場合に効果的であり、水平スチフナは曲げ圧縮座屈に対処するのに効果がある。なお、横補剛材は、せいの高いH形断面梁の横座屈(横倒れ)を防止する目的で用いるもので、小梁などに横補剛材としての機能をもたせている。

問題12　適当

梁端部が塑性状態(全塑性曲げモーメント)に達する梁では、端部が十分回転変形するまで横座屈を生じないよう十分に配慮する。**横座屈**を制御する最も有効な方法として、**小梁**等の**横補剛**が考えられる。建築物の構造関係技術基準解説書。

問題13　不適当

横座屈を制御する最も有効な方法として、横補剛が考えられる。強度が大きい部材には、より大きな応力が生じるが、一方、部材断面が同じであれば、ヤング係数は強度にかかわらず一定なので、梁の剛性は変わらない。つまり**強度が大きい鋼材**のほうが、**より多くの補強が必要**となり、等間隔に設置する**横補剛の必要箇所数**は**多く**なる。

問題14　適当

部材の**両端が拘束**されていると鋼材は、温度変化によって生じる温度応力(圧縮応力や引張応力)についても設計上考慮しなければならない。

問題15　適当

柱継手及び柱脚は、**暴風時・地震時**に生ずる力の組合せの場合に、積載荷重を無視したことによって生ずる引張力についても安全になるように設計する。鋼構造許容応力度設計規準。

問題16　不適当

限界細長比とは材料が弾性限度内でいられる限界の細長比のことで、次式で表される。鋼構造許容応力度設計規準。

$$\Lambda = \sqrt{\frac{\pi^2 E}{0.6F}}$$　　E：ヤング係数　　F：鋼材の基準強度

したがって、柱の限界細長比は、**基準強度Fが大きい**ほど**小さく**なる。

Ⅳ構造

問題 9-2　鉄骨造の接合、耐震設計に関する次の記述について、**適当か、不適当か**、判断しなさい。

▌接　合　法▐

check

問題1

JISにおけるＦ10Ｔの高力ボルトの引張強さは、1,000～1,200N/㎟である。

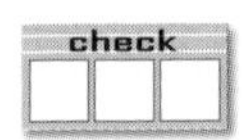

問題2

高力ボルト摩擦接合は、すべりが生じるまでは、高力ボルトにせん断力は生じない。

問題3

高力ボルト摩擦接合部の許容せん断応力度は、すべり係数を0.45として定められている。

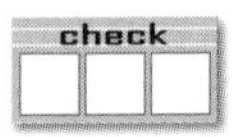

問題4

せん断力と引張力を同時に受ける接合部に高力ボルトを使用する場合には、高力ボルトの許容せん断応力度は低減しなくてもよい。

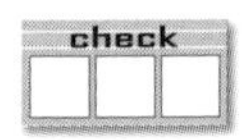

問題5

Ｆ10Ｔの高力ボルト摩擦接合において、使用する高力ボルトが同一径であれば、１面摩擦接合４本締めの許容せん断力は、２面摩擦接合２本締めの場合と同じである。

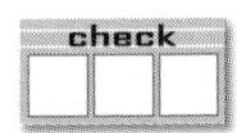

問題6

完全溶込み溶接の始端部・終端部では、欠陥が発生しやすいので、エンドタブを用いる。

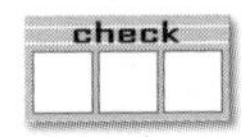

問題7

すみ肉溶接のサイズは、母材の厚さが異なる場合、一般に、薄いほうの母材の厚さ以下とする。

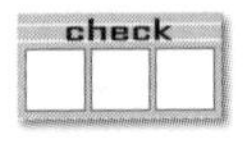

問題8

溶接継目ののど断面に対する長期許容せん断応力度は、溶接継目の形式が「突合せ」の場合と「突合せ以外のもの」の場合では同じである。

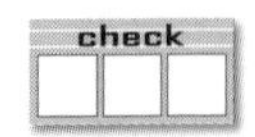

問題9

箱形断面の柱にＨ形鋼の梁を剛接合するために、梁のフランジはすみ肉溶接とし、ウェブは突合せ溶接とした。

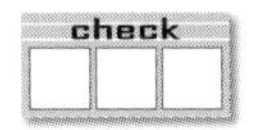

問題10

一つの継手に高力ボルト摩擦接合と溶接とを併用する場合、高力ボルトの締め付けに先立って溶接を行うことにより、両方の許容耐力を加算した。

■ 鉄骨造の耐震設計 ■

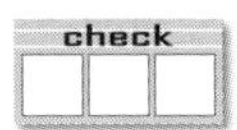

問題11

高さが13m、軒の高さが9m、スパンが6mで、地上3階建、延べ面積が500㎡の建築物の耐震計算において、標準せん断力係数を0.3として計算した各部の応力度が、許容応力度以下であることを確認した。

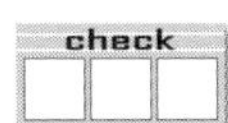

問題12

「耐震計算ルート1－1」で計算する場合、標準せん断力係数C_0を0.3以上として許容応力度計算することから、水平力を負担する筋かいの端部及び接合部を保有耐力接合とする必要はない。

問題13

「ルート1－2」で計算する場合、梁は、保有耐力横補剛を行う必要はない。

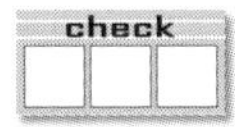

問題14

ラーメンと筋かいを併用する1層の混合構造において、「耐震計算ルート2」を適用する場合、筋かいの水平力分担率が5/7以下であったので、筋かいの地震時応力を低減した。

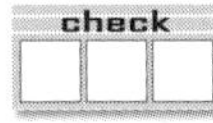

問題15

「ルート3」で計算する場合、構造特性係数D_sの算定において、柱梁接合部パネルの耐力を考慮する必要はない。

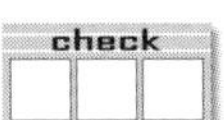

問題16

「ルート3」で、建築構造用冷間プレス成型角形鋼管BCPの柱が局部崩壊メカニズムと判定された場合、柱の耐力を低減して算定した保有水平耐力が、必要保有水平耐力以上であることを確認する必要がある。

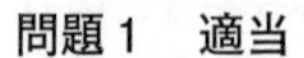

解説

問題1　適当

記述の通り。JIS B 1186。

問題2　適当

高力ボルト摩擦接合部は、部材間にすべりが生じるまでは、強い締付け力により、**せん断力**に対しては、**部材間の摩擦力**で抵抗する。このとき、**高力ボルト軸部**は、一般に、**部材のボルト孔と接していない**ため、高力ボルトへのせん断力やボルト孔への**支圧力は生じない**。

問題3　適当

記述の通り。鋼構造許容応力度設計規準。

問題4　不適当

せん断力と**引張力**を**同時**に受ける高力ボルトの**許容せん断応力度**は、高力ボルトで締め付けられている接合部が引張られると、接合部の圧縮力が減少し、すべり耐力も減少するので、高力ボルトの許容せん断応力度を**低減する**。令92条の2。

問題5　適当

一面せん断の許容耐力＝$0.3T_0$/本、二面せん断の許容耐力＝$0.6T_0$/本。

したがって、$0.6T_0 \times 2$（本）＝$0.3T_0 \times 4$（本）である。令92条の2。

問題6　適当

開先のある溶接の両端では、健全な溶接の全断面が確保できるように**エンドタブ**（溶接ビードの始点と終点に取付ける補助板）を用いる。JASS 6。

問題7　適当

厚さの異なる母材のすみ肉溶接のサイズは、**薄い**ほうの**母材の厚さ以下**としなければならない。鋼構造設計規準。

【関連】溶接金属の機械的性質は、溶接条件の影響を受けるので、溶接部の強度を低下させないために、**パス間温度**が規定値より**低く**なるように管理する。

問題8　適当

溶接継目の**のど断面**に対する**許容せん断応力度**は、**突合せ**溶接の場合と**突合せ溶接以外**のものの場合、ともに$\frac{F}{1.5\sqrt{3}}$（F：溶接部の基準強度）で同じである。令92条表。

問題9　不適当

梁の**曲げモーメント**は主として梁**フランジ**部から、梁の**せん断力**は主として、梁の**ウェブ**からそれぞれ柱に伝達される。したがって、箱形断面の柱にH形鋼の梁を剛接合する場合には、一般に、梁の**フランジ**を**突合せ**溶接（完全溶込み溶接）、**ウェブ**を**すみ肉**溶接とする。鋼構造許容応力度設計規準。

問題10　不適当

先に溶接を行うと溶接熱によって板が曲がり、高力ボルトを締め付けても板に所定の圧縮力を与えることができないことがあるので、両方の耐力を加算することはできない。**先に高力ボルト**を締め付けた場合は溶接による板の変形が拘束されるので、**両方**の許容耐力を**加算してよい**。鋼構造許容応力度設計規準。

問題11　適当

鉄骨構造の建築物で、下記を満足するものは、層間変形角、剛性率、偏心率などを求めず、**許容応力度計算**を行えばよい。告示(平19)第593号。

① 地階を除く**階数**が**3以下**、**高さ**が**13m以下**で、かつ、**軒の高さ**が**9m以下**のもの。
② 架構を構成する**柱の相互の間隔**が**6m以下**のもの。
④ **延べ面積**が**500㎡以内**のもの。
⑤ **標準せん断力係数**C_0を**0.3以上**とし、許容応力度計算をして、安全が確認できるもの。
⑥ 水平力を負担する筋かいの端部及び接合部を保有耐力接合とすること。

問題12　不適当

「鉄骨造耐震計算ルート1－1」の計算において、**標準せん断力係数**C_0を**0.3**として地震力の算定を行った場合でも、水平力を負担する筋かいの端部及び接合部については、**保有耐力接合**としなければならない。告示(平19)第593号、建築物の構造関係技術基準解説書。

問題13　不適当

鉄骨造耐震計算ルート1－2及び**ルート2**を適用する場合、梁は、**保有耐力横補剛を行う必要がある**。建築物の構造関係技術基準解説書。

問題14　不適当

耐震計算**ルート**②で、ラーメンと筋かいを併用する鉄骨造(混合構造)の建築物については、水平力を負担する筋かいの**水平力分担率**に応じて、応力を**割増し**して許容応力度設計を行う。告示(昭55)第1791号第二。

問題15　適当

柱梁接合部については、一時設計において、せん断力に対する検討を行うが、**鉄骨造耐震計算ルート3**において、構造特性係数*Ds*の算定を含む保有水平耐力の検討では、一般に、**柱梁接合部パネル耐力を考慮していない**。

問題16　適当

柱に建築構造用冷間ロール成形角形鋼管(BCR)または建築構造用冷間プレス成形角形鋼管(BCP)を使用した建築物において、「ルート3」にて安全性を確認する場合、全体崩壊メカニズムか局部崩壊メカニズムかを判定し、**局部崩壊メカニズム**と判定された場合、局部崩壊するおそれのある柱の耐力を**低減**して算定した保有水平耐力が、必要保有水平耐力以上であることを確認する。

Check Point 10 鉄筋コンクリート構造

❶ 断面設計

- 圧縮力については、かぶり部分を含むコンクリートの圧縮力を考える。
- コンクリートの引張強度は無視する。
- コンクリートの短期圧縮応力度は、長期応力度の２倍である。
- 鉄筋の許容応力度は圧縮・引張とも同じ値である。
- 鉄筋の負担する圧縮力はコンクリートの応力度に**ヤング係数比**を乗じて扱う。

❷ 鉄　筋

1. 柱

① せん断補強筋(帯筋)

せん断補強・主筋の座屈防止を目的とし、コンクリートを拘束することにより強度、靱性(耐震性)を大きくする。

- 径 ⇨ ϕ 9、D10以上
- せん断補強筋比(P_w) ⇨ **0.2%以上**
- 間隔 ⇨ **150mm以下**かつ最も細い主筋径の**15倍以下**(横架材の上下方において柱の小径の２倍以内の距離では100mm以下)

② 主　筋

- D13以上：鉄筋比＝コンクリート断面の**0.8%以上**

2. 梁

① せん断補強筋(あばら筋)

主筋に対し直角方向に配筋し、せん断ひび割れに伴う梁のせん断強度、靱性の低下を防ぐ。

- 径 ⇨ ϕ 9、D10以上
- せん断補強筋比(P_w) ⇨ **0.2%**以上

$$P_w = \frac{a_w}{b \cdot x} \times 100(\%)$$

- 間隔 ⇨ D/２以下かつ250mm以下

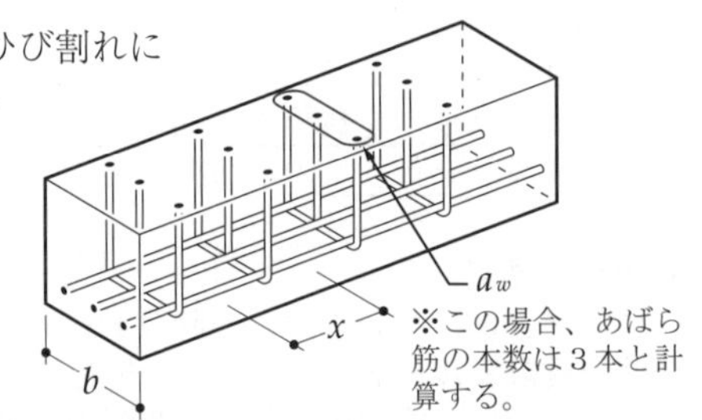

※この場合、あばら筋の本数は３本と計算する。

② 主　筋

- D13以上
- 主要な梁は**複筋**梁とし、配置は**２段以下**とする。
- 許容付着応力度は上端筋より下端筋の方が**大きい**。

3. スラブ・壁

① スラブ

- 引張鉄筋 ⇨ D10以上、鉄線の径６mm以上の溶接金網
- 曲げモーメントが変動する場合 ⇨ 最大の値で配筋
- 最大曲げモーメントを受ける短辺方向の間隔 ⇨ 200mm以下

② **壁**

- 壁筋 ⇨ D10以上、耐力壁の厚さ200mm以上 ⇨ 壁筋は**複筋**配置
- せん断補強鉄筋比 ⇨ 直交する各方向に対して**0.25**%以上
- 壁厚は120mm以上かつ、壁板の内法高さの1/30以上とする。

4. そ の 他

- 柱、梁の出隅部分の異形鉄筋の末端には**フック**を設ける。
- 隅角部に**太い**鉄筋を配置した場合は、付着割裂破壊の検討を行う。

5. かぶり厚さ

鉄筋表面からコンクリート表面までの最短距離をいい、部位により異なる。付着力の確保・鉄筋の防錆・火災による強度低下を防止する。

3 構　　造

① **柱**

- 中心圧縮力を受ける場合
  ⇨ 主筋の圧縮応力度はクリープにより徐々に**増加**する。

●軸圧縮力が大きくなる。 ●幅に対する長さの比が小さい(短柱)。	⇨	変形能力の低下 ぜい性破壊

- 柱は曲げ破壊する前に、せん断破壊を起こさないよう帯筋により補強する。

② **梁**

- 梁のせい ⇨ スパンの1/10～1/12
- 開 口 部 ⇨ スパン、せいの中央付近で梁せいの1/3以下
- **梁の終局曲げモーメント**

$$M_u = a_t \cdot \sigma_y \cdot 0.9d$$

M_u：終局曲げモーメント
a_t：引張鉄筋の断面積
σ_y：引張鉄筋の材料強度
d：梁の有効せい

❹ ひび割れ

① **曲げひび割れ**

柱、梁に作用する曲げ応力により引張側のコンクリートにひび割れ(材軸に対して直角方向)が入る。柱の曲げひび割れは柱頭、脚部に発生する。

② **せん断ひび割れ**

地震力や不同沈下によりせん断力が作用するため、斜め方向にひび割れが入る。地震時に水平力を受ける短柱はせん断ひび割れが発生しやすい。

③ **収縮ひび割れ**

コンクリートの急激な乾燥収縮により隅角部にハの字にひび割れが入る。

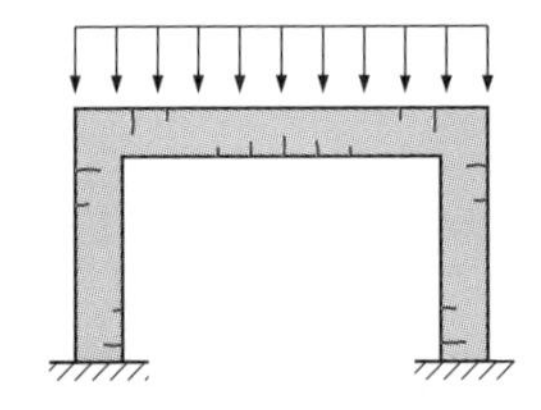

鉛直荷重による柱及び梁の
曲げひび割れ

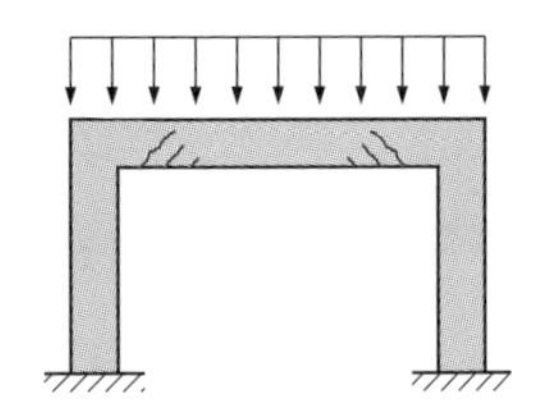

鉛直荷重による梁の
せん断ひび割れ

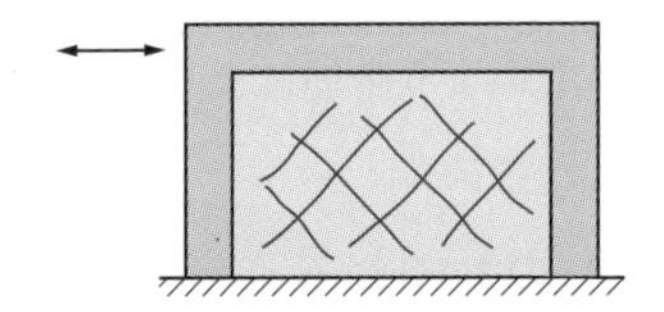

水平荷重による耐力壁の
せん断ひび割れ

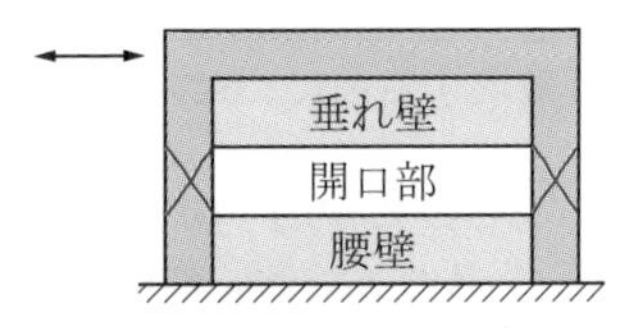

水平荷重による柱の
せん断ひび割れ

❺ 鉄筋コンクリート造の耐震設計

① 鉄筋コンクリート造の**ルート[1]**の計算……**高さ20m以下**

以下の規定を満たせば、1次設計のみでよい。

● **耐震強度の確保**

地上部分の各階の耐力壁並びに構造耐力上主要な部分である柱及び耐力壁以外の鉄筋コンクリート造の壁の水平断面積が、次式に該当するもの。

$\Sigma 2.5 \alpha A_{w} + \Sigma 0.7 \alpha A_{c} \geqq ZWA_{i}$

● **靭性能の確保(設計用せん断力の割増し)**

部材の靭性確保のための、設計用せん断力の割増し規定。

耐力壁の設計用せん断力：1次設計用地震力により耐力壁に生じるせん断力の**2倍**以上の値とする。

② 鉄筋コンクリート造の**ルート**[2]の計算……**高さ31m以下**
層間変形角、剛性率、偏心率及び塔状比の各規定を満足する必要がある。
●ルート[2－1]：耐力壁の多い建築物。
●ルート[2－2]：そで壁を有する柱等の水平断面積がかなり大きい建築物。
③ 鉄筋コンクリート造の**ルート**[3]の計算……**高さ60m以下**
層間変形角の確認の他、各階の保有水平耐力を検討する。
●**保有水平耐力**：建築物の地上部分の各階ごとに、架構が定められた崩壊形(全体崩壊形・部分崩壊形・局部崩壊形)に達する時における当該各階の構造耐力上主要な部分に生じる水平力の和のうち最も小さい数値以下の数値として計算する。部材のせん断破壊の防止、転倒の検討(塔状比が4を超える場合)を行う。
●**必要保有水平耐力**：各階の保有水平耐力が**必要保有水平耐力以上**であることを確かめる。
●**構造特性係数D_s**の計算方法
・**柱及び梁の種別**(ＦＡ～ＦＤ)を、柱及び梁の区分に応じて定める。
→せん断破壊、付着割裂破壊などの**脆性的な破壊**が生じる場合は、**ＦＤ材**となる。
・**耐力壁の種別**(ＷＡ～ＷＤ)を、耐力壁の区分に応じて定める。
・各階における**柱、梁、耐力壁の部材群としての種別**(Ａ～Ｄ)を、その階の部材の耐力の割合の数値に応じて定める。
・D_sを部材群としての種別から定める。
⇨鉄筋コンクリート造の場合は、D_sの最小値は**0.3～0.55**。
剛節架構と耐力壁を併用した場合では、柱・梁・耐力壁の部材群の種別が同じであれば、βuが**小さい**ほうが、構造特性係数D_sを**小さく**することができる。

アドバイス 鉄筋コンクリート構造

●鉄筋コンクリートの基本的な性質、特徴を理解する。
●主筋全断面積の割合や帯筋比・あばら筋比などを理解する。→計算問題にも対応する必要がある。
●ひび割れについては、曲げひび割れとせん断ひび割れが、出題の中心。生じる形状を理解する。
●耐震設計については、規模、各ルートごとのポイント、基準となる数値を理解する。近年、ルート3を中心に、出題が増加している。

問題 10-1　鉄筋コンクリート構造に関する次の記述について、**適当か、不適当か、**判断しなさい。

check □□□

問題1

梁の曲げに対する断面算定において、梁の引張鉄筋比がつり合い鉄筋比を超える場合、梁の許容曲げモーメントは、a_t（引張鉄筋の断面積）×f_t（鉄筋の許容引張応力度）×j（曲げ材の応力中心距離）により求めることができる。

check □□□

問題2

梁主筋のコンクリートに対する許容付着応力度は、一般に、下端筋のほうが上端筋より大きい。

check □□□

問題3

梁の圧縮鉄筋は、一般に、「クリープによるたわみの抑制」及び「地震に対する靭(じん)性の確保」に効果がある。

check □□□

問題4

軸圧縮力を受ける柱では、鉄筋の圧縮応力が、コンクリートのクリープによって徐々に減少する。

check □□□

問題5

柱及び梁の剛性の算出において、ヤング係数の小さなコンクリートを無視し、ヤング係数の大きな鉄筋の剛性を用いた。

check □□□

問題6

柱の断面算定において、コンクリートに対する鉄筋のヤング係数比nは、コンクリートの設計基準強度が高くなるほど大きな値とした。

check □□□

問題7

柱の許容曲げモーメントは、「圧縮縁がコンクリートの許容圧縮応力度に達したとき」、「圧縮側鉄筋が許容圧縮応力度に達したとき」及び「引張鉄筋が許容引張応力度に達したとき」に対して算定したそれぞれの曲げモーメントのうち、最大となるものとした。

check □□□

問題8

水平力を受ける鉄筋コンクリート構造の柱は、軸方向圧縮力が大きくなるほど、変形能力が小さくなる。

check

問題9

鉄筋コンクリート構造の柱は、一般に、主筋を増すことにより、靭性を高めることができる。

check

問題10

柱の帯筋は、せん断補強のほかに、帯筋で囲んだコンクリートの拘束と主筋の座屈防止に有効である。

check

問題11

柱の長期許容曲げモーメントの算定において、コンクリートの引張力の負担を無視して計算を行った。

check

問題12

最小あばら筋比は、曲げひび割れの発生に伴う急激な剛性の低下を防ぐために規定されている。

check

問題13

柱部材の長期許容せん断力の計算において、帯筋や軸圧縮応力度の効果はないものとした。

check

問題14

柱及び梁の短期許容せん断力の算定において、主筋はせん断力を負担しないものとして計算を行った。

check

問題15

柱のせん断耐力は、一般に、帯筋に降伏強度の高い高強度鉄筋を使用すると大きくなる。

check

問題16

梁主筋の柱への必要定着長さは、柱のコンクリートの設計基準強度が高いほど長くなる。

解説 

問題1　不適当

梁の曲げに対する算定において、**引張鉄筋比**P_t**がつり合い鉄筋比**P_{tb}**以下**のときは、つねに引張鉄筋が圧縮側コンクリートより先に許容応力度に達する。この場合、梁が負担できる曲げモーメント(**許容曲げモーメント**)Mは、ほぼ引張鉄筋の断面積a_tに比例するので、次式が成り立つ。鉄筋コンクリート構造計算規準。

$M = a_t \times f_t \times j$

M：梁の許容曲げモーメント　　a_t：引張鉄筋の断面積

f_t：鉄筋の許容引張応力度　　j：曲げ材(梁)の応力中心距離　$j=\frac{7}{8}d$

問題2　適当

上端筋は、コンクリートの沈降現象によって鉄筋下面のコンクリートの付着が悪い。したがって、曲げ材の引張鉄筋のコンクリートに対する**付着許容応力度**は、**下端筋**のほうが上端筋より**大きい**。鉄筋コンクリート構造計算規準。

問題3　適当

梁の圧縮鉄筋は、曲げ強度には寄与することが小さいが、長期荷重による**クリープ**たわみの**防止**、短期(**地震時**)に対する**靭性の確保**に効果的である。したがって、主要な梁は必ず複筋とする。鉄筋コンクリート構造計算規準。

問題4　不適当

軸圧縮力を受ける柱では、主筋の圧縮応力はコンクリートの**クリープ**(ひずみが時間の経過に伴って増加すること。この場合は圧縮ひずみ)によって、徐々に**増加**する。

問題5　不適当

鉄筋コンクリート部材の**曲げ剛性**の算定において、一般に、**断面二次モーメント**は、**コンクリート**断面の値を用い、**ヤング係数**は、**コンクリート**の値を用いる。鉄筋コンクリート構造計算規準。

問題6　不適当

コンクリートに対する鉄筋のヤング係数比の大きさは、一般に、**コンクリートの設計基準強度**が**高くなるほど小さく**なる。鉄筋コンクリート構造計算規準。

問題7　不適当

柱の許容曲げモーメントは、「圧縮縁がコンクリートの許容圧縮応力度に達したとき」、「圧縮側鉄筋が鉄筋の許容圧縮応力度に達したとき」又は「引張鉄筋が許容引張応力度に達したとき」に対して求めたそれぞれの曲げモーメントのうち、**最小値以下**の値とする。鉄筋コンクリート構造計算規準。

問題8　適当

鉄筋コンクリート造の柱は、負担している軸圧縮力が小さいときは、十分な変形能力をもっているが、**軸圧縮力**が**大きく**なると**変形能力**が**小さく**なり、脆性破壊の危険がある。鉄筋コンクリート構造計算規準。

問題9　不適当

鉄筋コンクリート構造の柱の**靭性**(粘り強さ)を**高める**には、せん断破壊を防ぐために**帯筋を増す**ことが必要である。主筋を増すことは柱の曲げ強度が向上し、曲げ破壊よりせん断破壊が先行することにつながり、むしろ、靭性を低下させるおそれがある。

問題10　適当

コンクリートは周囲から拘束を受けると、強度･靭性とも増大する。柱の**帯筋**は**せん断補強**のほかに、内部の**コンクリートの拘束、主筋の座屈防止**に役立ち、その効果を十分に発揮させるためには、補強量を多くするとともに、間隔を密にすること、帯筋端部で十分の定着強度が確保されることが必要である。鉄筋コンクリート構造計算規準。

問題11　適当

柱及び梁における**許容曲げモーメント**の算定において、**圧縮力**は圧縮側の**主筋とコンクリートで負担**し、**引張力**は引張側の**主筋のみで負担**するものとする。引張側のコンクリートは考慮しない。

問題12　不適当

梁の最小**あばら筋比**0.2%は、地震時における繰返し荷重による**せん断ひび割れ**に伴う梁のせん断強度及び靭性の低下を防ぐために決められている。

問題13　適当

柱の長期許容せん断力の評価には、コンクリートによる効果を考慮するが、**帯筋**及び**軸圧縮応力度**(圧縮力が大きくなると、せん断耐力は大きくなる)による効果は**含まれない**。鉄筋コンクリート構造計算規準。

問題14　適当

一般に、**主筋はせん断力を負担しない**。鉄筋コンクリート構造計算規準。

問題15　適当

柱のせん断耐力は帯筋の間隔を密にするほか、**帯筋**に降伏強度の高い**高強度鉄筋**を使用すると**大きく**なる。建築物の構造関係技術基準解説書。

問題16　不適当

梁主筋の柱への定着において、柱のコンクリートの強度が高いほど、鉄筋を拘束する力が大きくなるので、柱の**コンクリートの設計基準強度が高い**ほど、鉄筋の必要定着長さは**短く**なる。鉄筋コンクリート構造計算規準。

問題 10-2 鉄筋コンクリート構造に関する次の記述について、**適当か、不適当か、**判断しなさい。

check □□□

問題1
地震時に水平力を受ける柱の曲げひび割れは、一般に、柱頭及び柱脚に発生しやすい。

check □□□

問題2
柱の断面の隅角部に太い鉄筋を配置したので、脆性的な破壊形式である付着割裂破壊の検討を行った。

check □□□

問題3
剛節架構の柱梁接合部内に通し配筋する大梁において、地震時に曲げヒンジを想定する梁部材の主筋強度が高い場合、梁主筋の定着性能を確保するために、柱せいを大きくした。

check □□□

問題4
部材の靭性を確保するためには、部材がせん断破壊する前に曲げ降伏するように設計する。

check □□□

問題5
腰壁や垂れ壁の付いた鉄筋コンクリート構造の柱(短柱)は、一般に、それらの付かない同一構面内の柱に比べて、地震時の塑性変形能力が大きく、破壊しにくい。

check □□□

問題6
鉄筋コンクリート造の腰壁と柱の間に完全スリットを設けた場合であっても、梁剛性の算定に当たっては、腰壁部分が梁剛性に与える影響を考慮する。

check □□□

問題7
細長い連層耐力壁に接続する梁(境界梁)は、耐力壁の回転による基礎の浮き上がりを抑える効果がある。

check □□□

問題8
梁主筋の柱への必要定着長さは、柱のコンクリートの設計基準強度が高いほど長くなる。

check □□□

問題9
付着割裂破壊する柱については、急激な耐力低下のおそれがないので、部材種別をFAとして構造特性係数D_sを算定した。

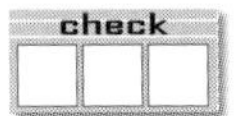

問題10

剛節架構と耐力壁を併用した鉄筋コンクリート造の場合、柱及び梁並びに耐力壁の部材群としての種別が同じであれば、耐力壁の水平耐力の和の保有水平耐力に対する比βuについては、0.2である場合より0.7である場合のほうが、構造特性係数D_sを小さくすることができる。

問題11

既存の鉄筋コンクリート造建築物の耐震補強をする場合、架構内に耐力壁や鉄骨ブレースを新設して耐力を増したり、柱に鉄板を巻いてせん断補強することにより、靱性を向上させる等の方法がある。

問題12

鉄筋コンクリート構造の既存建築物の耐震改修において、柱付き壁に耐震スリットを設ける方法は、耐力を増加するのに有効である。

ひび割れ

問題13

鉄筋コンクリート造の建築物において、「躯体に発生したひび割れのパターンを示す図」と「その原因の説明」との組合せとして、**最も不適当な**ものは、次のうちどれか。ただし、矢印は力が作用している方向を示すものとする。

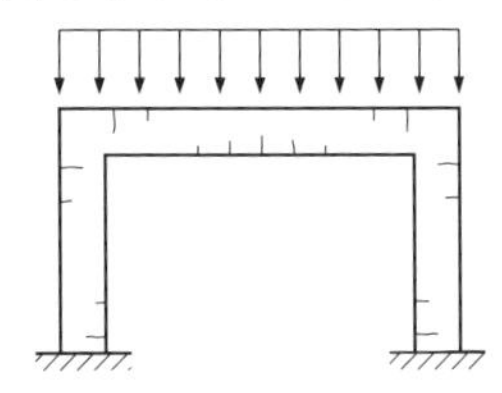

1. 鉛直荷重による柱及び梁の曲げひび割れ

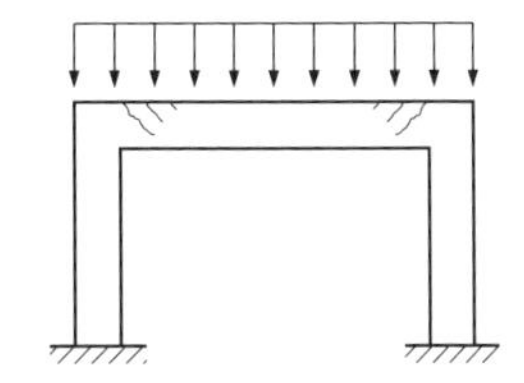

2. 鉛直荷重による梁のせん断ひび割れ

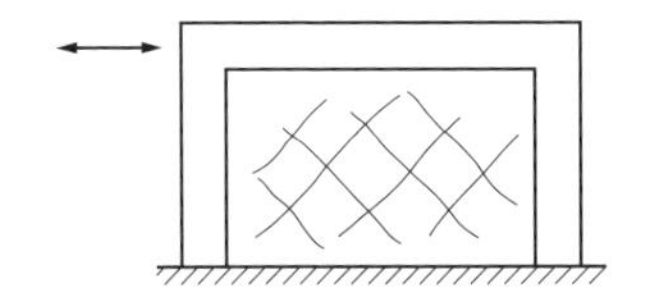

3. 水平荷重による耐力壁のせん断ひび割れ

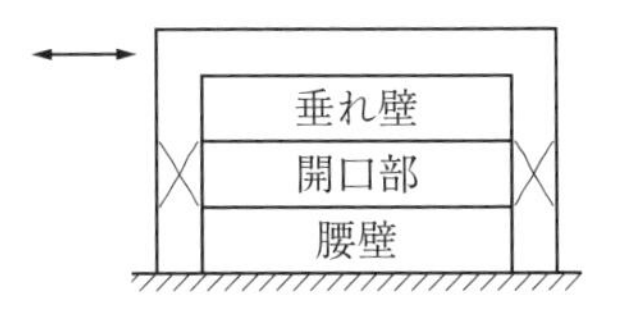

4. 水平荷重による柱のせん断ひび割れ

解説

問題1　適当

地震時の柱の**曲げひび割れ**は、曲げ応力の大きい柱の**頭部・脚部**に発生しやすい。

問題2　適当

付着割裂破壊は、引張鉄筋の存在応力の材長方向の変化が大きい時(曲げ応力とせん断力が共に大きい時)に、**鉄筋に沿って**コンクリートに付着割裂ひび割れが生じ、脆性的な破壊形式を示す。柱の隅角部に大きな付着応力が作用する**太い**鉄筋を用いた場合は、付着割裂破壊の**検討が必要**である。建築物の構造関係技術基準解説書。

問題3　適当

純ラーメン部分の柱梁接合部内に**通し配筋**する大梁で、地震時に曲げヒンジを想定する梁部材の**主筋強度**が**高い**ほど、**柱せい**を**大きく**しなければならない。建築物の構造関係技術基準解説書。

問題4　適当

部材のねばり強さ、つまり**靭性を確保**するためには、鉄筋コンクリート部材のせん断破壊を防ぐことである。したがって、部材が**せん断破壊**する前に、**曲げ降伏**するように設計する。

問題5　不適当

腰壁や垂れ壁の付いた鉄筋コンクリート構造の柱(**短柱**)は、一般に、同一構面内の腰壁や垂れ壁の付かない柱に比べて、剛性が高く、地震時のせん断力負担が増大し、塑性変形能力が小さく、**せん断破壊**が生じやすい。

問題6　適当

鉄筋コンクリート造の腰壁で、柱との接合部に適切な**スリット**が設けてある場合、柱の剛性、応力及び断面の検討には、その存在を無視してよいが、**梁の剛性**及び**応力の算定**には、原則としてこれらを**考慮**する。建築物の構造関係技術基準解説書。

問題7　適当

耐力壁の回転による基礎の浮き上がりに対しては、基礎自重や境界梁などによる曲げ戻しによって、**抑え効果**が期待できる。

問題8　不適当

梁主筋の柱への定着において、柱のコンクリートの強度が高いほど、鉄筋を拘束する力が大きくなるので、柱の**コンクリートの設計基準強度が高い**ほど、梁主筋の必要定着長さは**短く**なる。鉄筋コンクリート構造計算規準。

問題9　不適当

鉄筋コンクリート造建築物における構造特性係数D_sの算定に用いる**柱の部材種別**は、部材の靭性に応じて**FA～FD**の４段階に分類され、**靭性が最も高いのは、FAである**。柱に**せん断破壊**、**付着割裂破壊**及び圧縮破壊、その他の構造耐力上支障のある急激な低下のおそれのある破壊を生じる場合は、柱の部材種別を**FD**として構造特性係数D_sを算定する。告示(昭55)第1792号第４。

問題10　不適当

剛節架構と耐力壁を併用した鉄筋コンクリート造の**構造特性係数D_s**は、柱及び梁の部材群としての種別、耐力壁の部材群としての種別、耐力壁(筋かいを含む)の水平耐力の和の保有水平耐力に対する比(耐力壁の水平耐力の和/保有水平耐力)βuから求める。

βuが**大きい**ことは、保有水平耐力の中に占める耐力壁の水平耐力が大きく、架構の**変形能力**が**小さい**ことを表している。したがって、柱及び梁並びに耐力壁の部材群としての種別が同じであれば、βuについては、0.2である場合より0.7である場合のほうが、**構造特性係数D_s**が**大きく**なる。告示(昭55)第1792号第４。

問題11　適当

既存建築物の**耐震性能**を**向上**させるには、大別して、①耐力を増加する、②靱性を高める、③損傷の集中を回避する、④地震入力を低減する、⑤老朽化に伴う耐震性能の低下を改善する、⑥基礎を補強する、といった手段がある。

耐力の向上を図る手段としては、場所打ちのＲＣ壁を増設する工法(**増設壁工法**)が最も一般的で、その他に薄い既存壁の壁厚を増して補強する**増打ち壁**や、窓開口をＲＣ壁でふさいで補強する開口閉塞壁がある。また、ＲＣ造建物を**鉄骨ブレース**や鉄骨パネルで補強する工法も、補強に伴う重量増加が少なく、また大きな窓開口を確保できるなどの利点があり､大きな変形能力も期待できる。既存鉄筋コンクリート造建築物の耐震改修設計指針。

問題12　不適当

耐震スリットは、極脆性柱を解消する、せん断破壊型の柱を曲げ破壊型に改善する、そで壁付き柱を独立柱の形態に改善し変形能力を高める、といった目的により、既存の腰壁・たれ壁及びそで壁をコンクリートカッターにより所定の間隔でスリット状に切断して形成する。

耐震スリットを設けることにより、柱の**変形能力**は**高まる**ものの**耐力**は逆に**低下する**ため、耐震スリットの配置が建物全体の耐震性能の向上に寄与することを慎重に確認する必要がある。既存鉄筋コンクリート造建築物の耐震改修設計指針。

問題13　2

鉛直荷重による大梁に生じるせん断力は、左側の端部では正のせん断力、右側の端部では負のせん断力である。したがって、梁の左端部では45°方向の右上がり、右端部では45°方向の左上がりの図のような傾きのひび割れとなる。

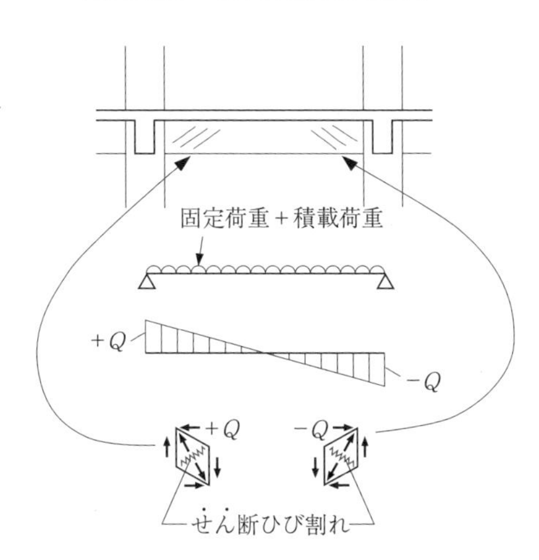

IV 構造

Check Point 11 木質構造

❶ 各部構造

1．基　　礎
- 立上り部分の高さ：地上部分で300mm以上
- 根入の深さ：240mm以上
- 底盤の厚さ：150mm以上

2．土　　台
- 土台を基礎に緊結する。アンカーボルトの位置は筋かいの端部附近、土台の継手付近とし、その他は２m間隔とする。

3．柱
- 階数が２以上の隅柱等は、**通し柱**とするか、接合部を同等以上の耐力を有するように補強する。
- 構造耐力上主要な部分である柱の**有効細長比**は**150以下**とする。
- 階数が２を超える建築物の１階の構造耐力上主要な部分である柱の小径は**13.5cm**を下回ってはならない。

4．梁
最大たわみ ⇨ スパンの１/300かつ、振動障害のないこと。

5．小　屋　組
- 洋風小屋組はトラスで荷重を支える構造で陸梁に引張力が働く。大スパンに有利である。
- 和風小屋組は単純梁で荷重を支える構造で、小屋梁には曲げモーメント、せん断力が働く。
- **ひねり金物**はたる木と軒げた、または、もやの接合に用いられ、風圧力による吹上げに抵抗する。

6．火　打　材
- 床組、小屋組の隅角部に火打材を設けるが、構造計算、実験で安全性が確認された場合は、床面に構造用合板を打ち付けてもよい。

❷ 耐　力　壁

1．耐力壁の配置
- 剛心と重心ができるだけ一致するようにする。

2．筋　か　い
- 同一構面内で対になるように配置する。
- 筋かいは端部を柱と梁、その他の横架材との仕口に接近して、ボルト、かすがい、釘その他の金物で緊結しなければならない。
- 構造用合板等の面材は筋かいの代りに用いることができる。
- 厚さ12mm以上のシージングインシュレーションボードは耐力壁の面材として用いることができる。

●圧縮筋かいは、厚さ3cm×幅9cmの木材を使用できる。

3．耐力壁の所要有効長さ

① **地震力に対する耐力壁の所要有効長さ**

●耐力壁の必要長さは、床面積により決まるので、張り間方向、けた行方向ともに同じである。

●特定行政庁が「地盤が著しく軟弱な土地」として指定した場合は1.5倍になる。

② **風圧力に対する耐力壁の所要有効長さ**

●「けた行き方向見付面積」に生じた風圧力は「けた行き方向の軸組」が支え、「張り間方向見付面積」に生じた風圧力は「張り間方向の軸組」が支える。

●見付面積が異なれば張り間方向とけた行方向の長さは異なる。

③ **耐力壁の長さに乗ずる倍率**

●構造用面材と筋かいを併用した軸組の倍率は、それぞれの数値の和とする。

●倍率の和が5を超える場合は、5とする。

④ **木造建築物の軸組の設置基準**

木造建築物の軸組の設置の基準の手順は、以下の通りとなる。

●各階につき、**側端部分**について、**存在壁量**及び**必要壁量**を求める。

●各側端部分のそれぞれについて、**壁量充足率**を求め、**壁率比**を求める。

●**壁率比**がいずれも**0.5以上**であることを確かめる（側端部分の壁量充足率がいずれも1を超える場合においては、この限りでない）。

3 接　　合

●木材の含水率が20％以上の場合、接合部の許容耐力を低減する。

●異種の接合法を使用する場合、両者の耐力は加算できない。

4 大断面集成材等による木造建築物

●**高さ13m**または**軒の高さ9m**を超える大スパンの架構として計画できる。

●構造耐力上主要な部分である柱、横架材

柱の小径 ⇨ 15cm以上　　柱の断面積 ⇨ 300cm^{2}以上

●構造用集成材は湾曲が可能。任意の大断面が得られる。

●断面がある程度大きい木材は、表面が燃焼しても、その部分に形成される炭化層によって、深部まで急速に燃焼が及ぶことはない。

⇨ 木材の炭化層は、内部への燃焼を妨げる効果がある。

アドバイス　木質構造

●各部構造では、部材の設計に関する事項が中心になる。小屋組や耐力壁、筋かいなどの考え方を理解する。

●近年、出題頻度が高いのが、軸組の設置基準。その手順と考え方を理解する。小屋組や耐力壁、筋かいなどの考え方を理解する。

●壁率比の計算手順を理解する。

問題11

木造軸組工法による地上２階建ての建築物に関する次の記述について、**適当か**、**不適当か**、判断しなさい。

check

問題１

凍結のおそれのない地域であったので、布基礎の根入れ深さを、24cmとした。

check

問題２

筋かいの端部は、柱と梁その他の構造耐力上主要な横架材との接合部に接近して緊結し、各材の軸線が１点で交わるようにした。

check

問題３

２階建の建築物において、隅柱を通し柱としないで管柱をつないだ場合、その接合部は、通し柱と同等以上の耐力を有するように補強した。

check

問題４

土台には、耐朽性を向上させるため、心材ではなく辺材を用いた。

check

問題５

国土交通大臣が定める基準に従った構造計算によって構造耐力上安全であることを確かめたので、小屋組の振れ止めを省略した。

check

問題６

構造耐力上主要な柱の所要断面積の1/3を切り欠きしたので、切り欠きした部分が負担していた力を伝達できるように金物等により補強した。

check

問題７

１階の耐力壁と２階の耐力壁を、市松状に配置した。

check

問題８

筋かいを入れた壁倍率1.5の軸組の片面に、壁倍率3.7の仕様で構造用合板を釘打ち張りした耐力壁は、壁倍率5.2として存在壁量を算定する。

check

問題９

地震力に対する耐力壁の所要有効長さ(必要壁量)は、一般に、張り間方向とけた行方向とでは異なる値となる。

問題10

風による水平力に対して必要な耐力壁の量を、建築物の階数、床面積及び屋根の重量により算定した。

問題11

片面に同じボードを２枚重ねて釘打ちした耐力壁の倍率を、そのボードを１枚で用いたときの耐力壁の倍率の２倍とした。

問題12

９cm角の木材の筋かいを入れた軸組の倍率(壁倍率)を３とし、９cm角の木材の筋かいをたすき掛けに入れた軸組の倍率(壁倍率)を６とした。

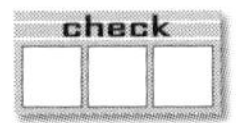

問題13

筋かいが間柱と交差する部分は、間柱の断面を欠き取り、筋かいは欠込みをせずに通すようにした。

木造建築物の軸組の設置基準

問題14

図のような木造の在来軸組工法による平家建ての建築物(屋根は日本瓦葺とする。)において、建築基準法に基づく「木造建築物の軸組の設置の基準」による壁率比の組合せとして、**最も適当な**ものは、次のうちどれか。ただし、図中の太線は耐力壁を示し、その倍率(壁倍率)は１とする。なお、壁率比は、壁量充足率の小さいほうを壁量充足率の大きいほうで除した数値である。

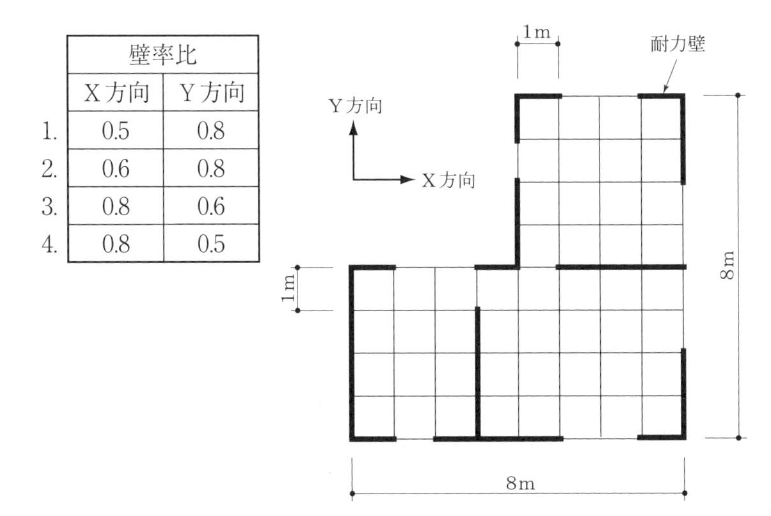

	壁率比	
	X方向	Y方向
1.	0.5	0.8
2.	0.6	0.8
3.	0.8	0.6
4.	0.8	0.5

Ⅳ 構造

解説

問題1　適当

凍結のおそれのない地域は、地盤の沈下又は変形に対して構造耐力上安全と考えられる。この場合の布基礎の根入れ深さにあっては、24cm以上とする。建築基準法施行令38条1項。告示(平12)第1347号第一第4項、一号。

問題2　適当

筋かいの端部は、原則として、柱と梁、その他の構造耐力上主要な横架材との接合部に接近して緊結し、各材の軸線がなるべく一点に会するようにする。ただし、軸線が著しくずれる場合には、横架材の設計にあたって、その影響を考慮する必要がある。木質構造設計規準。

問題3　適当

階数が**2以上**の建築物における**隅柱**又はこれに準ずる柱は、通し柱としなければならないが、管柱の接合部を通し柱と同等以上の耐力を有するように**補強**した場合は、通し柱としなくてもよい。建築基準法施行令43条5項。

問題4　不適当

木材は樹種により腐朽菌に対する抵抗性が異なる。土台等の腐朽しやすい箇所には耐朽性のある、ひば・ひのきなどの樹種を選んで適材を適所に使用する。また、辺材と心材とで耐朽性が異なり、心材のほうがはるかに大きいため、**腐朽しやすい箇所**には、**心材**の多いものを使用する。木質構造設計規準。

問題5　適当

床組及び小屋ばり組には木板などを所定の基準で打ち付け、**小屋組**には**振れ止め**を設けなければならない。ただし、国土交通大臣が定める基準に従った**構造計算**によって構造耐力上安全であることが認められた場合においては、**適用しない**。建築基準法施行令46条3項。

問題6　適当

構造耐力上主要な**柱の小径**は、やむを得ず柱の所要断面積の**1/3以上**を切り欠きした場合、その部分は、添え板ボルト締め等で**補強**することにより、切り欠きした部分における縁応力を伝達できるようにする。建築基準法施行令43条4項。

問題7　適当

鉛直荷重に対して、明瞭な力の伝達経路を経て軸組あるいは壁組から地盤まで伝えられるよう、また、各構造要素の力の分担ができるだけ均等になるように、構造要素の構成や建築物内での配置が計画されなければならない。耐力壁や支持壁などの壁組は、構造全体の力の伝達が明瞭となるように**上下階の位置**をできるだけ**一致させる**かあるいは**市松状**に配置することが望ましい。木質構造設計規準。

問題8　不適当

存在壁量の計算において、筋かいを入れた軸組の片面または両面に、所定の仕様にて面材を打ち付けた場合、それらの壁倍率を足し合わせることができる。ただし、足し合わせた値が**5を超える場合は、5とする**(**上限は5**である。)。告示(昭56)第1100号第2第十一号。

問題9　不適当

地震力に対する耐力壁の必要壁量は、次式から求める。

地震力に対する必要壁量＝(床面積に乗ずる数値)×床面積

床面積に乗ずる数値は、屋根葺材の種類や建築物の階数と階の位置によって定められている。したがって、**張り間方向**と**けた行方向**とでは、地震力に対する必要壁量は**同じ値**となる。建築基準法施行令46条４項。

問題10　不適当

風による水平力に対して**必要な耐力壁の量**は、算定する階より上の見付け面積からその階の床面から高さが**1.35m以下**の部分の見付け面積を減じたものに**建物の建設地における区域によって定められている数値**を乗じて得た数値以上としなければならない。屋根の重量は関係しない。建築基準法施行令第46条。

問題11　不適当

同じボードを２枚重ねて軸組の**片面**にのみ釘で打ち付けた場合の壁の倍率は、そのボードを単独で用いたときの壁の倍率を２倍にした値とすることができない。昭和56年建設省告示第1100号。

問題12　不適当

９cm角の木材を入れた軸組の倍率(壁倍率)は、建築基準法施行令第46条４項表１(5)より、３となるが、９cm角の木材の筋かいをたすき掛けに入れた軸組の倍率(壁倍率)は、**２倍**の６と**することはできない**。表１(7)より、**５とする**。

問題13　適当

筋かいには、欠き込みをしてはならない。筋かいと間柱が交差する部分においては、**間柱**のほうを**欠き込む**。ただし、筋かいをたすき掛けにする場合において、必要な補強を行った場合には、筋かいを欠き込むことができる。建築基準法施行令45条４項。

問題14　4

●各側端部分の壁量充足率

$$X_1=\frac{500\text{cm}\times 1}{16\text{m}^2\times 15\text{cm/m}^2}=\frac{500}{16\times 15}$$

$$X_2=\frac{200\text{cm}\times 1}{8\text{m}^2\times 15\text{cm/m}^2}=\frac{400}{16\times 15}$$

$$Y_1=\frac{400\text{cm}\times 1}{8\text{m}^2\times 15\text{cm/m}^2}=\frac{800}{16\times 15}$$

$$Y_2=\frac{400\text{cm}\times 1}{16\text{m}^2\times 15\text{cm/m}^2}=\frac{400}{16\times 15}$$

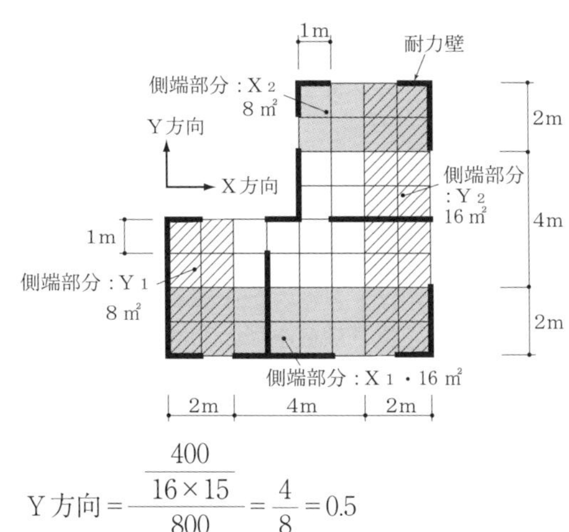

●各方向の壁率比

$$X方向=\frac{\frac{400}{16\times 15}}{\frac{500}{16\times 15}}=\frac{4}{5}=0.8 \qquad Y方向=\frac{\frac{400}{16\times 15}}{\frac{800}{16\times 15}}=\frac{4}{8}=0.5$$

Check Point 12 その他の構造

❶ 鉄骨鉄筋コンクリート構造（ＳＲＣ造）

1．許容応力度

- 鉄骨量が多い場合、コンクリートの充填が悪くなるので、鉄骨量に応じてコンクリート許容応力度を**低減**する。
- 柱及び梁の許容せん断力の算定 ⇨ Ｓ造、ＲＣ造部分の許容せん断力がそれぞれ負担する設計用せん断力より大きくなるようにする。
- 柱の短期許容せん断力の算定 ⇨ 帯筋比(せん断補強筋比)が0.6％を超える場合は、**0.6%**とする。

2．構造各部の算定に関する事項

- 部材、接合部の耐力(終局耐力)は、Ｓ造部分・ＲＣ造部分の**耐力の和**(累加強度式)として算定する。
- 鉄骨、鋼管部分の局部座屈は考慮する必要がない。
  ⇨ 幅厚比の検討の必要がない。
- 付着応力度 ⇨ コンクリートの充填しにくい部分を除いた付着面積を用いる。
- 柱梁接合部 ⇨ 柱、梁それぞれの鉄骨部分の曲げ耐力の和が同程度であれば、応力の伝達に支障はない。

3．柱 の 設 計

① **軸方向力・曲げモーメント**

- 曲げモーメント＞軸方向力 ⇨ Ｓ造に曲げモーメントだけ負担
  ＲＣ造に残りの曲げモーメントと軸方向力を負担
- 軸方向力＞曲げモーメント ⇨ ＲＣ造に軸方向力を負担
  Ｓ造に残りの軸方向力と曲げモーメントを負担
- 軸方向力がＲＣ部分の許容軸力以下の場合、ＲＣ部分のみに、すべての軸方向力を負担できる。
- 充腹のウェブ材を用いた柱 ⇨ 脆性破壊のおそれがあるため、軸方向力の制限値の検討が必要である。

② **せ ん 断 力**

- 長期荷重時に、コンクリートにせん断ひび割れが生じないよう設計する。
- ＲＣ部分の長期許容せん断力の算定に帯筋、格子形鉄骨の効果は加味されない。

③ **座　　屈**

- 細長比70以下となるよう格子材、ラチス材で相互に連結するのがよい。
- 柱の座屈長さは最小径の30倍以下であり、座屈長さが大きい場合は座屈に対する配慮が必要である。

4．梁 の 設 計

① 許容曲げモーメント
Ｓ造部分とＲＣ造部分の許容曲げモーメントの和とする。

② 許容せん断力
Ｓ造部分とＲＣ造部分を別々に算定(累加強度式は採用しない)。

③　貫通孔の径

全せいの0.4倍以下、かつ、内蔵する鉄骨のせいの0.7倍以下とする。

5．柱、梁の算定外の規定

- 鉄骨に対するコンクリートのかぶり厚さ ⇨ 50㎜以上（通常150㎜程度）
- 主筋 ⇨ D13以上
- 柱の帯筋比 ⇨ **0.2%**以上　　充腹形（H形鋼）**0.1%**以上
- 柱、圧縮材のコンクリート全断面に対する材軸方向鋼材全断面積 ⇨ **0.8%**以上

6．接合部の配筋設計

- 接合部の鉄筋はできる限り鉄骨に穴をあけないように配筋する。
- 柱・梁の鉄骨フランジには、原則として鉄筋貫通孔を設けない。
- ウェブには、溶接ビード・スカラップの位置、断面の欠損に注意すれば貫通孔を設けてもよい。

2 プレストレストコンクリート構造

- 同一架構において、プレストレストコンクリート部材と鉄筋コンクリート部材とを**併用**することができる。
- プレストレストコンクリートに用いるコンクリートの設計基準強度は、プレテンション方式の場合は35N/㎟以上、ポストテンション方式の場合は30N/㎟以上とする。
- 緊張材（**ＰＣ鋼材**）は、鉄筋の２～４倍の引張強度を有し、応力ひずみ曲線も明りょうな降伏点を示さないという機械的性質がある。

3 壁式鉄筋コンクリート造

鉄筋コンクリート構造において、壁式構造の建築物は、一般に、ラーメン構造に比べ地震時の水平変形が小さく、地震に対して主として強度にたよる構造である。

- **地上階数：５以下、軒の高さ：20m以下、各階の階高：3.5m以下**
- コンクリートの**設計基準強度：18N/㎟以上**。
- 耐力壁の**最小壁量**

  最上階から数えた階が１～３：12cm/㎡、４～５：15cm/㎡、地下階：20cm/㎡。
- 耐力壁の**実長：450㎜以上**、かつ**同一の実長を有する部分の高さの30%以上**。
- 耐力壁の**せん断補強筋比の下限値**

  平屋・最上階：0.15％、最上階から数えて２つめの階：0.20％、その他の階・地下階：0.25％
- **壁梁**の構造

  壁梁の厚さ：これに接する耐力壁の厚さ以上、せい：450㎜以上。
- **壁式ラーメン鉄筋コンクリート造**

  けた行方向が偏平な形状の壁柱と梁からなる剛節架構（壁式ラーメン）、はり間方向が連層耐力壁で構成される構造。地階を除く階数が15以下、かつ、軒の高さが45m以下。

問題 12 建築構造に関する次の記述について、**適当か**、**不適当か**、判断しなさい。

▌鉄骨鉄筋コンクリート構造▐

check □□□

問題1
部材耐力を算定する場合、一般に、鉄骨は局部座屈を考慮しなくてもよい。

check □□□

問題2
梁の曲げ耐力は、鉄骨部分の曲げ耐力と鉄筋コンクリート部分の曲げ耐力との和として算定する。

check □□□

問題3
部材の終局せん断耐力は、鉄骨部分の終局せん断耐力と鉄筋コンクリート部分の終局せん断耐力との和とした。

check □□□

問題4
柱の短期荷重時のせん断耐力に対する検討に当たっては、鉄骨部分の許容せん断力と鉄筋コンクリート部分の許容せん断力の和が、設計用せん断力を下回らないものとした。

check □□□

問題5
柱の設計において、コンクリートの許容圧縮応力度は、一般に、圧縮側鉄骨比に応じて低減させる。

check □□□

問題6
柱の設計において、材軸方向の鋼材の全断面積は、コンクリートの全断面積に対し0.8%以上とする。

check □□□

問題7
柱材の鉄骨ウェブの形式は、靭性を確保するため、充腹形から格子形に変更した。

check □□□

問題8
梁の鉄骨にH形鋼を用いた場合、最小あばら筋比は0.1%とすることができる。

check □□□

問題9
柱及び梁の大部分が鉄骨鉄筋コンクリート構造の階の構造特性係数D_sは、0.25から0.5以内の数値とすることができる。

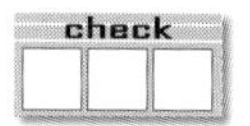

問題10

コンクリート充填鋼管（ＣＦＴ）の柱の耐力評価において、実況に応じた強度試験により確認した場合は、鋼管とコンクリートの相互拘束効果を考慮することができる。

■ プレストレストコンクリート構造 ■

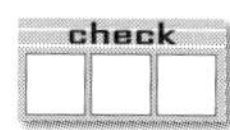

問題11

プレストレストコンクリート造は、鉄筋コンクリート造に比べて長スパンに適しているが、一般に、ひび割れ発生の可能性が高く、耐久性は鉄筋コンクリート造より劣る。

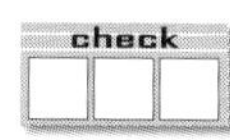

問題12

同一架構において、プレストレストコンクリート部材と鉄筋コンクリート部材とを併用することができる。

問題13

プレストレストコンクリート部材に導入されたプレストレス力は、コンクリートのクリープやＰＣ鋼材のリラクセーション等により、時間の経過とともに減少する。

■ 壁式鉄筋コンクリート造・壁式ラーメン鉄筋コンクリート造 ■

問題14

鉄筋コンクリート構造において、壁式構造の建築物は、一般に、ラーメン構造の建築物に比べて、地震時の水平変形が小さい。

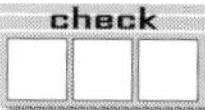

問題15

壁式鉄筋コンクリート構造の建築物では、使用するコンクリートの設計基準強度を高くすると、一般に、必要壁量を小さくすることができる。

問題16

壁式鉄筋コンクリート構造は、一般に、軒高が20mの地上６階建ての建築物においても採用することができる。

問題17

壁式鉄筋コンクリート構造は、一般に、壁式ラーメン鉄筋コンクリート構造に比べて、軒の高さの高い建築物に適用することができる。

解説

問題1　適当

鉄骨鉄筋コンクリート構造の部材の算定においては、**鉄骨**がコンクリートに拘束されるので、鉄骨部分の**局部座屈**を考慮する必要はない。鉄骨鉄筋コンクリート構造計算規準。

問題2　適当

部材の**曲げ耐力**は、**鉄骨部分**の曲げ耐力と**鉄筋コンクリート部分**の曲げ耐力の**和**（累加強度式）として計算する。鉄骨鉄筋コンクリート構造計算規準。

問題3　適当

部材の**終局せん断耐力**は、**鉄筋コンクリート部分**の終局せん断耐力と**鉄骨部分**の終局せん断耐力の**和**とする。鉄骨鉄筋コンクリート構造計算規準。

問題4　不適当

柱の**短期**荷重時の**せん断耐力**に対する検討に当たっては、鉄骨部分と鉄筋コンクリート部分の許容せん断力が、**それぞれ**の設計用せん断力を**下回らない**ものとする。

問題5　適当

柱の設計に限り、**コンクリート**の**許容圧縮応力度**は、**圧縮側の鉄骨量**に応じて**低減**する。これは、鉄骨の存在によってコンクリートの充填度が低下することによる。鉄骨鉄筋コンクリート構造計算規準。

問題6　適当

柱及び圧縮材の**材軸方向鋼材**の全断面積は、コンクリートの全断面積に対し、**0.8%以上**とする。鉄骨鉄筋コンクリート構造計算規準。

問題7　不適当

柱材の鉄骨**ウェブ**の形式は、**靭性確保**の観点からみれば、柱材のウェブは**充腹形**にするか、少なくともラチス形にすべきである。靭性を期待する場合は、格子形は用いるべきではない。建築物の構造関係技術基準解説書。

問題8　適当

梁にH形鋼のような**充腹形**の鉄骨を用いた場合、**あばら筋比**は**0.1%以上**とすることができる。なお、**非充腹形**の場合は**0.2%以上**とする。鉄骨鉄筋コンクリート構造計算規準。

問題9　適当

構造特性係数D_sは、建築物の振動減衰性及び各階の靭性に応じて必要保有水平耐力を低減するための係数であり、計算を行う階の架構の形式及び架構の性状によって、その数値が規定されている。鉄骨鉄筋コンクリート構造にあっては、**0.25から0.5以内**の数値とすることができる。告示（昭55）第1792号。

問題10　適当
円形鋼管を用いて、鋼管内部にコンクリートを充填する**コンクリート充填鋼管**（ＣＦＴ）**柱**の耐力評価において、実況に応じた強度試験により確認した場合は、鋼管とコンクリートの相互拘束（**コンファインド**）効果を考慮することができる。

問題11　不適当、問題12　適当
プレストレストコンクリート構造は、プレストレスの導入によって、長期応力のもとで曲げひび割れを発生させず、コンクリートの全面が圧縮にも引張りにも有効に働くようにしたもので、鉄筋コンクリート造に比べて**大スパン**の架構に適している。また、ひび割れの発生の可能性が低いことから、鋼材の防食にも優れているので、**耐久性**は鉄筋コンクリート造より優れた構造である。
同一架構において、柱は鉄筋コンクリート造で、梁はプレストレストコンクリート造などのように２つの構造を**併用**することができる。プレストレストコンクリート設計施工規準。

問題13　適当
プレストレストコンクリート部材においては、プレストレス導入以後、コンクリートは乾燥収縮と同時に**クリープ**を起こし、時間の経過とともに曲げ変形および軸方向縮みが増大する。また、ＰＣ鋼材は、許容引張応力度以下の引張応力が常時作用するから**リラクセーション**を起こす。これらの原因によって導入プレストレスは時間の経過とともに**減少**する。プレストレストコンクリート設計施工規準。

問題14　適当
ラーメン構造は、壁式構造に比べ、比較的柔軟に変形して地震力を吸収してしまう**靭性**（粘り）のある構造といえる。それに対して、鉄筋コンクリートの**壁式構造**は、地震の際に大きく**変形せず**、強さ、あるいはかたさで地震力に抵抗し、地震力をはね返そうとする形式の構造であり、ラーメン構造に比べ、地震時の**水平変形**が**小さく**、強度によって耐震性を確保する構造である。

問題15　適当
耐力壁に使用するコンクリートの設計基準強度が18N/㎟を**超える**場合にあっては、定められた壁量の数値から５cm/㎡を減じた数値を限度として、**低減**することができる。告示（平13）第1026号、壁式鉄筋コンクリート造設計施工指針。

問題16　不適当
壁式鉄筋コンクリート構造の建築物は、地上の**階数５以下**で、かつ、**軒高を20m以下**とする。告示（平13）第1026号第一。

問題17　不適当
壁式鉄筋コンクリート構造は、**地階を除く階数**が**５以下**で、かつ、**軒の高さ**は**20m以下**とする。一方、**壁式ラーメン鉄筋コンクリート構造**は、**地階を除く階数**が**15以下**で、かつ、**軒の高さ**は**45m以下**とする。したがって、一般に、壁式ラーメン鉄筋コンクリート構造のほうが、軒の高さの高い建築物に適用することができる。告示（平12）第1026号第一第一号、告示（平13）第1025号第一第一号。

Check Point 13 建築材料

❶ 木　材

① **許容応力度**

- 繊維方向の強さ ⇨ **曲げ**＞**圧縮**＞**引張り**＞**せん断**
- **短期許容応力度**＝長期許容応力度の**2/1.1倍**（1.81倍）
- **構造用集成材**＞構造用木材
- 常時湿潤状態にある部分に使用する場合 ⇨ **70%**に低減
- 繊維と直角方向に加力したときは、めり込みを生じ、繊維方向よりも小さくなる。

② **乾燥収縮・強度・ヤング係数**

- 生木（含水率40％以上）から乾燥した場合、繊維飽和点（含水率30％）までは収縮がほとんどなく、繊維飽和点以下ではほぼ直線的に収縮していく。
- 木材の伸縮量は繊維方向が最も小さく年輪の円周方向が最も大きい。
- 含水率が飽和点以上で強度はほぼ一定であり、減少するに従い大きくなる。
- **ヤング係数**は鋼材に比べ**小さい**。また、直角方向に比べ繊維方向が大きい。なお、クリープによる変形も考慮する。

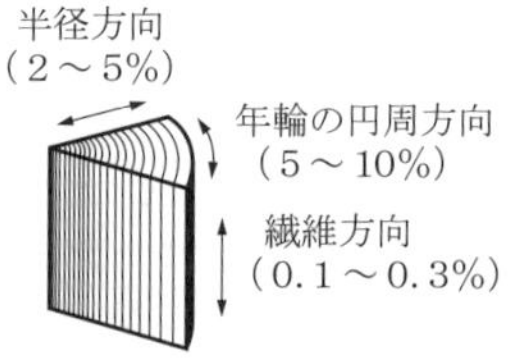

③ **木材加工品**

- **合板** ⇨ 薄い単板（ベニヤ）を繊維方向が互いに**直交**するように接着剤で貼りあわせたもので、異方性が少ない。
- **構造用集成材** ⇨ 厚さ1～3㎝のラミナを繊維方向が互いに**平行**になるように接着したもので、大断面材、湾曲材が得られる。

❷ コンクリート

① **強　　度**

- **水セメント比**が**大**きいほど**強度**は**小**さくなる。
- **支圧強度**（局部圧縮強度）＞全面圧縮強度
- 三軸圧縮応力状態の圧縮強度＞一軸圧縮応力状態の圧縮強度
- **水中養生**＞空気中養生
- **引張強度**は圧縮強度の**約1/10**である。

② **ヤング係数**

- コンクリートの**圧縮強度が大きく**なるほど、ヤング係数は**大きく**なる。
- コンクリートの**気乾単位体積重量が大きく**なるほど、ヤング係数は**大きく**なる。

③ **乾 燥 収 縮**

- 単位水量、セメント量が多いほど大きい。

④ **そ　の　他**

- 線膨張係数は鋼材、ガラスとほぼ同じ（1×10^{-5}/℃程度）である。

3 鋼　材

① **鉄鋼の性質**

- 炭素の含有率が**高く**なると**硬質**になり、**引張強度**が**大**きくなる(0.8%前後で最大になる)。また、**伸び**は**減少**する。
- 炭素の含有率を極端に下げると降伏点、引張強さは低下する。
- **高温**になると**降伏点**、**ヤング係数**は**小**さく、**線膨張係数**は**大**きくなる。
- 同じ鋼塊から圧延された鋼材の降伏点は、一般に板厚の薄いものより厚いほうが低くなる。
- **引張強さ**は常温から高温になるにつれて増加し**250～300℃**で**最大**になり、300℃を超えると温度の上昇と共に**低下**する。

② **鋼材の種類**

- **鉄骨構造使用鋼材(ＳＳ、ＳＭ、ＳＮ)**　　**引張強さ**で規定
- **ＲＣ造使用鋼材(ＳＤ、ＳＲ)**　　**降伏点**で規定

③ **特　徴**

- 鋼材の**ヤング係数**は、**強度に関係なく一定**であり、高強度の鋼材を用いても弾性変形を小さくできない。
- **基準強度**(F)は、**降伏点**と**引張強さ**の**70%**のうち**小**さい値とする。
- 許容せん断応力度は許容引張応力度の$1/\sqrt{3}$である。

アドバイス　建築材料

- 木材では、許容応力度、引張強さ、ヤング係数、膨張・収縮率などの大小関係を問う問題が多い。
- コンクリートでは、許容応力度、強度と調合、ヤング係数、収縮・ひび割れなどの性質を問う問題が多い。
- 鋼材の降伏点や降伏比(降伏点／引張強さ)については、応力度とひずみ度の関係も考慮して、理解する。
- 鋼材の性質では、記憶しなければならない数値が多い。
- 各材料とも、毎年１問の出題があるので、確実に得点しておきたい範囲。

問題 13-1

建築材料に関する次の記述について、**適当か**、**不適当か**、判断しなさい。

■ 木材・木質系材料 ■

check

問題 1
木表は、木裏に比べて乾燥収縮が大きいので、木表側が凹に反る性質がある。

問題 2
木材の繊維方向の許容応力度の大小関係は、一般に、曲げ＞圧縮＞引張り＞せん断である。

問題 3
木材の繊維方向の短期許容応力度は、積雪時の構造計算以外の場合、長期許容応力度の２/1.1倍とされている。

問題 4
積雪時の許容応力度計算をする場合、木材の繊維方向の長期許容応力度は、通常の長期許容応力度に1.3を乗じた数値とする。

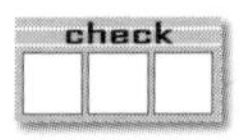

問題 5
木材の弾性係数は、一般に、含水率が繊維飽和点から気乾状態に達するまでは、含水率が小さくなるに従って小さくなる。

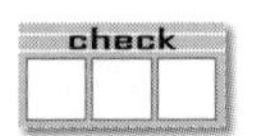

問題 6
木材の熱伝導率は、普通コンクリートに比べて小さい。

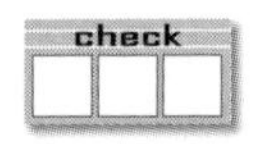

問題 7
木材の収縮率の大小関係は、一般に、繊維方向＞年輪の半径方向＞年輪の円周方向である。

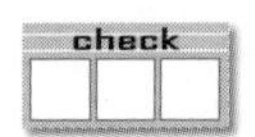

問題 8
木材のクリープによる変形は、一般に、気乾状態に比べて、湿潤状態のほうが大きい。

▌コンクリート▐

問題9

コンクリートの設計基準強度とは、調合を定める場合に目標とする強度で、標準養生による供試体強度で表される。

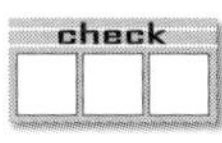

問題10

コンクリートの引張強度は、圧縮強度の1/10程度であるが、曲げ材の引張側では引張強度は無視するため、許容引張応力度は規定されていない。

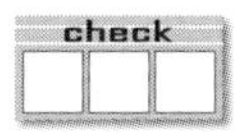

問題11

コンクリートの圧縮強度は、水セメント比が大きいほど小さい。

問題12

コンクリート供試体の圧縮強度は、形状が相似の場合、一般に、供試体寸法が大きいほど大きくなる。

問題13

水和熱及び乾燥収縮によるコンクリートのひび割れは、単位セメント量が少ないコンクリートほど発生しにくい。

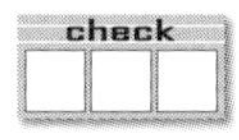

問題14

常温におけるコンクリートの線膨張係数は、設計上、一般に、1×10^{-5}/℃を用いる。

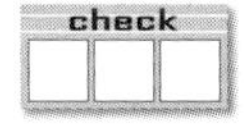

問題15

コンクリートのヤング係数は、コンクリートの圧縮強度にかかわらず一定である。

問題16

普通コンクリートの圧縮強度時のひずみ度は、1×10^{-2}程度である。

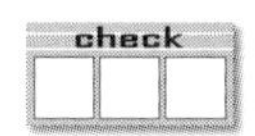

問題17

ＡＥ剤を用いたコンクリートは、微細な空気泡が生成されるので、凍結融解作用に対する抵抗性が増大し、耐久性も向上する。

解説

問題1　適当

木表は木裏(樹心に近い側)に比べて乾燥収縮が大きく、**木表側が凹に反る**性質がある。

問題2　適当

木材の繊維方向の許容応力度(基準強度)の大小関係は、一般に、**曲げ>圧縮>引張り>せん断**の順である。建築基準法施行令89条、告示(平12)第1452号。

問題3　適当

木材の繊維方向の短期許容応力度$\left(\dfrac{2F}{3}\right)$は、長期許容応力度$\left(\dfrac{1.1F}{3}\right)$の$\left(\dfrac{2}{1.1}\right)$**倍**である。建築基準法施行令89条。

問題4　適当

木材の繊維方向の許容応力度は、3カ月程度の荷重継続時間を想定した長期の積雪荷重の検討時には、通常の長期許容応力度の**1.3倍**の数値を用いる。3日間程度の荷重継続時間を想定した短期の積雪荷重時には、通常の短期許容応力度の0.8倍の数値を用いる。建築基準法施行令89条、建築物の構造関係技術基準解説書。

問題5　不適当

構造用材料の**弾性係数**は、強度と同様に、**繊維飽和点以下**では**含水率**の**低下**に伴って、**増加**する。木質構造設計規準。

問題6　適当

熱伝導率とは、**材料内の熱の伝わりやすさ**を示す割合で、この値が大きいほど熱は伝わりやすい。一般に、材料内の密度が大きいほど、熱伝導率は大きくなる。したがって、すき間の多い材料である**木材**は、密実な材料であるコンクリートに比べて、**熱伝導率**は**小さい**。

問題7　不適当

木材の**収縮率**は、一般に、繊維方向が最も小さく0.1～0.3%、次いで年輪の半径方向2～5%、年輪の円周方向が最も大きく5～10%である。したがって、木材の収縮率の大小関係は、年輪の**円周方向**>年輪の**半径方向**>**繊維**方向である。

問題8　適当

木材のクリープ特性は、一定の継続荷重が長期にわたって作用する場合、**気乾**状態では変形が**2倍**、**湿潤**状態では変形が**3倍**になると考え設計する。したがって、一般に、気乾状態に比べて**湿潤**状態のほうが、クリープが**大きい**。木質構造設計規準。

問題9　不適当

コンクリートの**設計基準強度**とは、構造計算において基準としたコンクリートの圧縮強度である。設問の記述は調合強度である。

問題10　適当

コンクリートの**引張強度**は、圧縮強度のおよそ**1/10**内外で非常に小さい。純粋引張材あるいは曲げ材の引張側では**引張強度**は**無視**することとし、許容引張応力度については規定されていない。鉄筋コンクリート構造計算規準。

問題11　適当

コンクリート強度は、水セメント比に最も影響される。**水セメント比**が**大きい**ほど**強度**は**低下**する。JASS 5。

【参考】コンクリートの**中性化速度**は、圧縮強度が**大きい**ほど**遅い**。

問題12　不適当

コンクリートの圧縮強度試験のための供試体の寸法は、JIS A 1132に定められており、直径の2倍の長さを持つ円柱形（直径10cm、高さ20cm。直径15cm、高さ30cmなど）である。形状が**相似**であれば、一般に寸法の**大きい**ものほど**圧縮強度**は**小さく**なる。

【関連】圧縮強度試験用供試体を用いた圧縮強度試験において、**荷重速度**が**速い**ほど**大きい強度**を示す。

問題13　適当

必要な強度が確保される場合、**単位セメント量**が**少ない**コンクリートほど水和熱が発生しにくいので、一般に、**乾燥収縮**による**ひび割れ**が**発生しにくい**。

問題14　適当

構造設計に用いる、常温におけるコンクリートの熱に対する**線膨張係数**は、鋼材と同じ**1×10^{-5}/℃**とする。鉄筋コンクリート構造計算規準。

問題15　不適当

コンクリートの**ヤング係数**は、コンクリートの**圧縮強度**（設計基準強度）の立方根に比例するので一定値ではない。

問題16　不適当

普通コンクリートの圧縮強度時の**ひずみ度**は、**$0.15\sim0.30\times10^{-2}$**（0.15～0.30%）程度である。鉄筋コンクリート構造計算規準。

問題17　適当

ＡＥ剤などの混和剤の主成分はいずれも表面活性剤であり、その界面活性作用及びその他の添加物質の作用によってフレッシュコンクリートの性質（**ワーカビリティー**等）、あるいは硬化したコンクリートの性質（**凍結融解作用**及び化学物質の侵食に対する**耐久性**等）を改良又は調整するために使用するものである。JASS 5。

問題 13-2

建築材料に関する次の記述について、**適当か**、**不適当か**、判断しなさい。

鋼　　材

check □□□

問題1
JISにおける建築構造用圧延鋼材ＳＮ490Ｂの引張強さの下限値は、490Ｎ/mm^2である。

check □□□

問題2
建築構造用圧延鋼材（ＳＮ材）には、Ａ、Ｂ、Ｃの三つの鋼種があるが、いずれもシャルピー吸収エネルギーの規定値がある。

check □□□

問題3
建築構造用圧延鋼材（ＳＮ材）のうち、板厚12㎜以上のＳＮ490Ｂ材については、降伏点の下限値だけでなく上限値も規定されている。

check □□□

問題4
同じ鋼塊から圧延された鋼材の降伏点は、一般に、板厚の薄いものに比べて、板厚の厚いもののほうが高くなる。

check □□□

問題5
降伏点240N/㎟、引張強さ400N/㎟である鋼材の降伏比は、0.6である。

check □□□

問題6
大スパンの梁部材に降伏点の高い鋼材を用いることは、鉛直荷重による梁の弾性たわみを小さくする効果がある。

check □□□

問題7
塑性化が予想される部位については、降伏比の小さい鋼材を使用することにより、骨組の変形能力を高めることができる。

check □□□

問題8
鋼材は、炭素含有量が0.8％程度までは、炭素含有量が増すとともに、引張強さ、降伏点は大きくなるが、破断伸びは小さくなる。

check □□□

問題9
シャルピー衝撃試験の吸収エネルギーが大きい鋼材を使用することは、溶接部の脆性的破壊を防ぐのに効果がある。

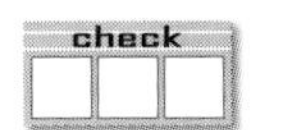

問題10

建築構造用圧延鋼材SN400Aは、降伏点の下限のみが限定された鋼材であり、降伏後の十分な変形性能が保証された鋼材ではないので、一般に、弾性範囲で使用する部位に用いる。

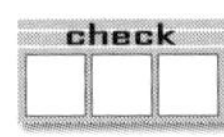

問題11

鋼材の引張強さは、常温から600℃までの範囲において、温度の上昇に比例して低下する。

問題12

建築構造用ステンレス鋼ＳＵＳ304Ａの線膨張係数は、SN400Bより小さい。

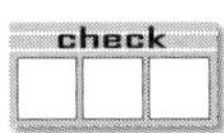

問題13

板厚が一定以上の建築構造用冷間ロール成形角形鋼管BCR295については、降伏比の上限値が定められている。

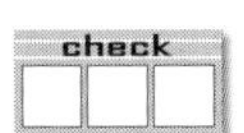

問題14

建築構造用ＴＭＣＰ鋼は、同じ降伏点のＳＮ材やＳＭ材に比べて炭素当量が低減されているので、溶接性が向上している。

◇◇

【関連】

問題７　降伏比 ⇨ 降伏強度／引張強度。
降伏した後、破断に至るまでの余裕を示す。

問題９　シャルピー衝撃試験 ⇨ 種々の形状の切り欠きを持つ試験片を振子型ハンマーの衝撃力で破断し、吸収エネルギーの大きさで、材料の靭性を判定するもの。

解 説

問題1　適当

建築構造用圧延鋼材ＳＮ490Ｂの数値**490**は、**引張強さの下限値**490N/mm^{2}を示している。JIS G 3136。

問題2　不適当

建築構造用圧延鋼材（ＳＮ材）には、Ａ、Ｂ、Ｃの三つの鋼種があるが、いずれもシャルピー吸収エネルギーの規定値は、Ａ種の定めはない。JIS G 3136。

問題3　適当

建築構造用圧延鋼材（ＳＮ材）における**ＳＮ490Ｂ**材の降伏点は、鋼材の厚さが6mm以上12mm未満の場合は下限値（325N/mm^{2}以上）のみ、**12mm以上**100mm以下の場合は下限値だけでなく、**上限値**（325N/mm^{2}以上445N/mm^{2}以下）も規定されている。JIS G 3136。

問題4　不適当

鋼材は、化学成分が同じでも、圧延などの圧縮応力による加工を行うことにより、組織が密になるため、一般に、板厚が薄くなるにつれて降伏点が上昇する。したがって、一般に、板厚の厚いものより板厚の**薄い**もののほうが**高く**なる。

問題5　適当

降伏比は、$\left(\frac{\text{降伏点}}{\text{引張強さ}}\right)$で求められる。降伏点が240N/mm^2、引張強さが400N/mm^{2}であるので、

降伏比$=\frac{240}{400}=0.6$

となる。なお、**降伏比は、１より大きな値とはならない**。

問題6　不適当

梁材（曲げ材）の断面は、強度と変形（たわみ）の両面から安全を検討する。弾性**たわみ**は、曲げ剛性EI（E：ヤング係数、I：断面二次モーメント）に反比例する。**降伏点の高い鋼材に変更**しても、**ヤング係数は変わらない**ので、梁の弾性たわみを小さくすることはできない。

問題7　適当

降伏比の**小さい**鋼材を用いた鉄骨部材は、**塑性変形能力**が**大きく**、**粘り強い**。したがって、骨組の靭性を高めるためには、塑性化が予想される部位に用いる材料は、降伏比の小さい材料とする。

問題8　適当

鋼材は**炭素含有量**が**0.8%**程度までは、炭素含有量が増すとともに引張強さ、降伏点とも**上昇**する。

問題9　適当

シャルピー衝撃値が**小さい**ほど、吸収エネルギーが小さくなり、材料は**脆い**。したがって、シャルピー衝撃値が大きい鋼材を使用することは、溶接部の脆性破壊を防ぐのに効果がある。

問題10　適当

SN材A種は、降伏点又は耐力の下限値は規定されているが、**上限値の規定はない**ため、**降伏後の塑性変形能力は保証されていない**。一般に、**弾性範囲で使用**する間柱や小梁などの二次部材に用いられる。

問題11　不適当

鋼材の**引張強さ**は、一般に、**250～300℃**で**最大**となり、これを超えると温度の**上昇**とともに**低下**する。

問題12　不適当

SN400Bの線膨張係数は、1×10^{-5}（1/℃）である。一方、**ＳＵＳ304Ａ**の線膨張係数は、1.73×10^{-5}（1/℃）である。したがって、**ＳＵＳ304Ａ**の線膨張係数は、SN400Bの線膨張係数より**大きい**。

問題13　適当

（一社）日本鉄鋼連盟規定「**建築構造用冷間ロール角形鋼管**」に適合するBCR295材は、板厚12㎜以上25㎜以下の場合、**降伏比の上限値**は90%（0.90）と定められている。なお、**降伏比の上限値**を定めることで、塑性変形能力を確保している。冷間成形角形鋼管設計・施工マニュアル。

問題14　適当

建築構造用ＴＭＣＰ鋼は大臣認定品で、水冷型熱加工制御（ＴＭＣＰ）を適用して製造され、厚さが40㎜を超え、100㎜以下の厚鋼鈑である。従来の厚鋼鈑に比較して、炭素当量（Ｃeq）が低く規定され、**優れた溶接性**を有している。鉄骨工事技術指針・工場製作編。

Challenge 令和6年 学科試験問題

check

No. 1 図のような断面のX軸に関する断面二次モーメントIと断面係数Zとの組合せとして、**正しい**ものは、次のうちどれか。

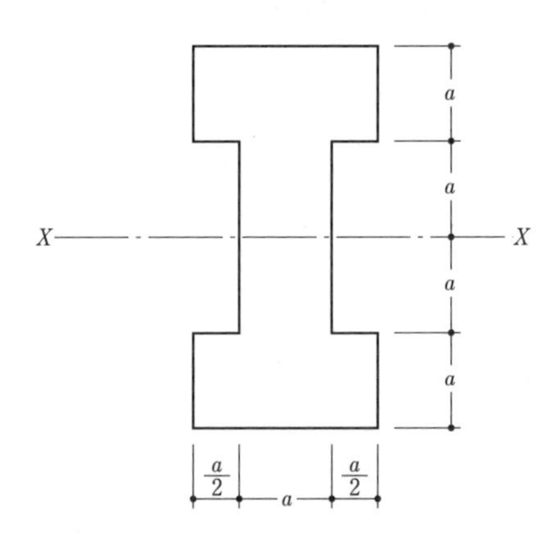

	I	Z
1.	$\frac{5}{2}a^4$	$\frac{5}{4}a^3$
2.	$\frac{5}{2}a^4$	$5a^3$
3.	$10a^4$	$\frac{5}{4}a^3$
4.	$10a^4$	$5a^3$

check

No. 2 図のような梁において、梁のヒンジであるB点に鉛直力Pが作用したとき、A点、C点の鉛直反力R_A、R_Cの絶対値の比として、**正しい**ものは、次のうちどれか。ただし、梁は、曲げ剛性がAB間でEI、BC間で２EIの弾性部材とし、自重は無視する。

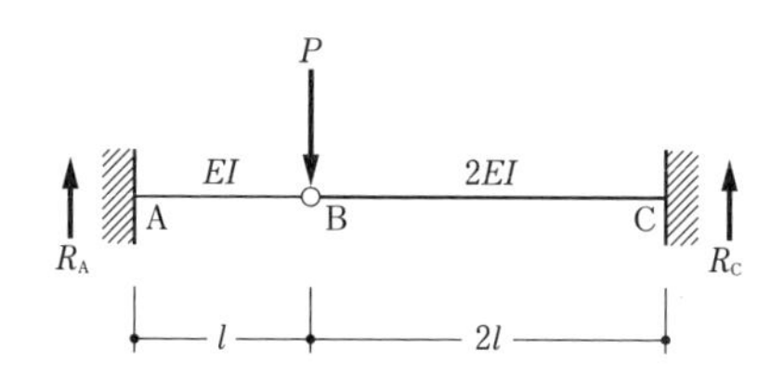

	R_A ： R_C
1.	1 ： 1
2.	2 ： 1
3.	4 ： 1
4.	8 ： 1

Ⅳ構造

No. 3

図のようなラーメンに荷重6Pが作用したときの曲げモーメント図として、**正しい**ものは、次のうちどれか。ただし、全ての部材の曲げ剛性はEIとし、自重は無視する。また、図のA点は自由端、B点は剛接合とし、曲げモーメントは材の引張側に描くものとする。

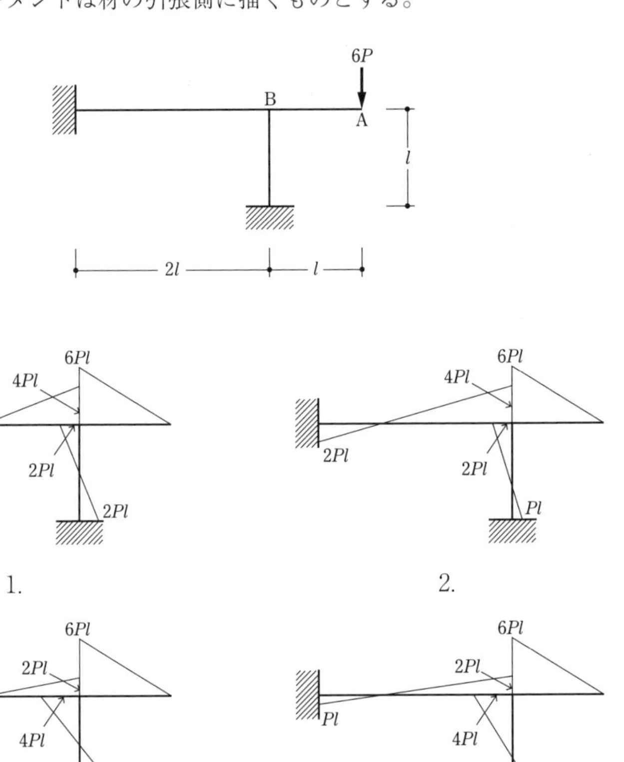

check

No. 4

図のような筋かいを有する骨組に水平荷重180kNが作用したとき、筋かいBCの引張力Tは100kNであった。このとき、柱ABの柱頭A点における曲げモーメントの絶対値として、**正しい**ものは、次のうちどれか。ただし、B点はピン支持、D点は固定支持とし、梁ACは剛体とする。また、柱ABと柱CDは等質等断面で伸縮はないものとし、全ての部材の自重は無視する。

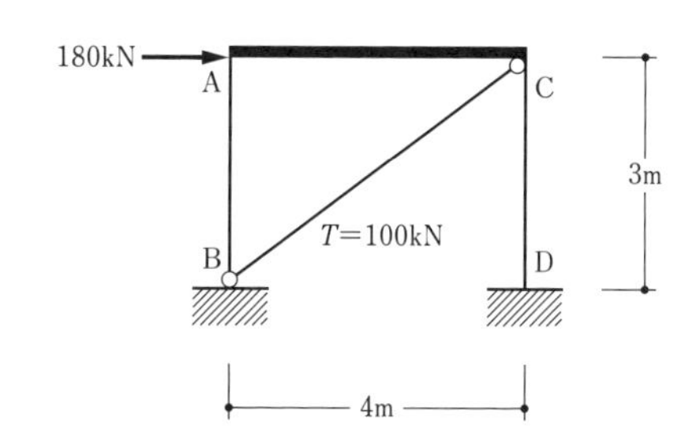

1. 60 kN・m
2. 120 kN・m
3. 180 kN・m
4. 240 kN・m

No. 5 図のような荷重を受けるトラスの斜材A、B及びCに生じる軸方向力をそれぞれN_A、N_B及びN_Cとするとき、それらの比として、**正しい**ものは、次のうちどれか。ただし、全ての部材は弾性部材とし、自重は無視する。

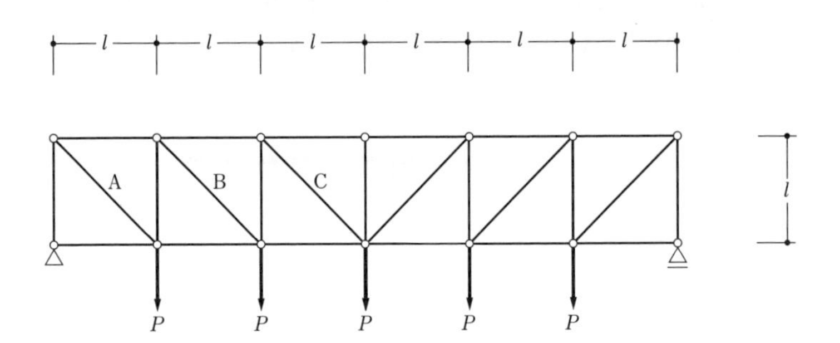

	N_A : N_B : N_C
1.	1 : 1 : 1
2.	3 : 2 : 1
3.	4 : 2 : 1
4.	5 : 3 : 1

check

No. 6 図のような支持条件及び断面で同一材質からなる柱A、B及びCにおいて、中心圧縮の弾性座屈荷重の理論値P_A、P_B及びP_Cの大小関係として、**正しい**ものは、次のうちどれか。ただし、固定支持部分の水平移動は拘束されているものとする。

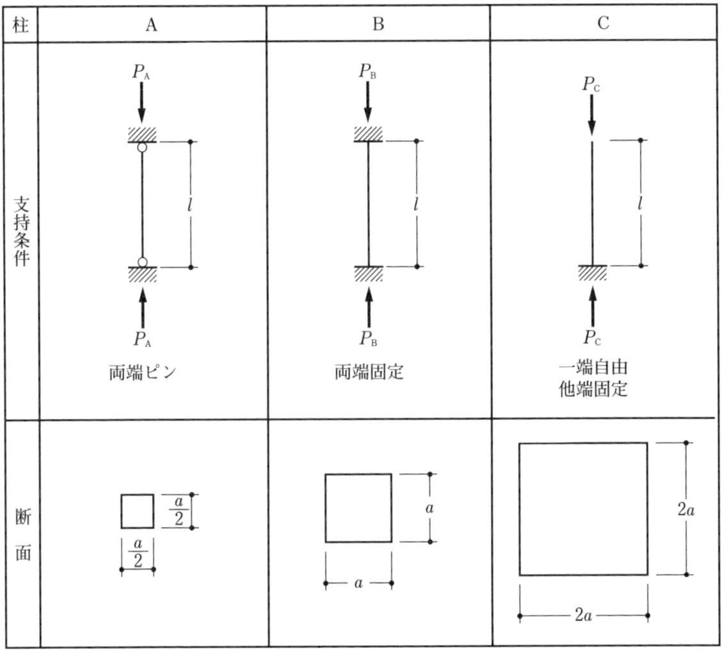

柱	A	B	C
支持条件	P_A, l, P_A 両端ピン	P_B, l, P_B 両端固定	P_C, l, P_C 一端自由 他端固定
断面	$\frac{a}{2}$ × $\frac{a}{2}$	a × a	$2a$ × $2a$

1. $P_A < P_B < P_C$
2. $P_A < P_B = P_C$
3. $P_A = P_B < P_C$
4. $P_C < P_B < P_A$

Ⅳ 構造

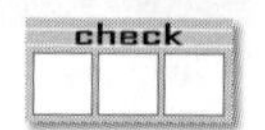

No. 7 地震時における建築物の振動に関する次の記述のうち、**最も不適当な**ものはどれか。

1. 地震動の応答スペクトルは、一般に、周期が長くなると加速度は小さくなるが、変位は大きくなる傾向にある。
2. １次の振動モードに対応する周期は、一般に、２次の振動モードに対応する周期より長い。
3. 建築物の固有周期は、質量が同じ場合、水平剛性が大きいほど短い。
4. 建築物は、その固有周期又はそれに近い周期で加振される場合、一般に、減衰定数が大きいほど、大きい振幅の振動が発生する。

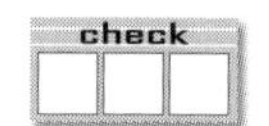

No. 8 建築基準法における荷重及び外力に関する次の記述のうち、**最も不適当な**ものはどれか。

1. 構造部材に生じる応力度等を計算するに当たり、多雪区域ではない一般の地域においては、暴風時又は地震時の荷重を、積雪荷重と組み合わせなくてもよい。
2. 風圧力における平均風速の高さ方向の分布を表す係数E_rは、建築物の高さが同じ場合、一般に、「都市計画区域外の極めて平坦で障害物がない区域」より「都市計画区域内の都市化が極めて著しい区域」のほうが小さい。
3. 地震地域係数Zは、その地方における過去の地震の記録等に基づき、1.0～0.7の範囲内において地方ごとに定められている。
4. 建築物の地上部分において、ある階に作用する地震層せん断力は、その階の固定荷重と積載荷重との和に、その階の地震層せん断力係数C_iを乗じて算出する。

No. 9 木造軸組工法による建築物の柱又は横架材に関する次の記述のうち、**最も不適当な**ものはどれか。

1. 柱に心持ち材を用いる場合、背割りを入れることがある。
2. 梁の横座屈を防止するためには、梁せいを大きくするよりも、梁幅を大きくするほうが効果的である。
3. 母屋(もや)の継手は、できるだけ小屋束間の中央部付近に設ける。
4. 床梁の中央部付近の上端に切欠きを設ける場合、床梁の有効な断面は、切欠きを除いた部分の断面(正味断面)とすることができる。

check

No. 10

図のような１階平面を有する木造軸組工法による地上２階建ての建築物（屋根は日本瓦葺きとし、１階と２階の平面形状は同じであり、平家部分はないものとする。）の１階において、建築基準法における「木造建築物の軸組の設置の基準」（いわゆる四分割法）によるX方向及びY方向の壁率比の組合せとして、**最も適当な**ものは、次のうちどれか。ただし、図中の太線は耐力壁を示し、その軸組の倍率（壁倍率）は全て２とする。なお、壁率比は次の式による。

$$壁率比 = \frac{壁量充足率の小さい方}{壁量充足率の大きい方}$$

$$ここで、壁量充足率 = \frac{存在壁量}{必要壁量}$$

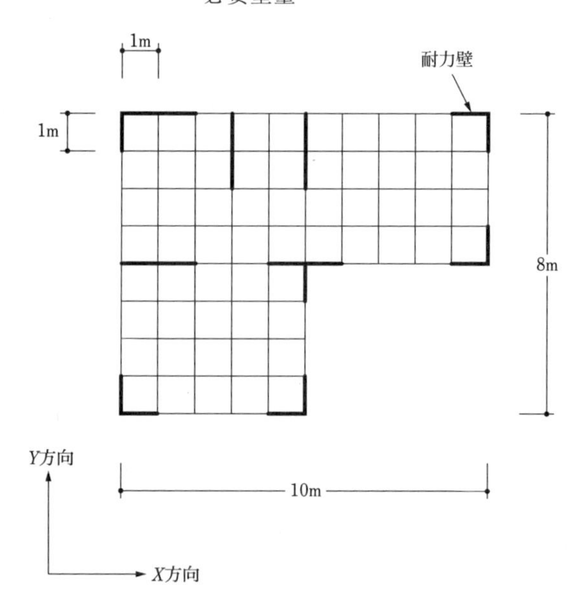

	壁率比	
	X方向	Y方向
1.	0.50	0.75
2.	0.75	0.50
3.	0.75	1.00
4.	1.00	0.75

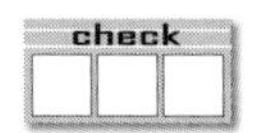

No. 11 鉄筋コンクリート造の建築物において、「躯体に発生したコンクリートのひび割れの状況を示す図」と「その説明」として、**最も不適当な**ものは、次のうちどれか。

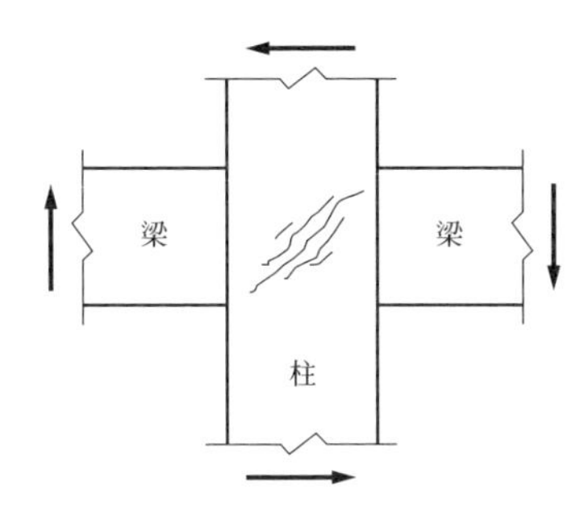

1. 矢印方向に荷重を受ける場合の「柱梁接合部のせん断ひび割れ」

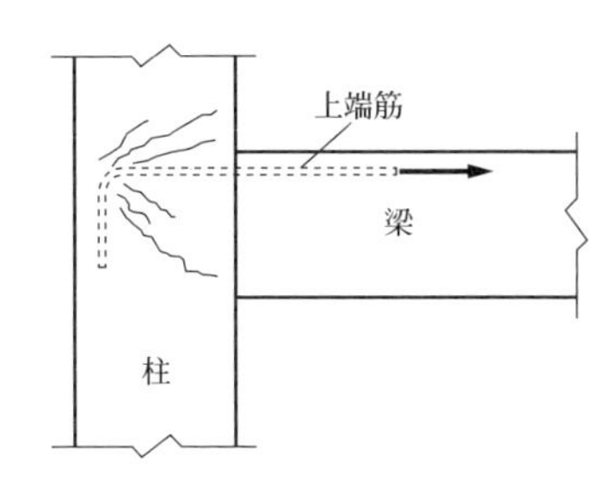

2. 柱梁接合部内に定着された梁上端筋が矢印方向に引張力を受ける場合の「柱梁接合部及び柱のひび割れ」

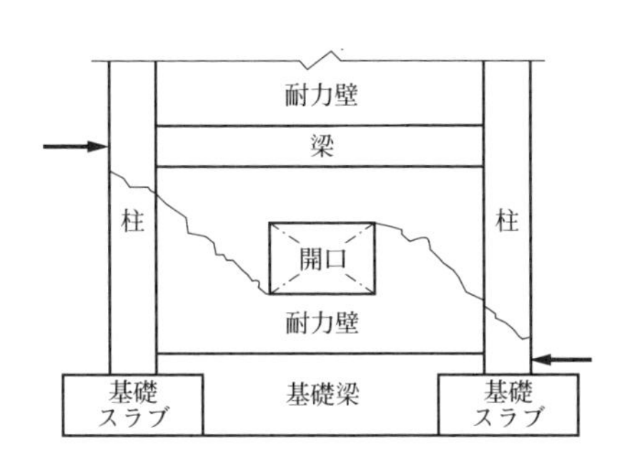

3. 矢印方向に水平力を受ける場合の「開口を有する耐力壁のせん断ひび割れ」

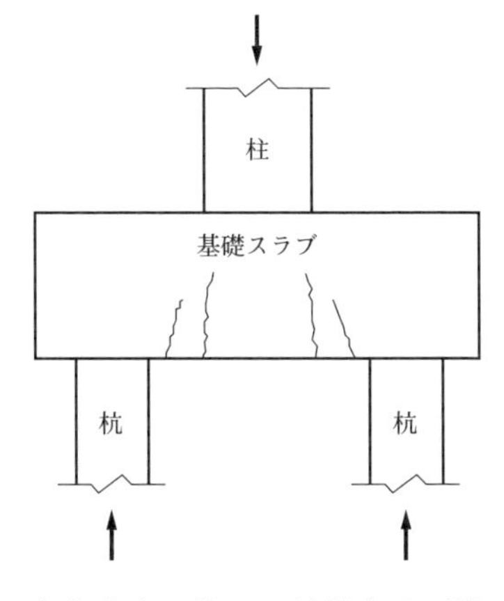

4. 矢印方向に柱の圧縮軸力及び杭の鉛直支持力を受ける場合の「２本杭の基礎スラブのひび割れ」

Ⅳ 構造

No. 12 鉄筋コンクリート構造に関する次の記述のうち、**最も不適当な**ものはどれか。

1. 純ラーメン架構の柱梁接合部内に、通し配筋定着する梁については、地震時に梁端に曲げヒンジを想定し、梁主筋の引張強度を高くしたので、定着性能を確保するために、柱せいを大きくした。
2. 鉄筋のガス圧接継手については、母材の引張強度ではなく、継手位置の存在応力度を伝達できる継手とした。
3. 高層建築物の建築物重量の算出において、階により異なる強度のコンクリートを使用することとしたので、コンクリートの設計基準強度に応じて、異なる単位体積重量を用いた。
4. 梁の許容曲げモーメントの算出において、圧縮力は、コンクリートのほか、圧縮側の主筋も負担するものとした。

No. 13 鉄筋コンクリート構造の許容応力度計算に関する次の記述のうち、**最も不適当な**ものはどれか。

1. 柱の長期許容せん断力の算定において、帯筋の効果を考慮しなかった。
2. 梁の長期許容せん断力を大きくするために、あばら筋をSD295からSD345に変更した。
3. 梁の短期許容せん断力の算定において、主筋のせん断力の負担を考慮しなかった。
4. 開口を有する耐力壁において、開口周囲の縦筋や横筋の負担分を考慮して、設計用せん断力に対して必要となる開口補強筋量を算定した。

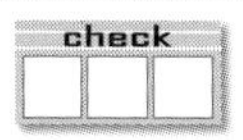

No. 14 鉄筋コンクリート構造の保有水平耐力計算に関する次の記述のうち、**最も不適当な**ものはどれか。

1. 曲げ降伏する梁の靱性は、内法長さ、断面寸法及び配筋が同一の場合、一般に、コンクリートの設計基準強度が大きいほど高い。
2. 柱のせん断耐力は、材料強度、断面寸法及び配筋が同一の場合、一般に、内法高さが小さいほど大きい。
3. 柱梁接合部のせん断耐力は、材料強度及び柱梁接合部の形状が同一の場合、一般に、取り付く梁の主筋量が多いほど大きい。
4. 耐力壁のせん断耐力は、材料強度、形状、壁筋比及び作用する軸方向応力度が同一の場合、一般に、引張側柱内の主筋量が多いほど大きい。

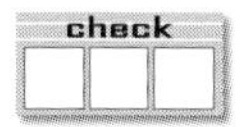

No. 15 鉄骨構造に関する次の記述のうち、**最も不適当な**ものはどれか。

1. H形鋼梁に横座屈変形が生じると、その領域で局部座屈が生じやすくなる。
2. 地震時に梁端部が塑性化するH形鋼梁について、使用する鋼材の降伏比が大きいほど、塑性化領域が広がり、塑性変形能力は向上する。
3. 骨組の塑性変形能力を確保するために定められているウェブの幅厚比の上限値は、基準強度Fが同じ場合、梁よりも柱のほうが小さい。
4. 根巻き形式柱脚は、一般に、根巻き鉄筋コンクリートの主筋の降伏が、他の破壊モードよりも先行するように設計する。

No. 16 鉄骨構造の接合部に関する次の記述のうち、**最も不適当な**ものはどれか。

1. 強度の異なる鋼材を突合せ溶接する場合、強度が高いほうの鋼材に対応した溶接材料、溶接条件とすることにより、溶接継目の許容応力度は、強度が高いほうの鋼材と同じ許容応力度とすることができる。
2. 通しダイアフラムと梁フランジの突合せ溶接部において、許容値を超える食い違いや仕口部のずれが生じた場合は、適切な補強を行う必要がある。
3. 高力ボルト摩擦接合は、摩擦面にすべりが生じるまでは、高力ボルトにせん断力は生じない。
4. 高力ボルトの最小縁端距離は、一般に、「せん断縁の場合」より「自動ガス切断縁の場合」のほうが小さい。

No. 17 鉄骨構造の耐震計算に関する次の記述のうち、**最も不適当な**ものはどれか。

1. 「ルート１－１」において、スパンは６m以下とした。
2. 「ルート１－２」において、偏心率の確認を行わず、標準せん断力係数を0.3として地震力を割増した。
3. 「ルート２」において、地上部分の塔状比を４以下とした。
4. 「ルート３」において、筋かい付き骨組の保有水平耐力は、柱及び筋かいの水平せん断耐力の和とした。

No. 18 鉄骨構造の設計に関する次の記述のうち、**最も不適当な**ものはどれか。

1. 骨組の塑性変形能力を確保するために定められている柱及び梁の幅厚比の上限値は、基準強度Fが大きいほど大きくなる。
2. 引張力を負担する筋かいを保有耐力接合とするためには、筋かい端部及び接合部の破断耐力を、軸部の降伏耐力に比べて十分に大きくする必要がある。
3. 保有耐力横補剛の方法には、「梁の全長にわたって均等間隔に横補剛を設ける方法」と、「梁の端部に近い部分を主として横補剛する方法」等がある。
4. 繰返し応力を受けない部材及び接合部は、一般に、疲労についての検討を必要としない。

No. 19 地盤及び土質に関する次の記述のうち、**最も不適当な**ものはどれか。

1. 圧密対策としては、鉛直ドレーン(排水工法)と盛土荷重などを組み合わせて圧密時間を短縮する方法が効果的である。
2. 液状化対策としては、地盤固結(深層混合処理工法等)や、過剰間隙水圧の消散(グラベルドレーン工法等)などがある。
3. 傾斜地盤の斜面の一部を切土によって除去して、その部分に建築物を建築する場合、切土によって除去された土の重量に比べて建築物の重量が大きいと、斜面の安定性は低下する。
4. 砂質土層では、一般に、細粒分含有率が大きくなるほど、液状化発生に対する安全率F_Lは小さくなる。

Ⅳ 構造

No. 20 基礎の設計のための地盤調査に関する次の記述のうち、**最も不適当な**ものはどれか。

1. 一軸圧縮試験は、拘束圧を作用させた状態における圧縮強さを調べるものであり、土の粘着力及び内部摩擦角を求めることができる。
2. スクリューウエイト貫入試験(旧スウェーデン式サウンディング試験)は、ロッドの先にスクリューポイントを取り付けた試験装置により、地盤の硬軟や締まり具合等を評価するための静的貫入抵抗を求めるものである。
3. 平板載荷試験は、支持地盤上に置いた平板に載荷して地耐力を求めるものであり、載荷板直下から載荷板幅の1.5～2.0倍程度の深さまでの支持力特性を調べることができる。
4. PS検層は、ボーリング孔内又はボーリング孔近傍で起振して生じる弾性波を受振して、調査地におけるP波及びS波の速度分布を求めるものである。

No. 21 杭基礎に関する次の記述のうち、**最も不適当な**ものはどれか。

1. 地盤条件や杭径などに応じて施工が確実に行える範囲で杭長を設定する場合、一般に、杭の長さ径比による杭体の許容圧縮力の低減はしなくてよい。
2. 地震時に液状化のおそれのない地盤において、杭の極限鉛直支持力は、杭の種類や施工法に応じた極限先端支持力と極限周面抵抗力との和として算定できる。
3. 複数の杭(群杭)が水平力を受けると、杭同士が地盤を介して影響し合うので、単杭と比較して群杭１本当たりの水平抵抗は大きくなる。
4. 直接基礎と杭基礎が複合して上部構造を支えるパイルド・ラフト基礎は、一般に、直接基礎に比べて基礎の平均沈下量及び不同沈下量の低減に効果がある。

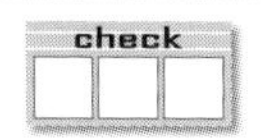

No. 22　「壁式ラーメン鉄筋コンクリート造」及び「壁式鉄筋コンクリート造」の建築物に関する次の記述のうち、**最も不適当な**ものはどれか。

1. 壁式ラーメン鉄筋コンクリート構造は、一般に、壁式鉄筋コンクリート構造に比べて、軒の高さの高い建築物に適用することができる。
2. 壁式鉄筋コンクリート造の建築物における耐力壁の長さの算定において、住宅用の換気扇程度の大きさの開口は、補強をしなくても、開口がないものとみなすことができる。
3. 壁式鉄筋コンクリート造の建築物における必要壁量は、地震地域係数Zに応じて低減することができる。
4. 壁式鉄筋コンクリート造の建築物における壁梁の幅は、壁梁に接している耐力壁の厚さ以上とする。

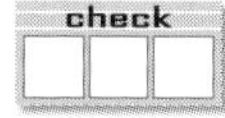

No. 23　合成構造に関する次の記述のうち、**最も不適当な**ものはどれか。

1. コンクリート充填鋼管(CFT)造の柱においては、外周の鋼材によるコンファインド効果により、一定の要件を満足すれば、充填コンクリートの圧縮強度を、通常の鉄筋コンクリート造の場合に比べて高く評価することができる。
2. 鉄骨鉄筋コンクリート造の柱の曲げ終局耐力は、コンクリート、鉄筋及び鉄骨の曲げ終局耐力の和とすることができる。
3. 鉄骨造において、長期間の荷重によるデッキプレート版(デッキ合成スラブ)の変形増大係数は、梁と同じとすることができる。
4. 鉄骨梁と鉄筋コンクリートスラブとを頭付きスタッドを介して緊結した合成梁の曲げ剛性の算定に用いる床スラブの有効幅は、鉄筋コンクリート梁の曲げ剛性の算定に用いる床スラブの有効幅と同じとすることができる。

No. 24 制振構造及び免震構造に関する次の記述のうち、**最も不適当な**ものはどれか。

1. 制振構造において、鋼材ダンパーのエネルギー吸収効率は、一般に、主架構とダンパーとの接合の構造形式をブレース型とするより、間柱型とするほうがよい。
2. 制振構造において、鋼材ダンパーの制振効果を高めるために、一般に、ダンパーが十分塑性化してエネルギーを吸収するまで、ダンパーの接合部が弾性範囲にあることを確認する。
3. 免震構造は、一般に、上部構造の水平剛性が大きくなると、上部構造の床応答加速度は小さくなる。
4. 免震構造に用いられるオイルダンパー及び粘性ダンパーは、速度に応じた減衰力を発揮し、上部構造の床応答加速度を抑制する効果がある。

No. 25 建築物の耐震設計に関する次の記述のうち、**最も不適当な**ものはどれか。

1. 地震力を受ける鉄筋コンクリート造の耐力壁の耐力は、基礎が浮き上がることによって決まる場合がある。
2. 剛性率が所定の値未満の階を有する建築物は、地震時に層崩壊を起こして被害を受けやすい。
3. 設計用一次固有周期が長い建築物では、軟弱地盤に建つ場合よりも硬質地盤に建つ場合のほうが、一般に、各階の必要保有水平耐力は大きい。
4. 限界耐力計算における安全限界固有周期は、建築物の地上部分の保有水平耐力時における各階の水平方向の変形により計算する。

No. 26　図は、剛床仮定が成り立つ、4階建て鉄筋コンクリート造の建築物の軸組図と1階平面図の模式図である。偏心によるねじれを小さくする方法として、**最も不適当な**ものは、次のうちどれか。ただし、Sは剛心、Gは重心、Qは地震力(層せん断力)を示し、耐力壁の増減による重心位置の変更はないものとする。

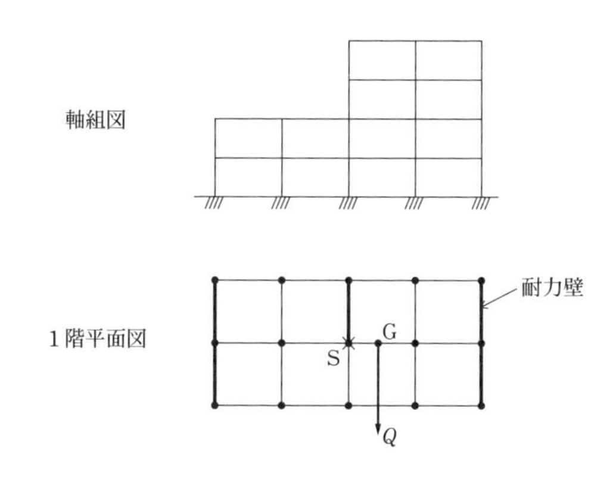

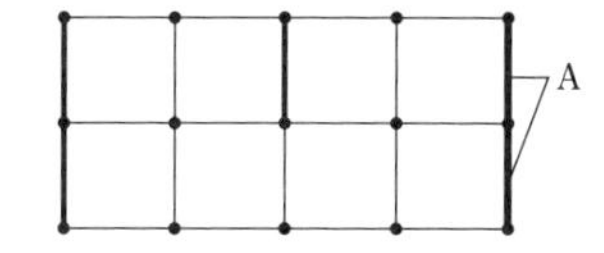

1. 耐力壁Aを厚くする。

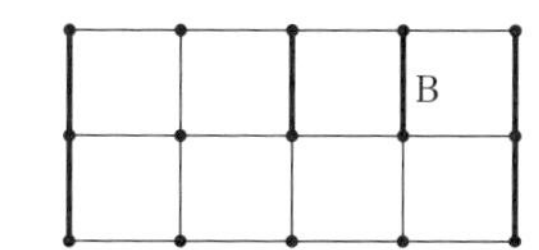

2. 耐力壁Bを追加する。

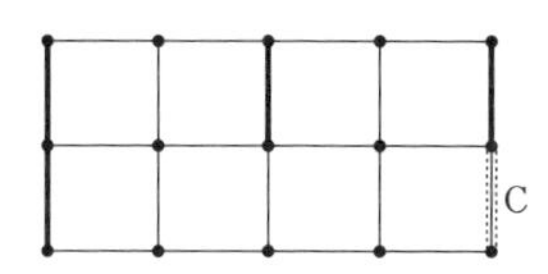

3. 耐力壁Cを削除する。

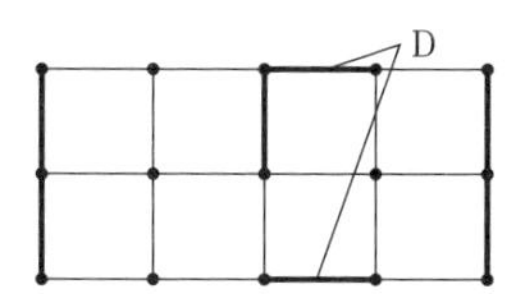

4. 耐力壁Dを追加する。

No. 27 木材に関する次の記述のうち、**最も不適当な**ものはどれか。

1. 垂木、根太等の並列材に構造用合板を張り、荷重・外力を支持する場合、並列材の曲げに対する基準強度は、割増しの係数を乗じた数値とすることができる。
2. 無等級材の繊維方向の基準強度の引張、曲げ、せん断の大小関係は、せん断＜曲げ＜引張である。
3. 木材のクリープによる変形は、一般に、気乾状態より湿潤状態のほうが大きい。
4. 木材が繊維飽和点から絶乾状態に達するまでの収縮率の大小関係は、一般に、繊維方向＜半径方向＜年輪の接線方向である。

No. 28 コンクリートに関する次の記述のうち、**最も不適当な**ものはどれか。

1. 水中養生したコンクリートは、一般に、気中養生したコンクリートに比べて、養生期間における圧縮強度の増進が大きい。
2. AE剤を用いたコンクリートは、一般に、凍結融解作用に対する抵抗性が増大する。
3. 一軸圧縮を受けるコンクリート円柱試験体の圧縮強度時ひずみは、一般に、圧縮強度が大きいほど大きい。
4. 構造体コンクリートから採取される円柱コア供試体の圧縮強度は、一般に、直径に対する高さの比が大きいほど大きい。

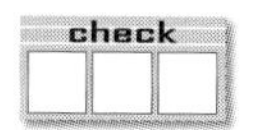

No. 29 鋼材に関する次の記述のうち、**最も不適当な**ものはどれか。

1. 建築構造用圧延鋼材(SN材)には、A、B及びCの三つの鋼種があり、いずれもシャルピー衝撃試験の吸収エネルギーの下限値が定められている。
2. 建築構造用ステンレス鋼材に定めるSUS304Aの基準強度は、板厚40mm以下の建築構造用圧延鋼材SN400Bの基準強度と同じである。
3. 建築構造用低降伏点鋼材LY225は、一般構造用圧延鋼材SS400に比べて降伏点が低く、延性が高いことから、履歴型制振ダンパーの材料に用いられている。
4. 建築構造用冷間プレス成形角形鋼管BCP325（板厚12mm以上）は、引張強さの下限値が490N/mm^{2}であり、「降伏点または耐力」の上限値及び下限値が定められている。

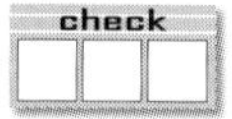

No. 30 「住宅の品質確保の促進等に関する法律」に基づく「日本住宅性能表示基準」における構造の安定に関する次の記述のうち、**最も不適当な**ものはどれか。

1. 基礎の構造の性能について表示すべき事項は、直接基礎にあっては、基礎の構造方法及び形式である。
2. 「耐積雪等級」は、建築基準法施行令に規定する多雪区域に存する住宅に適用されるものである。
3. 「耐風等級」は、暴風に対する構造躯体の倒壊、崩壊等のしにくさ及び構造躯体の損傷の生じにくさを表示している。
4. 「耐震等級」には、等級１、等級２及び等級３があり、耐震性能の要求レベルが最も高いのは等級１である。

学科Ⅳ(構造)　解答番号

〔No. 1〕	4	〔No. 2〕	3	〔No. 3〕	4	〔No. 4〕	1	〔No. 5〕	4
〔No. 6〕	2	〔No. 7〕	4	〔No. 8〕	4	〔No. 9〕	3	〔No. 10〕	2
〔No. 11〕	1	〔No. 12〕	2	〔No. 13〕	2	〔No. 14〕	3	〔No. 15〕	2
〔No. 16〕	1	〔No. 17〕	2	〔No. 18〕	1	〔No. 19〕	4	〔No. 20〕	1
〔No. 21〕	3	〔No. 22〕	2	〔No. 23〕	3	〔No. 24〕	1	〔No. 25〕	3
〔No. 26〕	3	〔No. 27〕	2	〔No. 28〕	4	〔No. 29〕	1	〔No. 30〕	4

学科Ⅴ　施　工

施　工　出題一覧（直近10年間）

分類項目		出題年度	平27	平28	平29	平30	令元	令2	令3	令4	令5	令6
施工管理		施工業務・請負契約	1	1	1	2	1	1	1	1	2	2
		施工計画・工程計画	1	1	1		1	1	1	1		
		安全衛生管理・現場管理	1	1	1	1	1	1	1	1	1	1
		渉外諸手続	1	1	1	1	1	1	1	1	1	1
		品質管理（材料管理）	1	1	1	1	1	1	1	1	1	1
		品質管理（試験・検査）										
建設機械・器具及び工法・用語			1	1	1	1	1	1	1	1	1	1
各部工事		仮設工事	1	1	1	1		1	1		1	1
		地盤調査					1			1		
		土工事・山留め工事	1	1	1	1	1	1	1	1	1	1
		基礎・地業工事	1	1	1	1	1	1	1	1	1	1
		鉄筋工事	1	1	1	1	1	1	1	1	1	1
		型枠工事	1	1	1	1	1	1	1	1	1	1
	コンクリート工事	材料・調合・製造	1		1				1		1	
		打設・養生・品質管理	1	1	1	2	2	2	1	1	1	1
		各種コンクリート・融合		1						1		1
		鉄骨工事	2	2	2	2	2	2	2	2	2	2
		プレキャスト鉄筋コンクリート工事	1	1	1	1	1	1	1	1	1	1
	外装工事	左官工事・石工事・タイル工事		1		1	1	1	1	1	1	1
		防水工事	1	1	1	1	1	1	1	1	1	1
		メーソンリー・木工事	1	1	1	1	1	1	1	1	1	1
		融合	1		1	1	1	1				
	内装工事	ガラス工事・建具工事	1	1	1	1			1	1	1	1
		内装工事･断熱工事･金属工事										1
		融合				1	1	1	1	1	2	
複合問題			1	2	2		1		1	1		1
改修工事			3	2	2	2	2	2	2	2	2	2
設備工事			2	1	1	1	1	2	1	1	1	1
合計			25	25	25	25	25	25	25	25	25	25

Check Point 1

施工業務一般：工事請負契約約款

❶ 契約書類

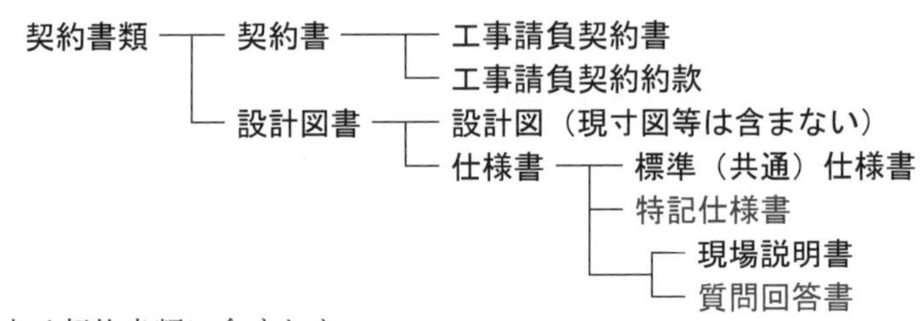

※見積書は契約書類に含まれない。

❷ 工事請負契約約款（民間連合協定）

① **現場代理人・監理技術者等**

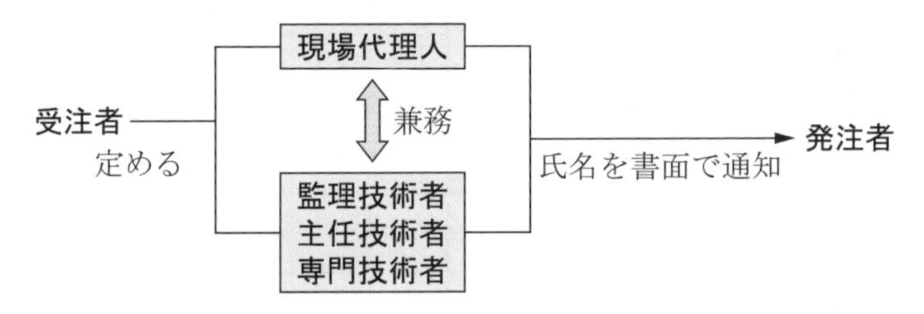

② **工事材料・工事用機器等**

- 工事材料の品質が明示されていないものは、**中等**の品質とする。
- 工事現場に搬入した材料・機器を持ち出すときは、**監理者**の承認を受ける。
- 不合格材料は受注者の責任において引き取る。

③ **図面・仕様書のとおりに実施されていない施工**

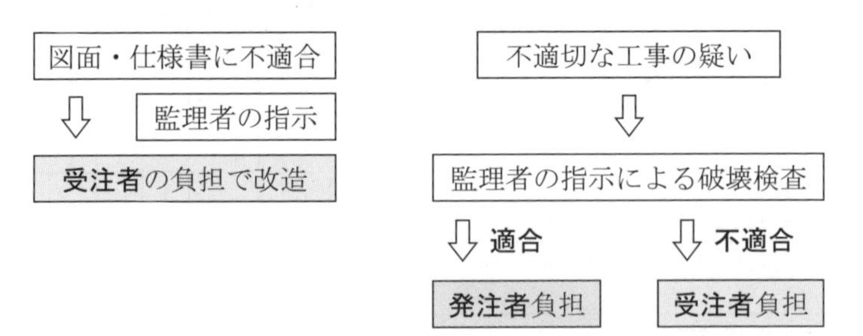

❸ 発注者と受注者の関係

発注者 ⇩ 受注者	●工事用地の確保 ●工期変更の要求 ●目的物の一部使用要求

受注者 ⇩ 発注者	●契約の解除 ＊工期の1/4以上、2ヵ月以上の中断 ＊請負代金額の2/3以上の減少 ●火災保険、建設工事保険証券の提示 ●部分払いを含む請負代金の請求 ●建物の引渡し

❹ 監理者と受注者の関係

監理者 ⇩ 受注者	●書面による指示、確認、承認 ●工事材料の持ち出しの承認

受注者 ⇩ 監理者	●請負代金内訳書、工程表の提出 ●図面、仕様書に関する意見 ●災害防止に関する意見 ●工事完了時の検査の要求

アドバイス 工事請負契約約款

- 工事請負契約約款からは、例年1問出題されている。過去の本試験問題の類似問題が多く、難しくはない。したがって、絶対に落とすことのできない項目といえる。
- 発注者、受注者、監理者の関係に着目し整理するとよい。

問題 1

請負契約に関する次の記述について、民間連合協定「工事請負契約約款」に照らして、**適当か、不適当か**、判断しなさい。

問題1

設計図書間に相違がある場合の優先順位は、一般に、①質問回答書（次の②～⑤に対するもの）、②特記仕様書、③現場説明書、④図面、⑤標準仕様書である。

問題2

受注者は、契約を締結した後、すみやかに請負代金内訳書及び工程表を監理者に提出し、工程表については監理者の承認を受ける。

問題3

発注者又は発注者の委託を受けた監理者は、必要があるときは、受注者の施工する工事と関連工事の調整を行う。

問題4

現場代理人は、請負代金額の変更に関して、受注者としての権限の行使はできない。

問題5

現場代理人は、主任技術者を兼ねることができる。

問題6

工事材料については、設計図書にその品質が明示されていないものがあるときは、受注者がその品質を決定するものとする。

問題7

受注者は、監理者の指示があったときは、工事写真等の記録を整備して監理者に提出すれば監理者の立会なく施工することができる。

問題8

施工について、工事用図書のとおりに実施されていない部分があるときは、監理者の指示によって、受注者は、原則として、工期の延長を求めることなく、その費用を負担してすみやかにこれを改造する。

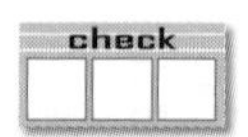

問題9

受注者は、災害防止等のため特に必要と認めたときは、急を要するときを除き、あらかじめ監理者の意見を求めて臨機の処置をとる。

問題10

受注者は、工事中工事の出来形部分と工事現場に搬入した工事材料・建築設備の機器等に火災保険又は建設工事保険を付し、その証券の写しを監理者に提出する。

問題11

工事中の契約の目的物を発注者が部分使用する場合において、部分使用について契約に別段の定めのない場合、発注者は、部分使用に関する監理者の技術的審査を受けた後、工期の変更及び請負代金額の変更に関する受注者との事前協議を経たうえ、受注者の書面による同意を得なければならない。

問題12

受注者は、契約書の定めるところにより、工事の完成前に出来高払による部分払を請求する場合、その請求額は契約書に別段の定めのある場合を除き、監理者の検査に合格した工事の出来形部分と検査済の工事材料及び建築設備の機器に対する請負代金額の9/10に相当する額とする。

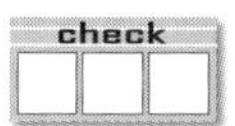

問題13

請負代金額を変更するときは、原則として、工事の増加部分については監理者の確認を受けた請負代金内訳書の単価により、減少部分については変更時の時価による。

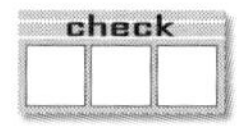

問題14

発注者は、受注者が正当な理由なく、着手期日を過ぎても工事に着手しないときは、書面をもって工事を中止し又はこの契約を解除することができる。

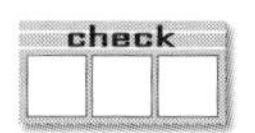

問題15

発注者の責に帰すべき理由により、工事の遅延又は中止期間が、工期の1/4以上又は2か月以上になったときは、受注者は、発注者に対して書面をもって契約を解除することができる。

解説 

問題1　不適当

設計図書の優先順位は次の順序による。公共建築工事標準仕様書。
① 質問回答書 ② 現場説明書 ③ 特記仕様書 ④ 設計図
⑤ 標準仕様書

問題2　不適当

受注者は、契約を締結したのち速やかに**請負代金内訳書及び工程表**を**発注者**に、**それぞれの写し**を**監理者に提出**し、**請負代金内訳書**については**監理者の確認**を受ける。工事請負契約約款4条。

問題3　適当

発注者(発注者から委託を受けた場合は監理者)は、必要があるときはこの工事と関連工事につき、**調整**を行うものとする。この場合において、受注者は発注者の調整に従い、関連工事が円滑に進捗し、完成するよう協力しなければならない。工事請負契約約款3条。

問題4　適当

現場代理人は、**次に定める**権限を**除き**、この契約に基づく受注者の一切の権限を行使することができる。工事請負契約約款10条。
① **請負代金額の変更**
② 工期の変更
③ 請負代金の請求及び受領
④ 工事関係者についての発注者の異議の受理
⑤ 工事の中止・この契約の解除および損害賠償の請求

問題5　適当

現場代理人・監理技術者(もしくは監理技術者補佐)または**主任技術者**および専門技術者は、これを**兼ねる**ことができる。工事請負契約約款10条。

問題6　不適当

工事材料・建築設備の機器の品質については、設計図書等に定めるところによる。設計図書等にその品質が明示されていないものがあるときは、**中等の品質**のものとする。工事請負契約約款13条。

問題7　適当

受注者は発注者等の指示があったときは、発注者等の立会がなく施工することができる。この場合は、受注者は**工事写真**などの記録を整備して発注者等に**提出**する。工事請負契約約款15条。なお、「発注者等」とは、発注者または監理者を指す。

問題8　適当

施工について、工事用図書のとおりに実施されていない部分があるときは、監理者の指示によって、**受注者**は、その費用を**負担**して速やかにこれを改造する。このために、受注者は**工期の延長**を求めることは**できない**。工事請負契約約款17条。

問題９　適当

受注者は、災害防止などのため特に必要と認めたときは、あらかじめ発注者又は監理者の意見を求めて**臨機の処置**を取る。ただし、急を要するときは、処置をしたのち発注者又は監理者に通知する。工事請負契約約款18条。

問題10　不適当

受注者は、工事中工事の出来形部分と工事現場に搬入した工事材料・建築設備の機器などに**火災保険**または**建設工事保険**を付し、その**証券の写し**を**発注者**に提出する。設計図書等に定められたその他の損害保険についても同様とする。工事請負契約約款22条。

問題11　適当

工事中に契約の目的物の**一部を発注者が使用**する場合、この契約の定めによる。契約に別段の定めのない場合、発注者は、部分使用に関する**監理者の技術的審査**を受けた後、工期の変更及び請負代金額の変更に関する受注者との**事前協議**を経たうえ、受注者の書面による同意を得なければならない。工事請負契約約款24条。

問題12　適当

受注者は、契約書の定めるところにより、工事の完成前に**部分払**を**請求**することができる。この場合、出来高払によるときは、受注者の請求額は、契約書に別段の定めのある場合を除き、監理者の検査に合格した工事の出来形部分と検査済の工事材料・建築設備の機器に対する請負代金額相当額の9/10に相当する額とする。工事請負契約約款26条。

問題13　不適当

工事の追加・変更に伴い請負代金額を変更するときは、原則として、工事の**減少部分**については監理者の確認を受けた**内訳書**の単価により、**増加部分**については変更時の**時価**による。工事請負契約約款29条。

問題14　適当

発注者は、**受注者**が正当な理由なく、着手期日を過ぎても工事に**着手しない**ときは、書面をもって受注者に通知して工事を**中止**し又はこの契約を**解除**することができる。工事請負契約約款31条の２。

問題15　適当

次のいずれかに該当する場合、**受注者**は、書面をもって発注者に通知してこの**契約を解除**することができる。工事請負契約約款32条の３。

①　工事の遅延又は中止期間が、工期の**1/4以上**になったとき又は**２か月以上**になったとき
②　発注者が工事を著しく減少したため、請負代金が2/3以上減少したとき
③　発注者が支払を停止する等により、請負代金の支払能力を欠くと認められるとき

Check Point 2

施工管理

❶ 安全衛生管理体制

元請・下請事業者混在事業場の安全衛生管理体制（50人以上）

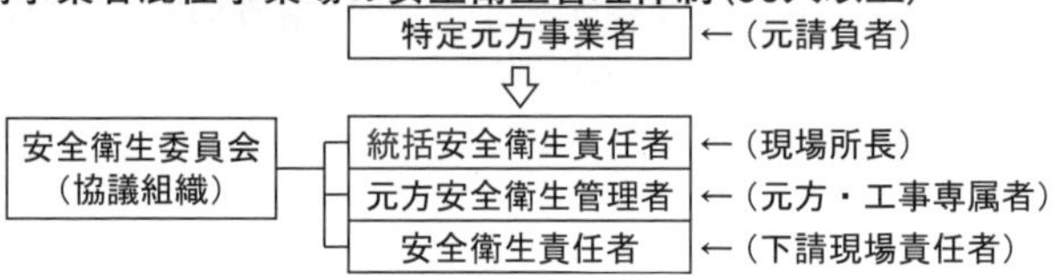

特定元方事業者　←（元請負者）

⇩

安全衛生委員会（協議組織）

- 統括安全衛生責任者　←（現場所長）
- 元方安全衛生管理者　←（元方・工事専属者）
- 安全衛生責任者　←（下請現場責任者）

❷ 作業主任者の選任

作業主任者	作業内容	資格
ガス溶接作業主任者	アセチレンまたはガス集合装置を用いて行う溶接等の作業。	免許者
地山の掘削作業主任者	掘削面の高さが**2ｍ以上**となる地山の掘削作業。	技能講習終了者
足場の組立て等作業主任者	吊り足場（ゴンドラの吊り足場を除く）、張り出し足場、高さが**5ｍ以上**の構造の足場の組立て、解体、変更の作業。	
型枠支保工の組立て等作業主任者	型枠支保工の組立てまたは解体の作業。	
土止め支保工作業主任者	土止め（山留め）支保工の切ばりまたは腹起こしの取付けまたは取外しの作業。	
建築物等の鉄骨の組立等作業主任者	高さ**5ｍ以上**の建築物の骨組みまたは塔であって、金属製の部材により構成されるものの組立て、解体または変更の作業。	
コンクリート造の工作物の解体等作業主任者	高さ**5ｍ以上**のコンクリート造の工作物の解体または破壊の作業。	

❸ 工事現場の安全

① **足　場**

- 強風、大雨、大雪などの**悪天候時**には作業を**中止**する。
- 強風、大雨、大雪などの**悪天候**、**中震以上**の地震後には、作業前に**点検**を行い、異常を認めたときは直ちに補修する。

② **車両系建設機械**

- 巻上げ装置に荷重をかけたままで運転位置を離れてはならない。
- 原則として、**主たる用途以外**の用途に使用してはならない。

③ **クレーン**

- クレーンの運転についての**合図**を**統一**し、関係者に周知させなければならない。
- 移動式クレーンにより労働者を運搬または、労働者を吊上げて作業をさせてはならない。作業の性質上やむを得ない場合は、**専用のとう乗設備**を設け、労働者を乗せることができる。
- **強風**のため作業の実施に危険が予想されるときは、作業を**中止**する。

④ 渉外諸手続

書類名	届出先
建築確認申請書	建築主事等(指定確認検査機関)
完了検査申請	
建築工事届	**都道府県知事**
建築物除却届	
危険物貯蔵所設置許可申請書	市町村長・都道府県知事
安全上の措置等に関する計画届	特定行政庁
道路占用許可申請書	**道路管理者**
道路使用許可申請書	**所轄警察署長**
共同企業体代表者届	**労働局長**
ゴンドラ・ボイラー設置届	**労働基準監督署長**
自家用電気工作物設置工事計画届出書	経済産業大臣(経済産業局長)
工事監理報告書	**建築主**

⑤ 材料管理

① **塗 料 置 場**
- 独立した平家建とする。
- 屋根は軽量な**不燃材料**とし、十分な**換気**を図る。

② **溶 接 材 料**
- **被覆アーク溶接棒**は、**乾燥状態**を保つよう十分注意する。

③ **ＡＬＣパネル**
- 直接地面に接しないようにし、反り、ねじれ、ひび割れ等の損傷が生じないように、まくら材を**水平**に置き、積重ねる。
- 積上げ高さは、一段の高さを**１ｍ以下**とし、総高を**２ｍ以下**とする。
- 積替え、小運搬を極力少なくする。

④ **ガ ラ ス**
- **たて置き**を原則として、室内に保管し、構造躯体に緊結する。
- 保管中の移動は極力避ける。

⑥ 材料検査

① 溶接部の内部欠陥 ⇨ **超音波探傷検査**
② コンクリート(圧縮強度) ⇨ **リバウンドハンマー**
③ アスファルト(劣化度) ⇨ **針入度試験**
④ タ イ ル ⇨ **打音用テストハンマー**
⇨ **赤外線センサー**
⑤ アルミニウム製建具(水密性) ⇨ **水の噴霧(脈動圧下)**

アドバイス **施工管理**

- 安全管理に関して、例年１問出題されている。過去の類似問題が多く、難しくはない。
- 渉外諸手続からは、例年必ず各１問出題されている。標準レベルの問題は、確実に正解する必要がある。届出先ごとに整理するとよい。
- 材料管理からは、保管、試験あわせて、例年１問以上出題されている。

問題 2-1

工事現場の管理に関する次の記述について、**適当か**、**不適当か**、判断しなさい。

▌安全衛生管理体制▐

問題1

特定元方事業者は、すべての関係請負人が参加する協議組織を設置し、当該協議組織の会議を定期的に開催しなければならない。

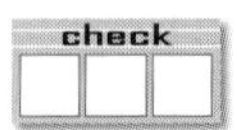

問題2

労働安全衛生法において、安全衛生責任者は、統括安全衛生責任者と労働者との連絡等を行わなければならないとされている。

問題3

労働安全衛生法施行令において、事業者は、型枠支保工の組立て又は解体の作業に当たっては、その工事の作業主任者を選任しなければならないとされている。

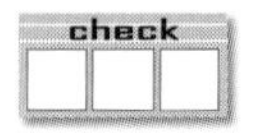

問題4

足場の組立て等作業主任者については、高さ５ｍ未満の枠組足場の解体作業であったので、選任しなかった。

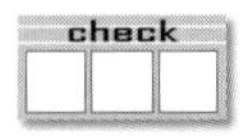

問題5

高さ５ｍの鉄筋コンクリート造の建築物の解体作業に当たっては、「コンクリート造の工作物の解体等作業主任者」を選任しなければならない。

▌工事現場の安全・危害防止▐

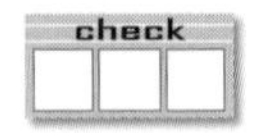

問題6

高さ又は深さが1.5mを超える箇所における作業については、原則として、労働者が安全に昇降するための設備等を設置する。

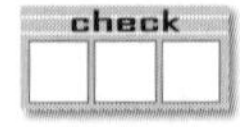

問題7

移動式クレーンによる荷の吊り上げ作業において、10分間の平均風速が10m/s 以上となる場合、作業を中止する。

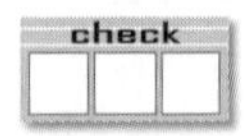

問題8

塗料、接着剤等の化学製品の取扱いに当たって、当該製品の製造業者が作成した安全データシート（ＳＤＳ）を作業場所の見やすい場所に常時掲示し、当該製品を取り扱う労働者に周知した。

建築工事に関連する申請・届出又は報告とその提出先の組合せとして、**適当か、不適当か**、判断しなさい。

check

問題9
建築物除却届 ―――――― 都道府県知事

check

問題10
完了検査申請書 ―――――― 建築主事

check

問題11
建築基準法に基づく安全上の
措置等に関する計画届 ―――――― 特定行政庁

check

問題12
建設業に附属する寄宿舎設置届 ―――― 特定行政庁

check

問題13
共同企業体代表者届 ―――――― 都道府県労働局長

check

問題14
ゴンドラ設置届 ―――――― 労働基準監督署長

check

問題15
道路占用許可申請書 ―――――― 道路管理者

check

問題16
危険物貯蔵所設置許可申請書 ―――― 経済産業局長

check

問題17
振動規制法に基づく
特定建設作業実施届出書 ―――――― 市町村長

check

問題18
航空障害灯及び昼間障害標識
の設置の届出 ―――――― 地方航空局長

check

問題19
工事監理報告書 ―――――― 建築主事

解説 

問題１　適当

記述の通り。労働安全衛生規則635条。

問題２　適当

統括安全衛生責任者を選任しなくてもよい請負人で、その仕事を自ら行うものは、**安全衛生責任者**を選任し、その者に**統括安全衛生責任者**との**連絡**及び統括安全衛生責任者から連絡を受けた事項の**関係者への連絡**を行わせなければならない。労働安全衛生法16条、同規則19条。

問題３　適当

記述の通り。労働安全衛生法14条、同施行令６条。

問題４　適当

つり足場(ゴンドラのつり足場を除く)、張出し足場又は高さが**５ｍ以上**の構造の**足場**の組立て、解体又は変更の作業には、足場の組立て等作業主任者技能講習を修了した者のうちから足場の組立て等**作業主任者**を選任し、その者に当該作業に従事する労働者の指揮を行わせなければならない。労働安全衛生法14条、同施行令６条、同規則16条、565条。

問題５　適当

コンクリート造の工作物(その高さが**５ｍ以上**であるものに限る)の解体又は破壊の作業には、コンクリート造の工作物の解体等作業主任者技能講習を修了した者のうちから、**作業主任者**を選任しなければならない。労働安全衛生法14条、同施行令６条。

問題６　適当

事業者は、高さ又は深さが**1.5ｍ**を**こえる**箇所で作業を行うときは、その作業に従事する労働者が安全に**昇降**するための**設備**等を設けなければならない。ただし、安全に昇降するための設備等を設けることが作業の性質上困難なときは、設けなくてもよい。労働安全衛生規則526条。

問題７　適当

事業者は、強風のため、移動式クレーンに係る作業の実施について危険の予想されるとき、その**作業**を**中止**しなければならない。なお、強風とは、**10分間の平均風速**が**10ｍ/ｓ以上**の風をいう。クレーン等安全規則74条の３、JASS 2。

問題８　適当

化学物質の有毒性から労働者の労働災害防止に資することを目的に、仕上塗材、塗料、シーリング材、接着剤その他の化学製品の取扱いに当たっては、当該製品の製造所が作成した**安全データシート**（ＳＤＳ）を常備し、記載内容の周知徹底を図り、作業者の健康、安全の確保及び環境保全に努める。公共建築工事標準仕様書。

問題９　適当

建築主が建築物を建築しようとする場合又は建築物の除却の工事を施工する者が建築物を**除却**しようとする場合においては、これらの者は、建築主事等を経由して、その旨を**都道府県知事**に届け出なければならない。建築基準法15条１項。

問題10　適当

建築主は、確認済証の交付を必要とする建築物の工事が完了した日から４日以内に、**建築主事等**に**完了検査**を**申請**しなければならない。なお、**指定確認検査機関**に提出することもできる。建築基準法７条、７条の２。

問題11　適当

記述の通り。建築基準法90条の３。

問題12　不適当

使用者は、**附属寄宿舎**を設置しようとする場合においては、所轄**労働基準監督署長**に届け出なければならない。労働基準法96条の２、建設業附属寄宿舎規程5条の2。

問題13　適当

記述の通り。労働安全衛生法５条１項。

問題14　適当

記述の通り。労働安全衛生法88条、ゴンドラ安全規則10条。

問題15　適当

記述の通り。道路法32条。

問題16　不適当

危険物の製造所、**貯蔵所**又は取扱所**設置許可申請書**は、
(1) 消防本部及び消防署を置く市町村の区域は、**市町村長**の許可を受ける。
(2) 消防本部等所在市町村以外の市町村の区域内は、**都道府県知事**の許可を受ける。
消防法11条１項。

問題17　適当

指定地域内において**特定建設作業**(杭打機など)を伴う建設**工事を施工**しようとする者は、その特定建設作業の開始の日の７日前までに必要事項を**市町村長**に届け出る。振動規制法14条。

問題18　適当

航空障害灯、昼間障害標識の設置者等は、必要事項を付記して、その旨を**国土交通大臣**に届出なければならない。また、その受理については、**地方航空局長**が行うことができる。航空法施行規則238条、240条。

問題19　不適当

建築士は、**工事監理**を**終了**したときは、直ちにその結果を文書で**建築主**に報告する。建築士法20条３項。

問題 2-2

材料管理・検査に関する次の記述について、**適当か**、**不適当か**、判断しなさい。

■材料管理■

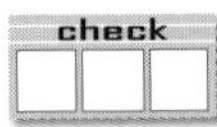

問題1

鉄骨の品質及び性能について、設計図書に定める日本産業規格(JIS)の規格品であることを証明する規格品証明書が添付された場合、その品質及び性能を有するものとして取り扱い、鉄骨の材料試験を省略した。

問題2

設計図書において、内装工事に使用する材料の製造業者名が複数指定されている場合、その選定は請負者が行い、監理者の承諾を受けた。

問題3

JIS規格品の異形鉄筋の種類については、「圧延マークによる表示」又は「色別塗色による表示」により確認する。

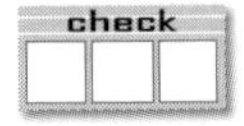

問題4

鉄筋の保管に当たっては、汚れや錆の発生を防ぐために、直接地上に置かないようにした。

問題5

被覆アーク溶接棒については、紙箱に梱包され、さらにポリエチレンフィルムで吸湿しないように包装されていたが、開封直後であっても乾燥装置で乾燥させてから使用した。

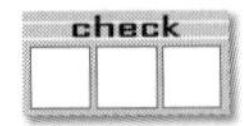

問題6

ＡＬＣパネルの積上げは、ねじれ、反り、曲がり等が生じないように、所定の位置に正確にかい物をかい、積上げ高さは、１段を１ｍ以下とし２段までとする。

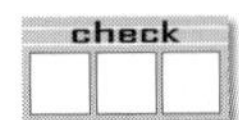

問題7

ガラスの保管に当たっては、ロープで柱等の構造躯体に緊結すると、地震その他の振動により、その部分から損傷するおそれがあるので、緊結せずに立て掛けた。

問題8

塗料をふき取った布等で、自然発火を起こすおそれのあるものは、作業終了後、分別して処理した。

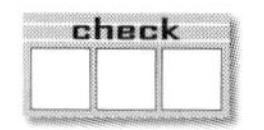

問題９

工事現場に搬入されたロールカーペットの保管については、縦置きせずに、横に倒して３段までの俵積みとした。

各種試験方法等

問題10

鉄骨工事において、施工者が行う工場製品受入検査のうち、塗装の指定のあるものについては、鉄骨製作工場における塗装に先立って行った。

問題11

普通コンクリートにおける構造体コンクリートの圧縮強度の検査で、受入れ検査と併用しない検査において、１回の試験に用いる供試体については、工事現場において適当な間隔をあけた任意の３台の運搬車から各１個ずつ、合計３個採取した。

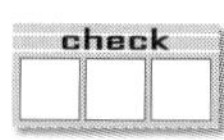

問題12

既設構造物のコンクリートの圧縮強度を推定するための補助手段としてリバウンドハンマーを用いる。

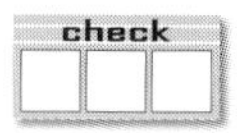

問題13

鉄骨工事における完全溶込み溶接部の内部欠陥の検査方法として、超音波探傷検査を採用した。

問題14

アルミニウム製建具の水密性の試験は、脈動圧下で水を噴霧させる試験方法により行った。

解説

問題1　適当

設計図書に定める**JIS**又はJASのマーク表示のある材料並びに規格、基準等の**規格証明書**が添付された材料は、**設計図書**に定める**品質**及び**性能**を**有する**ものとして取り扱うことができる。公共建築工事標準仕様書。

問題2　適当

工事用材料のうち、品質、性能でなく製品名及び製造所が指定されることがあるが､この場合、数社指定されている材料の選定は、材料が指定どおりのものであれば、**選定**は**請負者**が行い、**監理者**に**報告**する。建築工事監理指針。

問題3　適当

JIS規格の**異形棒鋼**の種類を区別する表示は、ＳＤ295を除き、**圧延マーク**によることとし、寸法が呼び名Ｄ４、Ｄ５、Ｄ６、Ｄ８の異形棒鋼及びねじ状の節をもった異形棒鋼に限り**色別塗色**によることができる。JIS G 3112。

問題4　適当

鉄筋は直接地上に置いてはならない。**角材**又は丸太等により、地面から**10㎝以上離して**置く。JASS 5。

問題5　適当

被覆アーク溶接棒及びフラックスは、湿気を吸収しないように保管し、被覆剤の剥脱・汚損・変質・吸湿・はなはだしい錆の発生したものは使用してはならない。吸湿の疑いがあるものは、その溶接材料の種類に応じた乾燥条件で**乾燥して使用**する。また、作業時には携帯用乾燥器を用い、その日の使用量分だけを取り出すのが望ましい。なお、溶接ワイヤは、こん包状態であれば乾燥の必要はない。JASS 6。

問題6　適当

ＡＬＣパネルの保管は、水平で乾燥した取付け位置近くの場所を選び、反り、ねじれ、ひび割れ等の損傷が生じないように台木・木材等のまくら材を水平に置き、その上に整理して積み重ねる。積上げ高さは、一段の高さを**１ｍ以下**とし、総高を**２ｍ以下**とする。JASS 21。

問題7　不適当

ガラスの保管にあたっては、原則として室内とし、地震その他の振動による倒れを防止するため**ロープで縛り**、柱などの**構造躯体に緊結**しておく。やむを得ず屋外保管となる場合には、必ず防水シートを掛け雨露がかからないよう養生する。JASS 17。

問題8　適当

塗料材料の付着した布片など**自然発火**を起こすおそれのあるものは、塗料置場の中に置いてはならない。JASS 18。

問題9　適当

カーペットは、保管場所の床に直接置かないように配慮し、ほこりや床からの湿気の影響を直接受けないようにする。**ロールカーペット**は縦置きせず、必ず横に倒して、**2〜3段**までの**俵積み**で静置する。また、タイルカーペットの場合は、5〜6段積みまでとする。JASS 26。

問題10　適当

製品検査は、溶接外観検査その他の検査指摘事項の修正等が可能な**塗装前**の時期に実施する。建築工事監理指針、JASS 6。

問題11　適当

構造体コンクリートの圧縮強度の検査のための供試体は、受入れ検査と併用しない場合、適当な間隔をあけた**任意**の**3台**の運搬車から**1個ずつ、合計3個**採取するものとする。JASS 5。

問題12　適当

リバウンドハンマーは、コンクリートの表面を打撃したときの反発度を測定し、その反発度から圧縮強度を推定する器具。**既設構造物**の**コンクリート強度**(表面硬度)を推定する方法として、リバウンドハンマーを用いて、その反発硬度からコンクリート圧縮強度を推定する試験方法が用いられている。

問題13　適当

完全溶込み溶接部の**内部欠陥**の検査方法は、特記のない場合には**超音波探傷検査**による。JASS 6。

問題14　適当

サッシの**水密性**は、圧力差によって生じる建具の室内側への雨水などの浸入を防止する程度を調べるもので、毎分4 l/㎡の水量を均等に噴霧し、圧力等級区分に従った**脈動圧**を10分間加え、漏水の有無を調べる。JIS A 1517。

Check Point 3 仮設工事

❶ 仮設構造物

仮設構造物とは、仮囲い、仮設事務所、材料置場、仮設通路などの仮設建築物や、なわ張り、基準点、やり方などの建造物をいう。

- 高さ**10m以上**の足場、つり足場、張出し足場で組立てから解体までの期間が**60日以上**の場合、**計画の届出**を**労働基準監督署長**に届出る。
- 仮設物の材料は使用上差し支えない程度の中古品とすることができる。

❷ 測　量

- 工事着手前に基準鋼製巻尺を定め、監理者の承認を受ける。同じ精度を有するJIS規格１級品の鋼製巻尺を２本以上用意して、１本は基準巻尺として保管する。
- 必要に応じて、発注者、設計者、隣地所有者、監理者及び関係監督官庁員が**立会う**。
- 監理者は、遣方の検査を行う。遣方の検査は、墨出しの順序を変えるなど、請負者が行った方法とできるだけ異なった方法で**チェック**する。
- ベンチマークは**２箇所以上**設けて、相互にチェックが行えるようにする。工事中は基準点からのチェックを定期的に行う必要がある。

❸ 足　場

① **単管足場**

- 建地間の**積載荷重 ⇨ 3.92kN (400kg) 以下**
- 建地の最高部から測って**31m**を超える部分の建地は鋼管**２本組**。
- **筋かい**は**45度**程度の角度で、交差**２方向**に取付ける。

② **枠組足場**

- **最上層**および**５層以内**ごとに**水平材**を設ける。
- 高さ ⇨ **45m以下**

		鋼管足場	
		単　管	枠　組
建地間隔	けた行 はり間	1.85m以下 1.5m以下	1.85m以下
地上第１の布の高さ		2.0m以下	
壁つなぎ・控え間隔	水平方向 垂直方向	5.5m以下 5.0m以下	8.0m以下 9.0m以下

③ **つり足場**

- 作業床の幅は、**40cm以上**とし、**すき間**がないようにする。
- 床の外側には、床上**85cm以上**の高さの**手すり**を設ける。
- **つりワイヤロープの安全係数 ⇨ 10以上**
- **つり鎖（チェーン）**および**つりフックの安全係数 ⇨ ５以上**

④ **作業床**

- 高さ**２ｍ以上**の作業場所に設ける。
- **幅40cm以上**、床材の**すき間３cm以下**、手すり高さ**85cm以上**とする。
- **最大積載荷重**を定め、見やすい場所に表示する。

⑤ **登りさん橋（架設通路）**

- 勾配 ⇨ **30度以下**
- 高さ**８ｍ以上**の場合、**７ｍ以内**ごとに**踊場**を設ける。
- 勾配**15度**を超える場合、**踏みさん**（滑り止め）を設置する。

⑥ **はしご道**

- はしごの上端は、床から**60cm以上**突出させる。

⑦ **防護棚（朝顔）**

- 突出し長さ ⇨ **２ｍ以上**
- 突出し角度 ⇨ 水平面に対し**20度以上**

⑧ **その他**

- 墜落の危険のある箇所 ⇨ 高さ**85cm以上**の手すり
- 高さ、深さが**1.5m**を超える場所には、安全に昇降するための設備を設ける。

4 高所作業車

- 作業床の高さ ⇨ 10m以上：**技能講習**
  10m未満：**特別教育**
- **作業指揮者**を定め、指揮を行わせる。

アドバイス　仮設工事

- 仮設工事からは、例年１問出題されている。
- 過去の類似問題が多く、難易度は低いので、確実に正解する必要がある。
- 単管足場、枠組足場、つり足場、作業床、登りさん橋がポイント。

問題 3　仮設工事に関する次の記述について、**適当か**、**不適当か**、判断しなさい。

■ 仮設構造物 ■

問題１
建築物の高さと位置の基準となるベンチマークについては、「現場内の移動のおそれのないように新設した木杭」と「前面道路」の２か所に設け、相互に確認が行えるようにした。

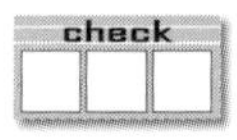

問題２
工事現場の周囲に設ける仮囲いにおいて、出入口、通用口等の扉は、外開きとした。

■ 足　　場 ■

問題３
鋼管規格に適合する単管足場において、建地の間隔については、けた行方向を1.8m、はり間方向を1.5mとした。

問題４
単管足場における壁つなぎの間隔については、垂直方向９m、水平方向８mとした。

問題５
鋼管規格に適合する鋼管を用いた単管足場において、建地間の積載荷重は400kgを限度とした。

問題６
高さ20mを超える枠組足場を架設する場合、使用する主枠は、高さ２mのものとし、主枠間の間隔は1.85mとした。

問題７
枠組足場の壁つなぎ又は控えは、垂直方向８m、水平方向７mの間隔で設けた。

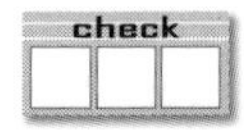

問題８
枠組足場における水平材については、最上層及び５層以内ごとに設けた。

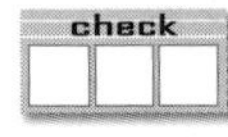

問題９
吊り足場の作業床については、幅を40cm以上とし、かつ、隙間がないように設置する。

問題10
吊り足場においては、その上で脚立を使用して作業を行うことができる。

問題11
吊り足場(ゴンドラのつり足場を除く。)において、つりワイヤロープの安全係数を５として、作業床の最大積載荷重を定めた。

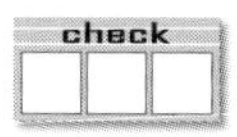

問題12
作業構台における高さ２m以上の作業床の端で、作業上危険のおそれのある箇所に手すりを設ける場合、その高さは85cm以上とする。

問題13
高さ２m以上の荷受け用作業構台の作業床の床材間のすき間は、５cm以下とする。

問題14
登りさん橋は、勾配を40度以下とし、滑止めとして踏さんを設け、踊場を高さ７m以内ごとに設けた。

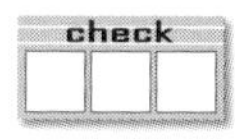

問題15
はしご道として設置するはしごの上端については、手がかりとして床から60cm以上突き出して固定した。

災害防止措置

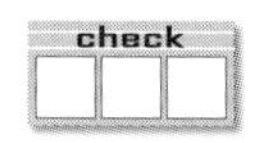

問題16
防護棚(朝顔)のはね出し材の突き出し長さは２mとし、水平面となす角度は30度とした。

問題17
作業床の高さが10m未満の高所作業車の運転者は、特別教育修了者とした。

解説 

問題1　適当

ベンチマークは、建物の高さ及び位置の基準となるもので、敷地付近の移動のおそれのない箇所に監理者の指示のもとに**2箇所以上**設け、相互にチェックを行うとともに、工事中も基準点からのチェックを行い十分養生する。JASS 2。

問題2　不適当

仮囲いは周辺の美観を損なわないようにし、出入口、通用口の扉は、通行人等の邪魔にならないよう**引戸**又は**内開き**とする。JASS 2。

問題3　適当

単管足場の**建地**の**間隔**は、**けた行方向**を**1.85m以下**、**はり間方向**は**1.5m以下**とする。労働安全衛生規則571条。

問題4　不適当

単管足場には、**壁つなぎ**又は**控え**を**垂直方向５m以下、水平方向5.5m以下**の間隔で設ける。労働安全衛生規則570条。

問題5　適当

鋼管規格に適合する鋼管を用いて構成される鋼管足場については、単管足場にあっては、**建地間**の**積載荷重**は**400kg**を限度とする。労働安全衛生規則571条。なお、JASS 2では、建地間の積載荷重の限度を3.92kN（400kg）としている。

問題6　適当

高さ20mを**超える枠組足場**の**主枠**は、**高さ２m以下**のものとし、かつ、**主枠間の間隔**は**1.85m以下**とする。労働安全衛生規則571条。

問題7　適当

高さ５m以上の枠組足場の**壁つなぎ**又は**控え**は、**垂直方向９m以下**、**水平方向８m以下**の間隔に設ける。労働安全衛生規則570条。

問題8　適当

枠組足場においては、**最上層**及び**５層以内ごと**に**水平材**を設ける。労働安全衛生規則571条。

問題9　適当

つり足場の**作業床**は、**幅を40cm以上**とし、かつ、**すき間がない**ようにすること。労働安全衛生規則574条。

問題10　不適当

事業者は、つり足場の上で、**脚立**、はしご等を用いて労働者に作業させてはならない。労働安全衛生規則575条。

問題11　不適当

つり足場(ゴンドラのつり足場を除く)における**作業床**の**最大積載荷重**は、**つりワイヤロープ**及びつり鋼線の**安全係数**は**10以上**、**つりチェーン(鎖)**及び**つりフック**の**安全係数**が**５以上**になるように定めなければならない。労働安全衛生規則562条。

問題12　適当

作業構台における**高さ２m以上**の**作業床の端**で、墜落により労働者に危険を及ぼすおそれのある箇所には、**高さ85cm以上**の**手すり**等及び**中さん**等を設ける。労働安全衛生規則575条の６。

問題13　不適当

作業構台において、**高さ２m以上**の作業床の床材間の**すき間**は、**３cm以下**とする。労働安全衛生規則575条の６。

問題14　不適当

架設通路の**勾配**は、**30度以下**とし、勾配が**15度**を**超える**ものは、**踏さん**その他**滑り止め**を設け、建設工事に使用する**高さ８m以上**の**登りさん橋**には、**７m以内**ごとに**踊場**を設ける。労働安全衛生規則552条。

問題15　適当

はしご道のはしごの上端は、**床から60cm以上**突出させる。労働安全衛生規則556条。

問題16　適当

防護棚(朝顔)の**はね出し材**の**突き出し長さ**は**２m以上**とし、水平面となす**角度**は**20度以上**とする。防護棚は、工事場所が地上から10m以上の場合は一段以上、20m以上の場合は二段以上取り付ける。一般には、地上からの高さ４～５mの箇所に一段目を設け、二段目以降は下段の防護棚から10mより低い間隔のところに設けることが望ましい。JASS 2。

問題17　適当

作業用の高さが**10m未満**の**高所作業車**の運転(道路上を走行させる運転を除く)の業務は、**特別教育**を必要とする業務である。労働安全衛生規則36条。

Check Point 4 地盤調査

❶ 土の性質を調べるのに必要な項目

せん断強さ	支持力の算定	
圧縮性		
地下水	粘性土 砂質土	主として圧密試験・透水試験 主として水位測定

❷ 主なせん断強さ試験

粘性土	**1軸圧縮試験**(ひび割れのない粘性土) **3軸圧縮試験**(ひび割れのある粘性土) 機械式コーン貫入試験(軟弱) **ベーン試験**(非常に軟らかい粘性土) 平板載荷試験
砂質土	**標準貫入試験**・平板載荷試験

❸ 原位置試験

① **サウンディング(静的サウンディング)**

軟弱な粘性土	ベーン試験	十字型の羽を地中で旋回させ、粘土質地盤のせん断強さを調べる。
	機械式コーン貫入試験	先端部のコーンを静的に圧入して貫入抵抗値を測定する方法。

② **標準貫入試験(動的サウンディング)**

- サウンディングと同時に試料採取ができるので、広く用いられている。
- 砂質土の場合、乱されない試料の採取が困難なため、最も重要な試験である。
- 砂質土の締まり方の程度や地耐力の算定、液状化の判定等に利用される。

N 値	●試料採取用サンプラーを**30cm**貫入させる打撃回数。 ●打撃数は、特に必要がない限り**50回**を限度とする。 ●*N*値が同じでも、砂質土と粘性土の地耐力は異なる。

③ 平板載荷試験

- 載荷板：直径30cmの円形鋼板
- 載荷面より載荷幅の1.5～2倍の深さまでの地盤を調べる。

4 地下水に関する試験

- 主に**地下水位、帯水層の分布、透水性**を調べる。
- 一般には、揚水井を中心に十字状に観測井を設け、それらの水位低下を測定、解析する**揚水試験**が用いられる。

5 注意事項

- **ボイリング、パイピング**(砂質土)、**ヒービング**(粘性土)等の発生に対する検討が必要な場合もある。
- 調査地点は、事前調査の結果から一応想定するが、調査の進行にあわせ調整する。

標準貫入試験

機械式コーン貫入試験

V 施工

アドバイス 地盤調査

- 過去の類似問題が多いわりに、難易度が高い。
- 砂質土と粘性土に用いられる試験の相違点、標準貫入試験、平板載荷試験がポイント。
- 単に、過去の設問枝を暗記するだけではなく、内容を理解すること。

問題 4

地盤調査に関する次の記述について、**適当か**、**不適当か**、判断しなさい。

▌地質と地盤▐

問題1

沖積層よりも洪積層のほうが、建築物の支持地盤として、一般に、優れている。

▌地 盤 調 査▐

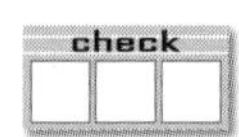

問題2

支持杭を採用するために、想定される杭の先端部に相当する深さまで地盤調査を行った。

問題3

ボーリング孔からの乱さない試料の採取位置は、平面的に分散させず、１地点に集中して深さ方向に密にした。

問題4

載荷試験及び地下水に関する試験等の原位置試験の場合、その調査地点は、事前調査の結果から一応想定し、調査の進行に合わせて調整した。

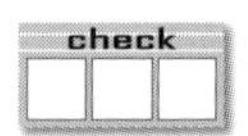

問題5

粘性土の調査は、コーン貫入抵抗からせん断強さを推定できる機械式コーン貫入試験により行った。

問題6

建築物の規模が大きい場合、地震時における地盤の振動特性を調査するため、常時微動測定を行った。

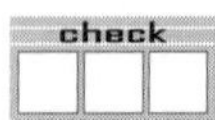

問題7

砂質土のせん断強さの調査は、圧密試験により行った。

問題8

ベーン試験において、鋼製の十字羽根(ベーン)を土中に挿入してロッドにより回転し、最大トルク値からベーンに外接する円筒滑り面上のせん断強さを求めた。

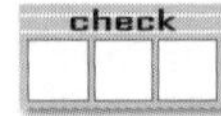

問題9

粘性土の地盤において、地震時における杭の水平抵抗を検討する場合、地盤の変形係数を推定するため、孔内水平載荷試験を行った。

問題10

標準貫入試験では、標準貫入試験用サンプラーを30cm打ち込むのに要する打撃数Nを求めることにより、地盤の硬軟の度合いなどを調べる。

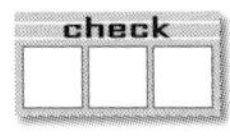

問題11

標準貫入試験において、貫入量が30cmに達しない場合の本打ちの打撃数は、特に必要のない限り50回を限度とし、そのときの累計貫入量を測定する。

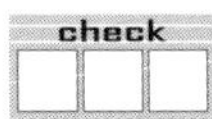

問題12

砂質土の地盤において、「地耐力の推定」及び「液状化の可能性の判定」のため、標準貫入試験により得られたN値を用いた。

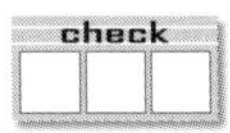

問題13

直接基礎の床付け面の支持特性を調査する目的で、直径30cmの円形の載荷板を用いて平板載荷試験を行った。

問題14

直径30cmの載荷板を使用した平板載荷試験により調査できるのは、載荷板からの深さが60～90cm程度の範囲内における地盤の支持力特性である。

問題15

通常のボーリングの孔内水位は、実際の地下水位と異なることがあるため、清水掘りによる孔内水位を基にして地下水位を求めた。

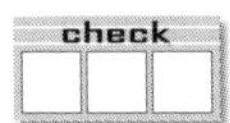

問題16

地下水についての測定項目の主なものは、水位と透水係数である。

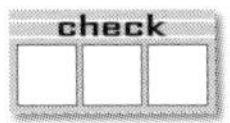

問題17

地盤の透水係数を求めるため揚水井を設け、それを中心として十字状に観測井を設けて、水位低下を観測した。

解説

問題1　適当

地層は**洪積層**の方が古く、よく締まっていて**耐力**が**大きい**。沖積層は最も新しい地層で軟らかいから、支持地盤としては適当とはいえない。

問題2　不適当

支持杭では、一般に支持層は洪積層又はそれより古い地層であり、**杭先端下部5～10m程度**(杭径の数倍)まで調査する。建築基礎構造設計指針。

問題3　適当

ボーリング孔からの乱さない**試料の採取位置**は、平面的にばらまくよりも、1地点に集中して**深さ方向に密**にしたほうが、土のいろいろな性質を判断するうえに有利であることが多い。

問題4　適当

載荷試験、地下水に関する試験などの**原位置試験**は、標準貫入試験などの結果から判断するが、調査地点は、事前調査の結果から想定して着手し、調査の進行につれて得られる資料から判断して調整するほうがよい。なお、通常の建物では建物のだいたい四隅をこの調査地点に選べばよい。

問題5　適当

機械式コーン貫入試験(**ダッチコーン**)は、二重管方式により外管で周辺摩擦力を分離し、内管先端部のコーンを静的に圧入して貫入抵抗値を測定する方法で、軟弱な**粘性土**の調査に利点が多い。

問題6　適当

常時微動測定は、地盤中に伝播された人工的又は自然現象による種々な振動のうち、特定の振動源からの直接的影響を受けていない状態での微振動を測定して、地盤の特性(振動特性)を調べるものである。建物の耐震設計や設計用地震波の作成に利用される。建築工事監理指針。

問題7　不適当

砂質土は、自然状態の試料採取が難しいので、標準貫入試験、ダッチコーン及び載荷試験などによって、砂の締まり具合を判定し、それから経験的にせん断強さや圧縮性を推定する。建築基礎構造設計指針。なお、**圧密試験**から圧縮指数、先行圧密応力、体積圧縮係数、圧密係数、透水係数が求まる。

問題8　適当

ベーン試験は、鋼製の十字羽根(ベーン)を土中に挿入してロッドにより回転し、最大トルク値からベーンに外接する円筒すべり面上のせん断強さを求めるものである。特に、非常に軟らかい**粘土のせん断強さ**を求めるのに適している。

問題9　適当

ボーリング孔内水平載荷試験は、**地震時**の**杭の水平抵抗**及び**基礎の即時沈下**を検討する場合に必要な地盤の変形係数を得る試験である。なお、この試験は砂質土・中間土・粘性土のいずれにも適用できること、及び試験の精度と経済性を考えると有効な方法である。

問題10・11・12　適当

標準貫入試験は、重量63.5±0.5kgのドライブハンマーを76±１cm自由落下させ、標準貫入試験用サンプラーを**30cm**打込むのに要する**打撃数*N***を求め、その***N*値**により土の硬軟、締まり具合の度合を判定する方法で、ハンマーの打撃によって15cmの予備打ち、30cmの本打ちを行う。本打ちの打撃数は、特に必要のない限り**50回を限度**とし、そのときの累計貫入量を測定する。JIS A 1219。

*N*値から推定される土の性質の主要項目

土の種類	土の性質	設計への利用
砂質土	相対密度 変形係数 動的性質	**地耐力**(支持力・沈下量)、**液状化**の判定 杭の支持力(先端・周面摩擦) S波速度
粘性土	硬軟の程度 一軸圧縮強さ	各層の分布 地耐力、支持力

問題13　適当、問題14　不適当

平板載荷試験は、原位置地盤に剛な**載荷板**(厚さ25mm以上、**直径30cmの円形**の載荷板)を通して荷重を加え、この荷重の大きさと載荷板の沈下の関係から載荷面より**載荷板幅**の**1.5～２倍**の深さまでの地盤について、その変形性や強さなどの支持力特性を調べるために行う試験である。載荷板は直径30cmの円形であるから、載荷板からの深さは<u>45～60cm程度の範囲内の調査ができる</u>。建築基礎構造設計指針。

問題15　適当

ボーリング孔内水位は、地下水位と異なっているのが普通である。したがって、ボーリングによって地下水位を求める場合には、**無水掘り**を行うか、あるいはこれが難しければ**清水掘り**を行ったときの孔内水位、もしくは**ケーシング**を用いた孔内水位を基にする。

問題16　適当

地盤調査で欠かすことのできない項目に地下水に関する測定がある。この測定項目の主なものは、**水位**(**水圧**)と**透水係数**である。水位は支持力・沈下量の計算に使われ、根切り工事や場所打ち杭の施工など掘削を伴う場合は、水位及び透水係数は特に重要となる。

問題17　適当

地盤の**透水係数**は、**揚水井**を設け、それを中心に**十字状**に**観測井**を設け、揚水によるそれらの水位低下を観測し、この結果を解析する揚水試験により求める。

Check Point 5

土工事・山留め工事

❶ 土 工 事

① **地盤現象と原因**

地　盤	現　象	原　因
粘土質地盤	**ヒービング**	周囲との高低差による荷重。
	盤ぶくれ	被圧地下水。
砂質地盤	**ボイリング** **パイピング** **クイックサンド**	周囲との地下水位差が大きい場合。
	液状化	地下水位面が地表面に近い場合。

② **排水工法(ウェルポイント工法)**

- **地下水処理工法**で**砂質地盤**に適する。
- 周辺地盤への影響が大きい。⇔リチャージ工法

③ **掘削・埋戻し**

- 砂からなる地山の掘削(手掘り) ⇨ 掘削面の勾配：**35度以下**
  または、掘削面の高さ：**5ｍ未満**
- 埋戻し土は、なるべく**砂質土**とし、厚さ**30㎝ごと**に埋め戻す。

❷ 山留め工事

① **施工上の留意点**

- **水平切ばり工法** ⇨ 切ばりの継手は、原則として**交差部近く**に設ける。
- **親杭横矢板** ⇨ 横矢板は、掘削後すみやかに通りよく鉛直に設置し、矢板裏にはすき間が生じないように裏込め材を充てんする。
- **場所打ちＲＣ地中壁** ⇨ 水中コンクリートの場合、**トレミー管**を用い、連続して打設する。

※山留め支柱は、安全性を確保したうえで、工事用桟橋、乗入れ構台の支柱と兼用できる。

② **山留め壁の種類と特徴**

種　類	特　徴
親杭横矢板	非常に軟弱な粘土、シルト地盤、排水が完全にできない砂層は適さない。
鋼矢板(シートパイル)	止水性に優れているが、**強度・剛性**が**不足**。透水性の大きい地盤に適する。

場所打ちＲＣ地中壁 (壁工法・柱列工法)	**剛性・止水性大**。軟弱地盤に適する。
ソイルセメント山留め壁	場所打ちＲＣ山留め壁より施工性もよく経済的。 **振動・騒音**が少ない。

③　支保工による分類

種　類	特　徴
水平切ばり工法	一般的工法。作業能率に影響を及ぼす。 腹起しの材料 ⇨ 鋼材・鉄筋コンクリート
地盤アンカー工法	**切ばり不要・作業能率大**。傾斜地等片側土圧となる場合に適する。
アイランド工法	**広く、浅い**敷地に適する。切ばりと手間を節約できる。
トレンチカット工法	広く、**軟弱**な地盤、大規模建築物に適す。 **ヒービング**防止に有効。
逆打ち工法	**広く、深い**地下を有する建物に有効。構造体を地下工事の仮設に使用し、全体工期の**短縮**が可能。

3 山留め材の許容応力度

- **形鋼材、木材** ⇨ 長期許容応力度と短期許容応力度との**平均値**
- **鉄筋コンクリート** ⇨ **短期許容応力度**

4 点検・計測

- **７日**を超えない期間ごとに安全上必要な点検、計測を実施する。
- **切ばりの軸力**の測定(盤圧計)は**１日３回**定時測定を行う。

アドバイス　土工事・山留め工事

- 土工事・山留め工事からは、例年１問出題されている。
- 過去の類似問題が多く、難易度は低いが、まれに難しい出題がある。
- ソイルセメント山留め壁、地盤アンカー工法、逆打ち工法の特徴がポイント。

問題 5

土工事・山留め工事に関する次の記述について、**適当か、不適当か**、判断しなさい。

▮土　工　事▮

check □□□

問題1
ウェルポイント工法は、根切り底に溜まる雨水を効率よく排出するのに適している。

check □□□

問題2
軟弱な粘性土地盤の掘削工事において、ヒービングの危険性が高いと判断されたので、その対策として、剛性の高い山留め壁を良質な地盤まで設置し、背面地盤の回り込みを抑えることとした。

check □□□

問題3
釜場工法は、床付け面から発生する湧水を集め、ポンプで排水する工法であり、湧水に対して安定性の低い地盤において、ボイリングを防止する効果がある。

check □□□

問題4
砂質土地盤の床付け面を乱してしまった場合、転圧による締固めが有効である。

check □□□

問題5
粘性土の床付面を乱してしまったので、そのまま転圧により締固めを行った。

check □□□

問題6
透水性のよい山砂を用いる埋戻しに当たって、周囲の原地盤が粘性土で水はけが悪い場合は、埋戻しの底部から排水しながら水締めを行う必要がある。

▮山留め工事▮

check □□□

問題7
親杭横矢板工法において、横矢板の設置は、地盤を緩めないように掘削完了後、速やかに行った。

check □□□

問題8
山留め工事において、水位の高い軟弱地盤であったので、場所打ち鉄筋コンクリート地中壁を採用し、構造上の検討を行ったうえで、この地中壁を建築物の一部として利用することとした。

問題9
ソイルセメント山留め壁は、鋼矢板工法に比べて、振動・騒音が大きい。

問題10
敷地の高低差が大きく偏土圧が作用することが予想されるので、山留め工法として地盤アンカー工法を採用した。

問題11
地盤アンカー工法は、アンカーによって山留め壁を支えるので、一般に、切ばりは不要である。

問題12
逆打ち工法は、深く広い地下部分を有する高層建築物において、全体工期の短縮に効果がある。

問題13
逆打ち工法は、地階の床、梁等の構造物を切梁として兼用するため、軟弱地盤における深い掘削には適さない。

問題14
切ばりや腹起しに使用するリース形鋼材の許容応力度は、一般に、長期許容応力度と短期許容応力度との平均値とする。

問題15
切ばりにプレロードを導入するに当たって、切ばりの蛇行を防ぐために、上段切ばりと下段切ばりとの交差部の締付けボルトを堅固に締め付けた。

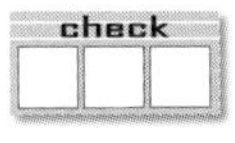

問題16
切ばりの継手は、応力を十分に伝達できる構造とし、できる限り切ばりの交差部の近くに設ける。

問題17
山留め支保工の支柱は、十分な安全性を確保したうえで、工事用桟橋又は乗入れ構台の支柱と兼用することができる。

解説

問題１　不適当

ウェルポイント工法は、根切り部に沿ってウェルポイント(吸水管)という小さなウェルを多数設置し、真空吸引して揚排水する工法で、透水性の高い粗砂層から低いシルト質細砂層程度の地盤に適用される。可能水位低下深さはヘッダーパイプ(集水管)より４～６ｍ程度である。したがって、主として**雨水を処理**する場合は、根切り底に排水溝(明きょ)を設けるなどして雨水を集水桝に集めてポンプで排水する**釜場工法**が用いられる。建築工事監理指針。

問題２　適当

ヒービング現象は、根切り底の地盤が軟弱である場合又は山留め壁の根入れが不十分である場合に、根切り底付近の地盤が外側から回り込むような状態で盛り上がることである。ヒービングを防止するには、①**剛性の高い山留め壁**をビービングのおそれのない良質地盤まで設置して背面地盤の回り込みを抑える。②山留め壁の**周囲地盤をすき取る**。③掘削底以深の軟弱地盤を、ヒービングの発生のおそれのないせん断強度の地盤に**改良**する。などの対策が必要である。山留め設計指針。

問題３　不適当

釜場工法は、根切り部へ浸透・流水してきた水を、釜場と称する根切り底面より、やや深い集水場所に集め、ポンプで排水する最も単純で容易な工法であるが、湧水に対して安定性の低い地盤への適用は、ボイリングを発生させ地盤を緩めることになるので好ましくない。建築工事監理指針。

問題４　適当、問題５　不適当

床付け面は、捨てコンクリート、耐圧版、基礎梁などの品質を確保するうえで乱してはならない。**床付け面**を**乱して**しまった場合は、**礫・砂質土**であれば**転圧**による締固めが有効であり、**粘性土**の場合は、礫・砂質土に置換するかセメント・石灰などによる改良が必要である。JASS 3。

問題６　適当

砂質土の埋戻しには、通常、**水締め**が用いられる。厚さ30cm程度ずつ水締めを行い、さらに振動や衝撃を加えることによって、締固め効果をより高める。周囲の原地盤が**粘性土**で、**水はけが悪い**場所には、埋戻し部の底部から**排水**しながら水締めを行う必要がある。JASS 3。

問題７　適当

親杭横矢板工法において、横矢板の設置は所定の**掘削完了後速やかに**行う。設置に際しては、横矢板の裏側に裏込め材を十分充てんした後、親杭と横矢板との間に、くさびを打込んで、裏込め材を締付け安定を図る。JASS 3。

【参考】親杭横矢板工法は、遮水性は期待できないが、**砂礫地盤**における施工が可能である。

問題８　適当

場所打ち鉄筋コンクリート地中壁は、止水性に優れ高い剛性も期待できるが、工事費が高いため、大規模大深度の掘削工事や仮設の山留め壁としての機能だけでなく、**地下構造物の一部**として採用する場合が多い。JASS 3。

問題9　不適当

ソイルセメント山留め壁は、セメントミルクを注入しつつ、その位置の土をかくはんしてソイルセメント壁を造成し、骨組みにH鋼などを建て込んだもので、**振動・騒音**が**少ない**。JASS 3、建築工事監理指針。

問題10・11　適当

地盤アンカー工法は、一般に切ばりで支えている土圧・水圧を、**切ばりの代わり**に、山留め壁背面の地盤中に設けた**地盤アンカー**によって山留め壁にかかる側圧を支えながら掘削する工法である。不整形な掘削平面の場合、敷地の**高低差**が**大きく**て**偏土圧**が作用する場合、掘削面積が大きく、また山留め壁の変形を極力少なく抑えたい場合等には有効である。建築工事監理指針、JASS 3。

問題12　適当、問題13　不適当

逆打ち工法は、山留め壁を設けた後、本体構造の1階床を築造して、これで山留め壁を支え、下方へ掘り進み地下各階床、梁を支保工にして順次掘り下がっていきながら、同時に地上部の躯体施工も進めていく工法である。したがって、**全体工期**の**短縮**に**効果**がある。

また、構造体を地下工事の仮設に使用するため**地階が深く広い場合**に、この工法の**効果**が発揮される。建築工事監理指針。

問題14　適当

切ばり材や腹起し材に代表される山留め用形鋼材は、再使用材として繰り返し用いることに起因する断面性能の低下、H形鋼のようなワイドフランジの形鋼では局部座屈による降伏応力の低下などの現象がみられることから、再使用する鋼材及び**リース形鋼材**の許容応力度は、**長期許容応力度**と**短期許容応力度**との**平均値**としている。山留め設計指針。

問題15　不適当

切ばりに**プレロード**を導入するときは、切ばり交差部の締付けボルトは**緩めた**状態であり、ジャッキ取付け部分も補強していない状態であるから、切ばりの浮き上がりやずれ止めを取り付ける。山留め設計指針。

問題16　適当

継手はその性質上、架構の弱点となりがちであるので、**切ばり**の**継手**はできるだけ、切ばりの**交差部**の**近く**に、腹起しの継手は曲げ応力の小さい位置に設ける。JASS 3。

問題17　適当

山留めの支柱と**構台支柱**を止むを得ず**兼用**する場合は、切ばりから伝達される荷重に構台自重とその上の積載荷重を合わせた荷重に対して、**十分安全**であるように計画し、施工する。また、支柱に大きな水平力が加わらないように十分なブレースなどを設置し、安全に施工する。JASS 3。

Check Point 6

基礎・地業工事

1 既製コンクリート杭

① **埋込み工法**

- プレボーリング工法、中掘り工法

［プレボーリング工法］

- あらかじめ杭孔を掘削し、杭を建込む工法。
- 掘削の際、孔壁の崩壊を防ぐため、**オーガーの引上げ**は**正回転**で行う。
- アースオーガヘッドは、杭径**＋100㎜**程度とする。

② **鋼　杭**

- 現場継手は、原則として**アーク溶接**とし、余盛は**3㎜**以下とする。
- 継ぎ杭における下杭の打ち残しは、溶接の行いやすい高さとする。
- **腐食しろ**は**1㎜**程度とする。

③ **共通事項**

- **群杭**は**中心**から外側へ向かって打ち進める。
- 水平方向の**心ずれ量** ⇨ 杭径の**1/4**かつ、**100㎜以下**
- **杭の傾斜** ⇨ **1/100以内**

2 場所打ちコンクリート杭

種　類	特　徴
オールケーシング工法	●孔壁保護 ⇨ **ケーシングチューブ** ●一般に**スライム**が少ない。
アースドリル工法	●壁孔保護 ⇨ **ベントナイト溶液** ●掘削深さ ⇨ 50m程度
リバース サーキュレーション工法	●孔壁保護 ⇨ **清水** ●大口径、長大杭に適している。

① **施工上の留意点**

- 孔内に水がない場合でもコンクリート打設に、**トレミー管**を使用する。
- トレミー管、ケーシングチューブは打込まれたコンクリート上面より**2m以上**入れておく。

② **鉄筋かご**

- 帯筋の継手：片面**10d以上**のフレア溶接。
- 鉄筋かごの長さの調整は、**最下段**の鉄筋かごで調整する。

③　コンクリート

- **単位セメント量** ⇨ 水、泥水中：**330kg/m³以上**
  空気中：**270kg/m³以上**
- **寒冷地を除き、気温**による強度の**補正**は行わない。
- **スランプ** ⇨ **21cm以下**
- **水セメント比** ⇨ **60%以下**

④　精　度

- **杭の最小間隔** ⇨ **杭径**の**2倍以上**かつ、**杭径＋1m以上**
- **杭の傾斜** ⇨ **1/100以内**

⑤　施工順序

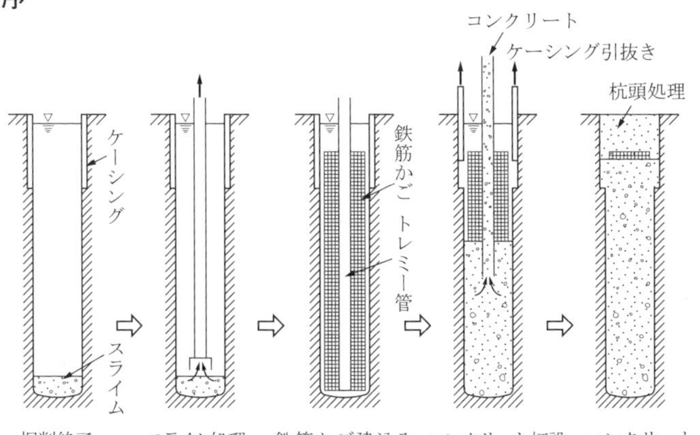

3 地盤改良

地　層	工　法	種　類
砂質地盤	締固め工法	●**バイブロフローテーション工法**
粘土地盤	強制圧密工法	●**サンドドレーン工法**

アドバイス　**基礎・地業工事**

- 基礎・地業工事からは、例年1問出題されている。
- 過去の類似問題が多いが、出題年度により難易度が大きく変わる。
- セメントミルク工法、オールケーシング工法、鉄筋かごがポイント。

問題 6　地業工事に関する次の記述について、**適当か**、**不適当か**、判断しなさい。

■既　製　杭■

check

問題1
一群となる既製杭の打込みは、なるべく群の中心から外側へ向って打ち進める。

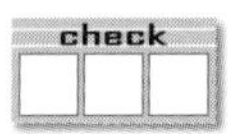

問題2
セメントミルク工法による既製コンクリート杭工事において、余掘り量(掘削孔底深さと杭の設置深さとの差)の許容値については、50cmとした。

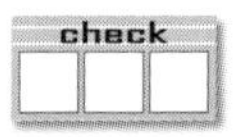

問題3
既製コンクリート杭のセメントミルク工法に使用するアースオーガーヘッドは、杭径と同径とした。

問題4
既製コンクリート杭を用いた打込み工法において、打込み完了後の杭頭の水平方向の施工精度の目安値については、杭径の1/4以内、かつ、100mm以内とした。

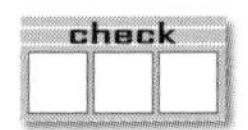

問題5
既製コンクリート杭の継手を溶接するため、下杭の打残しは、溶接の作業が容易にできる高さとした。

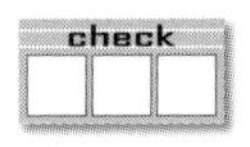

問題6
既製コンクリート杭の杭頭の切りそろえに際しては、杭周囲の土を深掘りせずに行う。

■場所打ち杭■

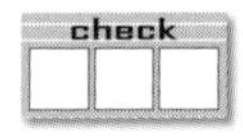

問題7
場所打ちコンクリート杭において、コンクリート打込み中のトレミー管の先端については、一般に、コンクリートの中に2m以上入っているように保持する。

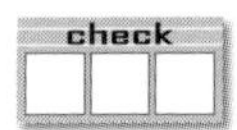

問題8
オールケーシング工法において、コンクリート打込み時のケーシングチューブの引抜きは、ケーシングチューブの先端をコンクリート内に1m程度入った状態に保持しながら行った。

問題9

オールケーシング工法による場所打ちコンクリート杭工事において、孔内水位が高く沈殿物が多い場合、ハンマーグラブにより孔底処理を行った後、スライム受けバケットによりスライムの一次処理を行う。

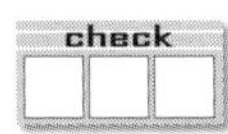

問題10

オールケーシング工法による場所打ちコンクリート杭工事において、コンクリートの余盛り高さは、掘削孔底にほとんど水がたまっていないような場合、50cm以上とした。

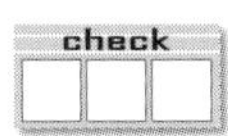

問題11

場所打ちコンクリート杭において、一般に、鉄筋かごの帯筋の継手は重ね継手とし、その帯筋を主筋に点溶接する。

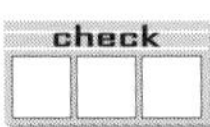

問題12

場所打ちコンクリート杭の長さが設計図書と異なったので、鉄筋かごの長さは、最下段の鉄筋かごで調整した。

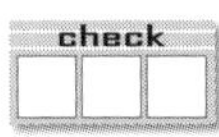

問題13

場所打ちコンクリート杭の鉄筋かごの掘削孔への吊り込みにおいて、組み立てた鉄筋かご相互の接続については、一般に、重ね継手とする。

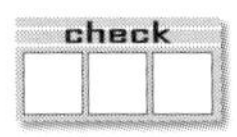

問題14

寒冷地以外における場所打ちコンクリート杭に使用するコンクリートの調合については、気温によるコンクリートの強度の補正を行わない。

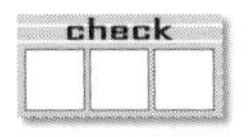

問題15

場所打ちコンクリート杭に使用するコンクリートを水中で打ち込む場合、単位セメント量を280kg/m^3とした。

■ 地盤改良地業 ■

問題16

建設地が緩い砂質地盤のため、地盤改良工法としてバイブロフローテーション工法を採用した。

問題17

軟弱な粘性土地盤の改良工法として、サンドドレーン工法を採用した。

解説

問題1　適当

一群の杭の打込みは、なるべく群の**中心から外側**へ向って打ち進める。逆に外側から中心に打ち進めると地盤が締まってしまい中心部分で打込みが困難になる。建築工事監理指針。

問題2　適当

プレボーリング工法では、掘削孔底深さと杭の設置深さとの差を**余掘り量**と呼び、杭の設置深さがその許容範囲を超える場合を「高止り」と呼ぶ。高止りは**0.5m以下**とする。JASS 4、建築工事監理指針。

問題3　不適当

セメントミルク工法は、アースオーガーによってあらかじめ掘削された縦孔の先端にセメントミルクを注入し、既製杭を建込む工法で**アースオーガーヘッドは、杭径＋100mm程度とする**。公共建築工事標準仕様書。

問題4　適当

設置された**既製杭**の**施工精度**は、**鉛直精度1/100以内**、**水平方向の心ずれ量**は**杭径の1/4**かつ、**100mm以下**が一般的な目安とされている。JASS 4。

問題5　適当

継ぎ杭における**下杭**の**打残し**は、**溶接の行いやすい高さ**とする。この高さは、溶接工の身長や作業習慣、あるいは足場の状況によって若干異なるが、地上1m前後が適当である。JASS 4。

問題6　適当

既製コンクリート杭の**杭頭の切りそろえ**に際しては、杭体に損傷を与えないようにし、**杭周囲の土**を必要以上に**深掘り**しては**ならない**。なお、切りそろえ作業を容易にするためなどの理由で深掘りした場合には、良質土で確実に埋め戻す。JASS 4。

問題7　適当

打込み中のコンクリート上面には、泥水、レイタンスがあり、通常は劣化した安定液やスライムなどと接している。これらをコンクリート中へ混入させないために、**トレミー管**は常に**コンクリート中へ**、原則として、**2m以上挿入**しておかなければならない。JASS 4。

問題8　不適当

ケーシングを**引き抜く**ときに、孔壁土砂が崩れ込み、コンクリート中に混入したり、レイタンスやスライムをコンクリート中に巻き込んだりすることがある。したがって、**コンクリート内**に**2m以上**入れておくことが望ましい。JASS 4。

問題9　適当

オールケーシング工法における**スライムの一次処理**は、**孔内水が多い**場合には、掘削終了後、ハンマーグラブによる掘りくず除去後に沈殿バケットを孔底に降ろし、一定時間沈殿待ちをしたあとに、沈殿バケットとともに沈積したスライムを引上げ除去する。JASS 4。

問題10　適当

水中又は泥水中で、コンクリートを打ち込んだ場合には、打ち込まれたコンクリートの上面は、レイタンス及び泥水やスライムなどに接触しているためにセメント分の流失や土粒子の混入などにより強度の低いものとなりやすいので、あらかじめ、この部分を見込んで余分にコンクリートを打ち込む余盛りが必要となる。一般に、余盛りの高さは、**孔内水が無い**場合で**50㎝以上**、孔内水が有る場合で80㎝以上とする。建築工事監理指針。

問題11　不適当

場所打ちコンクリート杭に使用する鉄筋は、かご形に組み立て、帯筋は主筋に**鉄線で結束**し、帯筋の継手は、**片面10ｄ以上**の**フレア溶接**とする。JASS 4。

問題12　適当

場所打ちコンクリート杭の鉄筋の加工・組立てにおいて、掘削後の検測によって鉄筋かご長さと掘削孔の深さに差がある場合には、**最下段の鉄筋かごで長さを調整**する。JASS 4。

問題13　適当

鉄筋かごは、鉄筋かごの鉛直性をトランシットや下げ振りなどで確認しながら接続する。鉄筋かごの継手は、重ね継手とする。重ね継手部は、鉄線により継手部1箇所あたり3か所以上結束するのが一般的である。JASS 4。

問題14　適当

一般には気温による**強度の補正**は**行わない**。ただし、寒冷地では地中温度が低いため、必要に応じて調合強度の割増しを行い補正する。JASS 4。

問題15　不適当

場所打ちコンクリート杭に使用するコンクリートの単位セメント量は、**清水**あるいは**泥水中**で打ち込む場合は**330kg/m^{3}以上**、**空気中**で打ち込む場合は**270kg/m^{3}以上**とする。したがって、セメント量は**330kg/㎥**以上必要である。JASS 4。

問題16　適当

バイブロフローテーション工法は、棒状振動体を地中に振動貫入させて、**緩い砂質地盤**を**締固める**とともに砕石など粗骨材を充填し、透水性の良い粗骨材の柱(直径60㎝程度)を地中に造成するものである。JASS 4。

問題17　適当

サンドドレーン工法は、強制圧密工法の一つで圧密現象を強制的に生じさせ、地盤の強度増加を図るとともに、構造物の建設後に発生する不同沈下を抑制することを目的としている。したがって、**軟弱な粘土質地盤**に適している。

Check Point 7

鉄筋工事

❶ 鉄筋の加工

●径の大きい鉄筋、強度の大きい鉄筋の折曲げ内法寸法は大きくなる。
●柱の**帯筋**の加工寸法(外側寸法)の**許容差±5㎜**。

❷ 鉄筋の組立て

●**あき ⇨ 粗骨材の最大寸法の1.25倍以上**かつ、**25㎜以上**
　　　　丸鋼では**径**、**異形鉄筋**では**呼び名**の**1.5倍以上**
●結束線(0.8㎜程度のなまし鉄線)で鉄筋を相互に結束する。
●付着を妨げるおそれのない鉄筋表面のごく**薄い赤錆**は、除去不要。
●異形鉄筋も、使用箇所により**フック**が必要となる。

❸ 最小かぶり厚さ（一般劣化環境（腐食環境）の場合）

部材の種類		計画供用期間の級	
		短　期	標準・長期
構造部材	柱・梁・耐力壁	30	40
	床スラブ・屋根スラブ	20	30

❹ 鉄筋の定着・継手

① **定着の長さ**

一　般（L_2）			下端筋（L_3）	
コンクリートの設計基準強度（N／mm^2）	SD 295	SD 345	小　梁	スラブ
21	35 d		20 d または 10d フック付き	10 d かつ 150 mm以上
24 ～ 27	30 d	35 d		
30 ～ 36	30 d			

＊L_2のフック付きは、表の数値から10d減じたもの。
＊末端フックは、定着長さに含まない。

② **継手の長さ**

コンクリートの設計基準強度（N/mm^2）	SD 295	SD 345
21	40 d（30 d）	45 d（30 d）
24～27	35 d（25 d）	40d（30 d）
30～36	35 d（25 d）	

＊（　　）内は、フック付きの数値。

〔継手位置〕

- １箇所に集中させずに鉄筋相互をずらして設ける。
- 原則として応力の小さいところでかつ、常時コンクリートの圧縮応力が生じている部分に設ける。

〔重ね継手〕

- **D35以上**には重ね継手を使用しない。
- 径の異なる重ね継手の長さは、**細い**方の径による。
- 重ね継手の長さは、鉄筋の種類、コンクリートの設計基準強度により決定する。

〔ガス圧接継手〕

- 鉄筋径が異なる場合**7㎜以下**まで圧接可能。
- 圧接面は密着させ、すき間は**3㎜以下**。
- **中心軸の偏心量**
  ⇨ 鉄筋径の**1/5以下**
- 圧接部の**ふくらみの直径**
  ⇨ 鉄筋径の**1.4倍以上**
- 圧接部の**ふくらみの長さ**
  ⇨ 鉄筋径の**1.1倍以上**
- 圧接部の**ふくらみの頂部と圧接面のずれ**
  ⇨ 鉄筋径の**1/4以下**
- 圧接部のずらし方
  ⇨ **400㎜以上**(原則)

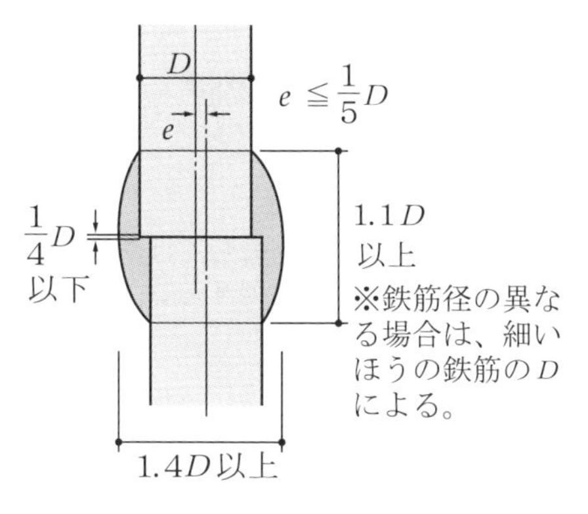

〔圧接部の補正〕

偏心量 形状不良 圧接面のずれ	切り取り ⇩ 再　圧　接
直径・長さの不足 曲　が　り	再　加　熱

ガス圧接

アドバイス 鉄筋工事

- 鉄筋工事からは、例年１問出題されている。
- 過去の類似問題が多く、難易度は比較的低いが、まれに難しい出題がある。
- 鉄筋の加工・組立てにおける注意点、ガス圧接が出題のポイント。
- 「かぶり厚さ」では、構造的に重要な柱・梁・耐力壁に関する数値、「定着長さ」「重ね継手の長さ」では、一般的に使用される鉄筋、コンクリートの強度における数値に着目し、整理すること。

問題7

鉄筋工事に関する次の記述について、**適当か**、**不適当か**、判断しなさい。

加工・組立て

check

問題1
　ＳＤ345、呼び名Ｄ29の鉄筋を折曲げ角度90°に加工する場合、熱処理とせずに冷間加工とする。

check

問題2
　鉄筋表面のごく薄い赤錆は、コンクリートの付着も良好で害はないが、粉状の赤錆は、コンクリートの付着を低下させるので、ワイヤブラシで取り除いた。

check

問題3
　帯筋の四隅と交差する鉄筋相互の結束については、その交点の全数について行うこととした。

check

問題4
　帯筋若しくはあばら筋の最外側から型枠の内側までの最短距離が、鉄筋に対するコンクリートの必要な最小かぶり厚さ以上になるようにした。

check

問題5
　片持ち庇のスラブ筋に用いるスペーサーについて、材質を施工に伴う荷重に対して耐えられる鋼製とし、型枠に接する部分には、プラスチックコーティングの防錆処理を行ったものを使用した。

check

問題6
　あばら筋、帯筋及びスパイラル筋の加工寸法(外側寸法)の許容差は、特記のない場合、その建築物の鉄筋コンクリートの構造体及び部材の「計画供用期間の級」にかかわらず、±５㎜とした。

check

問題7
　径が同じ異形鉄筋の相互のあきについては、「呼び名の数値の1.5倍」、「粗骨材の最大寸法の1.25倍」、「25㎜」のうち、最も大きい数値以上とする。

定着・継手

check

問題8

設計基準強度24N/mm^{2}の普通コンクリートを用いた小ばりの下端の主筋（異形鉄筋）の定着長さは、フックなしの場合、呼び名に用いた数値の15倍以上とした。

check

問題9

コンクリートの設計基準強度が24N/mm^{2}の場合、屋根スラブの下端筋（SD345）の定着の長さは、10d（dは異形鉄筋の呼び名に用いた数値）、かつ、150mm以上とした。

check

問題10

鉄筋の継手は、原則として、応力の小さいところで、かつ、常時はコンクリートに圧縮応力が生じている部分に設ける。

check

問題11

鉄筋の重ね継手の長さは、鉄筋の種類及びコンクリートの設計基準強度等によって異なる。

check

問題12

コンクリートの設計基準強度が27N/mm^{2}の場合、SD345の鉄筋の重ね継手をフックなしとし、長さは呼び名の数値の40倍以上とした。

check

問題13

径が異なる異形鉄筋の重ね継手の長さについては、一般に、細いほうの鉄筋の径を基準として定める。

check

問題14

ガス圧接を行う場合、圧接部の膨らみの直径は、鉄筋径の1.4倍以上とし、片ぶくらみがないようにした。

check

問題15

同径の鉄筋をガス圧接で接合する場合、圧接部における鉄筋中心軸の偏心量は、鉄筋径の1/5以下とした。

check

問題16

ガス圧接継手において、圧接面のずれが鉄筋径の1/4を超えた圧接部については、再加熱して修正した。

check

問題17

SD345のD25の鉄筋の手動ガス圧接については、技量資格種別2種の手動ガス圧接技量資格者が行った。

解説

問題1　適当

鉄筋は熱処理を行うと、鋼材としての性能が変わるので、加工場での**曲げ加工**は**冷間加工**としなければならない。JASS 5。

問題2　適当

鉄筋は組立てに先立ち、浮き錆・油類・ごみ・土など、コンクリートとの付着を妨げるおそれがあるものは除去する。なお、鉄筋表面のごく薄い**赤錆**は、コンクリートの付着も良好なので**除去しなくてもよい**。JASS 5。

問題3　適当

交差する鉄筋相互の結束は、帯筋では四隅の交点で全数とする。JASS 5。

【参考】鉄筋は、施工図に基づいて配筋し、コンクリートの打込み完了まで移動しないように、なまし鉄線等を用いて堅固に組み立てる。

問題4　適当

最小かぶり厚さは、対象とする鉄筋コンクリート部材の各面、または、そのうちの特定の箇所において、最も外側にある鉄筋(一般に梁ではあばら筋、柱では帯筋)の許容できる最小のかぶり厚さをいう。各面は、柱の4面、梁の2側面と底面、スラブ、壁の両面などをいい、その中の特定の箇所は、壁の開口部回りで、開口補強筋が外側に配筋される部分誘発目地や水切り目地部分などをいう。JASS 5。

問題5　適当

スペーサーは、鉄筋のかぶり厚さを確保するために用いられるもので、原則として、**鋼製**とし、**型枠に接する部分**に**防錆処理**(プラスチックコーティング、プラスチックパイプを挿入したもの)を行ったものとする。建築工事監理指針。

問題6　適当

あばら筋・帯筋・スパイラル筋の加工寸法の許容差は、特記のない場合、その建築物の鉄筋コンクリートの構造及び部材の「計画供用期間の級」にかかわらず、**±5㎜**である。JASS 5。

問題7　適当

鉄筋相互のあきは、**粗骨材の最大寸法**の**1.25倍以上、かつ、25㎜以上**、また、丸鋼では径、異形鉄筋では呼び名の数値の1.5倍以上とする。JASS 5。

問題8　不適当

小ばりの**下端**の**主筋の定着長さ**は、異形鉄筋の場合、鉄筋の種類およびコンクリートの設計基準強度に関係なく呼び名の数値の**フックなし**で**20倍**、**フック付き**で**10倍**である。JASS 5。

問題9　適当

床、屋根スラブの下端筋の**定着長さ**は、鉄筋の種類、コンクリートの設計基準強度に関係なく、**10*d***、かつ、**150㎜以上**である。JASS 5。

問題10　適当

鉄筋の**継手**は、原則として、**応力の小さいところ**で、かつ常時はコンクリートに**圧縮応力**が生じている部分に設ける。また、継手は1か所に集中することなく、**相互にずらして**設けることを原則とする。JASS 5。

問題11　適当

鉄筋の**重ね継手**及び定着長さは、**鉄筋の種類、コンクリートの設計基準強度**及びフックの有無などによって異なるので注意する。D35以上の異形鉄筋には、原則として重ね継手は用いない。JASS 5。

問題12　適当

鉄筋の種類がＳD345、コンクリートの設計基準強度が27N/$㎜^2$のときの、鉄筋の**重ね継手長さ**は、呼び名の数値の**40倍**又は**30倍フック付以上**とする。JASS 5。

問題13　適当

直径が異なる重ね継手の長さは、**細いほう**の鉄筋の径による。JASS 5。

問題14　適当

鉄筋のガス圧接部における**膨らみの直径**は、原則として鉄筋径の**1.4倍以上**とし、片ぶくらみがなく、膨らみの長さは、鉄筋径の1.1倍以上とし、なだらかで、垂れ下がりがないようにする。JASS 5。なお、ＳD490においては、膨らみの直径は鉄筋径の1.5倍以上、膨らみの長さは鉄筋径の1.2倍以上とする。

V
施
工

問題15　適当

ガス圧接継手の場合、鉄筋中心軸の**偏心量**は、鉄筋径の**1/5以下**とする。JASS 5。

問題16　不適当

圧接完了後の外観検査の結果、**圧接面のずれ**が規定値を超えた場合は、圧接部を切り取って再圧接する。JASS 5。

【関連】
- ●ガス圧接継手の外観検査の結果、明らかな**折れ曲がり**が生じて不合格となった圧接部については、**再加熱**して修正する。
- ●圧接部の**膨らみ**の直径が鉄筋径の**1.4倍未満**であったものについては、**再加熱**し、圧力を加えて所定の膨らみに修正する。

問題17　適当

ガス圧接継手の良否は、圧接技量資格者の技量に左右されることが多いので、技量試験(JIS Z 3881)に合格している**圧接技量資格者**によって施工する。2種は、D32以下なので、D25のガス圧接は施工できる。JASS 5。

Check Point 8 型枠工事

❶ 型枠工法

種　類	特　徴
ラス型枠工法	●地中ばり、基礎に用いる。
デッキプレート型枠工法	●**支柱、解体作業**が**不要**。
薄板打込み型枠工法	●仕上げ工程の**短縮**可能。
プレキャストコンクリート型枠工法	●**外部足場**を**省略**できる。
スライディングフォーム工法	●**連続的**に構造物を構築できる。

❷ 支保工・型枠の設計

① **支保工**

- 支保工の鉛直荷重はコンクリート、鉄筋、型枠等の重量に1.5kN/㎡以上を加えたものとする。
- 地震による荷重は通常考慮する必要はないが、風圧による荷重は、地域、季節等によっては考慮する必要がある。
- **支保工**の**鋼材**の**許容曲げ応力度**および**許容圧縮応力度**

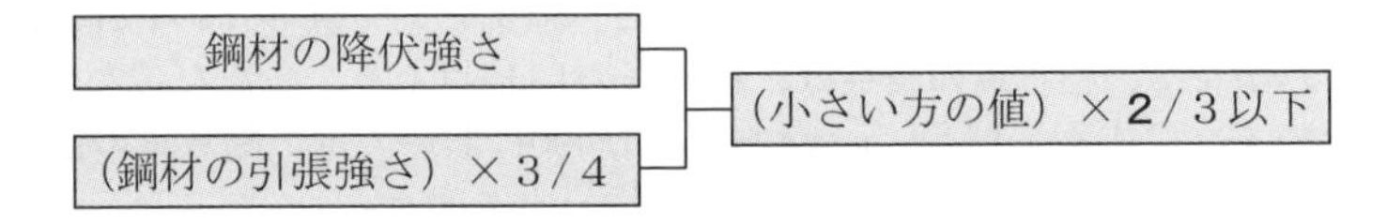

② **型　枠**

- 型枠の強度、剛性の計算は、コンクリートの施工時の鉛直荷重、水平荷重、コンクリートの側圧について行う。
- 打込み速さ、フレッシュコンクリートのヘッド、**単位容積質量**が**大きく**なれば、**側圧**も大きくなる。

❸ 型枠の組立て

- 型枠、支保工の組立て、解体は**作業主任者**が直接指揮する。
- 型枠を足場、やり方などに連結させてはならない。
- **パイプサポート**を**３以上**継いではならない。
- **支柱の水平つなぎ**

<table>
<tr><td>パイプサポート（高さ3.5m超）</td><td rowspan="2">高さ２ｍ以内ごとに水平つなぎを２方向に設ける。</td></tr>
<tr><td>鋼管（パイプサポート除く）</td></tr>
<tr><td>組み立て鋼柱（高さ４ｍ超）</td><td>高さ４ｍ以内ごとに水平つなぎを２方向に設ける。</td></tr>
</table>

4 型枠の存置期間

① 存置期間と圧縮強度の関係(JASS 5)

	建築物の部分	存置日数・平均気温		圧縮強度
		20℃以上	10～20℃	
せき板	基礎・梁側 柱・壁	4	6	5 N/mm^2 (短期・標準)
	スラブ下 梁 下	支保工取外し後		設計基準強度の100%
支保工		圧縮強度が12N/mm^{2}以上※ かつ計算による安全確認		

※庇、片持ちばりの下の支保工は除く。

② せき板存置期間中の平均気温が10℃以上の場合 (短期・標準)

基礎・梁側・柱及び壁のせき板の存置期間を定めるためのコンクリートの材齢

コンクリートの材齢(日)			
セメントの種類 ＼ 平均温度	早強ポルトランドセメント	普通ポルトランドセメント 高炉セメントA種 フライアッシュセメントA種	高炉セメントB種 フライアッシュセメントB種
20℃以上	2	4	5
20℃未満 10℃以上	3	6	8

③ セメント(ポルトランド)の種類と存置期間の比較

早強 < 普通 < 高炉B種

‖同じ

高炉A種

④ 注意事項

- 普通ポルトランドセメント ⇨ 打込み後**5日間以上**、コンクリート表面を**湿潤**に保つ。
- 床スラブ下、はり下のせき板は、原則として支保工を取外した後に取外す。
- 大ばりの支柱の**盛かえ**は行わない。

アドバイス 型枠工事

- 型枠工事からは、例年1問出題されている。
- 難易度は出題年度により大きく変動する。標準的な問題が出題された場合には、正解したい。
- せき板、支保工の存置期間では、柱・壁の側面とスラブ・梁下のように上部のコンクリートの荷重を支える部分では、当然、取扱いが異なることに着目し整理する。

問題 8 型枠工事に関する次の記述について、**適当か**、**不適当か**、判断しなさい。

▌型枠の材料と工法▐

問題1
　型枠材料として、ウレタン系の樹脂で表面処理をしたコンクリート型枠用合板を使用すると、一般に、コンクリート表面の硬化不良を防止する効果がある。

問題2
　地中ばりのせき板には、施工の省力化及び工期の短縮を図るため、合板の代わりに特殊リブラス(鋼製ネット)を使用するラス型枠工法を採用した。

問題3
　垂直な独立柱の型枠は、コラムクランプを用いて、柱の型枠を四方から水平に締め付けて組み立てた。

▌型枠の設計・加工・組立て▐

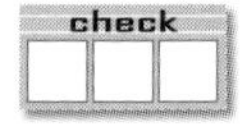

問題4
　型枠の構造計算において、地震による荷重は通常考慮する必要はないが、風圧による荷重は、地域、季節等によっては考慮する必要がある。

問題5
　型枠支保工の計画に当たって、コンクリートの打込みをポンプ工法により行うので、打込み時の積載荷重として、1.5kN/㎡を採用して、構造計算を行った。

問題6
　型枠の強度及び剛性の計算は、コンクリートの打込み時の振動・衝撃を考慮したコンクリート施工時の鉛直荷重、水平荷重及びコンクリートの側圧について行う。

問題7
　型枠支保工に用いる鋼材の許容圧縮応力の値は、当該鋼材の「降伏強さの値」又は「引張強さの値の3/4の値」のうち、いずれか小さい値の4/5の値とした。

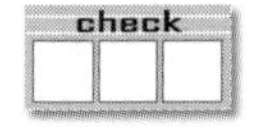

問題8
　壁型枠に設ける配管用のスリーブのうち、開口補強が不要であり、かつ、スリーブの径が200㎜以下のものは、紙チューブとすることができる。

問題９

型枠支保工の計画において、階高の大きい場所にはパイプサポートを３本継いで用いることにした。

問題10

組立て鋼柱を支柱として用いる場合、その高さが４ｍを超えるときは、高さ４ｍ以内ごとに水平つなぎを二方向に設け、かつ、水平つなぎの変位を防止する。

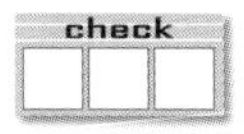

問題11

「せき板と最外側鉄筋とのあき」、「バーサポート及びスペーサーの材質と配置」及び「埋込金物の位置」の監理者による検査については、型枠の組立てがすべて終了した段階で行った。

型枠の存置期間

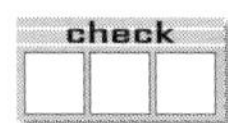

問題12

コンクリートに使用するセメントを普通ポルトランドセメントから高炉セメントＢ種に変更したので、コンクリートの材齢によるせき板の最小存置期間を、普通ポルトランドセメントの場合の最小存置期間より長くした。

問題13

計画供用期間の級が標準の場合、普通ポルトランドセメントを用いたコンクリートにおいて、せき板の存置期間の平均気温が12℃の場合、材齢が４日に達すれば、圧縮強度試験を行わずに柱及び壁のせき板を取り外すことができる。

問題14

計画供用期間の級が標準の場合、基礎、はり側、柱及び壁のせき板の存置期間は、コンクリートの圧縮強度が５N/mm^{2}以上に達したことが確認されるまでとした。

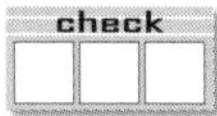

問題15

床スラブ下及びはり下の支保工は、コンクリートの圧縮強度が設計基準強度に達する以前においても、コンクリートの圧縮強度が12N/mm^{2}以上であり、かつ、計算によりその安全が確認されれば、取り外すことができる。

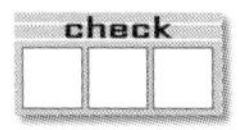

問題16

庇の支保工は、コンクリートの圧縮強度が12N/mm^{2}以上であれば、コンクリートの圧縮強度が設計基準強度に達する前に取り外すことができる。

解説

問題1　適当

表面加工コンクリート型枠用合板は、木材とセメントの化学反応(**硬化不良**)**を防止**するほか、せき板のむしれ、われなどを防止し、コンクリートとの剥離を容易にするなどの利点を有している。また、耐久性に優れ、使用回数も増大することができる。型枠の設計・施工指針案。

問題2　適当

ラス型枠工法は、合板の代わりに特殊リブラス(鋼製ネット)をせき板に使用し、鋼製フレームまたは桟木と鋼製ネットを組み合わせたものを、従来の締付け金物、横端太材で固定してコンクリートを打ち込むものである。せき板の解体作業がないことにより、施工の**省力化・工期短縮**が可能となる。**地中ばり**や基礎に多く用いられる。型枠の設計・施工指針案。

問題3　適当

コラムクランプは、支保工の一つで、**柱型枠**を**四方から水平に締付ける**ためのもので、主として独立柱の型枠を組み立てる場合に用いる。型枠の設計・施工指針案。

問題4　適当

コンクリート施工時の**水平荷重**の値は実情に応じて定める。**地震**による荷重は通常**考慮する必要はない**が、**風圧**による荷重は、地域・季節や型枠施工時の地上からの高さなどの関係で、強風にさらされる場合は、**考慮しなければならない**。JASS 5。

問題5　適当

打込み時の積載荷重は、作業荷重と衝撃荷重が含まれたものと考えられる。このため、通常の**ポンプ工法による場合**は、打込み時の**積載荷重**として、**1.5kN/㎡**を採用する。JASS 5。

問題6　適当

型枠の**強度**及び**剛性**の計算は、打込み時の振動・衝撃を考慮したコンクリート施工時の鉛直荷重・水平荷重及びコンクリートの側圧について行う。JASS 5。

問題7　不適当

型枠支保工の鋼材の許容曲げ応力及び許容圧縮応力の値は、当該**鋼材の降伏強さ**の値又は**引張強さ**の値の**3/4**の値のうち、**いずれか小さい値の2/3**の値以下とする。労働安全衛生規則241条。

問題8　適当

スリーブには、鋼管のほか、硬質塩化ビニル管や紙チューブが用いられるが、径が大きくなった場合は、補強を十分に行う必要がある。**柱及び梁以外**の箇所で、開口補強が不要であり、かつ、スリーブ径が200㎜以下の部分は**紙チューブ**としてもよい。建築工事監理指針、公共建築工事標準仕様書。

問題9　不適当

パイプサポートを支柱として用いる場合、**パイプサポート**を**3以上**継いで用いては**ならない**。労働安全衛生規則242条。

問題10　適当

組立て鋼柱を支柱として用いた場合、高さが**4ｍを超える**ときは、高さ**4ｍ以内ごと**に**水平つなぎ**を**2方向**に設け、かつ、水平つなぎの**変位を防止**すること。労働安全衛生規則242条9号。

問題11　不適当

型枠は、コンクリートの打込みに先立ち、工事監理者の検査を受ける。型枠は組み立てられると検査及びそれに伴う修正が困難な場合が多い。特に「せき板と最外側鉄筋とのあき」、「バーサポート及びスペーサーの材質と配置」、「各種配管、ボックス、埋込金物類の位置、数量」についての検査は、型枠の組立てが終了した段階では困難であるため、**型枠の組立ての各工程**において工事監理者の**検査を受ける**。JASS 5。

問題12　適当

普通ポルトランドセメントを使用する場合の方が、高炉セメントB種を使用する場合より、せき板の存置期間は**短い**。JASS 5。

問題13　不適当、問題14　適当

基礎・梁側・柱及び壁のせき板の存置期間は、コンクリートの**圧縮強度**が**5Ｎ/㎜^{2}以上**（長期及び超長期の場合は10Ｎ/㎜^{2}以上）に達したことが確認されるまでとする。なお、せき板存置期間中の平均気温が10℃以上20℃未満の場合は、普通ポルトランドセメントでは材齢6日、**20℃以上**の場合は、材齢**4日以上**経過すれば、圧縮強度試験を必要とすることなく取り外すことができる。JASS 5。

問題15　適当

支保工の存置期間は、**スラブ下・はり下**とも**設計基準強度**の**100%以上**のコンクリートの圧縮強度が得られたことが確認されるまでとするが、**圧縮強度**が**12Ｎ/㎜^{2}以上**であり、**計算**によりその**安全が確認**されれば、取り外すことができる。JASS 5。

問題16　不適当

片持ばり又は**ひさし**の支保工の存置期間は、**設計基準強度**の**100%以上**のコンクリートの圧縮強度が得られたことが確認されるまでとする。JASS 5。

Check Point 9

コンクリート工事

❶ コンクリートの調合（普通ポルトランドセメント）

項　目	内　容
水セメント比	**65%以下**　**小**さい ⇨ **強度・水密性・耐久性→㊅**
単位水量	**185kg/m^{3}以下**　⇨ 多い：ひび割れ、耐久性低下
単位セメント量	**270kg/m^{3}以上**
スランプ	普通コンクリート：**18cm以下**（33N/mm^{2}未満）
空気量	普通コンクリート：**4.5%**
塩化物イオン量	**0.30kg/m^{3}以下**

●水セメント比＝$\frac{単位水量}{単位セメント量}\times 100(\%)$

●品質基準強度

設計基準強度 ⇔ 耐久設計基準強度 ⇨ **大きい**方の値

●耐久設計基準強度（一般劣化環境（腐食環境）の場合）

計画供用期間の級	耐久設計基準強度（N/mm^2）
短　期	18
標　準	24
長　期	30
超長期	36

❷ コンクリートの中性化

- **水セメント比**を**小**さく、**ＡＥ剤**、**ＡＥ減水剤**を用いる ⇨ **中性化**は**遅く**なる。
- 中性化は一般に屋外より**屋内**において進行しやすい。
- コンクリートが中性化しても圧縮強度は低下しない。
- フェノールフタレイン溶液によって、赤色に変化しない部分 ⇨ 中性化範囲

❸ 運搬・打込み・養生

① 運搬・打重ね時間

●練混ぜから打込み終了までの時間と打重ね時間間隔の限度

外気温	**打込み**時間限度	**打重ね**時間限度
25℃未満	**120分以内**	**150分**
25℃以上	**90分以内**	**120分**

- コンクリートポンプ１台当たりの打設量 ⇨ 20～30m^3/h
- 輸送管の呼び寸法：粗骨材の最大寸法20・25mm ⇨ **100**A以上、40mm ⇨ **125**A以上

② 打継ぎ

はり・床スラブ	●中央または端から1/4付近
柱・壁	●床スラブ、はり、基礎ばりの上端

③ 締固め(棒形振動機)

●間隔は60cm以下とし、できるだけ垂直に挿入する。
●下層に振動機の先端が入るように挿入する。

④ 養　生

●湿潤養生期間：５日間以上(普通ポルトランドセメント、短期、標準)
●養生温度：２℃以上に保つ。(寒冷期、５日間以上)

4 品質管理 (構造体コンクリートの圧縮強度)

●打込み工区、打込み日ごとに１回行う。
●任意の３台の運搬車から１個ずつ合計３個採取する。(受入れ検査と併用しない場合)
※　高強度コンクリート：打込み日、打込み工区かつ300m^{3}ごとに検査ロットを構成。１検査ロットの試験回数は３回。
●強度管理の材齢　28日：標準養生、現場水中養生
28日超～91日以内：現場封かん養生
91日：コア
●供試体の寸法：直径10cm、高さ20cmの円筒形(一般的)

5 各種コンクリート

種　類	特記事項
寒　中	●調合管理強度：24N/mm^{2}以上 ●ＡＥ剤、ＡＥ減水剤等を使用する。
暑　中	●荷卸し時のコンクリート温度：35℃以下
マスコン	●スランプ：15cm以下 ●ひび割れ対策：高炉セメントＢ
高強度	●単位水量：175kg/m^{3}以下(原則)
水　密	●水セメント比：50%以下

アドバイス　コンクリート工事

●コンクリート工事からは、例年２問出題されている。
●調合、施工は、細かい規定に関する出題が多いため、難易度は比較的高い。
●数値については、正確に記憶する必要がある。
●各種コンクリートでは、過去に出題された事項を押える程度にとどめたほうが効率がよい。

問題9

コンクリート工事、各種コンクリートに関する次の記述について、**適当か**、**不適当か**、判断しなさい。

check

問題1
はつり箇所のコンクリートの中性化深さについては、そのコンクリート面に噴霧したフェノールフタレイン溶液が赤紫色に変化した部分を、中性化した部分と判断した。

check

問題2
一般に、水セメント比を小さくすると、コンクリートの中性化は遅くなる。

check

問題3
コンクリートをポンプにより圧送するに当たって、コンクリートに先立って圧送した富調合モルタルについては、型枠内に打ち込まずに全て破棄した。

check

問題4
コンクリートの練混ぜから打込み終了までの時間の限度は、外気温が25℃未満の場合は120分、25℃以上の場合は90分とする。

check

問題5
コンクリートをポンプにより圧送するに当たり、粗骨材の最大寸法が40㎜であったので、輸送管の呼び寸法を125Aとした。

check

問題6
はり及びスラブの鉛直打継ぎ部は、欠陥が生じやすいので、できるだけ設けないほうがよいが、やむを得ず鉛直打継ぎ部を設ける場合は、部材のスパンの中央または端から1/4付近に設ける。

check

問題7
外気温が25℃であったので、コンクリートの打重ね時間間隔は、120分以内、かつ、先に打ち込まれたコンクリートが再振動可能な時間内とした。

check

問題8
コンクリート棒形振動機は、打込み各層ごとに用い、その各層の下層に振動機の先端が入るようにほぼ鉛直に挿入し、挿入間隔を60㎝以下とし、コンクリートの上面にペーストが浮くまで加振した。

check

問題9
「計画供用期間の級」が標準で、普通ポルトランドセメントを用いたコンクリートの打込みを行ったので、湿潤養生は5日間である。

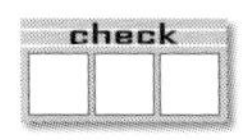

問題10

コンクリートの沈みによるひび割れやブリーディング等による欠陥は、コンクリートの凝結前に処置する。

問題11

スランプを18cmと指定したレディーミクストコンクリートにおいて、受入れ時のスランプ試験の結果が20cmであったので、合格とした。

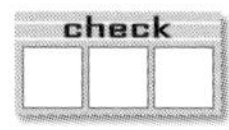

問題12

寒中コンクリートにおいて、構造体コンクリートの強度推定のための圧縮強度試験の供試体は、現場封かん養生とする。

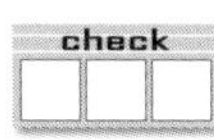

問題13

暑中コンクリートにおいては、ひび割れの発生を防止するため、荷卸し時のコンクリートの温度は35℃以下とする。

問題14

高流動コンクリートの流動性は、スランプフローで表し、その値を65cmとした。

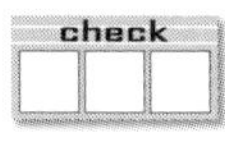

問題15

高強度コンクリートにおける構造体コンクリートの圧縮強度の試験回数については、打込み日ごと、打込み工区ごと、かつ、150m^3又はその端数ごとに１回とした。

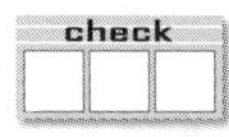

問題16

プレストレストコンクリート工事に用いるＰＣ鋼材について、現場において、加熱又は溶接を行ってはならない。

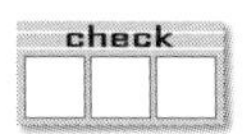

問題17

マスコンクリートにおいては、内部温度の上昇を抑制するため、スランプは15cm以下とする。

解説

問題1　不適当、問題2　適当

コンクリートの中性化の測定方法としては、フェノールフタレイン溶液の吹付け等が用いられている。コンクリートの中性化とは、空気中の炭酸ガスなどの作用によってアルカリ性を失っていく現象で、コンクリートがフェノールフタレインアルコール溶液によって**赤色**に変色しないことによって判定する。

水セメント比の**小さい**コンクリートは、セメントペーストと組織が緻密で透気性が小さくなるので**中性化速度**は**遅い**。JASS 5。

問題3　適当

コンクリートの圧送に先立ち、配管の水密性や潤滑層の確保のために、水およびモルタルを圧送する。**先送りモルタル**は、原則として型枠内には打ち込まない。JASS 5。

問題4　適当

記述の通り。JASS 5。

問題5　適当

粗骨材の最大寸法が20又は25㎜の場合には、**輸送管の呼び寸法**は100A以上、また、粗骨材の最大寸法が**40㎜**の場合には、**125A以上**のものを使用する。JASS 5。

問題6　適当

記述の通り。JASS 5。

問題7　適当

コンクリート打込み継続中における**打重ね時間間隔**の限度は、コールドジョイントが生じない範囲とし、原則として、外気温が25℃未満の場合は150分、**25℃以上**の場合は**120分**を目安とし、先に打ち込まれたコンクリートの**再振動可能時間以内**とする。JASS 5。

問題8　適当

記述の通り。JASS 5。

問題9　適当

打込み後のコンクリートは、透水性の小さいせき板による被覆、養生マットまたは水密シートによる被覆、散水、噴霧、膜養生剤の塗布などにより湿潤養生を行う。その期間は、供用期間の級に応じて、次表によるものとする。JASS 5。

計画供用期間の級 ＼ セメントの種類	短期・**標準**	長期・超長期
早強ポルトランドセメント	3日以上	5日以上
普通ポルトランドセメント	**5日**以上	7日以上
高炉セメントB種	7日以上	10日以上

問題10　適当

コンクリートの**沈み**による**ひび割れ**及び粗骨材の分離や**ブリーディング**などによる欠陥は、コンクリートの**凝結前**にタンピングなどの処置をする。JASS 5。

問題11　適当

スランプの許容差は、指定したスランプにより規定されている。設問の**スランプ18cm**の場合、**許容差は±2.5cm**なので、許容範囲は、15.5cm以上20.5cm以下となる。JASS 5。

指定したスランプ(cm)	許容差(cm)
5、6.5	±1.5
8以上18以下	±2.5
21	±1.5*

＊呼び強度27以上で高性能AE減水剤を使用する場合は、±２とする。

問題12　適当

記述の通り。JASS 5。

問題13　適当

記述の通り。JASS 5。

問題14　適当

高流動コンクリートのフレッシュコンクリートの流動性は**スランプフロー**で表し、その値は**55cm以上65cm以下**とする。JASS 5。

問題15　不適当

高強度コンクリートの**圧縮強度の検査**は、**打込み日、打込み工区**かつ**300m³ごと**に検査ロットを構成して行う。１検査ロットにおける試験回数は３回とする。なお、１日の打込み量が30m³以下の場合は、工事監理者との協議の上これと異なる検査ロットを構成することができる。また、１回の検査は、適当な間隔をあけた任意の３台の運搬車から１台につき３個ずつ採取した９個の供試体で行う。JASS 5。

問題16　適当

ＰＣ鋼材は、一般に高炭素鋼であるので、溶接したり局部的に加熱、急冷したりすると、その部分が許容緊張力以下の荷重で脆性破断を起す危険性が極めて高くなる。現場においてＰＣ鋼材の加工・組立てを行う場合、**加熱、溶接を行ってはならない**。JASS 5。

問題17　適当

マスコンクリートの**スランプ**は、**15cm以下**とする。できるだけスランプを小さくして、水和熱発生の主たる要因である単位セメント量を少なくすることが重要である。JASS 5。

Check Point 10 鉄骨工事

❶ 加工・組立て

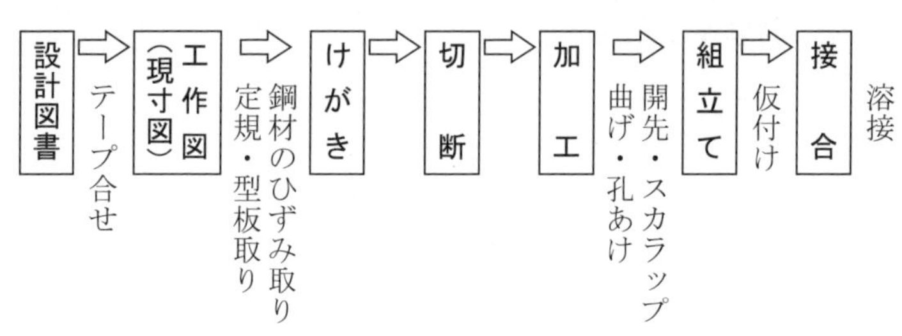

① **加　　工**

- **けがき寸法** ⇨ **収縮、変形、仕上げ代**を考慮する。
- 高張力鋼 ⇨ ポンチ、たがねの打痕を残さない。
- 設計図書により**メタルタッチ**が指定されている場合、**切削加工機**を使用し、部材相互が十分**密着**するよう加工する。
- ボルト用孔あけ加工
  ⇨ **ドリル開け**（原則）←板厚**13㎜以下**：**せん断孔あけ**も可
  （高力ボルト用孔以外）
- 加熱加工 ⇨ **赤熱状態**（850～900℃）
- 常温加工における内側曲げ半径（ハンチ）⇨ 板厚の**８倍以上**

② **組立て（仮付け）**

- 組立溶接 ⇨ **被覆アーク溶接、ガスシールドアーク溶接**
- 本溶接と**同等の品質**が得られるようにする。
- ビードの脚長 ⇨ **４㎜以上**
- ビードの長さ ⇨ 板厚６㎜以下：**30**㎜以上　６㎜超：**40**㎜以上
- **ショートビード**とならないようにする。

❷ 溶　　接

① **環境（気温・風速）**

- 気温－５℃を下回るとき：溶接不可
  －５℃～５℃：母材の予熱を要する。
- 風速**２ｍ以上** ⇨ 防風処理

② **溶接作業順序**

- **完全溶込み溶接** ⇨ **隅肉溶接**
- **高力ボルト** ⇨ **溶接**

③ **完全溶込み溶接**

- 開先のある溶接の両端 ⇨ **エンドタブ**（原則）

④ 隅肉溶接

- **余盛** ⇨ **最小限**←最大４㎜
- **溶接長さ＝(溶接有効長さ)＋(隅肉サイズ)×２**
- 溶接長さ(設計図書)は有効長さである。

⑤ 検　　査

- **完全溶込み溶接部の外観検査**は抜取検査とする。
- **内部欠陥** ⇨ **超音波探傷試験**
- **表面欠陥** ⇨ **浸透探傷試験**

3 現場作業

① アンカーボルトの設置(後詰め中心塗り工法)

- モルタル ⇨ **無収縮モルタル**
- 大きさ：200㎜角、200㎜φ以上、塗厚さ：30㎜以上50㎜以内

② 建　　方

- 仮ボルト ⇨ **混用接合、併用継手**：１群の**1/2**かつ**２本以上**
  高力ボルト継手：１群の**1/3**かつ**２本以上**
  エレクションピース：高力ボルト・全数
- ターンバックル付き筋かいを使用して建入れ直しをしてはならない。

4 高力ボルト

① 注意事項

- **すべり係数** ⇨ **0.45以上**
- **はだすき**が**1㎜**を超えるもの ⇨ **フィラー**
- ボルト孔の**食違い**が**2㎜以下** ⇨ **リーマ掛け**
- 座金、ナットには表裏があり、**逆使い**に注意する。

② 高力ボルト(トルシア型)の締付け

- **１次締め→マーキング→本締め(３段階)**

③ 締付け後の検査

- トルクコントロール法：受入検査時の平均トルク値の**±10％以内**
- ナットコントロール法：１次締付け後のナットの回転量 ⇨ **120度±30度**
- **共回り**したものは**新しいセット**に交換する。
- ボルトの余長 ⇨ １～６山

アドバイス　鉄骨工事

- 鉄骨工事からは、例年２問出題されている。
- 過去の類似問題が多いので、確実に正解したい。
- 鋼材の加工、組立溶接、あと詰め中心塗り工法、仮ボルト、接合部の組立て、締付け後の検査がポイント。

問題 10-1　鉄骨工事に関する次の記述について、**適当か**、**不適当か**、判断しなさい。

工場作業

check □□□

問題1
　鋼材の受入れに当たって、鋼材の現品に規格名称や種類の区分等が表示され材質が確実に識別できるものについては、規格品証明書の原本の代わりに原品証明書により材料の確認を行った。

check □□□

問題2
　床書き現寸については、特記の指示がなく、特に必要がなかったので、工作図をもって省略した。

check □□□

問題3
　490N/mm^{2}級以上の高張力鋼及び曲げ加工される400N/mm^{2}級の鋼材の外面には、溶接により溶融する箇所又は切断等により除去される箇所を除いて、ポンチやたがねによる打痕（こん）を残してはならない。

check □□□

問題4
　鋼材をせん断切断加工する場合、その板厚は13mm以下のものとした。

check □□□

問題5
　高力ボルト用の孔あけ加工において、鉄骨部材の板厚が13mm以下であったので、せん断孔あけとした。

check □□□

問題6
　鋼材の曲げ加工を加熱加工により行う場合、鋼材の温度を約300℃とした。

check □□□

問題7
　柱、梁及びブレース端のハンチ等の塑性変形能力を要求される部材において、常温曲げ加工による内側曲げ半径は、材料の板厚の2倍とした。

組立溶接

check □□□

問題8
　組立溶接においては、溶接部に割れが生じないように、必要で十分な長さと4mm以上の脚長をもつビードを適切な間隔で配置した。

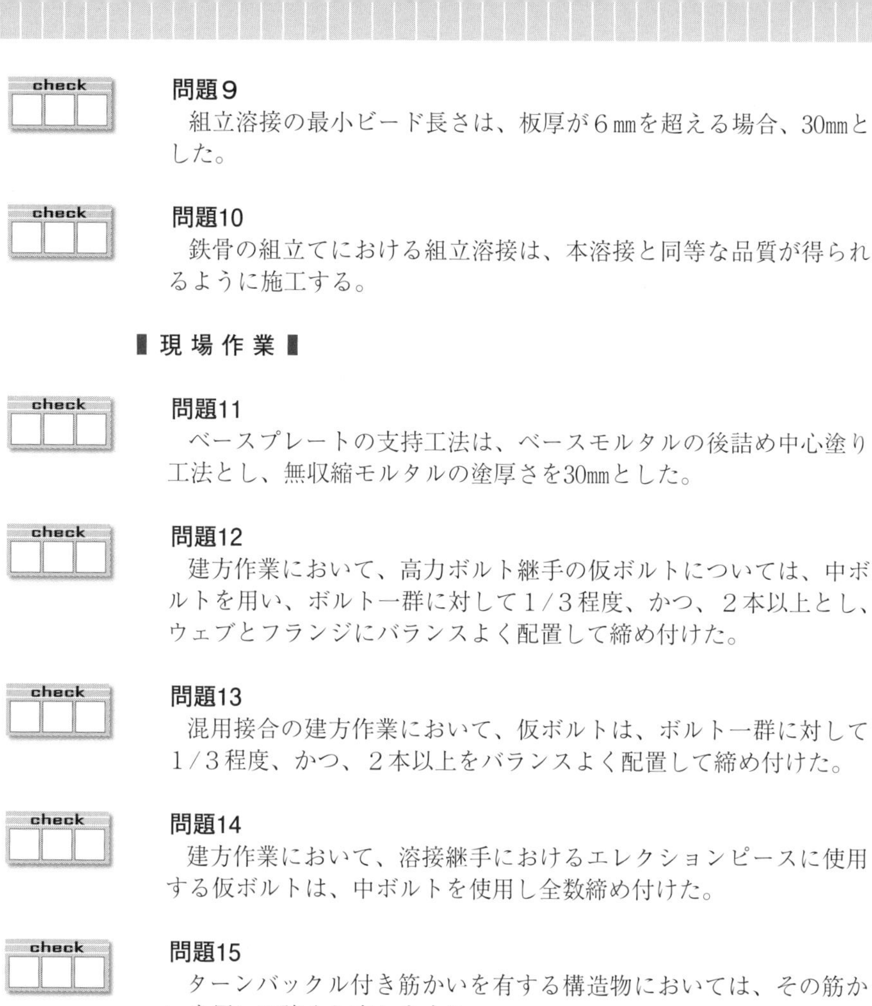

問題９
組立溶接の最小ビード長さは、板厚が６㎜を超える場合、30㎜とした。

問題10
鉄骨の組立てにおける組立溶接は、本溶接と同等な品質が得られるように施工する。

現場作業

問題11
ベースプレートの支持工法は、ベースモルタルの後詰め中心塗り工法とし、無収縮モルタルの塗厚さを30㎜とした。

問題12
建方作業において、高力ボルト継手の仮ボルトについては、中ボルトを用い、ボルト一群に対して１/３程度、かつ、２本以上とし、ウェブとフランジにバランスよく配置して締め付けた。

問題13
混用接合の建方作業において、仮ボルトは、ボルト一群に対して１/３程度、かつ、２本以上をバランスよく配置して締め付けた。

問題14
建方作業において、溶接継手におけるエレクションピースに使用する仮ボルトは、中ボルトを使用し全数締め付けた。

問題15
ターンバックル付き筋かいを有する構造物においては、その筋かいを用いて建入れ直しをする。

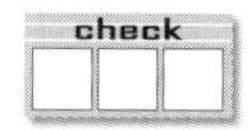

問題16
通常の鉄骨構造における建方精度に関する倒れの限界許容差は、高さの１/2,500に10㎜を加えた値以下、かつ、50㎜以下とする。

問題17
溶接と高力ボルトの併用継手は、原則として、高力ボルトを先に締め付け、その後溶接を行う。

解説 

問題1　適当
鋼材の受入れに当たって、鋼材の現品に規格名称や種類の区分などが表示され、材質が確実に識別できるものについては、**規格品証明書**の代わりに**原品証明書**を用いて確認することができる。JASS 6。

問題2　適当
床書き現寸は、**工作図**をもってその一部又は全部を**省略**することができる。JASS 6。

問題3　適当
$490\,\mathrm{N/mm^2}$以上の**高張力鋼**及び曲げ加工される400N級鋼などの軟鋼の外面には、**ポンチ・たがね**による**打痕**を残してはならない。JASS 6。

問題4　適当
せん断切断する場合の鋼材の**板厚**は、**13㎜以下**とする。切断面にばりなどが生じた場合は、グラインダー等により修正する。JASS 6。

問題5　不適当
高力ボルト用孔の**孔あけ加工**は、**ドリルあけ**とする。なお、ボルト、アンカーボルト、鉄筋貫通孔は、板厚が13㎜以下の場合、せん断孔あけとすることができる。JASS 6。

問題6　不適当
曲げ加工は、**常温加工**または**加熱加工**とする。加熱加工の場合は、**赤熱状態（850℃～900℃）**で行い、青熱ぜい性域（200℃～400℃）で行ってはならない。JASS 6。

問題7　不適当
常温加工での**内側曲げ半径**は、特記がない場合は、次表による。JASS 6。

<table>
<tr><th colspan="2">部　　位</th><th>内側曲げ半径</th><th>備　　考</th></tr>
<tr><td rowspan="2">柱材や梁およびブレース端など塑性変形能力が要求される部位</td><td>ハンチなど応力方向が曲げ曲面に沿った方向である場所</td><td>8 t 以上</td><td rowspan="3">r: 内側曲げ半径
t: 被加工材の板厚</td></tr>
<tr><td>応力方向が上記の直角方向の場合</td><td>4 t 以上</td></tr>
<tr><td colspan="2">上記以外</td><td>2 t 以上</td></tr>
</table>

問題8　適当
問題9　不適当
問題10　適当
組立て溶接は、**本溶接と同等の品質**が得られるように施工する。組立て溶接は、組立て、運搬、本溶接作業において組立て部材の形状を保持し、かつ組立て溶接が割れないように、**必要で十分な長さ**と**4㎜以上の脚長**をもつ**ビード**(溶接棒の1回の通過で母材表面に置かれた一連の溶着金属)を適切な間隔で配置しなければならない。ビードの長さは、**板厚**(被組立て溶接部材の厚いほうの板厚)が**6㎜以下**の時は**30㎜以上**、板厚が**6㎜を超える**時は**40㎜以上**とし、ショートビードとならないようにする。JASS 6。

問題11　適当
ベースプレートの支持工法は、特記のない場合は、ベースモルタルの**後詰め中心塗り工法**とし、**後詰めモルタル**は**無収縮モルタル**を用い、ベースプレート下面の全面に行き渡るように施工する。ベースモルタルの**塗厚さ**は**30㎜以上50㎜以内**とし、中心塗りモルタルの**大きさ**は、**200㎜角**又は**200㎜φ以上**とする。JASS 6。

問題12　適当
高力ボルト継手では、**仮ボルト**は**中ボルト**などを用い、ボルト一群に対して、**1/3程度かつ2本以上**をウェブとフランジにバランスよく配置して締め付ける。JASS 6。

問題13　不適当
混用接合及び併用継手では、仮ボルトは**中ボルト**などを用い、ボルト1群に対して**1/2程度かつ2本以上**をバランスよく配置して締付ける。仮ボルトは、建方作業における部材の組立てに使用し、本締めまたは溶接までの間予想される外力に対して架構の変形および倒壊を防ぐためのボルト。JASS 6。

問題14　不適当
溶接継手における**エレクションピース**などに使用する仮ボルトは、**高力ボルト**を使用して**全数**締め付ける。JASS 6。

問題15　不適当
ターンバックル付き筋かいを有する構造物においては、その**筋かい**を用いて**建入れ直し**を**行ってはならない**。JASS 6。

問題16　適当
建方精度における建物の倒れの場合、柱の各節の倒れにより算出し、その**限界許容差**は、**高さの1/2,500に10㎜を加えた値以下**、かつ、**50㎜以下**とする。JASS 6。

問題17　適当
高力ボルトと溶接の**併用継手**は、原則として、**高力ボルトを先に**締付け、**その後溶接**を行う。また、ウェブを高力ボルト接合、フランジを溶接接合とするなどの混用継手も同様である。JASS 6。

問題 10-2 鉄骨工事に関する次の記述について、**適当か**、**不適当か**、判断しなさい。

▌溶　　接▌

問題1

デッキプレートを貫通して頭付きスタッドをはりに溶接する場合、軸径16㎜の頭付きスタッドを使用した。

問題2

スタッド溶接の打撃曲げ試験により15度まで曲げたスタッドであっても、欠陥のないものについては、曲がったまま使用した。

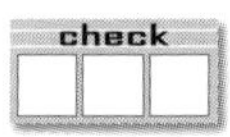

問題3

耐火被覆の左官工法においては、施工面積５㎡当たり１箇所を単位として、ピンを用いて厚さを確認しながら施工した。

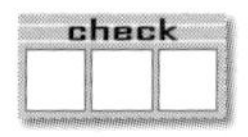

問題4

母材を加熱して溶接作業を行っていたところ、作業場所の温度が－５℃を下まわったので、作業を中止した。

問題5

ガスシールドアーク半自動溶接を行っていたところ、風速が２m/sとなったので、適切な防風処置を講じて、作業を続行した。

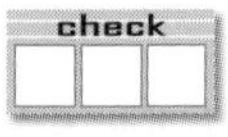

問題6

エンドタブについては、特記がなく、配筋上支障がなかったので、切断しなかった。

問題7

隅肉溶接の溶接長さは、有効長さに隅肉サイズの２倍を加えたものとした。

問題8

完全溶込み溶接部の受入検査における表面欠陥及び精度の目視検査は、特記がなかったので、抜取検査とした。

問題9

溶接部の表面割れは、割れの範囲を確認したうえで、その両端から20㎜程度除去し、舟底形の形状に仕上げてから補修溶接した。

高力ボルト

check

問題10
高力ボルト接合において、接合部の摩擦面の処理は、自然発錆又はブラスト処理で、すべり係数が0.45以上確保できる方法を標準とする。

check

問題11
高力ボルト接合において、接合部に生じたはだすきが0.5㎜であったので、フィラープレートを挿入しなかった。

check

問題12
建方時に生じた高力ボルト孔のくい違いが２㎜以下であったので、リーマ掛けにより修正した。

問題13
高力ボルトの締付け作業において、仮ボルトを用いて部材を密着させてから高力ボルトを取り付け、マーキングを行った後に、一次締めを行った。

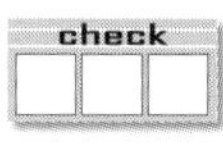

問題14
トルシア形高力ボルトの締付け作業は、日本産業規格(JIS)による規格品の高力ボルトと同様に、一次締め、マーキング及び本締めの３段階で行う。

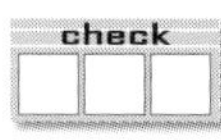

問題15
トルシア形高力ボルトの締付け後の検査において、ボルトの余長は、ナット面から突き出たねじ山が、１～６山の範囲にあるものを合格とした。

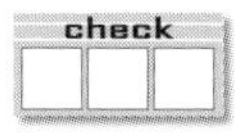

問題16
高力ボルトの締付けにおいて、ナットとボルトが共回りしたので、新しいセットに取り替えた。

解説

問題1　適当

頭付きスタッドをデッキプレートを貫通して溶接する場合は、径16φ以上のスタッドを使い、デッキプレートを梁に密着させて溶接する。JASS 6、鉄骨工事技術指針。

問題2　適当

スタッド打撃曲げ検査は、100本または主要部材1本または1台に溶接した本数のいずれか少ないほうを1ロットとし、1ロットにつき1本行い、曲げ角度15°で溶接部に割れその他の欠陥が生じない場合には、そのロットを合格とする。打撃曲げ検査によって15度まで曲げたスタッドは、欠陥が発生しない限りそのままでよい。JASS 6。

問題3　適当

耐火被覆の左官工法は、**施工面積5㎡当たり1箇所**を単位として、ピンなどを用いて**厚さを確認**しながら施工する。JASS 6。

問題4　適当

気温が**－5℃を下回る**場合は、溶接を**行ってはならない**。なお、気温が－5℃から5℃においては、接合部より100㎜の範囲の母材部分を適切に加熱すれば溶接することができる。JASS 6。

問題5　適当

ガスシールドアーク溶接は、適切な**防風処置**を講じた場合を除き、風速が**2m/s以上**ある場合には、溶接を**行ってはならない**。JASS 6。

問題6　適当

開先のある溶接の両端では、健全な溶接の全断面が確保できるように**エンドタブ**を用いるが、エンドタブの切断の要否及び切断要領は特記による。**特記のない**場合は**切断しなくてよい**。JASS 6。

問題7　適当

隅肉溶接の溶接長さは、**有効長さ**に**隅肉サイズの2倍**を加えたものとする。隅肉溶接の最小有効長さは、隅肉サイズの10倍以上で、かつ、40㎜以上とする。鋼構造設計規準。

問題8　適当

溶接部の外観検査は**表面欠陥**及び**精度**に対する**目視検査**とし、目視で基準を逸脱していると思われる箇所に対してのみ適正な器具で測定する。受入検査における完全溶込み溶接部の外観検査は**抜取検査**とする。JASS 6。

問題9　不適当

不合格となった溶接部の補修は、監理者と協議して行い、特に指示のない場合、**表面割れ**においては、割れの範囲を確認した上で、その両端から**50mm以上はつりとって**舟底形の形状に仕上げ、**補修溶接**する。JASS 6。

問題10　適当

高力ボルト接合の**摩擦面**は、**すべり係数**が**0.45以上**確保できるよう**表面に赤さび**が発生している状態もしくは、**ブラスト処理**をしたものを標準とする。JASS 6。

問題11　適当

高力ボルト接合の接合部に**1mm**を**超えるはだすき**がある場合には、**フィラープレート**(すき間に合わせた薄い板)を使用する。なお、1mm以下の場合は処理不要。JASS 6。

問題12　適当

工事現場での建方時に、**ボルト孔**に食違いが生じ、ボルトの挿入に支障をきたす場合には、その**食違い量**が**2mm以下**であれば、**リーマ掛け**によってボルト孔を修正しても差し支えない。孔の食違い量が2mmを超えるときにリーマ掛けでボルト孔を修正すると、部材の断面欠損が大きくなりすぎるので、スプライスプレートを取り替えるなど適切な措置をする。JASS 6、鉄骨工事技術指針。

問題13　不適当

高力ボルトの**締付け作業**は、部材の密着に注意した締付け順序で行い、**1次締め、マーキング**及び**本締め**の3段階で行う。JASS 6。

問題14　適当

トルシア形高力ボルトの締付け作業は、通常の高力ボルトと同様に**1次締め**、**マーキング**及び**本締め**の3段階で行う。JASS 6。

問題15　適当

トルクコントロール法、ナット回転法及び**トルシア形高力ボルト**の締付け後の検査における**ボルトの余長**は、ナット面から突き出したねじ山が、**1山～6山**の範囲にあるものを合格とする。JASS 6。

問題16　適当

ナットとボルト・座金などが**共回り**・軸回りを生じた場合や、ナット回転量に異常が認められた場合又はナット面から突き出た余長が過大・過小の場合には、**新しいセットに取り替え**、一度使用したボルトは再度使用してはならない。JASS 6。

Check Point 11 ＰＣ工事・防水工事

❶ ＰＣコンクリート工事

① **ＰＣ部材の製造**

● **単位セメント量 ⇨ 300kg/m^{3}以上**
● **水セメント比 ⇨ 55%以下**
● **前養生時間 ⇨ ３時間**
● 加熱 ⇨ 10℃～20℃／ｈの温度勾配
● 脱型時のコンクリート強度：12N/mm^2（ベッドを傾斜させない場合）
● 圧縮強度の確認 ⇨ ＰＣ板と同じ養生を行った供試体を用いる。
● 製品検査 ⇨ **0.3mm以上**の**ひび割れ**（主要部材全体）：**廃棄**

② **ＰＣ部材の施工**

● 仮置き ⇨ ばた角、まくら木**２本　６枚以下**の**平積み**
● **風速10m/s以上 ⇨ 作業中止**
● **充てんコンクリート** ⇨ 部材コンクリートの設計基準強度以上
単位セメント量**330kg/m^{3}以上**

❷ ＡＬＣパネル工事

● 層間変位の大きい建物 ⇨ **ロッキング構法**
● 開口部まわり ⇨ 開口補強材

❸ カーテンウォール工事

● 躯体付け金物の取付位置の**寸法許容差** ⇨ 鉛直方向で**±10mm**、水平方向で**±25mm**。
● パネル材は**３箇所以上**、形材は２箇所以上仮止めし、固定する。

❹ 防水工事

(1) アスファルト防水工事

① **工　法**

密着工法	●下地面に防水層を密着（全面）させる工法。 ●断熱工法においては、断熱材により防水層が保護され耐久性に優れている。
絶縁工法	●下地面に防水層を部分接着させる工法。 ●場合により**脱気装置**（防水層のふくれを防止するため下地面の湿気を排出する）を設ける。

② **材　料**

● **アスファルトプライマー**：下地と防水層とをなじみよく密着させる。８時間以内に乾燥する品質。

●**ストレッチルーフィング**：合成繊維等の原反にアスファルトを含浸被覆したもの。防水層の耐久性を高める。

③　**下　地**

●**乾燥**していること。降雨、降雪が予想される場合、施工できない。

●立上入隅部、立上出隅部はともに**面取り**をする。

④　**防水施工**

●ルーフィングの**重ね幅** ⇨ **100㎜**程度。**水下**から順次水上に張る。

●出隅、入隅、ドレーン回りの増張りは、一般部に先だって施工する。

●押えコンクリートの**伸縮目地**：間隔 ⇨ **縦横３ｍ**　目地幅 ⇨ **20㎜**以上
目地深さ ⇨ 押えコンクリートの下面まで

(2) 改質アスファルトシート防水工事（トーチ工法）

●下地　**出隅** ⇨ **面取り**　**入隅** ⇨ **直角**

●**トーチ**により改質アスファルトを溶融させ密着する。

●重ね幅：長手方向、幅方向とも**100㎜**以上。

(3) シート防水工事

●シートの接合部 ⇨ **水上側**のシートが水下側の**上**になるよう張る。（原則）

●下地　**出隅** ⇨ **面取り**　**入隅** ⇨ **直角**

(4) 塗膜防水工事

●補強布相互の重ね幅 ⇨ **50㎜以上**

●下地　**出隅** ⇨ **面取り**　**入隅** ⇨ **直角**

(5) シーリング工事

①　**目　地**

目　地	施工方法
ムーブメント大	●ワーキングジョイント　**２面接着** ●目地底に**バックアップ材、ボンドブレーカー**を用いる。
ムーブメント小	●ノンワーキングジョイント　３面接着

②　**注意事項**

●**バックアップ材** ⇨ 目地深さの保持。

●**ボンドブレーカー** ⇨ シーリング材を密着させない目的で目地底に張るテープ状材料。

●バックアップ材、ボンドブレーカーはシーリング材と接着せず、かつ性能を低下させないものとする。

●**マスキングテープ** ⇨ 目地縁の線を通りよく仕上げるための保護テープ。シーリング材の硬化前にはがす。

アドバイス　**ＰＣ工事等・防水工事**

●ＰＣ工事からは例年１問、ＡＬＣ、カーテンウォール工事からは、融合問題として１枚程度出題されている。

●防水工事からは、例年１問出題されている。難易度は、比較的高い。工種が多いので、出題の中心であるアスファルト防水工事を優先して学習を進める。

問題 11-1

プレキャスト鉄筋コンクリート工事に関する次の記述について、**適当か、不適当か**、判断しなさい。

問題１

ＰＣ部材に用いるコンクリートの調合において、単位セメント量は、耐久性を確保するため、300kg/m^3以上とした。

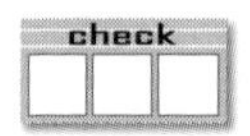

問題２

プレキャスト部材に用いるコンクリートの空気量については、特記がなく、凍結融解作用を受けるおそれがなかったので、３％以下とした。

問題３

部材の製造に当たり、コンクリートを加熱養生する場合、コンクリートの強度発現に障害を起こすことがないように計画し、前養生時間を３時間、養生温度の上昇勾配を20℃／ｈとした。

問題４

プレキャスト部材は、コンクリートを加熱養生した後に、脱型し、適切な温度管理をした貯蔵場所において十分に乾燥させた。

問題５

ＰＣ部材の脱型時におけるコンクリート強度は、部材と同じ養生を行った供試体の圧縮強度試験によって確認した。

問題６

平打ち式によるＰＣ部材の製造において、ベッドを傾斜させないで脱型するために必要なコンクリートの圧縮強度を12N/mm^2以上とした。

問題７

片持床板の部材で、その部材の支持方向と平行に0.3mm以上のひび割れが部材全体に入っていたものは、廃棄処分とした。

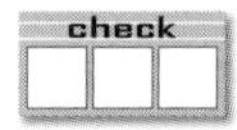

問題８

床板を平置きする場合、積み重ね枚数を10枚以下とし、それぞれの床板の下にまくら木を３本用いた。

問題９

ＰＣ工事において、部材の組立作業中に風速が10m/ｓ以上であったので、作業を中止した。

check

問題10

プレキャストの耐力壁の水平接合部に用いる敷モルタルの圧縮強度は、現場水中養生した供試体の圧縮強度が、材齢28日において部材コンクリートの品質基準強度以上となるように管理した。

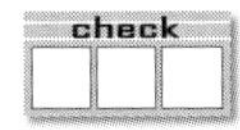

問題11

プレキャストの柱や耐力壁の水平接合部における鉄筋の継手方法については、グラウト材を注入して接合部分を固定するスリーブ継手とした。

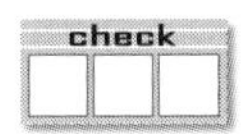

問題12

外壁の部材の接合部において、ポリウレタン系のシーリング材を使用する場合、シーリング材の目地幅を25㎜、充填深さを15㎜とした。

ＡＬＣパネル工事、カーテンウォール工事に関する次の記述について、**適当か、不適当か**、判断しなさい。

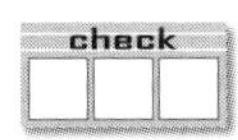

問題13

一般に、ＡＬＣパネルを外壁の縦壁として取り付ける構法としては、ロッキング構法に比べてスライド構法のほうが、建物の変形に対する追従性が優れている。

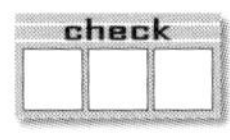

問題14

ＡＬＣパネルの取付工事において、窓、出入口などの開口部まわりには、開口補強材を設けた。

問題15

プレキャストコンクリートカーテンウォールの取付金物は、層間変位に追従できるように下部を固定とし、上部はスライドのできるものとした。

問題16

カーテンウォール工事において、躯体付け金物の取付け位置の寸法許容差については、特記がなかったので、鉛直方向を±20㎜、水平方向を±40㎜とした。

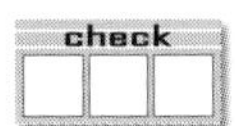

問題17

パネル状のカーテンウォール部材の仮止めは、４か所とし、脱落しないように固定した。

解説

問題1　適当

プレキャストコンクリートの**耐久性を確保**するための調合は、①単位水量：できるだけ小さく、②**単位セメント量：300kg/m³以上**、③水セメント比：55%以下、④塩化物量：原則として0.30kg/m³以下、とするなどである。JASS 10。

問題2　適当

空気量の目標値は、特記による。特記のない場合は、**3.0%以下**の範囲で空気量の目標値を定め、工事監理者の承認を受ける。また、凍結融解作用を受けるおそれのある場合は、4.5%を空気量の目標値とし、工事監理者の承認を受ける。JASS 10。

問題3　適当

一般に、コンクリートを加熱する前に数時間の前養生期間をおく必要がある。一般的には、**20℃／h**程度の温度上昇勾配で、**前養生時間**は**3時間**としている。JASS 10。

問題4　不適当

硬化初期の期間に急激な乾燥を生じたり、十分な水分が供給されないと、セメントの水和反応が十分に進行せず、コンクリートの強度発現に支障をきたす。**脱型後**は、プレキャスト部材コンクリートが所定の強度に達するまで**湿潤養生を行う**。JASS 10。

問題5・6　適当

プレキャストコンクリート部材の**圧縮強度は**、部材製造工場で採取し、部材と**同じ養生**を行った**供試体**の圧縮強度で表す。脱型にあたっては、部材コンクリートの圧縮強度が、脱型時所要強度を満足していることを確認し、有害なひび割れおよび破損が生じないように行う。**脱型時所要強度**は、ベッドを傾斜させないで部材だけを片側から立て起こす場合には、**平均12N/㎜²**、ベッドを70～80°まで立て起こしてから吊り上げる場合には、8～10N/㎜²としている。JASS 10。

問題7　適当

構造的に回復不可能なひび割れ、破損があるものは、**廃棄すべき部材**であり、その例としては、構造耐力上重要な壁、梁部材に0.3㎜以上のひび割れが部材全体に入っているものや、**片持床板**の支持方向と平行に**0.3㎜以上**のひび割れが部材全体に入っているものがあげられる。JASS 10。

問題8　不適当

ＰＣコンクリート部材を**平置き**で貯蔵する場合は、**まくら木**を**２本**並べて**６段程度**まで積み重ねる。まくら木は、部材の大きさにかかわらず２本を原則とする。JASS 10。

問題9　適当

プレキャストコンクリート部材の**組立作業**は、**風速10m/sec以上**及び突風のときは**中止**する。また、降雨時においても、組立て及び溶接作業を中止する。JASS 10。

問題10　適当

敷モルタルの調合は、プレキャスト部材のコンクリートの**品質基準強度**を満足し、かつ、部材間を十分充填できる所要の施工軟度が確保されるよう定めることが必要である。JASS 10。

問題11　適当

スリーブ継手は、接合用鉄筋に鋼製の筒状のスリーブをはめ、凹凸のついたスリーブ内壁と接合用鉄筋の間に**セメント系無収縮高強度グラウト**を充填して接合用鉄筋相互を一体化し、硬化したグラウトとの付着力を介して鉄筋応力度を伝達する機械的な鉄筋継手工法である。JASS 10。

問題12　適当

標準的な外壁目地の防水設計を行う場合、**幅寸法**は**縦目地で15㎜、横目地で20㎜**が一般的で、使用されるシーリング材の種類は反応硬化２成分形のポリウレタン系シーリング材が用いられている。また、防水目地幅(W)に対するシーリング材の充填深さ(D)の比率D/Wは、0.5～1.0程度が適切である。充填深さがこの比率より小さく、かつ、10㎜を下回るような場合は、材料の耐久性が悪くなるので、**充填深さ**は最低限**10㎜以上**確保する。JASS 10。

問題13　不適当

外壁縦壁用パネルの取付け方法のうち、**ロッキング構法**は、地震などによる躯体の層間変位に対し、パネル１枚１枚が独立して回転することにより、追従を容易にした取付け構法であり、他の構法より変形に対する**追従性**が**優れている**。JASS 21。

問題14　適当

壁面に、出入口などの開口を設ける場合には、**開口部**および**開口まわり**のパネルを支持するために、**開口補強鋼材**を設ける。JASS 21。

問題15　適当

プレキャストコンクリートカーテンウォールのファスナー形式は、スライド形式、ロッキング形式、固定方式がある。**スライド形式**は、上部又は下部ファスナーのどちらかをルーズホール等でスライドさせることにより、**層間変位に追従**させる方式である。JASS 14。

問題16　不適当

躯体付け金物の取付け位置の寸法許容差の標準値は、**鉛直方向**で**±10㎜**、**水平方向**で**±25㎜**とする。JASS 14。

問題17　適当

カーテンウォール部材は、**パネル材**では**３か所以上**、形材では２か所以上仮止めし、**脱落しない**ように固定する。これは仮止めの状態でもパネルが脱落したり、有害な変形を受けないための処置である。JASS 14。

Ⅴ施工

問題 11-2 各種防水工事に関する次の記述について、**適当か**、**不適当か**、判断しなさい。

▌アスファルト防水工事▐

問題1
　ストレッチルーフィングは、主に合成繊維の原反にアスファルトを含浸・被覆したものであり、これを用いると防水層の耐久性が高まる。

問題2
　下地面の入隅は、通りよく45度の面取りに仕上げる。

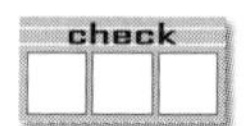

問題3
　アスファルトプライマーについては、刷毛(はけ)等でむらなく均一となるように塗布した後、十分に乾燥させた。

問題4
　アスファルト防水工事において、平場のアスファルトルーフィング類の張付けの重ね幅については、長手及び幅方向とも、100㎜程度とした。

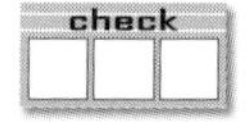

問題5
　脱気装置は、防水層のふくれを防止するために、防水層の湿気を排出させるものである。

問題6
　屋根のアスファルト防水層の上に施工するコンクリートには、３m程度ごとに伸縮調整目地を設けた。

問題7
　保護コンクリートの成形伸縮目地材は、そのコンクリート上面から防水層上面の絶縁用シートに達するようにした。

問題8
シート防水におけるルーフィングシートの平場部の接合幅は、加硫ゴム系シートでは100mm以上、塩化ビニル樹脂系シートでは40mm以上とする。

問題9
ステンレスシート防水工事において、支柱等の突起物がステンレスシートを貫通する貫通部回りは、その大きさに合わせた役物部材をつくり、一般部の成型材と溶接することにより一体化した。

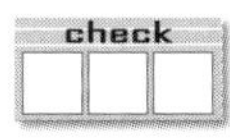

問題10
塗膜防水工事において使用する補強布の重ね幅は、50mm以上とする。

問題11
塗膜防水工事において、防水層の下地の入隅は直角に、出隅は通りよく面取りに仕上げた。

シーリング工事に関する次の記述について、**適当か、不適当か、**判断しなさい。

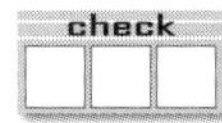

問題12
シーリング工事において目地部をワーキングジョイントとする場合、シーリング材を目地底に接着させない２面接着の目地構造とした。

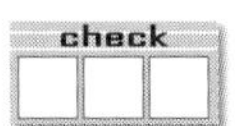

問題13
シーリング工事において、鉄筋コンクリート造の外壁に設けるひび割れ誘発目地については、一般に、目地底にボンドブレーカーを使用せずに、シーリング材を充填する三面接着とする。

問題14
シーリング工事におけるバックアップ材については、シーリング材との接着性がよく、かつ、シーリング材の性能を低下させないものを用いた。

問題15
シーリング工事において、マスキングテープについては、所定の位置に通りよく張り付け、シーリング材のへら仕上げ終了直後に剥がした。

解説

問題1　適当

ストレッチルーフィングは、主に合成繊維をランダムに集積固定して得た原反にアスファルトを含浸・塗覆し、その表裏面に鉱物質粉末を散着したシート状のもので、原材料の品質が高いことから、機械的性質や物理・化学的性質に優れ、これを用いると防水層の**耐久性**が**高まる**。又、増張り材にも採用される。JASS 8。

問題2　適当

アスファルト防水の下地面の出隅及び**入隅**は、**通りよく45度**の面取りとする。公共建築工事標準仕様書。

問題3　適当

アスファルトプライマーは、塗布後8時間以内で乾燥するが、ルーフィング類の張付けは、原則として、アスファルトプライマーを塗布した翌日とし、**十分に乾燥させる**ことが望ましい。JASS 8。

問題4　適当

一般平場のルーフィング類の張付けは**流し張り**とする。なお、ルーフィング類の**重ね幅**は、長手及び幅方向とも**100㎜程度**とし、重ね部からあふれ出たアスファルトは、はけを用いて塗り均（なら）しておく。JASS 8。

問題5　不適当

露出防水では、下地が太陽熱により加熱されると、これに含有されていた水分が気化膨張し、防水層を押し上げてふくれが発生することがあるので、**脱気装置**により**下地面**からの**湿気**を外部に排出させる工法が有効である。JASS 8。

問題6・7　適当

伸縮目地はパラペット、塔屋などの際及び立上がり際から0.6m以内の位置と、その内側に**3ｍ程度**の間隔で設け、幅20㎜以上で保護コンクリートの下面、つまり**防水層上面の絶縁用シート**に達するように設ける。JASS 8。

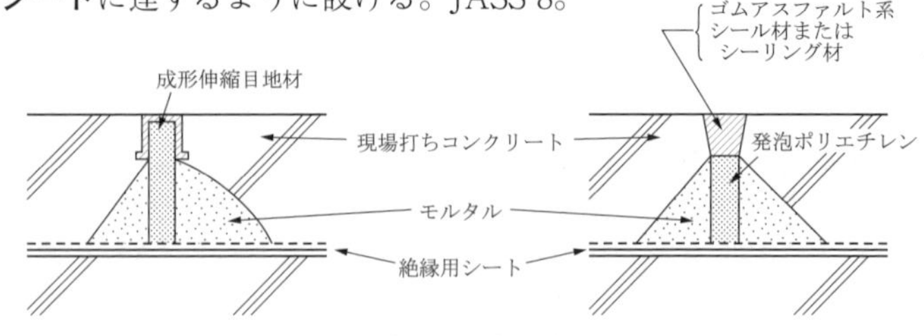

伸縮目地の施工例

問題8　適当

シート防水は、合成ゴム系または合成樹脂系シート1層で防水層をつくる工法で、シートの**接合幅**は、**加硫ゴム系シート**、エチレン酢酸ビニル樹脂系シートでは**100㎜**、**塩化ビニル樹脂系シート**で**40㎜**とする。ただし、加硫ゴム系シートにおける立上りと平場の接合幅は、150㎜とする。JASS 8。

問題9　適当

ステンレス防水工事において、貫通部がある場合は、貫通部に適合した形の防水層を工場であらかじめ製作・取付けした部材により施工し、一般面との取合いは貫通部から離れた作業がしやすい位置でシーム溶接により継ぐ。ステンレス防水は密着工法でないだけに貫通部の処理は最も不得手とするので、なるべく貫通部を作らないですむように下地作りの段階で配慮すべきである。JASS 8。

問題10　適当

塗膜防水工事における**補強布相互の重ねしろ**は、**50mm以上**とり、重ねしろ部分が蛇行しないように施工する。公共建築工事標準仕様書。

問題11　適当

塗膜防水工事において、防水層の下地の入隅は直角、出隅は通りよく面取り（3～5mm）とする。JASS 8。

問題12　適当

シーリング工事において、目地底の状態は、次の目地構造とする。JASS 8。

①　**ワーキングジョイント**の場合は、目地底に接着させない**2面接着**。

②　ノンワーキングジョイントの場合は、3面接着を標準とする。

ワーキングジョイントの場合、3面接着とするとムーブメントによりシーリング材に局部的な応力が生じ、破断しやすい。

問題13　適当

鉄筋コンクリート造の**ひび割れ誘発目地**、打継ぎ目地などムーブメントが小さいか、または生じないノンワーキングジョイントの場合は、**3面接着**の目地構造を標準とする。JASS 8。

問題14　不適当

バックアップ材は、シーリング材の目地深さを所定の寸法に保持するために、目地に装填する成形材料をいい、**ボンドブレーカー**は、シーリング材を接着させない目的で、目地底に張り付けるテープ状材料をいう。したがって、シーリング材と十分接着させるものではない。JASS 8。

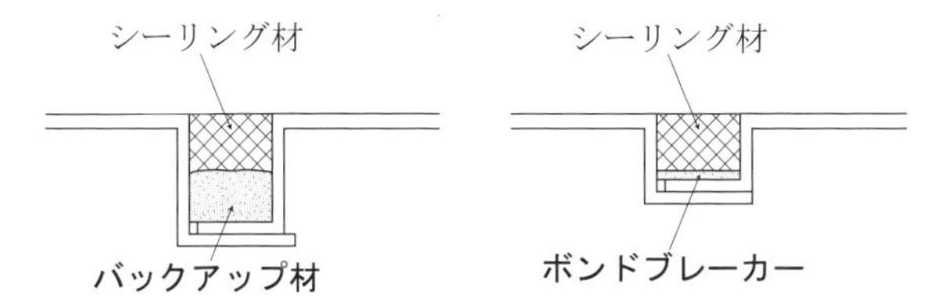

問題15　適当

マスキングテープは、施工中、構成材の汚染防止と目地縁の線を通りよく仕上げるために使用する保護テープで、**へら仕上げ**（充てんされたシーリング材が被着面によく密着するようにへらで押え、表面を平滑にする）**後直ちに除去**する。JASS 8。

V 施工

Check Point 12 設備工事・改修工事

❶ 建築設備における留意事項

配管全般	●防火区画を貫通する配管のすき間、貫通する部分、両側１m以内にある部分 ⇨ **不燃材料** ●エレベーターシャフト内の給排水管等の配管の禁止。
排煙設備	●排煙設備の排煙口、風道その他煙に接する部分 ⇨ **不燃材料** ●排煙口で開放装置を手で操作する部分 ⇨ 床上80cm以上150cm以下
煙感知器	●取付け位置 ⇨ 天井付近、吸気口付近(天井の低い居室 ⇨ 出入口付近) ●壁またははり等から0.6m以上離れた位置。
非常用設備	●非常用電源 ⇨ 20分間作動できる蓄電池 ●非常用照明装置の予備電源 ⇨ 30分間点灯できる蓄電池
非常用の昇降機	●昇降ロビーには、**屋内消火栓**、**連結送水管の放水口**、**非常コンセント設備**等を設ける。
浄化槽	●満水して**24時間以上**漏水しないことを確かめる。
受水槽	●上水用受水槽は躯体を利用してはならない。 ●タンクと床面、壁面との距離 ⇨ **60cm以上** ●マンホールの付く上面と天井との距離 ⇨ **１m以上** ●オーバーフロー管と配水管は直結しない。

❷ 排水設備

- **排水トラップの深さ ⇨ 5～10cm程度**
- 雨水排水管は専用とし、他の配水管と兼用、接続させない。
- **横走排水管の最小勾配**

管径(mm)	勾 配
75・100	**1/100**以上
150以上	**1/200**以上

- **雨水ます ⇨ 泥だめ**(深さ**15cm以上**)
  汚水ます ⇨ インバート

❸ 耐震改修工事

① **現場打ち鉄筋コンクリート壁の増設工事**

- コンクリートの打込みには、流込み工法、圧入工法があり、コンクリート投入口または、圧入孔管は適切な間隔で配置し、打込み高さが大きい場合は**2段以上**に配置する。
- 既存構造体と増設壁との隙間には、グラウト材を注入する。

② **柱補強工事**

1）RC巻き立て補強

- 既存柱の外周部を6～15cm程度の厚さの鉄筋コンクリート、鉄筋補強モルタルで巻き立て補強する工法。
- 流込み工法の1回の打込み高さは**1m**程度とし、1回ごとに締固める。

2）鋼板系の巻き立て補強

- 厚さ4.5～9mmの薄鋼板を角形や円形に巻き、隙間に高流動モルタルを充てんする工法。
- 柱の四隅にアングル材を建込み、平板を溶接して裏側にモルタルを充てんする工法。

3）連続繊維補強工法

- 高強度、高弾性率の連続シートを既存の柱部材の周方向に巻き付ける工法。
- 柱の隅角部は、**面取り**を行う。

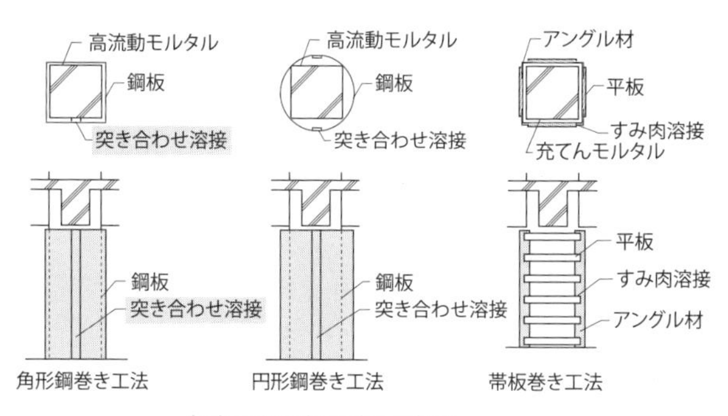

鋼板系の巻き立て補強

アドバイス　設備工事・改修工事

- 設備工事は、例年1問出題されている。過去に出題された類似問題が多い。
- 耐震改修工事から例年1問出題されている。基本的事項は、整理しておくこと。

問題 12-1 設備工事に関する次の記述について、**適当か**、**不適当か**、判断しなさい。

▌建築基準法上の制限▌

問題1
防火区画の壁を貫通する風道において、防火ダンパーを設けたので、当該防火ダンパーと当該防火区画との間の風道は、厚さ1.6㎜の鉄板でつくられたものとした。

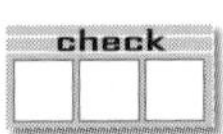

問題2
防火区画の壁を貫通する給水管や金属製電気配管と壁とのすき間は、モルタルなどの不燃材料で埋めなければならない。

問題3
防火区画の壁を貫通する給水管は、外径75㎜、肉厚5.5㎜の硬質塩化ビニル管とし、周囲のすき間にモルタルをグラウティングした。

問題4
高さが31mの建築物において、高さ20mを超える部分に対して有効な避雷設備を設置した。

問題5
換気用ダクトの排気口については、屋外避難階段から２m離して設けた。

▌給排水設備▌

問題6
エレベーターに必要な配管設備を、エレベーターシャフト内に配置した。

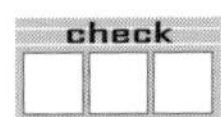

問題7
し尿浄化槽の漏水検査において、満水して12時間漏水しないことを確かめて合格とした。

問題8
ウォーターハンマーが生じるおそれがあるので、給水管には、エアチャンバーを設けた。

問題９
給水配管の水圧試験は、管の保温、防露及び塗装工事の完了後に行った。

問題10
雨水排水管（雨水排水立て管を除く。）を汚水排水のための配管設備に連結したので、その雨水排水管には排水トラップを設けた。

問題11
排水の配管設備における排水トラップの深さを、７cmとした。

問題12
排水横管の勾配の最小値は、管径が100mmのものについては１/100、管径が125mmのものについては１/150とした。

問題13
雨水ますには、ためますを用い、汚水ます又は雑排水ますには、インバートますを用いた。

消火・避難設備

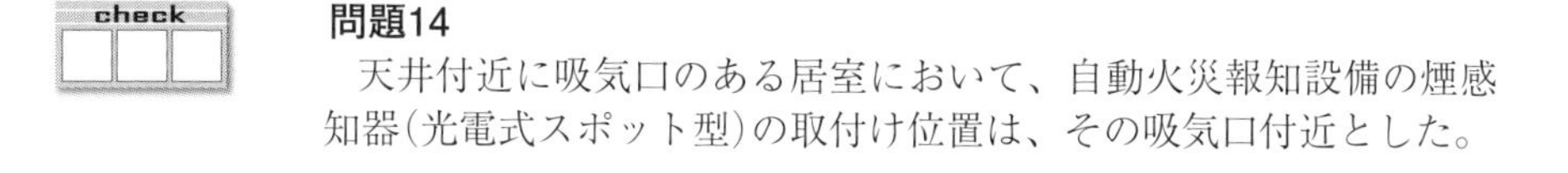

問題14
天井付近に吸気口のある居室において、自動火災報知設備の煙感知器（光電式スポット型）の取付け位置は、その吸気口付近とした。

問題15
非常用エレベーターの乗降ロビーの壁の室内に面する部分は、準不燃材料のビニルクロスで仕上げた。

問題16
非常用エレベーターの乗降ロビーには、連結送水管の放水口を設けた。

問題17
消防用水の設置場所は、消防ポンプ自動車が２ｍ以内に接近できる位置とした。

解説

問題1　適当

換気、暖房又は冷房の設備の風道が準耐火構造の防火区画を貫通する部分に近接する部分に防火設備を設ける場合においては、防火設備と防火区画との間の**風道**は、**厚さが1.5㎜以上の鉄板**でつくり、又は鉄網モルタル塗その他の不燃材料で被覆すること。建築基準法施行令112条21項、告示(平12)1376号。

問題2　適当

給水管、配電管等が**防火区画**の壁等を**貫通**する場合は、その**すき間**を**モルタル等**の**不燃材料**で埋めなければならない。建築基準法施行令112条20項。

問題3　適当

給水管が、防水区画を貫通する場合には、管の**構造**は次の①から③のいずれかに適合するものとする。建築基準法施行令129条の２の４、告示(平12)1422号。

① 貫通する部分及び貫通する部分からそれぞれ両側に１m以内にある部分を不燃材料で造る。

② 給水管の外径が材質その他の事項に応じて大臣が定める数値未満であること。

③ 通常の火災による火熱が加えられた場合に、加熱開始後20分間、防火区画等の加熱側の反対側に火炎を出す原因となるき裂その他の損傷を生じないものとして、大臣の認定を受けたものであること。

難燃材料又は硬質塩化ビニルの給水管は、肉厚5.5㎜以上で外径は90㎜未満または肉厚6.6㎜以上で外径は115㎜未満(２時間耐火構造では90㎜未満)であること。

問題4　適当

高さ**20mをこえる**建築物には、有効に**避雷設備**を設けなければならない。建築基準法33条、同法施行令129条の14。

問題5　適当

屋外に設ける避難階段は、その階段に通ずる出入口以外の開口部から２m以上の距離に設ける。したがって、**換気用ダクトの換気口**は、**屋外避難階段**から**２m以上**離して設ける。建築基準法施行令123条２項一号。

問題6　適当

建築物に設ける給水、排水その他の配管は、原則として、エレベーターの**昇降路内**に設けないこと。ただし、エレベーターに**必要な**所定の**配管設備**は設置してもよい。建築基準法施行令129条の２の４第１項三号。

問題7　不適当

し尿浄化槽は、**満水して24時間以上**漏水しないことを確かめなければならない。建築基準法施行令33条。

問題8　適当

給水配管には、**ウォーターハンマー**が生ずるおそれがある場合においては、**エア**

チャンバーを設ける等有効なウォーターハンマー防止のための措置を講ずること。告示(昭50)1597号。

問題9　不適当

防露・保温被覆を行う配管や隠ぺい、埋設される配管の**水圧(満水)試験**は、それらの**実施前**に試験を行う。HASS。

問題10　適当

雨水排水管(雨水排水立て管を除く)を**汚水排水**のための配管設備に**連結**する場合においては、当該雨水排水管に**排水トラップ**を設ける。雨水排水立て管は、汚水排水管若しくは通気管と兼用し又はこれらの管に連結してはならない。告示(昭50)1597号。

問題11　適当

排水トラップの**深さ**は、**5cm以上10cm以下**とする。トラップの具備する一般条件は、封水が確実に保たれることであり、深いほど有効であるが、あまり深いと自浄力を失ってトラップ底部に浮遊物が沈殿し、また浅すぎると破封の危険性がある。告示(昭50)1597号。

問題12　適当

排水横管は、凹凸がなく、かつ適切な勾配で配管するものとし、その勾配は、右表による。HASS。

管径(mm)	最小勾配
65以下	1/50
75、**100**	**1/100**
125	**1/150**
150以上	1/200

問題13　適当

インバート(流路)とは、排水系統において固形物がスムーズに通過し得るようにモルタルで接合部の形に半円形にそろえて仕上げたもの。**汚水・雑排水管ます**には、この**インバート**を設け、**雨水ます**には深さ150mm以上の泥だまりを設ける。

問題14　適当

自動火災報知設備の**煙感知器**(光電式スポット型)は、天井付近の吸気口のある居室にあっては、当該**吸気口付近**に設ける。消防法施行規則23条4項七号。

問題15　不適当、問題16　適当

非常用エレベーターの**乗降ロビー**の天井及び室内に面する部分は、**仕上げ**を**不燃材料**でし、かつ、その**下地**を**不燃材料**で造らなければならない。

また、乗降ロビーは、**屋内消火栓、連結送水管の放水口、非常コンセント設備**等の**消火設備**を設置できる構造とする。建築基準法施行令129条の13の3。

問題17　適当

消防用水は、**消防ポンプ自動車**が**2m以内**に接近することができるように設けること。消防法施行令27条。

問題 12-2

改修工事に関する次の記述について、**適当か**、**不適当か**、判断しなさい。

問題1

防水改修工事におけるルーフドレン回りの処理に当たって、防水層及び保護層の撤去端部は、既存の防水層や保護層を含め、ポリマーセメントモルタルで、1/2程度の勾配に仕上げた。

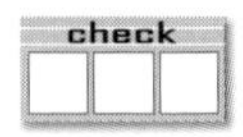

問題2

コンクリート打放し仕上げ外壁の改修工事において、幅が1.0mmを超え、かつ、挙動するひび割れ部については、エポキシ樹脂注入工法により行った。

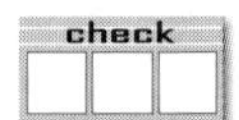

問題3

セメントモルタル塗り仕上げの外壁の改修において、下地コンクリートからのモルタルの浮き部分については、一般に、ダイヤモンドカッター等を用いてその部分の周囲を切断し、絶縁してからはつる。

問題4

既存の塗り仕上げ外壁の改修において、劣化の著しい既存塗膜や下地コンクリートの脆弱部分の除去については、高圧水洗工法を採用した。

問題5

タイルを部分的に張り替える外壁改修工事において、ポリマーセメントモルタルによりタイルを張り付けるに当たって、張替え下地面の水湿しを行った。

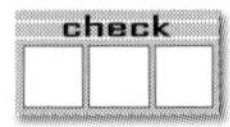

問題6

鉄筋コンクリート造の耐力壁の増設工事において、既存梁と接合する壁へのコンクリート打込みを圧入工法で行う場合、型枠上部に設けたオーバーフロー管の流出先の高さについては、既存梁の下端より10cm高い位置とした。

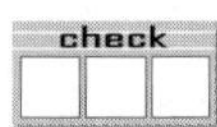

問題7

鉄筋コンクリート造の増打ち耐力壁において、既存の躯体に設けるシアコネクタ用のダボ筋として用いる「あと施工アンカー」には、本体打込み式の金属系アンカーを使用した。

問題８

溶接金網を用いる柱のＲＣ巻き立て補強において、コンクリート等の打込みに流込み工法を用いる場合、打込み高さ１ｍ程度ごとに締固めを行う。

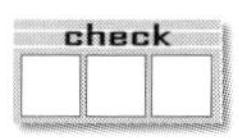

問題９

独立柱の炭素繊維巻き付け補強において、炭素繊維シートの繊維方向の重ね長さについては、母材破断を確保できる長さとし、200㎜以上とした。

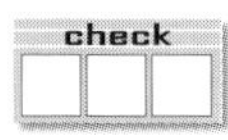

問題10

炭素繊維シートによる独立した角柱の補強工事については、柱のコーナー部を円弧状に成形し、エポキシ樹脂を含浸させながら柱に炭素繊維シートを巻き付けた。

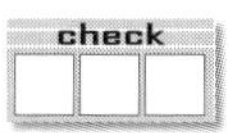

問題11

既存柱と壁との接合部に耐震スリットを新設する工事において、既存の壁の切断に用いる機器を固定する「あと施工アンカー」については、柱や梁への打込みを避け、垂れ壁や腰壁に打ち込んだ。

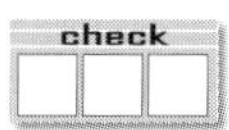

問題12

かぶせ工法による建具改修工事において、既存の鋼製建具の枠の厚さが1.3㎜以上残っていることを確認したうえで、既存の建具の外周枠の上から新規金属製建具を取り付けた。

解説 

問題１　適当

防水改修工事におけるルーフドレン回りの処理に当たって、**防水層及び保護層の撤去端部**は、既存の防水層や保護層を含め、ポリマーセメントモルタルで、勾配１／２程度に仕上げる。建築改修工事監理指針。

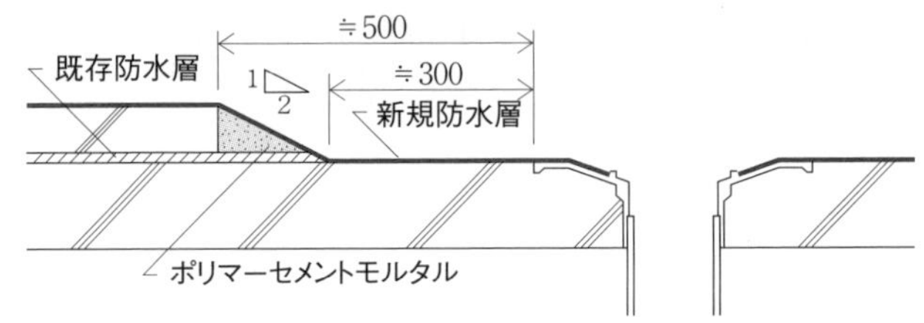

保護層及び防水層を撤去した場合の下地処理

問題２　不適当

外壁のコンクリート打放し仕上げの**ひび割れ部**の**改修工法**は、次表による。建築改修工事監理指針。

改修工法	ひび割れ幅	特　　徴
Uカットシール材充填工法	1.0mm超	•挙動のあるひび割れに適用
樹脂注入工法	0.2mm以上 1.0mm以下	•挙動のある部分に用いると、他の部分にひび割れを誘発するおそれがある •耐用年数が期待できる
シール工法	0.2mm未満	•一時的な漏水防止処置

問題３　適当

セメントモルタル塗り仕上げにおける**モルタルの浮き部分の補修**は、一般に、その部分をはつり取ってモルタルを塗り付けるが、この場合、はつり方によっては、かえって浮きを進行させるおそれがあるので、カッターで浮いている箇所の周囲を切断し、絶縁してから周囲に影響を与えないように注意してはつる。建築工事監理指針。

問題４　適当

高圧水洗工法は、劣化の著しい既存塗膜の除去や素地の脆弱部分の除去に適している。高圧水で物理的な力を加えて塗膜等を除去する工法で、高価であるが塗膜を全面的に除去する場合は効率がよい。建築改修工事監理指針。

問題５　適当

タイル部分張替え工法は、既存の下地モルタル等がある場合及び１箇所当たりの張替え面積0.25㎡程度以下の場合に適用する。ポリマーセメントモルタルを使用する場合、張替え下地面は水湿しを行う。なお、変成シリコーン樹脂、ポリウレタン樹脂を使用する場合は、張替え下地面をよく乾燥させてから行う。建築改修工事標準仕様書。

問題6　適当

圧入工法は、コンクリートポンプ等の圧送力を利用して、密閉型枠内に高流動コンクリートを直接圧入して打設する工法で、既存梁と増設壁との接合をより確実に行うことができる。なお、**オーバーフロー管**の流出先の高さは、必ずコンクリートの**圧入高さ**より**高く**する。壁の場合、既存梁の下端の高さより**5～10㎝程度**高くする。建築改修工事監理指針。

問題7　適当

あと施工アンカーは、**金属系アンカー**及び**接着系アンカー**とする。公共建築改修工事標準仕様書。

問題8　適当

溶接金網巻き工法による柱の補強工事において、流込み工法によりコンクリートを打込む場合、その高さは**1ｍ程度**とし、**1回ごとに締固め**を行う。公共建築改修工事標準仕様書。

問題9　適当

炭素繊維シートの繊維(水平)方向のラップ位置は、柱の各面に分散させることが原則であり、同一箇所、同一面に集中することは構造的な弱点となり、施工欠陥が発生しやすくなる。ラップ長は、既存躯体の寸法精度、施工欠陥の発生の可能性等から200㎜以上とする。建築改修工事監理指針。

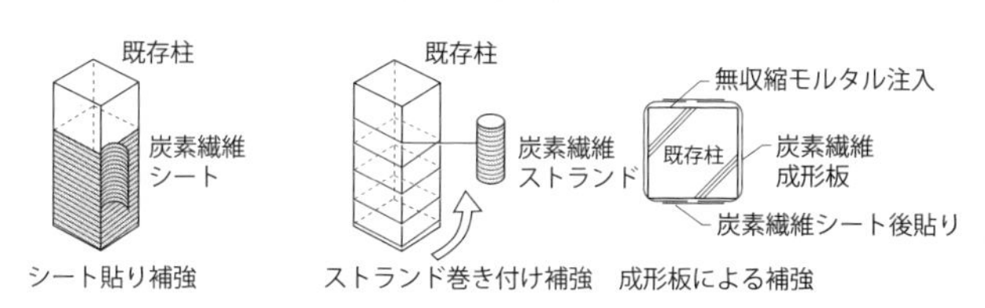

炭素繊維補強工法

問題10　適当

耐震改修工事の柱補強工事における**炭素繊維補強工法**は、炭素繊維を敷き並べたシートにエポキシ樹脂を含浸させながら柱の周面に巻きつける工法である。この工法では、矩形断面等の柱をＲに面取りする。建築改修工事監理指針。

問題11　適当

既存の壁の切断に用いる機器を固定する「あと施工アンカー」については、柱、梁への打ち込みを避け、**垂れ壁、腰壁へ打ち込む**。公共建築改修工事標準仕様書。

問題12　適当

かぶせ工法は、既存建具の外周枠を残し、その上から新規金属製建具を取り付ける工法である。既存建具が鋼製建具の場合は、枠の厚さが1.3㎜以上残っていなければ適用できない。建築改修工事監理指針。

Challenge 令和６年 学科試験問題

No. 1 監理者が行う一般的な監理業務に関する次の記述のうち、「建築士事務所の開設者がその業務に関して請求することのできる報酬の基準(平成31年国土交通省告示第98号)」の内容に照らして、**最も不適当な**ものはどれか。

1. 監理者は、設計図書の内容を把握し、設計図書に明らかな矛盾、誤謬(ごびゅう)、脱漏、不適切な納まり等を発見した場合には、工事施工者に確認したうえで、設計者に報告する。
2. 監理者は、設計図書の定めにより、工事施工者が提案又は提出する工事材料、設備機器等(当該工事材料、設備機器等に係る製造者及び専門工事業者を含む。)及びそれらの見本が設計図書の内容に適合しているかについて検討し、建築主に報告する。
3. 監理者は、工事施工者から工事に関する質疑書が提出された場合には、設計図書に定められた品質(形状、寸法、仕上り、機能、性能等を含む。)確保の観点から技術的に検討し、必要に応じて建築主を通じて設計者に確認のうえ、回答を工事施工者に通知する。
4. 監理者は、工事施工者から提出される請負代金内訳書の適否を合理的な方法により検討し、その結果を建築主に報告する。

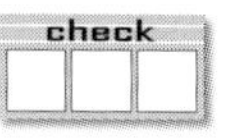

No. 2　工事現場の管理等に関する次の記述のうち、**最も不適当な**ものはどれか。

1. 公共性のある工作物に関する重要な建設工事で、監理技術者を専任で置かなければならない現場であっても、元請の監理技術者については、監理技術者補佐を当該工事現場に専任で置く場合には、2現場まで兼任することができる。
2. くい打機の巻上げ用ワイヤロープの安全係数は、ワイヤロープの切断荷重の値を当該ワイヤロープにかかる荷重の最大の値で除した値とし、3から5の間の値とする。
3. 地上又は床上における補助作業の業務を除き、枠組足場の解体の業務には、満18歳に満たない者を就業させてはならない。
4. 鉄筋コンクリート造で高さ40mの煙突の解体工事を行う場合、当該工事を開始する日の14日前までに、建設工事計画届を労働基準監督署長へ届け出なければならない。

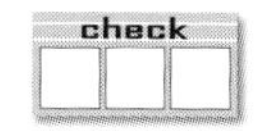

No. 3　品質管理に関する次の記述のうち、**最も不適当な**ものはどれか。

1. 工事現場における木材の含水率は、1本の製材の異なる2面について、両木口から300mm以上離れた2か所及び中央部1か所の計6か所を測定した値の平均とした。
2. 鉄骨の建方における高力ボルト継手の仮ボルトについては、本接合のボルトと同軸径の普通ボルトで損傷のないものを使用し、1群に対して$\frac{1}{3}$以上、かつ、2本以上をバランス良く配置して締め付けた。
3. 外気温の低い時期における普通ポルトランドセメントを用いたコンクリートの養生は、コンクリートを寒気から保護し、打込み後5日間以上、コンクリートの温度が2℃以上に保たれるようにした。
4. 鉄筋の手動ガス圧接継手の外観検査については、1検査ロット(1組の作業班が1日に施工した圧接箇所の数量)から無作為に抜き取った30か所を対象とした。

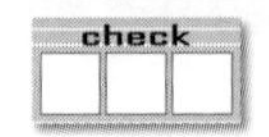

No. 4 建築工事の届出等に関する次の記述のうち、**最も不適当な**ものはどれか。

1. 請負代金が100万円以上の建築物の改修工事において、事業者は、当該工事における石綿含有建材の有無について事前調査を行い、その結果を遅滞なく都道府県知事及び労働基準監督署長あてに報告した。
2. 高さ15mの枠組足場の組立てから解体までの期間を６か月とする計画としたので、事業者が、当該工事の開始の日の30日前までに、機械等設置届を労働基準監督署長あてに提出した。
3. 騒音規制法による指定地域内において、特定建設作業を伴う建設工事を施工するに当たり、工事施工者が、当該特定建設作業の開始の日の７日前までに、特定建設作業実施届出書を都道府県知事あてに提出した。
4. 消防署のある市町村において、設備等技術基準に従って設置しなければならない消防用設備を設置したので、防火対象物の関係者が、工事が完了した日から４日以内に、消防用設備等設置届出書を消防署長あてに提出した。

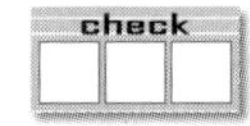

No. 5 仮設工事に関する次の記述のうち、**最も不適当な**ものはどれか。

1. 防護棚(朝顔)は、地上から高さ５mの位置に１段目を設け、１段目から９m上部の位置に２段目を設けた。
2. 高さ40mの枠組足場の強度計算において、鉛直方向の荷重である足場の自重と積載荷重は建地で支持し、水平方向の風荷重は壁つなぎで支持しているものとみなして部材の強度の検討を行った。
3. 単管足場の壁つなぎの設置間隔を、垂直方向5.0m、水平方向5.4mとし、地上第一の壁つなぎを地上より4.5mの位置に設置した。
4. 枠組足場の構面からの墜落防止措置として、交差筋かい及び高さ10cmの幅木を設置した。

No. 6 土工事及び山留め工事に関する次の記述のうち、**最も不適当な**ものはどれか。

1. 山留め壁に使用したソイルセメント壁の応力材を利用し、地下外壁・床版を一体化した合成壁とすることで、地下外壁の薄壁化を行った。
2. 釜場による排水において、周辺の湧水を確実に集水するため、釜場が掘削底面の最も浅い場所に設置されるよう、掘削の進行に合わせて設置位置を変えた。
3. 鋼矢板壁は、鋼矢板を相互にかみ合わせながら施工し、連続した山留め壁を構築できるので、比較的遮水性が高い工法であり、地下水位の高い地盤や軟弱地盤に用いた。
4. 砂質土を用いた埋戻しにおける締固めには、振動ローラーを使用した。

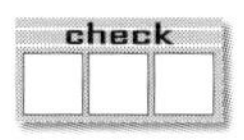

No. 7 地業工事に関する次の記述のうち、**最も不適当な**ものはどれか。

1. アースドリル工法において、表層ケーシング以深の孔壁の保護に用いられる安定液については、孔壁の崩壊防止や、コンクリートとの置換を考慮して、コンクリートと比べて高粘性、かつ、高比重のものとした。
2. サンドコンパクションパイル工法の補給材として、再生砕石のRC－40を用いて締固めを行った。
3. 既製コンクリート杭の施工精度は、特記がなかったので、鉛直精度$\frac{1}{100}$以内、杭心ずれ量を杭径の$\frac{1}{4}$以下、かつ、100mm以下として管理した。
4. セメントミルク工法において、掘削中は孔壁の崩壊を防止するため安定液を使用し、アースオーガーが予定の支持層に達した後、根固め液を注入し、アースオーガーが正回転のまま杭周固定液を注入しながら引き抜いた。

Ⅴ施工

No. 8 鉄筋工事等に関する次の記述のうち、**最も不適当な**ものはどれか。

1. コンクリート壁内に埋め込むCD管(合成樹脂製可とう電線管)は、バインド線を用いて1m以下の間隔で鉄筋に結束し、コンクリート打設時に移動しないようにした。
2. 径の異なる異形鉄筋の重ね継手の長さは、細いほうの鉄筋の径を基準とした。
3. SD345のD19とD22とが隣り合うときの鉄筋相互のあきについては、使用するコンクリートの粗骨材の最大寸法が20mmであったので、25mmとした。
4. 鉄筋コンクリート造の鉄筋に対するコンクリートのかぶり厚さは、特記がなかったので、耐圧スラブを除く直接土に接する床について、4cm以上確保できていることを確認した。

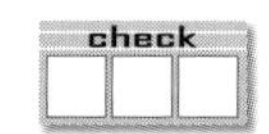

No. 9 型枠工事に関する次の記述のうち、**最も不適当な**ものはどれか。

1. コンクリート打放し仕上げ以外に用いるせき板は、特記がなかったので、「合板の日本農林規格」第5条「コンクリート型枠用合板の規格」による、表面がB、かつ、裏面がCの品質のものとし、厚さを12mmとした。
2. 計画供用期間の級が「標準」の柱のせき板の存置期間をコンクリートの材齢で決定する施工計画において、存置期間中の平均気温が25℃と予想されたので、高炉セメントB種を用いたコンクリートについては、せき板の存置期間を4日とした。
3. 型枠設計用のコンクリートの側圧は、側圧を求める位置から上のコンクリートの打込み高さに、フレッシュコンクリートの単位体積重量を乗じた値とした。
4. 普通コンクリートを用いた建築物の型枠の構造計算において、型枠に作用する鉛直荷重のうち固定荷重は、鉄筋を含んだ普通コンクリートの単位容積重量に部材厚さを乗じた値に、型枠重量を加えた値とした。

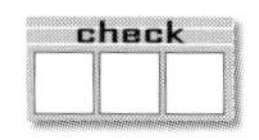

No. 10 コンクリート工事における品質管理及び検査に関する次の記述のうち、**最も不適当な**ものはどれか。

1. レディーミクストコンクリートの受入れ時の検査において、空気量及びスランプが許容差を超えたので、高性能AE減水剤の添加量を変更するとともに、水セメント比を変えて調合の調整を行った。
2. 構造体コンクリート強度の判定において、標準養生した供試体の材齢28日の圧縮強度試験の1回の試験の結果が、調合管理強度以上であったので、合格とした。
3. 普通ポルトランドセメントを用いたマスコンクリートの調合管理強度を定めるに当たって、特記がなく、コンクリートの打込みから材齢28日までの期間の予想平均養生温度が25℃を超えると予想されたので、構造体強度補正値を6 N/mm^{2}とした。
4. 構造体コンクリートの各部材の位置について、設計図書に示された位置との差が±20mm以内であることを確認した。

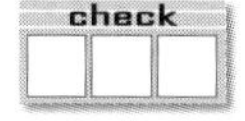

No. 11 コンクリート工事に関する次の記述のうち、**最も不適当な**ものはどれか。

1. 同一区画のコンクリート打込み時における打重ね時間間隔の限度は、外気温が20℃であったので、先に打ち込まれたコンクリートの再振動可能時間の範囲内である120分とした。
2. マスコンクリートの打込み後、コンクリート内部の温度が著しく上昇したので、コンクリートを冷却することを目的として、打込み表面に散水した。
3. 高流動コンクリートの打込みにおいて、コンクリートが材料分離することなく型枠内の隅々に自己充填できる状況であったので、内部振動機(棒形振動機)による締固めを行わなかった。
4. 軽量コンクリートの圧送において、輸送管の水平換算距離が150m以上であったので、輸送管の呼び寸法を125Aとした。

No. 12　プレキャスト鉄筋コンクリート工事に関する次の記述のうち、**最も不適当な**ものはどれか。

1. プレキャストの耐力壁の水平接合部に用いる敷モルタルは、現場水中養生による供試体の圧縮強度が、材齢28日において部材コンクリートの設計基準強度以上となるように管理した。
2. プレキャスト部材の製造に当たり、コンクリートの加熱養生については、前養生時間を３時間とし、養生温度の上昇勾配を18℃ /hとした。
3. 板状のプレキャスト部材の製造に当たり、脱型時にベッドを70～80度に立て起こしてから吊り上げる計画としたので、脱型時所要強度は９N/mm^{2}とした。
4. プレキャスト部材は、搬入時に組立て用クレーンにより運搬車両から直接荷取りして組み立てた。

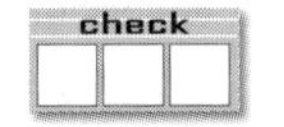

No. 13　鉄骨工事における溶融亜鉛めっきに関する次の記述のうち、**最も不適当な**ものはどれか。

1. 溶融亜鉛めっき高力ボルト接合における一次締めトルクは、M16を約100N・mとし、M20とM22を約150N・mとした。
2. 溶融亜鉛めっき高力ボルト接合において、本締めをナット回転法で行ったので、締付け完了後、ナットの回転量が不足しているものについては、所定の回転量まで追締めを行った。
3. 溶融亜鉛めっきを施した鉄骨の接合部の摩擦面については、すべり係数が0.40以上確保することができるように、特記がなかったので、りん酸塩処理を行った。
4. F8TのM20の溶融亜鉛めっき高力ボルトの孔径については、F10TのM20の高力ボルトの最大孔径より1.0mm大きくした。

No. 14　鉄骨工事に関する次の記述のうち、**最も不適当な**ものはどれか。

1. スタッド溶接において、施工に先立ち、適切な溶接条件を確認するため、スタッドの径の異なるごと、午前と午後それぞれ作業開始前に２本の試験スタッド溶接を行い、曲げ角度15度の打撃曲げ試験を行った。
2. スパン数の多い建築物は、柱梁接合部の溶接収縮により水平方向に柱の倒れ変形が生じるので、建築物の中央部等に調整スパンを設け、溶接完了後に調整スパンの梁を高力ボルトで取り付けた。
3. 組立溶接については、溶接部に割れが生じないように、必要で十分な長さと４mm以上の脚長をもつビードを適切な間隔で配置した。
4. 保有水平耐力計算を行わない鉄骨造において、柱脚を基礎に緊結するに当たり、露出形式柱脚としたので、鉄骨柱のベースプレートの厚さは、アンカーボルトの径の1.3倍以上とした。

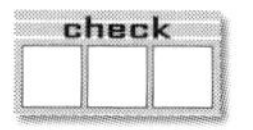

No. 15　木造軸組工法による木工事に関する次の記述のうち、**最も不適当な**ものはどれか。

1. 構造用合板による大壁造の耐力壁において、山形プレートを用いて土台と柱とを接合する箇所については、山形プレート部分の構造用合板を切り欠いたので、その周辺には釘の増打ちを行った。
2. 構造耐力上主要な部分に用いる製材の工事現場搬入時の含水率は、特記がなかったので、15％以下のものを合格とした。
3. 基礎の立上がりが地面から40cmである木造住宅において、木部に有効な防腐・防蟻措置を講ずる範囲は、地面から60cm以内の部分とした。
4. 構造用合板の耐力壁において、大壁造の床勝ち仕様（床の下地合板が先行施工されている仕様）であったので、壁倍率の基準の仕様を確認した。

No. 16 防水工事に関する次の記述のうち、**最も不適当な**ものはどれか。

1. シーリング工事において、鉄筋コンクリート造の建築物の外壁に設けるひび割れ誘発目地については、目地底にボンドブレーカーを使用せずに、シーリング材を充填する三面接着とした。
2. 塗膜防水工事において、防水材塗継ぎの重ね幅を50mmとし、補強布の重ね幅を100mmとした。
3. アスファルト防水工事における密着工法において、アスファルトルーフィングの張付けに先立ち、防水上不具合のあるコンクリートの打継ぎ部及びひび割れ部は、幅50mmの絶縁用テープを張り付け、その上に幅300mmのストレッチルーフィングを増張りした。
4. アスファルト防水工事において、こて仕上げとする平場の保護コンクリートの厚さは、特記がなかったので、80mmとした。

No. 17 セメントモルタルによるタイル張り工事に関する次の記述のうち、**最も不適当な**ものはどれか。

1. 屋内の吹抜け部分の壁タイル張り仕上げ面における打音検査は、モルタルが硬化した後、タイル用テストハンマーを用い、全面の$\frac{1}{2}$程度に対して行った。
2. 外壁タイルの引張接着強度を確認する試験体の個数については、100m^{2}ごと及びその端数につき１個以上とし、かつ、全体で３個以上で実施した。
3. 壁タイルの密着張りにおいて、タイルの目地の深さは、タイル厚さの$\frac{1}{2}$以下とした。
4. 下地が高強度コンクリートであったので、目荒しの工法は超高圧水洗浄法とし、吐出圧は150～200N/mm^{2}とした。

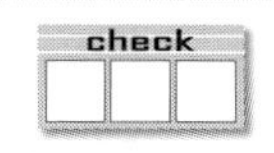

No. 18　ガラス工事に関する次の記述のうち、**最も不適当な**ものはどれか。

1. アルミニウム製建具において、外部に面する複層ガラスを受ける下端ガラス溝に、径６mm以上の水抜き孔を２か所以上設けた。
2. ガラスブロック積み工法において、ガラスブロック平積みの目地幅の寸法については、特記がなかったので、６mmとした。
3. ガラスの熱割れ防止のため、建築物の立地、開口部の方位、ガラスの光特性・熱特性等によりガラスエッジに発生する熱応力を算出し、ガラスエッジの許容応力と比較した。
4. ガラスの表面のサンドブラスト加工に当たって、加工深さを板厚の$\frac{1}{12}$未満とした。

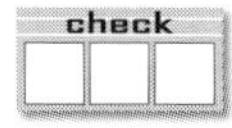

No. 19　金属工事に関する次の記述のうち、**最も不適当な**ものはどれか。

1. 軽量鉄骨壁下地のスタッドは、ねじれのないものを使用し、上部ランナーの上端とスタッド天端の隙間を10mm以下とした。
2. 軽量鉄骨壁下地において、出入口の開口補強に用いる長さ4.5mの縦枠の補強材は、特記がなかったので、65形の補強材を２本抱き合わせて、上下端部及び間隔600mmに溶接したものを用いた。
3. 軽量鉄骨天井下地において、野縁及び野縁受けは、特記がなかったので、屋内には19形、屋外には25形を使用した。
4. 軽量鉄骨天井下地において、野縁を野縁受けに留め付けるクリップは、野縁のひずみを防止するため、つめの向きをそろえた。

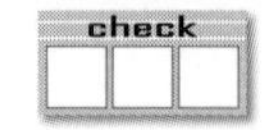

No. 20 設備工事に関する次の記述のうち、**最も不適当な**ものはどれか。

1. コンクリート埋込みのボックス及び分電盤の外箱は、コンクリートの打込み時に位置がずれないように、型枠に堅固に取り付けた。
2. 自動火災報知設備の差動式スポット型感知器は、換気口等の空気吹出し口から1.5m以上離れた位置に設置した。
3. 雑用水管について、雑用水系統と飲料水系統との誤接続がないことを確認するため、衛生器具等の取付け完了後、雑用水に着色して通水試験を行った。
4. 屋内の横走り排水管の勾配の最小値は、管の呼び径50を$\frac{1}{100}$とし、呼び径75を$\frac{1}{150}$とした。

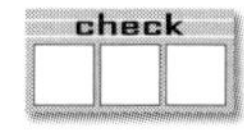

No. 21 各種工事等に関する次の記述のうち、**最も不適当な**ものはどれか。

1. 屋根保護防水密着断熱工法を採用したルーフドレン回りの断熱材は、ルーフドレンのつばの150mm手前で止めたので、断熱材の欠損部には、熱橋部の結露防止のために、スラブ下に断熱材を施した。
2. 戸建て住宅の浴室の換気設備工事において、雨仕舞に優れたベントキャップを採用し、排気ダクトは屋外に向かって先下がり勾配とした。
3. フローリング張りの釘留め工法において、壁、幅木、敷居などとフローリング材との取合いには、フローリング材が動かないよう隙間を設けないこととした。
4. シーリング工事において、ガラス部材同士の組合せについては、特記がなかったので、シリコーン系シーリング材を使用した。

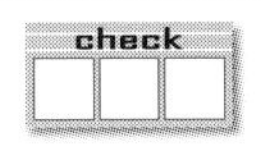

No. 22 鉄筋コンクリート造の耐震改修工事及びあと施工アンカーに関する次の記述のうち、**最も不適当な**ものはどれか。

1. あと施工アンカーの施工後の確認試験において不合格となったので、その至近の位置に再施工をし、再施工をした全てのあと施工アンカーに対して施工確認試験を行った。
2. 鉄骨枠付きブレースのスタッド溶接完了後の外観試験において、溶接後の仕上がり高さと傾きの試験については、スタッドの種類及びスタッド溶接される部材が異なるごと、かつ、100本ごと及びその端数を試験ロットとし、各ロットの1本以上について抜取試験を行った。
3. 連続繊維補強工事におけるプライマーの塗布については、コンクリート表面を十分に湿潤させてから行った。
4. 現場打ち鉄筋コンクリート壁の増設工事において、コンクリートの打込みを流込み工法にて行う場合、打込み高さが大きかったので、コンクリート投入口を2段以上とした。

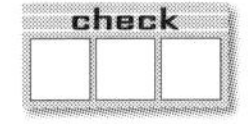

No. 23 各種改修工事に関する次の記述のうち、**最も不適当な**ものはどれか。

1. 既存のウレタンゴム系塗膜防水を撤去せず、新規にウレタンゴム系塗膜防水を施す改修工事において、既存防水層の膨れ部分については、カッターナイフで切除し、ポリマーセメントモルタルで平滑に補修した。
2. タイル張り仕上げ外壁の改修において、小口平タイル以上の大きさのタイル陶片の浮きについては、注入口付アンカーピンニングエポキシ樹脂注入タイル固定工法により行った。
3. 鉄筋の腐食に対する補修工法として、斫(はつ)り出して錆を除去した鉄筋に、再腐食を防止するために浸透性吸水防止材を塗布した後、コンクリートの欠損部にポリマーセメントモルタルを充填した。
4. 既存のアスファルト防水層を撤去し、密着工法により新設する防水改修工事において、新設する防水層の1層目のルーフィング張りまで行ったので、作業終了後のシートによる降雨に対する養生を省略した。

No. 24 建築工事に関する用語とその説明との組合せとして、**最も不適当な**ものは、次のうちどれか。

1. クラックスケール ――― コンクリート等に発生したひび割れの長さの測定に用いる器具である。
2. 複層ガラス ――― ２枚以上のガラスをスペーサーで一定の間隔に保ち、周囲を封着材で密閉し、内部に乾燥気体を満たしたガラスである。
3. インバート ――― 排水系統において、汚水ますやマンホールの底部に設けられる下面を半円形に仕上げた導水溝である。
4. スランプ ――― 高さ30cmのスランプコーンにコンクリートを３層に分けて詰め、コーンを引き上げた直後の、コンクリートの頂部からの下がりを計測した数値である。

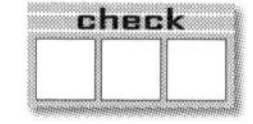

No. 25 建築物の工事請負契約に関する次の記述のうち、民間(七会)連合協定「工事請負契約約款」(令和５年１月改正)に照らして、**最も不適当な**ものはどれか。

1. 監理者は、工事の内容、工期又は請負代金額の変更に関する書類を技術的に審査する。
2. 受注者は、設計図書等に発注者又は監理者の立会いのうえ施工することを定めた工事を施工するときは、事前に発注者又は監理者に通知する。
3. 施工について、工事用図書のとおりに実施されていない部分があると認められるときは、原則として、監理者の指示によって、受注者は、その費用を負担して速やかにこれを修補又は改造し、このための工期の延長を求めることはできない。
4. 部分使用とは、発注者が工事中に契約の目的物の一部を使用する場合に、法定検査を受けて建築確認申請の要件を満たしたうえで、当該部分の引渡しを受けて使用することである。

学科V（施工）　解答番号

〔No. 1〕	1	〔No. 2〕	2	〔No. 3〕	4	〔No. 4〕	3	〔No. 5〕	4
〔No. 6〕	2	〔No. 7〕	1	〔No. 8〕	3	〔No. 9〕	2	〔No. 10〕	1
〔No. 11〕	2	〔No. 12〕	1	〔No. 13〕	4	〔No. 14〕	1	〔No. 15〕	3
〔No. 16〕	2	〔No. 17〕	1	〔No. 18〕	2	〔No. 19〕	4	〔No. 20〕	4
〔No. 21〕	3	〔No. 22〕	3	〔No. 23〕	3	〔No. 24〕	1	〔No. 25〕	4

〈参考〉令和６年１級建築士試験「学科の試験」結果

	学科の試験
試験日	令和６年７月 28 日（日）
実受験者	28,067 人
合格者数	6,531 人
合格率	23.3 %

〈参考〉各科目及び総得点の基準点

	学科Ⅰ（計画）	学科Ⅱ（環境·設備）	学科Ⅲ（法規）	学科Ⅳ（構造）	学科Ⅴ（施工）	総得点
令和６年（125 問）	11 点	11 点	16 点	16 点	13 点	92 点
	＊各科目及び総得点の合格基準点すべてに達している者を合格とする。 ＊なお、合格基準点について、各科目は過半の得点、総得点は概ね 90 点程度を基本的な水準として想定していたが、総じて難度が低かったことから、上記合格基準点としている。					
令和５年（125 問）	11 点	11 点	16 点	16 点	13 点	88 点
	＊各科目及び総得点の合格基準点すべてに達している者を合格とする。 ＊なお、合格基準点について、各科目は過半の得点、総得点は概ね 90 点程度を基本的な水準として想定していたが、総じて難度が高かったことから、上記合格基準点としている。					
令和４年（125 問）	11 点	11 点	16 点	16 点	13 点	91 点
	＊各科目及び総得点の合格基準点すべてに達している者を合格とする。 ＊なお、合格基準点について、各科目は過半の得点、総得点は概ね 90 点程度を基本的な水準として想定していたが、総じて難易度が低かったことから、上記合格基準点としている。					
令和３年（125 問）	10 点	11 点	16 点	16 点	13 点	87 点
	＊各科目及び総得点の合格基準点すべてに達している者を合格とする。 ＊なお、合格基準点について、各科目は過半の得点、総得点は概ね 90 点程度を基本的な水準として想定していたが、本年の試験問題は例年に比べて学科Ⅰの難易度が高く、また、総じて難易度が高かったことから、上記合格基準点としている。					
令和２年（125 問）	11 点	10 点	16 点	16 点	13 点	88 点
	＊各科目及び総得点の合格基準点すべてに達している者を合格とする。					

【正誤等に関するお問合せについて】

本書の記載内容に万一、誤り等が疑われる箇所がございましたら、**郵送・FAX・メール等の書面**にて以下の連絡先までお問合せください。その際には、お問合せされる方のお名前・連絡先等を必ず明記してください。また、お問合せの受付け後、回答には時間を要しますので、あらかじめご了承いただきますよう、お願い申し上げます。

なお、正誤等に関するお問合せ以外のご質問、受験指導および相談等はお受けできません。そのようなお問合せにはご回答いたしかねますので、あらかじめご了承ください。

お電話によるお問合せは，お受けできません。

［郵送先］

〒171-0014　東京都豊島区池袋2-38-1　日建学院ビル 3F

建築資料研究社 出版部

「令和７年度版　１級建築士 要点整理と項目別ポイント問題」正誤問合せ係

［FAX］

03-3987-3256

［メールアドレス］

seigo@mx1.ksknet.co.jp

【本書の法改正・正誤等について】

本書の発行後に発生しました法改正・正誤等についての情報は、下記ホームページ内でご覧いただけます。

なお、ホームページへの掲載は、対象試験終了時ないし、本書の改訂版が発行されるまでとなりますので予めご了承ください。

https://www.kskpub.com ➡ 訂正・追録

令和７年度版　１級建築士　**要点整理と項目別ポイント問題**

2024年11月30日　初版発行

編　　著　日建学院教材研究会

発 行 者　馬場 栄一

発 行 所　株式会社建築資料研究社

〒171-0014　東京都豊島区池袋2-38-1

日建学院ビル 3F

TEL 03-3986-3239　FAX 03-3987-3256

https://www.kskpub.com

表　　紙　齋藤 知恵子（sacco）

印刷・製本　株式会社ワコー